▲ 2006 年拜望周汝昌先生；刘心武的红学研究得到周先生的鼓励与指点

▲ 2006 年应邀在美国哥伦比亚大学讲《红楼梦》

▼ 2000 年应英中协会等机构邀请赴英国伦敦讲《红楼梦》的招待酒会海报

刘心武揭秘

刘心武揭秘
红楼梦

刘心武揭秘
红楼梦
第二部

刘心武揭秘
红楼梦

刘心武揭秘·红楼梦

闲坐说红楼　惊起梦中人

CCTV《百家讲坛》超人气节目

《刘心武揭秘红楼梦》全文字典藏版

刘心武○著

东方出版社

▲《刘心武揭秘〈红楼梦〉》1—4卷书影

刘心武文存20

[1958—2010]

红楼梦研究　第二卷

刘心武揭秘《红楼梦》
1~2部

刘心武◎著

江苏人民出版社

图书在版编目(CIP)数据

刘心武揭秘《红楼梦》1~2部 / 刘心武著. —南京：江苏人民出版社，2012.11
(刘心武文存；20. 红楼梦研究. 第2卷)
ISBN 978-7-214-08391-3

Ⅰ.①刘 … Ⅱ.①刘… Ⅲ.①《红楼梦》研究 Ⅳ.①I207.411

中国版本图书馆CIP数据核字(2012)第126763号

书　　　名	刘心武揭秘《红楼梦》1~2部
著　　　者	刘心武
责 任 编 辑	刘　焱
统 筹 编 辑	李　丹
特 约 编 辑	朱　鸿
文 字 校 对	陈晓丹　郭慧红
装 帧 设 计	门乃婷工作室
出 版 发 行	凤凰出版传媒股份有限公司
	江苏人民出版社
出版社地址	南京湖南路1号A楼　邮编：210009
出版社网址	http://www.book-wind.com
经　　　销	凤凰出版传媒股份有限公司
印　　　刷	三河市金元印装有限公司
开　　　本	700毫米×1000毫米　1/16
印　　　张	29.75
字　　　数	384千字
彩　　　插	4
版　　　次	2012年11月第1版　2012年11月第1次印刷
标 准 书 号	ISBN 978-7-214-08391-3
定　　　价	68.00元

(江苏人民出版社图书凡印装错误可向本社调换)

《刘心武文存》出版说明

　　《刘心武文存》收录刘心武自 1958 年 16 岁至 2010 年 68 岁公开发表的文字约 900 万字。《文存》共 40 卷，按文章门类收录，计有长篇小说 5 卷、中篇小说 4 卷、短篇小说 5 卷、小小说 1 卷、儿童文学 1 卷、建筑评论 2 卷、《红楼梦》研究 4 卷、散文随笔 11 卷、杂文 1 卷、海外游记 1 卷、多品种（图文交融文本、报告文学、诗歌、剧本、足球评论、译述）1 卷、创作谈 1 卷、理论批评 1 卷、早期（1958 年至 1976 年）作品 1 卷、自述 1 卷。因跨越时间达半个世纪以上，收录定有遗漏，但其此期间的主要作品，相信均已收入。

　　《刘心武文存》各卷均附有《刘心武文学活动大事记》及《刘心武著作书目》，可备检索。

　　编辑出版《刘心武文存》的目的，意在供各方面人士阅读欣赏、分析研究、批评批判、收藏保存。

刘心武文存

20

目录

· 第一部 ·

· 第二部 ·

第一部

追寻"红学"谜踪（上）

在晚清，有一个人叫朱昌鼎，是一个书生，他有一天在屋子里坐着看书，来了一个朋友。这朋友一看他在那儿看书呢，一副钻研学问的样子，就问他说，"老兄，你钻研什么学问呢？你是不是在钻研经学呀？"过去人们把所有的图书分成经、史、子、集几个部分，经书是最神圣的，圣贤书，孔夫子的书、孟夫子的书，四书五经都是经书，研究经学被认为是最神圣的，所以一般人看一个书生在那儿看书、钻研，就觉得一定是在研究经学。

朱昌鼎这个人挺有意思，他一听这么问，就回答说，对了，我就是在研究经学，不过我研究的这个经学跟你们研究的那个经学有点不一样，哪点不一样呢？我这个经学是去掉了一横三个折的，也就是三个弯的那个经。那个朋友一想，他研究的经学怎么这么古怪啊？大家知道，过去的繁体字的"经"字，它的左边是一个绞丝，它的右边上面就是一个横，然后三个弯或者叫三个折，底下一个"工"字，这个"经"字，繁体字的"经"字，去掉了上面的一横、三个弯，右边不就剩一个"工"字了吗？一个绞丝、一个工字，这个字是什么字呢？是"红"字。哦，这朋友说了，闹了半天，你研究的是"红学"啊？这虽然是一番笑谈，但也就说明，在那个时候，《红楼梦》就已经非常深入人心，已经有这样的文人雅士，把阅读《红楼梦》、钻研《红楼梦》当成一件正经事，而且当成一件和钻研其他的经书一样神圣的好事。这就充分说明，研究《红楼梦》，在很早的时候就形成一种特殊的学问了。

清嘉庆年间，有位叫得硕亭的，写了《草珠一串》，又名《京都竹枝词》，其中一首里面有两句："闲谈不说《红楼梦》，读尽诗书也枉然。"可见很早的时候，谈论《红楼梦》就已是一种社会时尚了。

学秋氏，估计和得硕亭一样，是一位满族人士，学秋氏很可能是一个艺名、笔名，在学秋氏的《续都门竹枝词》里面，我们又发现了非常有趣的一个《竹枝词》，现在我把这四句都念出来，你听听，你琢磨琢磨，很有味道——它这么说的，"《红楼梦》已续完全，条幅齐纨画蔓延，试看热车窗子上，湘云犹是醉憨眠。"它传达了很多信息，"《红楼梦》已续完全"，就说明在那个时候，人们已经懂得他们所看到的活字版印的《红楼梦》包括两个部分：一部分是原来一个人写的，不完全；另一部分是别的人续的，是把它续完全的，这是一个非常重要的信息。在嘉庆的时候，那些人可能还不太清楚《红楼梦》到底原作者是谁，续书者是谁。但是他们已经很清楚、很明白，一百二十回《红楼梦》不是一个人从头写到尾的，是从不完全发展到续完全的一本书，这是一个非常重要的信息。《红楼梦》流传以后，不仅以文字的形式流传，也很快转换为其他的艺术形式，比如说图画。这个《竹枝词》第二句就告诉我们，《红楼梦》已经不光是大家读文字了。"条幅齐纨画蔓延"，条幅就是家里边挂的条幅，就是一些比如四扇屏的那种画，画的都是《红楼梦》了，齐纨就是过去夏天扇的扇子，扇子有很多种，除了折扇以外，有一种扇叫纨扇，就是用丝绸绷在框子上，上面好来画画的，一边扇的时候一边可以欣赏这个画。就在这个时候，《红楼梦》的图画已经深入到民间了，在家里面挂的条幅上可以看到，在人们扇的扇子上能看见，你想《红楼梦》的影响多大啊！更有趣的是，他说，"试看热车窗子上，湘云犹是醉憨眠。"清朝的车是什么车，大家都很清楚，一般市民坐的车都是骡车，骡车是一个骡子驾着一个辕，后面它一个车厢，就跟轿子的那个轿厢类似，但是可能上面是拱形的，是圆形的，这个车子在冬天可以叫热车，为什么呢？因为北京的气候大家知道，冬天非常冷，车会有门帘，会有窗帘，里面就比较温暖，构成一个温暖的小空间。而且大家知道，过去一些人乘坐骡车的时候，那个时代的取暖工具可能就是一个铜炉、铜钵，里面有火炭，就是一个取暖的小炉子，《红楼梦》也描写了这个东西。在这种车子上，它的窗帘上画的是什么呢？明明已经是冬天了，需要想办法给自己取暖了，可是窗帘上画的还是春天的景象，画的是《红楼梦》里面的那段情节，就是"史湘云醉卧芍药裀"。那是《红楼梦》里面最美丽的画面之一，大家还记得吧？春天，满地的芍药花瓣，史湘云用那个纱巾把芍药花包起来当枕头，她喝醉了，在一个石凳上，她就枕着那个芍药花的枕头，就睡着了，憨态可掬。这个情景画出来，这个车在大街上一跑，史湘云就满大街跑。这就是当时《红楼梦》深入民间的情况。

当然，后来《红楼梦》又转换为了更多样的艺术形式，年画、连环画、泥塑、瓷雕、曲艺演唱、戏曲、话剧、舞剧、电影、电视连续剧……现在的中国人，即使没有读过《红楼梦》原著，总也从其他的艺术形式里，多多少少知道些《红楼梦》的人物和故事情节。

但是，《红楼梦》这部著作在流传中所出现的情况，却可以说是很坎坷、很曲折的。

现在我们看到的通行本《红楼梦》，封面上总印着曹雪芹和高鹗两个人的名字。中外古今两个人或者两个以上的人合写一本书，这个例子太多了，这个不稀奇，问题是如果两个人联合署名的话，这两个人起码第一得认识吧？互相得认识，这是第一；第二，不仅得认识，还得他们一起商量这书咱们怎么写，然后还得分工，比如说你写第一稿，我写第二稿，或者你写这一部分，我写那一部分，或者咱们说得难听点，有一个人身体不好，或者岁数比较大了，他很快就要死了，他嘱咐另一个人，说我没有弄完的，你接着弄，你应该怎么怎么弄，这样两人商量。

我的研究就从这儿开始，曹雪芹和高鹗是合作者吗？他们是联合创作了《红楼梦》吗？一查资料不对了，这俩人一点关系都没有，根本不认识，两个人的生命轨迹从来没有交叉过，一点关系没有。曹雪芹究竟生于哪一年，死于哪一年，学术界有争论，特别是他生于哪一年，有的学者认为不太容易搞清楚。死于哪一年，有争论，但是这个争论也只是一两年之间的争论，究竟是1763年还是1764年，按当时纪年的干支来算的话，究竟是壬午年还是癸未年啊，也就是这么点争论。所以说，虽然曹雪芹的生卒年有争论，但是大体上还是可以搞清楚，查资料就能搞清楚，高鹗比曹雪芹差不多要小十几二十岁，甚至要小二十多岁。小一点不要紧，老的和少的也可以一块儿合作出书，但这两人根本没来往，根本就不认识。而且高鹗是什么时候来续《红楼梦》的呢？这个资料是准确的，那已经是1791年了，就是说离曹雪芹去世已经差不多快三十年了，在曹雪芹去世以后将近三十年，才出现了高鹗续《红楼梦》这么一回事。高鹗是和一个书商叫程伟元的，这两个人合作，最后出版了一百二十回的《红楼梦》，把大体上曹雪芹原著的八十回，加上了他们攒出来的四十回。这四十回，据很多红学专家的研究，就是高鹗来续的，或者说主要是他操刀来续的。

所以说，高鹗和曹雪芹根本不是合作者，而且他续《红楼梦》，也是在《红楼梦》八十回流传了很久以后——三十年在当时是一个很长的时间段，现在想来也不是一个很短的时间段。所以从著作权角度来说，一本书的著作权怎么能把这两个人的名字印在一起呢？《红楼梦》，曹雪芹、高鹗，好像他们两个共同合作了一本书，从第一回到一百二十回都是两人合作的，其实根本不是这么回事，所以我的研究不是没有道理。实际上红学界老早已在研究这个问题，但是不管红学界得出什么结论，令我纳闷的是，直到现在，大家经常买到的《红楼梦》还是这样的印法，我对此提出质疑。我建议出版社今后再印的时候，你还可以出一百二十回的本，但是最起码你要在封面上印是曹雪芹著、高鹗续，这样还勉强说得通。按道理的话，根本就不要合在一起出，曹雪芹的《红楼梦》，就是曹雪芹的《红楼梦》，谁愿意看续书，续书其实也不只是高鹗一种。你可以出一本高鹗续《红楼梦》四十回。这样就把著作权彻底分清了，分清这一点很重要。

俗话说得好，青菜萝卜，各有所好。现在也有人说后四十回续得非常好，还有极端的意见，说后四十回比前八十回还好；他的个人意见我很尊重，但是我很坦率地说我自己的感受，后四十回很糟，很糟。怎么个糟法？简单地说两条吧！

第一条，就是曹雪芹写的前八十回《红楼梦》已经说得很清楚，暗示得很清楚，跟读者一再地提醒，最后会是一个大悲剧的结局。你看看第五回，第五回在太虚幻境贾宝玉翻那些十二钗的册页上面怎么写的，还有警幻仙姑让那些歌姬唱《红楼梦》十二支曲给贾宝玉听，怎么唱的？那里面说得太清楚了，贾府最后应该是"家亡人散各奔腾，忽喇喇似大厦倾，昏惨惨似灯将尽"，它的结局应该是"好一似食尽鸟投林，落了片白茫茫大地真干净"！这不是说得很清楚嘛，它是这么一个结局。但你看高鹗的续四十回不对头了，甭等后头，第八十一回他一续，首先回目就非常古怪，叫做"占旺相四美钓游鱼，奉严词两番入家塾"。我们知道在七十多回的时候已经写到山雨欲来风满楼了，你想想，外头没抄进来呢，贾家就自己抄自己了，就抄检大观园了，就死人了，就开始有人命案了。晴雯，好端端的一个可爱姑娘，不就给撵出去了吗？后来不就给迫害死了吗？是不是啊？在八十回已经写到贾迎春嫁给孙绍祖，也面临着一个死亡的命运，这在前面不是早就暗示了吗？一个恶狼扑一个美女，在警幻仙姑泄露天机，让贾宝玉看的那个册页、那个画已经画出来了。八十回已经写到了，她已经嫁出去了，情势很凶险了，怎么在第八十一回的时候忽然一切又都很平静？"占旺相四美钓游鱼"，优哉游哉，若无其事。而且在前八十回可以看到，曹雪芹对迷信是反对的，像马道婆魇那个凤姐、宝玉，他是深恶痛绝的，怎么会在后面写这些美人，他认为是水做的骨肉的人去钓游鱼占旺相，去占卜呢？

还有什么"中乡魁宝玉却尘缘，沐皇恩贾家延世泽"，更不符合前八十回的暗示。高鹗笔下，贾府虽然也被抄了家，但最后皇帝又对他们很好，一切又都恢复了，贾宝玉就算出了家，也很古怪。这点鲁迅先生就指出来了，你已经出了家了，怎么还忽然跑到河边，去跟自己的父亲贾政道别？贾政本来是他最不喜欢的一个人，父子之间发生过激烈的冲突，大家记得吧？"不肖种种大受笞挞"，谁打谁啊？往死了打，是不是啊？贾宝玉看穿了俗世的虚伪污浊，"悬崖撒手"，与封建家长决裂，但高鹗却写他出了家还跑去给贾政倒头便拜，而且这个出家的和尚很古怪，披着一领大红猩猩毡的斗篷，大红猩猩毡的斗篷是非常华贵的，是贵族家庭的那种遗物，这就写得不对头。曹雪芹他自己在前面已经预告你，最后它会是一个彻底的悲剧，怎么会是以这样一个甚至是喜剧的情景收场呢？这不对头。

另外，写贾宝玉这个主角，越写越不对头。

贾宝玉这个角色我们在前八十回就感受到，那是一个和封建主流社会不相融的人，他骂那些去读经书、去参加科举考试的人是"国贼""禄蠹"，那些官迷，他恨死了。可是在高鹗的笔下，贾宝玉怎么会忽然一下子变成一个乖孩子，听贾政的话，两番入家塾，一心去读圣贤书了？大家还记得后四十回写到，贾宝玉有一天见巧姐，这个贾宝玉写得就太怪了，贾宝玉听说巧姐读了《女孝经》，觉得非常好，于是又跟她讲《列女传》，长篇大套讲封建道德，这是贾宝玉吗？曹雪芹在前面已经写得很清楚了，贾宝玉是"潦倒不通世务，愚顽怕读文章"，是个一听说到学堂，一听说要读书就脑门儿疼的人，一度到学堂是为了和秦钟交朋友，也不是正经读书。他根本不是那么一个人，所以高鹗把这个形象歪曲了。

当然我也承认，高鹗续的这个四十回，它对《红楼梦》整体的流传起到一定的作用，使得曹雪芹的八十回得以以一个完整的故事在世上流传，所以通行本为什么印得比较多，我也能理解。不过理解归理解，但是咱们研究《红楼梦》该发表的意见还要发表，高鹗的续书是不对的。当然，很多人说高鹗写"林黛玉焚稿断痴情"，那应该还是好的吧？那个是高鹗的四十回当中写得最好的部分。底下的话可能让你扫兴了，经过一些红学家的考证，在曹雪芹的构思里面，林黛玉也不是这样死的，这样也并不符合曹雪芹原来的构思，这个咱们在这一讲里就不细讨论了。

总之，就是说，从封皮往里看，发现的就是曹雪芹和高鹗他们不是合作者，后四十回是要不得的。也有人说，你是不是太危言耸听了，你怎么什么意见尖锐你就奔什么意见去啊？你是不是有点想哗众取宠啊？不是这样的，这是我的真切感受。而且我要告诉你，老早就有人对后四十回提出了远比我尖锐得多的意见。在清朝嘉庆年间有一个人写了一本书，这个人叫裕瑞，他是一个贵族的后裔，当然是满族人，他写的这本书叫做《枣窗闲笔》，估计他的书房窗户外面有枣树，这种书的文体类似现在的随笔，等于是一个随笔集。在《枣窗闲笔》里面有大段文字讲到了《红楼梦》，讲到他知道《红楼梦》的作者应该是曹雪芹，当然他对曹雪芹的身份、家世的介绍被后来的红学家考证出来是不准确的，但那是另外一个问题。问题是那个时候，在那么早的时候，他就对后四十回发表了非常尖锐的批评意见，可以说是批判意见。他是这么说的，他那个时候还不知道高鹗，他不知道是高鹗和程伟元他们续的后四十回，他还不知道是谁续的。但是他觉得不对头，他说，"细审后四十回，断非与前一色笔墨者，其为补著无疑。"他又说，"苟且敷衍，若草草看去，颇似一色笔墨，细考其用意不佳，多杀风景之处，故知雪芹万不出此下下也。"他认为那个文字是下下品，万万不会是曹雪芹写的。还有一句话更厉害了，他说，"诚所谓一善俱无，诸恶俱备之物。"他连刚才咱们说的那点优点都不保留，认为是"一善俱无，诸恶俱备"，深恶痛绝。所以说老早就有这个老前辈，很早很早的红学研究者，对后四十回提出了非常尖锐的批判。

刚才说了嘛，从封面开始研究，就发现曹雪芹和高鹗根本不是合作者，高鹗续书不符合曹雪芹原意。高鹗续书续得好不好，怎么评价，咱们可以把它撇在一边，暂且不论，咱们就研究曹雪芹的这八十回。要研究曹雪芹的八十回就要研究曹雪芹本身，这个作家他怎么回事——他是什么人？谁家的孩子啊？怎么就写出这本书啊？前人这方面的研究成果非常之多，鲁迅先生在他的《中国小说史略》里面，他是采取当时红学研究的一个最新成果，认为曹雪芹写《红楼梦》是一种自叙性写作,《红楼梦》是一部带有自传性的作品。鲁迅先生是这么说的,"叙述皆存本真,闻见悉所亲历。"《红楼梦》的特点是八个字,"正因写实,转成新鲜。"他写实写到力透纸背的程度,本来写实好像是最不新鲜的,虚构、想象是最新鲜的,但因为他以最大力度来写实,写得非常之好,"转成新鲜",反而赛过那些纯虚构的、纯幻想的作品。这是鲁迅先生对《红楼梦》的评价。到今天来看,我觉得我还是很佩服的,我觉得先生说得非常准确。

有人说了,你这么一来的话,是不是你就要把曹雪芹跟贾宝玉画等号了?要把《红楼梦》的贾府和曹家画等号了?您是不是说《红楼梦》就是报告文学啊?里面的每一件事、每一个场面都是百分之百的机械的生活实录?我没那么说,我不是那个意思。我的意思其实说得很明确,就是我理解的鲁迅先生的意思,就是曹雪芹写《红楼梦》,他是根据自身的生命体验,根据自己家族在清朝康熙、雍正、乾隆三个朝代里面的盛衰荣辱,惊心动魄的大变化、大跌宕来写这个作品的。所以它是带有自传性的,是自叙性的,我没说它就是自传。更不是说就通通去和生活真实画等号,说他没有艺术想象的过程,他当然是从生活的真实,升华为艺术的真实,这个是不消说的。所以要读通《红楼梦》就要了解曹雪芹的家世,最起码要查三代——知道他的祖父是谁,父亲大概是谁,他本人是一个什么样的生活经历,什么遭遇,他的家族怎么在康熙朝鼎盛一时,辉煌得不得了;在雍正朝,雍正很不喜欢,就被抄了家,治了罪;在乾隆初年怎么又被乾隆赦免,一度小康;但是在乾隆四年,一下子又怎么卷进了一个大的政治斗争;乾隆在扑灭政敌的同时,也把其他的有关的那些社会上的人予以整治,曹家被株连彻底毁灭,最后是"好一似食尽鸟投林,落了片白茫茫大地真干净"!所以你要知道曹雪芹的家世,才能够读通《红楼梦》,要读通《红楼梦》,就必须进入曹学领域。现在有很多的有关这方面的著作可以来读。我就是先进入这个领域,觉得非常有意思。

我们来谈曹雪芹的本子的话,现在一般简称古本,就是手抄本,曹雪芹他的原作基本上是以手抄形式流行的,有人说后来高鹗不是给印了吗?续了四十回,但是前八十回不是也给印了吗?但是高鹗和程伟元做了一件很不应该做的事,你续书你往下续就行了嘛,但他把前八十回进行了一番改造,改动了很多地方,有的地方改得是不伦不类,有的地方改得不通,有的时候拗着曹雪芹的意思改,所以现在的通行本不但后四十回靠不住,前八十回也靠不住。所以你要真正读《红楼梦》，你要买影印的或校订排印的古本《红楼梦》来读。

进入《红楼梦》版本这个研究的领域叫版本学，红学除了曹学以外的又一个大分支叫版本学，非常有意思。进入这个领域，就知道原来当年的《红楼梦》是手抄形式流传的，手抄大体上是八十回，但实际上严格来说可能还不足八十回，现在多数人认为最古老的本子是甲戌本，就是乾隆十九年的一个本子，甲戌本的《红楼梦》，它的书名叫做《脂砚斋重评石头记》。大家知道，《红楼梦》在流传过程中曾经有过很多个名字，在现在甲戌本的文字中，就自己总结了一下，在其他的一些本子里面也有一些记录。其实它最早就应该叫《石头记》，最早的书应该就是《石头记》。后来又被叫做各种名字，比如说《情僧录》，因为其中主人公贾宝玉一度出家，所以叫《情僧录》。后来又被叫做《红楼梦》，又被叫做《风月宝鉴》，又被叫做《金陵十二钗》，但是这个古本《红楼梦》最后它定的名字是《石头记》。所以《石头记》应该是一个最能够体现曹雪芹的原创意图的书名。只是现在咱们叫惯了《红楼梦》，这当然无妨，无非是符号的问题，但是应该知道，古本《红楼梦》应该是《石头记》。

乾隆十九年有一个甲戌本，乾隆二十四年有一个己卯本，乾隆二十五年有一个庚辰本，后来在一个蒙古王府发现了一个抄本，又在——原来是苏联——现在是俄罗斯，原来叫列宁格勒，现在那个地方叫圣彼得堡，在那个图书馆里面又发现了一个古本，是当年俄国的传教士带回俄罗斯去的一个古本。当然，后来又发现了一些晚清时候或者民国初年石印的版本，比如有个人叫戚蓼生，他写序的一个本子叫戚蓼生序本，简称叫戚序本；一个叫舒元炜的人写序言的叫舒序本；一个叫梦觉主人的人写序的叫梦觉本等等。还有一些版本，我不细说。总归就是说，一进入这个领域就觉得非常有意思，就知道一部书的流传它有它的故事，曹雪芹说"十年辛苦不寻常"，闹半天真不寻常，寻常不寻常啊？他写出来，再抄出来，再流传，困难重重。现在的这个古本《红楼梦》好多也是不完整的，最完整的或者接近完整的像庚辰本，它有两回也是后面补进去的，一个是六十四回，一个是六十七回。细心读《红楼梦》你会发现，这两回的文笔在前八十回里边跟其他回比——咱们现在讨论都不包括后四十回，跟前八十回其他回比的话——这两回不太相称，好像是另外一个人写的，所以有人认为它不是曹雪芹的手笔，或者曹雪芹有一个没有完成的稿子，别人把他描补完的。书有书的命运，人有人的命运，研究《红楼梦》的版本，我们的心得不仅在版本本身，我们可以了解中国的古典文明的发展是怎样一种艰难曲折的过程，一本书如何成为了我们那么热爱的一本著作，家喻户晓的东西。

还有一种意见认为，《红楼梦》研究重点应该放在它的思想性、艺术性的分析上，你不要老是去搞什么曹学，搞什么脂学，搞什么版本学啊，搞什么探佚学啊，现在不是有现成的《红楼梦》的通行本嘛，你分析它的思想性、艺术性，它怎么反封建，它怎么歌颂纯洁的爱情啦，这种意见也是很好的，这些也确实值得研究。但是我建议，你最好还是不要把高鹗的四十回跟曹雪芹的原作混在一起研究，你研究可以分开研究。当然这个谁能强迫谁啊，各有各的看法嘛，是不是啊？也有人认为，红学它是一个很特殊的学问，它是因为《红楼梦》特殊性而决定的，所以红学的研究应该不包括对它的思想性、艺术性的研究；因为那个是所有的书都需要那么研究的，三国、水浒、西游都值得那么研究，对不对啊，但是没听人说三学、水学或者西学；也有人写很多的论文，它也构成专门的学问，但是它没有约定俗成的、大家都接受的一个符码，像红学这么鲜明的符码它没有，这就说明《红楼梦》它有特殊性。这些不同见解我都提供给大家参考。我个人觉得红学的分支可以包括对它的思想性、艺术性的研究，而且这应该是一个很大的分支，专门研究它的认识价值和审美价值。

还有人物论。有的研究者专门就《红楼梦》里的人物做专门的研究论述，对其中一个人物，比如王熙凤，凤姐，就写出厚厚的一本专著，这也是红学的一个分支。

还有很多小分支，而且就它本身而言也不一定小，有人就一辈子专门研究《红楼梦》里面的诗词歌赋，因为《红楼梦》本身它也是一个诗词歌赋集大成的作品啊，它里面还有《芙蓉诔》，还有诔文呢，还有很古奥的古文呢，都是和他叙述语言的文本不一样的，都值得研究，研究《红楼梦》的诗词歌赋也是红学的一个分支。

还有人研究大观园，大观园既是这个作者所营造的艺术想象的空间，又是对中国园林有着集中描写的一大篇文字，是不是？所以大观园学很热了，其中包括大观园的象征意义，大观园本身有没有原型，有没有园林原型，或者是几个原型的合并，大观园里面的园林布置，中国古典建筑的审美价值怎么体现出来的，等等，大观园也构成一门学问。

红楼饮食饮馔也构成学问啊，有人说，这个学问太俗了吧？你看，这么高雅的一个学问，结果就变成一种商业行为，到街上看什么红楼菜馆啊，吃什么红楼菜系啊。但是正好那天跟我说那个话的那个人就跟我一块儿吃红楼菜，我就笑他了，我说你这种人真是，自己又吃着这菜，又说不是学问，我说你这个就属于什么呢，自以为是。我认为"世法平等"，这是贾宝玉在《红楼梦》里面说的一句话，"世法平等"就是说这世界上人人都应该是平等的，持有各种不同见解的人士，人格都平等，你可以去研究那个比如说很高深的东西、很雅的东西，也有人从俗的角度研究，他也可以研究《红楼梦》的饮馔，其实那也非常有意义，是不是啊？可以了解我们的上几辈人他们是怎么吃东西的，怎么喝东西的，贵族和平民之间有什么区别，有什么讲究，这不可轻视，不好那么讥笑人家的。

《红楼梦》里面写到人们穿的服装，比如下雪天怎么御寒，刚才我说了一个大红猩猩毡斗篷，其实那《红楼梦》里面斗篷花样多了，想想晴雯补的裘是什么裘？我这里不展开了，所以也有人专门研究红楼服饰。

《红楼梦》里面用的东西也很多啊，各种器物，我就写过文章，比如腊油冻佛手。这个腊油冻佛手是里面提到的一个古玩，有人把腊字看成了蜡字，说蜡油冻佛手这个值什么钱啊？一个用蜡油做的模型，是吧？做一个佛手的样子算什么呀？他不懂，腊油冻是一种高级石料，它的样子、质感像南方腊肉的肥肉部分一样，是一种高级玉石，不是蜡烛的蜡做的。还有书里写到明角灯，那是用羊犄角做的，那么羊犄角怎么能做成灯呢？有人写书，说是把羊犄角熬化了，再冷凝成半透明的薄片，然后镶在灯笼框上，那么制作的；可是我三十年前就在北京羊角灯胡同——这条胡同在什刹海附近，现在还存在——向老人讨教过，那条胡同原来有很多制作明角灯也就是羊角灯的作坊，有的老人还记得，制作方法是用萝卜丝跟羊犄角一起煮，羊犄角煮软后用木楦子去撑那羊犄角，木楦子越换越大，羊犄角也就被撑得越来越鼓越来越薄，最后形成灯笼。你看，这里面都有学问啊，怎么不值得研究啊，是不是啊？所以还有人专门研究《红楼梦》里面的各种器物，也构成学问。

最近还看到，有人把《红楼梦》里写到的植物编成了图谱，详细加以说明，这也构成了红学的一个分支。

当然，红学界的争论很多，一百多年的红学界一直争论不休。有人觉得烦，哎呀，别提红学了，您一提红学我脑仁疼，头大，意见太多，争论太多。我觉得，咱们听一听先贤的话，蔡元培，大家知道吧，民国初年的北京大学的校长，这是一个大学问家，也是红学当中一个流派叫索隐派的代表性人物，著有《石头记索隐》。1927 年有位叫寿鹏飞的写了本《红楼梦本事辨证》，请他给写序，他并不同意寿鹏飞的很多观点，但他欣然接受邀请，写了非常精彩的序，他的序里有八个字，非常好，他说什么呢？他说"多歧为贵，不取苟同"。歧是分歧的歧，多歧就是出现了很多分歧，出现了争论，出现了不同意见，出现了你觉得是逆耳的、耸人听闻的意见，或者是觉得很刺激性的意见，或者你觉得人家是外行，你觉得人家那个是不该说的话，人家发表那个意见了，在学术领域里面，在学术空间里面，出现了很多的歧异，出现了很多争论，应该怎么看待？蔡元培，蔡先贤告诉我们，"多歧为贵"。求之不得啊，非常宝贵啊，千金难求一个不同的意见啊，你看人家的学术襟怀。他后半句又说得好，多歧为贵也不能这样过分：听这个说有道理有道理，听那个说不错不错，你怎么能这样呢，他说还应该"不取苟同"。在多歧、多分歧的情况下，你应该取一个什么态度呢？不要轻易地去听取别人意见，同意别人意见。不要苟同，苟同就是勉强地去同意别人的意见，不要那样做，你要有学术骨气，要坚持自己的观点。清代袁枚有两句诗："苔花如米小，也学牡丹开。"说得多好啊，"苔花如米小"，你也可以学牡丹开啊。何况你还不是苔花，可能比牡丹低级一点，你可能是喇叭花，你也可以开放你自己，是不是？正是在我前面所描述的红学百年发展的浪潮当中，积累的成绩当中，我形成了自己的思路，我从一个觉得很卑微，不敢来谈红学的人，变成一个理直气壮进入这样一个公众共享的学术空间，来大谈红学的一个爱好者，就是因为受到了前辈的红学研究的激励，受到了像蔡先生这样的博大学术襟怀的感染，从而进入到这个领域来的。欲知后事如何，请听我下回分解。

第二讲

追寻"红学"谜踪（下）

　　我自己对《红楼梦》的兴趣，是从我的童年时代就开始了。我读《红楼梦》比较早，有的家长不让自己的孩子小时候读《红楼梦》，觉得太小读《红楼梦》可能会学坏，其实以我个人的经验来看的话不尽然。我的父母喜欢《红楼梦》，我的哥哥姐姐喜欢《红楼梦》，我是我们家最小的，我就经常听到他们讨论《红楼梦》，觉得非常有趣，虽然不懂，但朦朦胧胧地产生一些美感，耳濡目染，对我是一种熏陶。

　　红学除了曹学的分支，版本学的分支，还有一个很大的分支叫脂学，什么叫脂学？你发现古抄本、古本《红楼梦》，它和铅印本都不太一样，和活字版本不一样，它上面都有批语，有的批语在回前回后，有的在书眉上，有的在行间，有的在正文句子下面用小点的字写成双行……有的批语还是用红颜色写上去的，叫"朱批"。这个批书的人有时候署名，有时候不署名，大多数情况下署一个什么名字呢？署一个名字很古怪，叫脂砚斋。

　　我看下面有人在微笑，说哎呀，一个人看一本书，写一些评语，这有什么稀奇啊？我看书我就写评语，过去像金圣叹，这是一个大书评家，他自己不写小说，可是他评别人的小说，比如评水浒，大批评家，那不都有过嘛，有什么稀奇的呢？哎呀，你得看脂砚斋的批语本身，咱们才好讨论，脂砚斋批语可不得了，不是咱们所说的一般的批语，也不是金圣叹那种，跟作者原来没关系，现在看了这书觉得有话要说，于是来批评，脂砚斋不是那么回事。这个脂砚斋批语现在留下来非常多，各个古抄本上的批语还不尽相同，有相同，有不同的。这些批语非常有意思，在这个甲戌本的正文里面就有脂砚斋的名字出现，就是说这个人还不光是一个批评家，他的名字出现在曹雪芹的正文里面，在甲戌本里面讲到《红楼梦》书名改变的过程中，最后一句是"至脂砚斋甲戌抄阅再评，仍用《石头记》"。书名演变开头是《石头记》，到后来有人说应该叫《情僧录》，又有人说叫《红楼梦》，有人说叫《风月宝鉴》，曹雪芹一度还打算把书名叫做《金陵十二钗》，最后到甲戌时候，是脂砚斋本人，他就确定这个书名还是用《石头记》；曹雪芹尊重这个决定，脂砚斋的名字就被曹雪芹郑重地写在了书的正文里面。

在古本里面还有一些诗，比如一些甲戌本有一首楔子诗，楔子就是一个书开始之前的开场白，这段文字叫楔子，这段楔子诗里面有两句，叫做"谩言红袖啼痕重，更有情痴抱恨长"。这显然就是说，批书的和写书的关系非常之密切。一个是红袖，红袖当然是符码，大家过去都知道有一句话叫做"红袖添香夜读书"，一个书生有福气，旁边有一个心爱的人，心爱的人即便贫穷，但是也可以称为红袖，表示是一个女的，给他添香，让他能够继续读下去。这个"谩言红袖啼痕重"，就是有一个女士很悲痛，哭泣。"更有情痴抱恨长"，"情痴"这个词在《红楼梦》里也多次出现，情痴、情种，就是贾宝玉的代称，也是作者的自喻。这两句诗就说明红袖和情痴这两个人关系非常之密切。这首诗的最后两句是"字字看来皆是血，十年辛苦不寻常"，就是说十年里面等于他们共同来完成这个著作，字字皆是血，他们共同奋斗十年是不寻常的。光是一首倒也罢了，在另一个古本里面又发现一首，这一首里面有两句，一句叫做："茜纱公子情无限，脂砚先生恨几多！"茜纱，茜是红颜色的意思，红颜色的纱，"茜纱公子情无限"，这个茜纱在《红楼梦》里，在正文里面是有描写的，就是暗指怡红院的窗户，是不是啊？怡红院窗户糊的就是银红色的纱。有一次贾母不是告诉王熙凤她们说，你们知道这个是什么织品吗？王熙凤那么一个能干的人都不知道，说快教教我们吧。贾母就说，你哪知道啊，这叫软烟罗，其中的洋红的叫霞影纱。这个茜纱公子显然就是指书里面的主人公贾宝玉，同时也等于是，因为他只是带有自叙性、自传性，不能和曹雪芹画等号，但是在一定的情况下又可以来作为作者曹雪芹的一个代号，"茜纱公子情无限"。"脂砚先生恨几多"，脂砚斋我们已经知道了，她是一个女性，前面已经说了，"谩言红袖啼痕重"，但是在过去，女性称先生是很正常的，一个是自嘲，一个有时候是为了不暴露自己的性别，更有的时候是为了互相尊重。比如说，有一个很了不起的女作家在世的时候，我经常去拜访她，就是冰心，我称冰心就是称她冰心先生，我不称冰心女士的，这个是很自然的。对一个女士称先生，这不意味着她就是一个男性。可见这两个人关系不寻常，也就是说脂砚斋她不是一个一般的批评者，她参与这本书的创作，她跟曹雪芹的关系密切到难解难分的地步。甚至于在脂砚斋批语里面出现这样的话，说："今而后惟愿造化主再出一芹一脂，余二人亦大快遂心于九泉矣！"什么意思呢？就是这个时候，她在批这个书的时候，曹雪芹已经去世了，她很悲痛，她就希望今后造化主，造化主就是上帝，主，就是主宰我们的命运，冥冥中的一个主宰者那么一个意思，希望他今后再重造一个曹雪芹、一个脂砚斋，这样的话，最后咱们两个在地底下——九泉就是指地下，古人认为地下有九道泉，九泉那是最深处——在那儿相会就大快遂心了，就是心里就舒服，就踏实了。向造化主许愿，希望造化主表态：你们俩都去世以后，我们让你们俩再复活，重新在世界上再生活一遍；她有这样的批语，你说这两个人什么关系？谁是曹雪芹的合作者，高鹗哪够格啊？高鹗八竿子打不着啊，这个人就在他旁边啊，这个人跟他这么说话，朋友都不是，就是夫妻。有一种意见认为就是夫妻关系，我个人比较倾向于这种意见，总之两人关系再密切不过了。

而且这个脂砚斋很厉害，她的批语里都有什么内容呢？很多曹雪芹用的生活素材她知道，她门儿清——北京土话，一切都清楚，叫门儿清。

比如说她经常有这样的话，写到这儿，说："有是事，有是人。真有是事！真有是事！作者与余，实实经过！"她能做这个见证。甚至于"此语犹在耳"，这句话她当时听见过，现在还在耳边响。"实写旧日往事"，等等，她和曹雪芹共享《红楼梦》的生活积累、原始素材，她厉害得很啊。她有的时候批着批着，《红楼梦》里没写到，她想到了，她还要过来提醒曹雪芹。比如说，她有一条，就是当《红楼梦》里写到贾宝玉和秦钟很要好，带秦钟去见贾母，贾母一看秦钟出落得也不错，很喜欢，就给秦钟一个金魁星，送他一个魁星，这个时候脂砚斋就说了，"作者今尚记金魁星之事乎？抚今思昔，肠断心摧！"这哪儿是一般的批语啊？是不是？她就掌握着曹雪芹写作的生活原型、事件原型、物件原型、细节原型。还有一回是写到用合欢花酿的酒，脂砚斋就批了，"伤哉"，她就很伤感了，伤感哦，"作者犹记矮䫋舫前以合欢花酿酒乎？屈指二十年矣！"你看她，什么人啊？曹雪芹没写这个矮䫋舫，矮䫋舫估计是一个园林建筑，她就知道这个生活素材来源于当年矮顿舫的，咱们当时用合欢花酿过酒！这件事是二十年前的事，清清楚楚，所以你看她是什么人？再回过头想想高鹗是什么人，越想脂砚斋越冤枉，《红楼梦》的封皮上写上曹雪芹、脂砚斋我觉得都合理，写上高鹗实在是太不合理了。

这个脂砚斋真是太厉害了，看有的批语就发现她不得了，她这个人，不仅知道这些原型，甚至有的地方都自己直接来写，她参与创作，她有这种话，比如说第二十二回，她有一条批语，是这么写的，"凤姐点戏，脂砚执笔事，今知者寥寥矣，不怨夫！"她埋怨连咱们都埋怨上了，咱们就都光注意高鹗了，就把脂砚斋这么一个重要的合作者给忘记了。第二十二回凤姐点戏是脂砚执笔，当然这句话有两解，红学界有两解：一种见解就是说里面写到薛宝钗过生日，大家给点戏，其中有一个角色其实就是脂砚斋本人，她就是其中一个角色，当时，她在场，她也参与了点戏，当时凤姐点了出《刘二当衣》，这是出逗趣的戏，凤姐知道贾母喜欢这类的戏，就故意点它，但凤姐文化水平低，自己写不出戏名，就说出戏名来，由脂砚斋执笔，写在戏单子上。那么书中相当于脂砚斋的女子是谁呢？有人说就是史湘云，究竟是不是，这里不讨论，总之，脂砚斋的批语就等于在说，这件事情别人都不记得了，她认为作者应该记得，她认为知道的人太少了，她感到很伤感、很悲哀，这是一种解释。另一种解释，就是其中写到凤姐点戏这个细节的时候，曹雪芹可能打磕巴了，说凤姐点个什么戏呢？脂砚说行了，您一边去，这次红袖不添香，你给我添香得了，我来写，于是脂砚斋就替曹雪芹写出了《刘二当衣》这么个戏名，"凤姐点戏，脂砚执笔"也可能是这个意思；不管是什么意思，你想想脂砚斋厉害不厉害？参与创作，联合写作，这是很厉害的。

研究脂批还有一个非常重要的意义，就是咱们都想知道，这个曹雪芹写的书，传下来就是八十回，曹雪芹是就写了八十回呢，还是写了好多回，比如八十回以后也写了，后来又丢掉了，还是怎么着？他是一回一回往下写呢，还是花插着，也就是交错着写呢？脂砚斋把这些问题都给你解决了。

比如第二十二回，脂砚斋就告诉你了，说这一回曹雪芹没有写完，"此回未成而芹逝矣，叹叹！"这是很重要的信息，我们就知道曹雪芹不是说一回一回这么完整地往下写，比如我们看第七十回、七十一回很完整啊，对不对？第二十三回就很完整，怎么会第二十二回没写完，曹雪芹就去世了呢？第二十三回又是谁写的呢？她就告诉我们，就是这一回曹雪芹基本写完以后，最后有灯谜诗，灯谜诗曹雪芹没填完，没能最后完成，就去世了，并不等于说第二十三回以后就不是他写的。同时也说明曹雪芹是兴致来了以后，先列好一个提纲，或者先列好回目，对这一回，现在灵感来了，特别来劲，我就先写这一回。那一回没完，我回过头去再把那回补完。她提供了非常重要的线索，使我们知道《红楼梦》的成书经过。

更重要的线索是，脂砚斋整理过八十回以后的书稿，她不但目击过、阅读过曹雪芹八十回以后的写作，她还整理过。但是非常奇怪的是，八十回以后曹雪芹写的稿子不知道为什么都丢失了。脂砚斋她留下很多这样的批语。比如说在《红楼梦》前面第八回有一个丫头叫茜雪，红颜色的雪，茜雪这个丫头出场后很快就消失了，就因为一杯茶的事，在下面我还会讲到，为了一杯茶就被撵出去了。我是写小说的，我懂得。我开头蠢头蠢脑，当时没读古本《红楼梦》，我说曹雪芹这么一个大作家，设置一个人物，给宝玉端一杯茶，啪，宝玉摔了茶杯，溅了她一裙子茶水，得，就撵出去了，没了。前八十回就没这个人的事了，后四十回高鹗续的，更没有这个人的事儿，我说不应该有这种失误啊，是不是？你设置一个人物好端端的有这么一段事，怎么会就没下文呢，长篇小说不应该这么写啊？错的是我，我错把高鹗的四十回当成曹雪芹的原笔了。曹雪芹是写了的，脂砚斋在第二十回就有批语，说"茜雪至狱神庙方呈正文"，脂砚斋看见过。曹雪芹大手笔，叫什么呀？叫"草蛇灰线，伏延千里"。什么意思啊？打草惊蛇这话听说过吧？一条蛇很长，在草里面游动，蛇拐来弯去地那么游走，草很高的时候，这个蛇身子会怎么样呢？一会儿现出这一段，一会儿现出那一段，似有若无，但实际上它有它的运行轨迹，这就是"草蛇"。至于"灰线"，过去没有现在这么多画线的工具，手里捏一把灰，多半是石灰，倒退着这么画一条线，现在偶尔还有一些人这么画线。它有两个特点：一个是这时候它会断断续续，因为毕竟它不是一个非常严密的工具，是吧？另外一个特点就是说它又可以画得很长，捏一把灰可以画很久，是不是？所以"草蛇灰线，伏延千里"，就是曹雪芹的大手笔。对曹雪芹写作的这个特点在脂砚斋批语里面多次出现。茜雪，你不要以为就没有了，实际上我傻帽了，蠢笨了，以为人家就没有了，告诉你，在后面，非常重要，在狱神庙这一回，有大段文字，茜雪成为那一回的主要人物要出场的。

在另一回批语中，又写道，告诉大家，茜雪的事曹雪芹已经写出来了，就是在狱神庙这一回故事，就是后来贾家彻底败落以后，贾宝玉跟凤姐都锒铛入狱了，关大牢里了。过去的监狱都有一个狱神庙，允许犯人在进监狱和出监狱的时候去拜狱神，求狱神保佑自己，起码少受点苦刑，能减轻判决，这是当时监狱里的一个风俗，设狱神庙。这时茜雪就出现了，而且小红也出现了。小红这个角色也被高鹗写丢了，小红多重要啊！《红楼梦》前面你看看小红的故事，要真说冲破封建道德观念，大胆恋爱，那贾宝玉绝不是冠军，冠军是贾芸跟小红，贾宝玉跟林黛玉恐怕得屈居第二，甚至于得屈居第三了，那多大胆啊！小红"遗帕惹相思"，她为什么把帕子丢了啊？她比现在咱们过情人节那还巧妙，敢在大观园里面向自己所爱的男子丢下信物，这很有种。这个角色怎么写着写着没了，那怎么行呢？脂砚斋告诉你了，在狱神庙这一回里，小红也要出现，茜雪也要出现，她们去干吗？去安慰宝玉，去救出宝玉，关键时候这种人就站出来了，很重要的情节。但是非常可惜，脂砚斋又告诉我们，"余只见有一次誊清时，与狱神庙慰宝玉等五六稿"，还不是一份稿，五六稿，大概有五六回，"被借阅者迷失，叹叹！"我现在跟着她叹，多想看啊！这借阅者是什么借阅者啊？这么缺德啊！是不是啊？不但毁了当时曹雪芹的著作，也使咱们失去了这种眼福。当然也有红学家考证，这不是一般的借阅者，实际上当时曹雪芹写作可能已经被人盯上了，在清乾隆时期的文字狱是非常厉害的。前面写那些繁华生活还可以，到后面你要写这个贵族家庭的败落，这很危险。你写到狱神庙，这更危险。所以就有人以借来看看这个名义，拿走了就没还，非常大的损失。所以你说《红楼梦》的研究，红学的第三个大分支——脂学多有意思啊！多值得研究啊！是不是啊？应该到里面去逛一逛。当然，脂学里也充满了争论，因为各古本脂批的数量不一样，相类的批语又往往出现差异，而且古本里后来又有不少署名畸笏叟的批语，畸笏叟是否是脂砚斋后来另取的一个更怪的名字，还是根本就是另外一个人呢？红学界聚讼纷纭，但绝大多数论家还是有基本共识的，那就是都认为脂批极有研究价值，脂学非常重要。

根据脂砚斋的透露，就证明曹雪芹八十回以后根本就写了，整本书可能就已经写完了，没彻底完成也就是当中差一些部件，比如第二十二回没完，就是灯谜没填完。像还有一回，是第七十五回，那个时候贾家已经开始衰败了，抄检大观园之后了，贾母强打精神把子孙召集在一起来赏月，这回大家都知道，里面写到了，贾政让贾宝玉做诗，后来贾环、贾兰也各做一首诗，但那个诗我们就没看到，现在你看本子上没有，脂砚斋评语说得很清楚，她有记录，"缺中秋诗，俟雪芹"，俟就是等待的意思，就是说我做编辑工作，就这地方还缺几首诗，等着曹雪芹有工夫的时候来补上，我在这儿记下来，我得提醒他，哪天你要把这个补上。而且脂砚斋透露的有的信息更惊心动魄，她说《红楼梦》最后一回有一个情榜，就是写到最后一回，就跟那个《水浒传》最后一百单八将排座次，梁山泊英雄排座次一样，有一个情榜，这个情榜怎么排呢？可以推测出来，除了贾宝玉全是女性，贾宝玉单独，贾宝玉可能叫做绛洞花王，这是在书里面正式出现过的一个词，群花的一个护花仙子，一个护花人。她就说了，她说贾宝玉后面还有考语，就是情榜对每一个人，后面都有几个字的考语，考语就是曹雪芹加的评语，用今天的话说就是一个鉴定了，但是他用非常精炼的话，贾宝玉的考语是"情不情"。她写出来了，她在前面的批语透露出来了，说最后一回，贾宝玉的考语是"情不情"，她说这里这样描写，难怪"情不情"。第一个"情"是动词，第二个"情"是名词，就是贾宝玉他能够用自己的感情去赋予那些没有感情的东西，这个人就属于人文情怀深厚到这种地步。她说黛玉的考语是"情情"，第一个字是动词，第二个字是名词，黛玉是把她的感情只献给她爱的那个人，献给她自己的感情。她爱情很专一。薛宝钗很可惜，我们没查到她的考语，没留下这样的痕迹，估计是比如说"无情"或别的什么。很显然，就是说，从第五回册页我们就知道，他是有金陵十二钗正册、副册、又副册的构想，可能到最后，他就决定像《水浒传》一样，出一个总榜，他是每十二个人一组，分九组，一百零八个女性都在榜上，他写完了的。而且脂砚斋干脆就告诉你，其中八十回后有一个回目——《红楼梦》的回目很有趣，都是八个字，不是像中国传统那个，中国人喜欢五个字、七个字，或者六个字，它是八个字——她就告诉你后面有什么回目，她说是什么呢？有一回是"薛宝钗借词含讽谏，王熙凤知命强英雄"，她把回目都告诉你了，怎么会八十回以后曹雪芹没写呢？说句老实话，本来怎么轮得到你高鹗去续八十回后的故事呢？人家都写完了的，只是书稿没有定稿，还缺一些部件而已。所以这个《红楼梦》是一部很悲惨的书，曹雪芹真是一个天才的悲剧。研究脂批，我们真的心得可以非常之多。

她透露很多东西，包括八十回以后有些文字，她也透露。比如说前面八十回里面写到贾宝玉在宁国府看戏，觉得热闹到不堪的地步，太烦了，要出去玩，最后是茗烟，他的一个小厮，这个角色的名字有时候又写成焙茗，陪他出去，到袭人家。袭人家就赶快招待他，但是你想他一个贵族公子，袭人家，也不是很穷，但是袭人觉得家里人摆上的这些东西啊，叫做"袭人见总无可吃之物"，没一样能给宝玉吃。当然最后袭人想想，到我们家一趟，你不吃也不好，最后就捡了几个松穰，吹了吹细皮，拿手帕托着给贾宝玉吃。这个时候脂砚斋就有批语，她透露后面的文字，她说，"留与下部后数十回'寒冬噎酸齑，雪夜围破毡'等处对看。"就是说，现在这么好的东西——其实袭人家当时是过元宵节，摆出的茶果都非常好，但是袭人就觉得没有能给贾宝玉吃的，你说贾宝玉在那温柔富贵乡里，过的是什么样的生活啊？后面一些描写，我们就更知道他过的什么样的锦衣玉食的生活。但是，脂砚斋跟我们透露，在八十回后面，会写到贾宝玉是一种什么处境呢？他会披一个大红猩猩的斗篷吗？大红猩猩毡斗篷？见鬼了。脂砚斋说得很清楚，后面要写他是"寒冬噎酸齑"，就是咱们过去有句话叫做"把他碾为齑粉"，齑就是碎末，酸齑就是酸菜的渣子，知道吗？寒冬就只能吃那个。用什么取暖呢？是一个大红猩猩毡的斗篷吗？叫"雪夜围破毡"，不知道在哪儿捡一个破毡子围着。所以高鹗完全违背了曹雪芹的原意，人家脂砚斋看过后面曹雪芹怎么写的，告诉你有这个句子，所以脂学也很要紧。我也是在脂学里面来回游弋，其乐无穷。

除了曹学，刚才我们讲到有版本学，有脂学，还有很重要的一门学问就是探佚学。

什么叫佚？就是丢了，散失了，就叫佚。探佚就是把丢掉了散失的东西找回来，就叫探佚。根据脂砚斋的批语，我们有很多探佚收获了，根据她的透露去了解八十回后的内容，就是探佚嘛。除了这以外，也还可以探佚，探佚有很大的一个空间，探佚的空间太大了，如果说曹学或者说版本学，或者说脂学它的资源就是那么多，空间还不是最大的话，那么探佚学的空间是非常广阔的，每一个人我们都可以来参加。我们可以根据自己对前八十回的文本的理解，根据脂砚斋批语，以及根据我们自己的善察能悟，我们自己的聪明智慧，去探索《红楼梦》或者说《石头记》在流传过程当中丢掉的是什么，我们争取把丢掉的找回来，这本身就是阅读当中的乐趣。西方后来有一种审美的观点，叫做接受美学，就是读一本书，不是说被动地去接受作者写的那些东西，而是参与作者的创作，他虽然已经写完了，我阅读当中把自己的看法，把自己的想象参加进去，最后我们共同完成这样一个精神之旅。这个观点我觉得也可以挪到我们的探佚学里面来，我们可以搞探佚。

　　探佚又分很多层次，首先就是说我们现在读到的八十回基本上是曹雪芹的。八十回以后，曹雪芹打算怎么写，写过什么，可以探佚出来，是有线索的，虽然资源不是非常丰富，但是绝不是零。

　　另外就是前八十回要不要探佚？前八十回也可以探佚。首先不是有人就提出来嘛，第六十四、六十七回不太像曹雪芹本人写的，当然那也不会是高鹗续的，会不会是脂砚斋帮他补完的呢？或者是别的什么人帮他补的？这也可以探。为什么曹雪芹传下来的本子里面，第六十四、六十七这两回的文笔有一点奇怪？这就可以探，而且有很大的探佚空间。还有就是说，前八十回里面，有的地方他做了改动。我自己写小说，我当然是一个小说的学徒了，不好跟经典著作的大师这些作者来比，但是有两句诗说得好，就是袁枚写的《苔》里的："苔花如米小，也学牡丹开。"青苔，苔藓上的花就像米粒那么大，它也要正正经经地开，它开的时候很有尊严，它说我学牡丹，牡丹怎么开我也怎么开，我觉得我有这股气。中国人不能老是妄自菲薄，老觉得自己不行，别人也觉得你越说不行，你就越谦虚，夸你有谦虚美德，你真好，这就是把人夸死，不能这么夸人的。要怎么夸人呢？你要敢想，敢说，敢做，有大师写的经典著作，你也写一个试试。所以我虽然是苔花，咱也学牡丹开。我就体会曹雪芹的创作，我觉得我虽然是一个苔花，在有些方面和牡丹花是相通的，比如说都是植物，开花都有一个从花蕾到张开，把花朵涨圆的过程，咱们都是一样的。所以说，我就开始琢磨前八十回里面有没有可以探佚的空间了，我就发现了第十三回的问题，第十三回，就是写秦可卿之死这一回。这一回很要紧，他写了金陵十二钗第十二钗秦可卿死亡的故事，这个人物出场很晚，没到第二十回呢，刚到第十三回，连第十五回都没到呢，她就死去了。这个无所谓，一个大的著作，对人物的设置有早死的，有后死的，有老也不死的，有老不死的，都有可能。问题是，这一回有一条脂砚斋的批语，脂砚斋批语说得很清楚，她说，"秦可卿淫丧天香楼，作者用史笔也。"这句话我们以后还会分析，我这儿不展开。然后她说，"老朽"——因为这个时间，他们十年辛苦不寻常，年纪也都大了，所以那个时候脂砚斋可能和曹雪芹一起来很辛苦搞这个书，经过十年了，她就说自己"老朽"，也有幽默的意思。她说"老朽因有魂托凤姐贾家后事二件"，就是曹雪芹写到秦可卿的阴魂去向凤姐说话，她说"嫡是安富尊荣坐享人能想得到处"，意思是那很不容易的，那不是一个思想比较深刻的人，不会说出这样的话。说"其事虽未漏,其言其意,则令人悲切感服,因赦之"。"赦之"
就是赦免的意思,"因命芹溪删去","芹溪"是曹雪芹的号,别号,就是说,闹半天,
"秦可卿死封龙禁尉"这个回目是后改的,原来这一回叫"秦可卿淫丧天香楼",
而且曹雪芹写了淫丧天香楼的种种事情、种种情节。脂砚斋由于她所说的那些原
因,觉得秦可卿这个生活原型、这个人她的命运还是很值得人宽恕的,就说别把
这个事写出来了,把这个事隐过去算了,她就让曹雪芹把它给删了。删了多少
呢?哎呀,删得太多了,也是脂砚斋自己说的,她算了一下,"此回只十葉,因
删去天香楼一节,少却四五葉也。"请注意这个"葉",研究《红楼梦》,有时候
你必须得回到繁体字上来。因为过去的繁体字的"葉",它也代表线装书的一页,
线装书大家知道是一张纸窝过来,装订在一起的,它的一页相当于现在的两个页
码,删了"四五葉",等于删去了现在的八个到十个页码,是不是啊?《红楼梦》
的信息传递是非常密集的,你比如说妙玉,妙玉真正正式出场的那个戏就是品茶
栊翠庵那一场戏,只用了一千多个字,不到一千五百个字,形象就完成了,性格
就出来了,而且她和贾母的关系,她和宝玉的关系,她和林黛玉的关系,她和薛
宝钗的关系全活跳出来了,一千多个字,厉害不厉害?那么,这一回删去了"四五
葉"之多,删去得多不多?伤筋动骨啊!是不是啊?他为什么要删?我刚才说了,
"苔花如米小",我自己知道我为什么删我的那个小说,我也写小说。两个原因:
一个原因是艺术性考虑,我写着写着,觉得这么写不好,不如那个写法,这个多了,
我把它删了,改了。那个删了改了就不要了,要也没有意义,我觉得不好我还要
它干吗;另一种,就是说我有心理障碍,有心理障碍,非艺术考虑。这不得罪人吗?
这不是要惹事儿吗?我别这么写了,我改了得了,咱们忍痛删了得了,这个是非
艺术考虑。显然,曹雪芹当时听脂砚斋的意见,是在当时那种严酷的人文环境下,
出于非艺术的考虑,删了这一回达"四五葉"之多,那么他删去的是什么,这丢
掉的是什么,我们为了研究作者的整体构思,为了研究当时作家所处的人文环境,
为了更深入地、更全面地理解这本书,我们就需要探佚。我的探佚就是从这儿切
进去的。

　　我进入这个领域以后,就在1992年开始发表关于秦可卿研究的文章,后
来陆续形成了四本书:《秦可卿之死》《红楼三钗之谜》《画梁春尽落香尘》《红
楼望月》,这四本书是不断更新内容,不断增添内容的,层层推进我自己的研究。

这个时候，就跟开头我讲的一样，有一个书生，不过这个书生不叫朱昌鼎了，这个书生叫刘心武，他在那儿看书，看着《红楼梦》，在那儿研究，来了一个人，这个人叫王蒙，大家知道王蒙也是一个作家，同行，王蒙见了我就说，心武啊，你的研究我给你取个名，你那不就是研究秦学吗？他在笑谈当中为我的研究命了名，我很高兴。我相信民间的红学研究从笑谈开始，到最后一点都不可笑。只要我们有志气，苔花也可以像牡丹一样开放，而且我有我的优势，我会写小说，我把我的研究成果以探佚小说形式发表。所以我非常高兴，能够系统地来讲述我自己的红学研究心得。我的研究，最后形成独家思路的就是秦可卿研究，就是秦学研究。我的研究中所碰到的第一个课题就是秦可卿的出身是否寒微。欲知后事如何，请听我下回分解。

第三讲
贾府婚配之谜

  《红楼梦》被称为神秘的作品，它的神秘性，体现于书中暗示了康、雍、乾三朝的政治时局，而作者曹雪芹家族的兴衰荣辱又与其紧密相连，他把自己家族经历的事件和他脑海中的人物，一一展现在《红楼梦》里，似若有所指，而又不敢造次，《红楼梦》里主要的人物和事件，都能在康、雍、乾三朝找到影子。在这些错综复杂的人物和事件中，有一位人物是联系它们的关键，那就是贾蓉的媳妇秦可卿，这位神秘人物是破解《红楼梦》秘密的总钥匙，在她身上，隐藏着《红楼梦》的巨大秘密，我对《红楼梦》的揭秘，就从探究秦可卿这个人物开始。

  关于秦可卿，我们首先要搞清楚的是：秦可卿在贾氏宗族当中处于什么位置？

  在《红楼梦》里，曹雪芹描绘了一个贵为国公的大家族贾府，书中交代，他们是一母同胞的两个兄弟，都为当朝的皇帝所宠，封官加爵，地位显赫，称为国公，老大宁国公，老二荣国公。两个兄弟分别娶妻生子，延续血脉，虽然故事开始时两兄弟都已去世，但其爵位由儿孙继承，贾氏家族依然一副贵族气派。而就在这个家族显赫声名的背后，也潜伏着危机，那么这一危机究竟是什么呢？为什么要从这个危机入手来研究秦可卿呢？

  我们知道贾氏宗族的长房是宁国府，次房才是荣国府。可是因为《红楼梦》主要写的是荣国府的故事，虽然也写到宁国府和其他地方，但是故事发生的主要空间是荣国府，所以我们梳理贾家的宗族情况的话，可以先来梳理荣国府。这个荣国府是怎么回事？这个荣国公他生了几个儿子，究竟生了几个，书里没有交代，但是他的长子叫做贾代善。大家知道《红楼梦》一个固有的艺术手法就是谐音，"假语村言"就是谐音，就是他把真的隐去了，用一个艺术虚构的东西来表达这个真实的存在，但是又做了很多掩饰，所以叫假语村言。那么"贾氏"就是假设有这么一个家庭，这个家庭他的荣国公这一支，荣国公死了以后，长子就叫贾代善，贾代善有两个儿子，长子叫贾赦，第二个儿子叫贾政，这两个儿子也都很争气，继续生儿子，所以荣国公这一支的血缘就往下延续了。书上写到贾赦有两个儿子，关于贾赦两个儿子，我见下面听的人有的在微笑，因为觉得有意思了，书里面说，贾赦的长子叫贾琏（lian 第三声读作脸），底下有人在笑，不是贾琏（lian 第二声读作连）吗？你把他叫做贾琏（读第二声）我也不反对，但是如果你查字典的话，你会发现，一个"玉"字边一个"连起来"的"连"，这个字只有一个读音读作琏（第三声），是古代的一种祭器，主要是在祭祀的时候装黏米和小米的。那么书里交代，贾琏是老大，是长子，可是在书里面描写的时候所有的人都叫他琏二爷，贾赦的长子怎么会叫二爷呢？这个问题放在后面我给你破解。那么还有没有儿子呢？还有一个儿子，叫贾琮。现在有人在笑，可能觉得其实琏二爷这个称谓很好解释，贾琮是他哥哥不就完了吗？可是不对，书里面贾琮是有出场的，有一次贾宝玉奉贾母之命，到贾赦和邢夫人住的宅院探视贾赦，探视完以后邢夫人就把他留下来了，然后就描写到贾琮出场了，他出场以后是怎么个情况呢？邢夫人很不喜欢他，一看到他就说，哪跑出个活猴来了，你奶妈都死绝了，把你弄得黑眉乌嘴的，说奶妈子也不好好收拾收拾你，哪像一个大家子念书的孩子。可见贾琮年龄还小，长得也不怎么样，也不爱卫生，是一个很猥琐的形象。他应该和书里面写到的贾环、贾兰年龄差不多，所以他不可能是贾琏的哥哥，他只能是贾琏的弟弟。

贾政生育能力比较强，挺争气的，为荣国公这一支往下传血脉贡献比较大。他首先生了一个大儿子叫贾珠，贾珠在《红楼梦》故事开始以后虽然已经死掉了，在《红楼梦》里看不到他的故事了，但是贾珠不是夭折，他是长大成人了，娶了媳妇了，而且给贾政生了一个孙子贾兰，然后他才死去的。当然大家印象最深刻的是贾政的另外一个儿子贾宝玉，这是我们《红楼梦》一书的大主角。贾宝玉还有一个弟弟就是贾环，是贾政的小老婆赵姨娘生的。所以你看，荣国府的男丁状况比较让人乐观。

现在我们再来说宁国府，其实应该先说宁国府，我再提醒大家，宁国府是高于荣国府的。宁国公他是哥哥，那么这一房这个宁国公死了以后就把他的爵位传给了他的儿子贾代化，宁国公这一支到了这个贾代化以下，情况就不太妙了。怎么不妙呢？贾代化倒是生了两个儿子，但是书里面写得很清楚，第一个儿子贾敷没长大成人，八九岁就死掉了，他跟贾珠的情况不一样，就是在家族血统继承上没起任何作用，所以这个人物就可以忽略不计了。实际上他只有一个儿子就是贾敬，这个贾敬又很古怪，他后来不愿意住在宁国府里面，也不愿意回原籍，他就跑到都城外面道观里面和道士胡羼，在那儿炼丹，这是贾敬。贾敬倒也还生了一个儿子就是贾珍，但是这个就很孤单了，贾珍也生了一个儿子就是贾蓉，所以在宁国府就形成了一个三世单传的局面。什么叫三世单传呢？年纪大一点的中国人都懂，这在一个宗族的血脉延续上是一个非常危险的信号。三代都只有一个男丁，这往下传就很困难，万一最后这个男丁没有生育能力或者非正常死亡，或者正常病死了，他的媳妇都没有给他生下一个孩子来，这就叫做绝户，这一支的血脉就终结了。大家知道在封建社会，不但一般的贵族家庭很重视血脉的延续，就是一般的人家，包括穷人家，也很重视自己宗族血脉的延续。那么，宁国公和荣国公他们两兄弟都要把他们的血脉延续下去，这个在封建社会是一件天大的事。宁国公、荣国公，虽然封了国公，他们也要重视他们子孙血脉的延续。他们和一般的家庭还不一样，他们是有爵位的，延续的不光是血统，还有社会地位和财富，所以血脉延续对两府来说是天大的事。因此宁国府面临一个血缘继承的危机，跟荣国府比危机感就更深重。

我说这个干吗呢？有人说你不是要研究秦可卿吗？我就是要说到这儿跟你一块儿讨论，在封建社会那么重视血缘继承的封建大家庭里面，宁国府已经到了三代单传的状况了，那么最后终端的男丁就是贾蓉娶媳妇，能够随随便便吗？能随便娶一个媳妇吗？下面有人在笑，说那怎么不可能呢，人家那是小说，人家曹雪芹就乐意这么写，就写这个贾氏宗族不重视娶媳妇，什么血统都不论，不但穷人的女儿可以娶，不知道父母是谁的弃婴也可以娶。但如果曹雪芹真是要这么写的话，他就不应该只体现在一个媳妇上，所以下面我们就要来看一看书里面所写到的贾氏宗族娶媳妇的情况。

在《红楼梦》里，曹雪芹虽然故意说，自己所写的不知是哪朝哪代的事，但根据他写的内容，经不少前辈红学家推断，《红楼梦》所反映的是清朝康、雍、乾三朝的故事。在清朝，皇帝对有功的大臣要颁赐爵位，分为两种情况，第一种封爵，功臣被封后，他的子孙可以世代袭爵，爵位不变；第二种封爵，他的子孙虽然也可以世代袭爵，但是其爵位却会递降。《红楼梦》里的宁荣两府都属于封爵的第二种情况，子孙的爵位递降一格，虽然如此，贾府在当时整个社会上也具有了不起的地位。这么一个开国功臣的大家族，能在娶媳妇的问题上马虎吗？他们所娶的媳妇都是什么样的身份和地位？这与秦可卿这个人物又有什么联系呢？听我细说。

宁国公和荣国公娶的什么媳妇，书里面没有交代，但是对贾代化和贾代善娶媳妇的情况有所交代。荣国府的荣国公，他死了以后就把他的贵族爵位传给了他的长子，就是贾代善，贾代善娶的是谁呢？是金陵世勋史侯家的小姐。那么在第四回我们就看到了这样的情节，就是贾雨村他后来补了官，补了一个应天府，他审案子，审人命案，审理当中旁边一个门子递眼色，他觉得很奇怪，就停止审判，把门子叫到密室里面去询问，这个门子就说，你要想把官做得牢靠的话，你得有护官符，所以贾雨村就恍然大悟。护官符怎么写的？后来书上就透露了护官符上的头四户，头四个家族，就是金陵地区的四大家族。居首位的就是贾氏，"贾不贾，白玉为堂金做马"，豪富不豪富？这样一个家族给自己的青年公子娶媳妇，毫不含糊，得找门当户对的，找的史家的小姐。史家就是四大家族的第二家族，叫"阿房宫，三百里，住不下金陵一个史"，多大的气派。贾家要娶媳妇，首先考虑的还不是一般的富贵家庭，考虑的是史家，果然贾代善就娶了史家的一位小姐，做了自己的媳妇，这就是书里面出现的贾母。她做小姐的时代，书里面没有写，故事开始的时候，她已经是一个老太太了，她的同辈人基本都死光了，在宁荣两府老辈的只剩下她一个了，因为她姓史，所以有时候书里面叫她史太君。史家的小姐嫁给贾家为妻，重不重视血统啊，非常重视。这个门子跟贾雨村讲这个事的时候跟他说了，说这四家这四大家族皆联络有亲，他们在政治上、经济上结成联盟，是一损皆损、一荣俱荣的关系，互相扶持遮饰，俱有照应。那么他们在婚配上也必然互相作为首选。

我这么说绝不牵强。你再看曹雪芹的描写，贾政娶的是一个什么样的媳妇呢？不讲究血统，街上找一个妇女，育婴堂去要一个？绝对不是，娶的是王夫人，王家的女儿，在四大家族里面王家非同小可，当地的顺口溜说，"东海缺少白玉床，龙王请来金陵王"，龙王爷有事都得求他们家，你说是什么样的家庭？这个王家不得了。王夫人她是王家小姐，嫁给了贾政，她的妹妹嫁给了谁呢？嫁给了薛家，薛家就是四大家族的第四家族。顺口溜怎么说的呢？"丰年好大雪，珍珠如土金如铁。"富有到没道理的地步，富有得不堪，珍珠都成了泥土了，什么样的家庭？就是王家的女儿不往别人家乱嫁的。王家还有一个成员也嫁到贾家了，就是王熙凤，她是王夫人和薛姨妈的内侄女。王熙凤父亲没有说叫什么名字，也是王家的一个成员，也是很富有的。四大家是互相婚配的，娶媳妇绝不能随便，而且首先考虑四大家族里面有没有合适的。当然也可能凑巧四大家族一时都没有合适的，因为可能年龄段上没有那么一个小姐，或者有小姐已经许给别的家了，那么就再考虑别人家，所以我们就在贾府里面发现了另外一个媳妇，她不属于四大家族，但是也非同小可，这就是贾珠的媳妇李纨。李纨什么出身呢？书里面交代非常清楚，父亲叫李守中。什么样的家庭背景呢？李守中曾经当过国子监祭酒，这也是一个不小的官，也是一个诗礼大家，李纨出自这样的家庭背景。所以你看荣国府娶的媳妇，哪一个是孬的呀，都是所谓根基家业非常经得起推敲的。

　　荣国府里惟一一个弱一点的媳妇可能是邢夫人，有的读者说邢夫人好像差一点，邢夫人是差一点。首先"邢"姓不属于四大家族，书里没有具体介绍邢夫人的家庭背景，不像介绍李纨那样介绍了一下，而且我们从书里面的描写模模糊糊感觉到，邢夫人这个人有点病态人格，这个人心眼褊狭，有毛病，特别吝啬，光知道敛财。不过总的来说，邢夫人很显然也是一个知根知底的富贵人家的女性，也不是非常差的，只是跟我们刚才说的那些媳妇比起来，根基家业稍微差一些，逊色一些，这可能跟邢夫人本身她是填房有关系。这点你注意到了吗？邢夫人不是贾赦的原配，贾琏、贾琮，包括迎春都不是她生的，书里面后来是有透露的。有一次贾母发狠心查赌，查出在大观园里聚赌的头子，有一个是迎春的奶妈。这当然令迎春很没脸面，迎春本来并不是荣国府里的，她是因为贾母喜欢女孩子，才跟惜春一样，从荣国府外面给接进来养在一起的。惜春呢，是贾珍的妹妹，来自于宁国府；迎春呢，她是贾赦的女儿，书里写得很清楚，贾赦和邢夫人住在跟荣国府隔开的那么一个黑油大门的院落里，她是从那个院落里给接到荣国府来住的，大观园盖好以后，她也住了进去。她的奶妈出事以后，邢夫人去数落她，其中有几句话，你注意到了吗？邢夫人明确地说："况且你又不是我养的。"还说："倒是我一生无儿无女的，一生干净，也不能惹人笑话议论为高。"可见她是贾赦的填房，贾府的爷们娶续弦妻子的时候，可能就比较难找到非常有权势的家庭的小姐了。所以邢夫人的家庭背景、经济状况稍微差了一点，但也不是很差。这是荣国府娶媳妇的情况。

那我们回过头来看看长房宁国府，宁国府宁国公娶的谁不清楚，没交代，那么贾代化娶的谁呢？模模糊糊知道，好像也是一个史家的小姐。到了贾敬就不知道娶的是谁了，贾珍我们知道，他的媳妇是尤氏。这是一个很重要的角色，在《红楼梦》里面她的戏挺多的，看得出来，她还是一个懂得大家规范的富家子女，富家的女儿。当然尤氏的家庭，娘家的家庭，从小说后面的描写看，好像不太好了，尤氏的父亲可能是死了老婆了，续弦时不知道怎么就娶了一个寡妇；寡妇带了两个女儿，在过去的社会叫拖油瓶，带来两个跟别的男人生的女孩子嫁到他们家，成为尤氏的继母。小说后面就把她叫做尤老娘，小说写到那儿的时候她的年龄已经大了，她带来的两个女儿都长大了，一个是尤二姐，一个就是尤三姐。尤二姐和尤三姐和尤氏既不同父也不同母，她们只是名分上的妹妹罢了。可见尤氏的家庭背景到后来似乎也不太好，不过这也不妨碍我们去估计，尤氏是一个很不错的家庭的一个小姐，嫁到贾家来。但是之所以她比王熙凤，比这些人家业根基差一点，也因为她是填房，她的情况跟邢夫人类似。下面有的人在摇头，说是吗？不是她有贾蓉吗，贾蓉不是她儿子吗？她是贾蓉的继母，她不是贾蓉的生母，何以见得呢？"酸凤姐大闹宁国府"这一节，不知道你读得仔细不仔细，因为贾琏偷娶了尤二姨，王熙凤就杀到宁国府，撒泼，大哭大闹，先跟尤氏闹，然后又跟贾蓉闹，骂贾蓉，她在骂贾蓉的话里面有一句，就是"你死了的娘的阴灵也饶不了你"。可见贾蓉的娘已经死掉了，是地狱里的阴灵，可见贾蓉不是尤氏生的，是贾珍的前妻生的，所以尤氏是填房。刚才说过，填房就不能要求太高，尤氏可能是很不错的家庭的小姐，但是就不是四大家族了。

那么根据整个的这些描写，我们可以形成这样一个逻辑，就是贾氏宗族在为贾蓉选择媳妇的时候能够不重视吗？即便四大家族里面找不到合适的，类似李纨这样的家庭背景的能不能找一个，如果这样也找不到的话，起码可以以贾赦的填房和他自己的继母为坐标系，找一个过得去的，血缘很清楚，家境也还过得去，身份也还可以的这样一个女子吧。但是我们却发现，最后对秦可卿出身的交代，满不是这么回事，竟把秦可卿设计成为一个从养生堂抱来的弃婴。说到这儿，马上又有红迷朋友要跟我讨论了。说哎呀，你啰啰唆唆说了这么半天干吗呀，人家是小说，是不是啊，小说可以想象，可以虚构，他就愣这么写。是不是？你干吗这么寻根究底，没完没了啊？

我自己也写小说，虽然我是一个远不能跟这些大师相比的写小说的人，但是我写小说，我也读小说。我就知道小说有不同的类别，其中有一种带有自叙性、自传性，就是小说的人物是有生活原型的；当然要虚构，当然要想象，但是都是从已经存在的活泼泼的生命基础之上去发展，去想象，去架构这个人物关系，去铺展情节。

秦可卿的寒微出身，显然与贾府这个百年大族的地位极不匹配，她成了贾府众多媳妇中的一个例外，那么曹雪芹为什么要这么写？鲁迅、胡适等前辈大师，都肯定《红楼梦》是一部带有自叙性和自传性的作品，我是信服这个判断的，我越细读，就越相信书中的主要人物都能找到生活原型，曹雪芹就是把这些原型，塑造为他小说中的人物。当然这里面加入了想象和虚构，或者人物与事件有所合并，有所拆分，有所挪移，有所变形，但总的来说，《红楼梦》里的许多人物，和曹雪芹自己家族的某些人物惊人地相似，这难道不值得我们格外注意吗？我可以拿出很多证据证明，《红楼梦》它是一个写实的作品，是带有自叙色彩的作品，是一个写人物从原型出发的作品。那么我们一步步来讨论。首先我们看曹雪芹自己怎么说的，你看第一回，我只举几个短短的句子，比如他说"忽念及当日所有之女子"，又说"一一细考较去"，他是从他生命体验当中，选取他接触过的相处过的女子来写的。又说，"我半世亲睹亲闻的这几个女子"，他自己说他是亲睹亲闻。他宣称，"至若离合悲欢，兴衰际遇，则又追踪摄迹，不敢稍加穿凿。"也许你还是要跟我讨论，作者故意要这么说，他打马虎眼，明明是完全虚构的，完全没有生活依据的，他偏要这么说，那倒也可能。那我们就再进一步讨论，他的合作者脂砚斋，为什么在批语里面一再地告诉读者，实有其人，实有其事，重要人物都有原型。简单来说贾宝玉的原型就应该是曹雪芹自己，带有自叙性，但是因为我们以后还会涉及到这个话题，还会展开来分析，现在在这儿，我就先不展开分析贾宝玉的原型，先分析贾母的原型。

贾母是有原型的，何以见得呢？大家知道，曹雪芹的祖父是曹寅，曹寅的妻子姓李是李氏，是李煦的妹妹。李煦是谁呢？曹寅当江宁织造的时候，李煦当的是苏州织造，两人是江南金陵地区的两大织造。而且康熙皇帝很宠爱他们，还经常让他们两个轮流分管当地的盐政，有时候一块儿管，有时候分开管，轮值管；并且康熙让他们两个当特务，除了他们本职工作以外，还要他们密报很多当地的情况，特别是明代的遗民有什么动向，当地的民间对朝廷有什么议论等等。他们关系很密切。曹寅的妻子李氏就是李煦的妹妹，那么在小说里面，我们就发现贾母这个角色，作者把她的真实姓氏李氏，化为姓史了，说明是经过艺术加工了。那么为什么说贾母的原型是李氏？例子很多，我不一一举，我只举几个。

大家知道，在荣国府过春节的时候，闹元宵的时候，贾母这个人是一个享乐主义者，她不但很会吃，很会穿，她也很会看戏，很会欣赏文艺。家里请了说书人来说书，她说你们都根本不行，她就破除陈腐旧套，给她们讲书应该怎么说，又给她们讲起当年她家里怎么演戏。她说当时我们家里唱戏有弹琴的场面，不来虚的。因为中国戏曲是大写意，虚拟的，弹琴比画几下，表示弹琴就行了，她说我们不是，我们家演戏是真琴上台，真的琴师上台，她就举例子，有时候凑起来演几个折子戏，都跟弹琴有关。她说了一个《西厢记》的《听琴》，这个是大家很熟悉的剧本，《西厢记》是元代王实甫的作品，在明清非常流行，不稀奇。她又说了一个《玉簪记》的《琴挑》，《琴挑》是明朝高濂的一个剧作，当时也很流行，到处演，也不稀奇。她又举一个例子，还有一个戏叫《续琵琶》，《续琵琶》是写蔡文姬的故事，里面要一面操琴，一面唱《胡笳十八拍》，她说像这些戏我们都是请会弹琴的演员在台上真的弹琴，那多好看啊。那么《续琵琶》是谁写的呢？你去查中国戏曲史料，你很难查到。这是一个很不流行的剧本，是一个几乎没有公开演出过的剧本，是一个没有继续演出到今天的剧本。这个剧本是曹寅写的，就是曹雪芹祖父曹寅写的。而且查资料可以知道，只在曹寅自己家和他的亲戚家，也就是李煦家演过这个戏。这个例子就证明，贾母的原型就是李煦的妹妹，否则曹雪芹写这一笔的时候，不可能写到这样一出很偏僻的，曹寅写的剧，而且是一出只有在曹家和李家演过的戏，这是一个例子。另外，书里面交代史湘云是贾母她娘家的人，书里面透露她有两个叔叔，都是封侯的，地位很高的，一个是保龄侯史鼐，一个是忠靖侯史鼎，而且书里面也说得很清楚，史鼐是哥哥，史鼎是弟弟。也就是说，书里面有贾母的两个侄子，书里面设定贾母姓史，所以他们也都姓史，他们一个叫史鼐，一个叫史鼎，那么你去查李煦家的家谱，你就会发现，李煦两个儿子老大就叫李鼐，老二就叫李鼎。这不可能是巧合啊，哪那么巧啊？而且虚构的话，按道理，鼎应该当哥哥，因为鼐在鼎上加了个乃字，应该是老二，可是他一丝不乱地写，可见他是有原型的，贾母的原型就是曹寅的妻子李氏。

那么贾政有没有原型呢？更有原型，说起来就更有意思。现在大家想一想，有一件事情很古怪，很多读者读《红楼梦》很粗心，不细推敲，也有人一推敲就画了很大的一个问号，就是贾赦是贾母的大儿子，而且他还袭了爵，是一等将军，根据封建社会的伦理秩序，他应该侍奉贾母，应该和贾母住在一起。荣国府这个庭院应该他来住，荣国府中轴线的建筑，那个院落庭院，就是后来林黛玉看到挂着皇帝御笔书写的匾的那个庭院，应该是贾赦来住，他是长子啊，他又封了爵位啊，怎么现在住的是贾政啊？请问怪不怪？怎么解释？你虚构，犯得上这么虚构吗？这么虚构的目的是什么呢？怎么回事呢？你怎么不推敲不琢磨呢？读《红楼梦》不能当懒人，要当一个勤快人，要勤于动脑，要善察能悟才好，才能读出味来。

书里写的贾政，交代得很清楚，贾政根本就没有袭爵，因为皇帝规定了，袭爵只能一家传给一个男子，传给你的长子。当然书里面也写了，贾代善死了以后，皇帝立即就让贾赦袭了爵，然后问还有没有儿子啊，说还有，皇帝很高兴。皇帝很顾念贾家在开国时的功勋，立即引见，一看贾政非常喜欢，那也不能给他封爵了啊，就赏了一个主事的头衔，让他入部习学，后来就让他当了一个官，当了一个员外郎。什么叫员外郎，不大不小，不怎么大，我曾开玩笑说这官折合到今天，撑死不过是个副部级，结果有热心的红迷朋友就给我郑重指出，工部的最高官员是尚书和侍郎，那才相当于部长副部长呢，员外郎撑死了也不过是个副厅局级罢咧。我很感谢红迷朋友的指正，其实清代的官吏怎么能拿来跟今天的公务员类比呢？这么打比方，有些不伦不类，但我们之所以这么比方，目的只不过是想跟大家说，无论如何，书里写的贾政，他的政治地位并不怎么高，应该是比贾赦要低。那么，他既非长子，又没袭爵，官儿又不大，他怎么会在荣国府里占据中轴线的正厅正房呢？就算他非要那么住，贾母明明知道自己的大儿子是一等将军，她丈夫的爵位是传给大儿子了，她却不让大儿子跟她住，就说是偏心，能离谱到如此地步吗？而且怎么贾赦对此也心平气和，看那样子，也是觉得贾政和王夫人在荣国府府邸中轴线的正房大院居住生活，是很正常的。这究竟怎么回事？根据封建礼法，你贾赦是老大，就该跟你妈一块儿住，天天伺候你妈，你跑到另一个黑油大门里去住着，算怎么一回事儿啊？

而且我们越看越怪。第七十五回写中秋，又一个中秋，当时贾家已经风雨飘摇了，贾母强打精神组织团圆宴，团圆宴你就发现座次很奇怪了，贾母的右边坐的全是跟她直系的人物，坐的谁呢？是贾政、贾宝玉、贾环、贾兰，怎么会没有贾赦呢？贾赦应该坐在她右边啊，第一个啊，他是老大啊。可是贾赦却坐在她左边，左边除了贾赦是些什么人呢？当然有贾琏，有他儿子，另外就是贾珍、贾蓉，很显然全是些个旁系的人物，是不是？这怎么回事？曹雪芹虚构，他艺术想象，他怎么想成这个样子呢？

其实，道理很简单，曹雪芹写成这个样子，就是因为他过分地忠于生活原型，他太写实了。这个谜，老早就被周汝昌先生经过严密考证，揭示出来了。这就是因为，曹寅这个历史原型，在小说里面被淡化了，就是贾代善，只剩一个虚构的名字了；曹寅生了一个儿子，是曹颙，那么康熙皇帝非常喜欢曹家，曹寅死了以后，康熙还让他的儿子接着来当江宁织造，这是一个肥缺，还让他家当。但是曹颙很不争气，他倒是很有才能，声誉也很好，但是他的健康状况不好，没有干几年就病死了。曹寅的夫人，就是书里贾母的原型，不仅成了寡妇了，而且底下也没有儿子了，再让曹寅家的人当织造的话，就找不到男丁了。但是当时康熙实在是太喜欢曹家了，也特别喜欢李煦，喜欢贾母原型李氏她娘家哥哥，所以康熙就亲自问李煦，说你看一看曹寅的侄子里面，有没有好的，选一个过继给曹寅，虽然这个人死了，但是还可以名义上过继一个儿子，好让他侍奉李氏，来接任这个江宁织造。后来李煦就很认真地帮他挑选，挑选出了曹寅的侄子曹頫，就把曹頫过继给曹寅，也就是过继给李氏，成为她的一个儿子，而且曹頫又生了一个儿子曹霑，就是曹雪芹，贾宝玉的原型——当然，曹雪芹究竟是不是曹頫生的，红学界有争议，也有人认为曹雪芹是曹颙的遗腹子，这里暂不讨论——所以曹雪芹是根据自己家族的情况，他的父亲是过继给他祖母的，这样的一种真实状况，来写书的。弄清了这一点，你再回过头来看《红楼梦》，你就觉得它太写实了，他写贾母和贾政的关系非常淡薄，贾母喜欢她的孙子，因为根据封建社会的观念，儿子如果不是亲生的是过继的话，孙子就一定是亲生的。儿子老大了才过来，双方论骨肉情比较困难，孙子从小带大，而且从小可以瞒着他，是不是？长大你再告诉他或他自己想办法知道，是另外一回事，你就可以很亲地把他当做自己骨肉的延续。

所以你看，曹雪芹为什么这么写，就是因为他有生活原型，他的父亲曹𬱟就是贾政的原型，原型人物，曹𬱟不是李氏的亲儿子，但是又过继给李氏，继承了曹家的家业，所以在小说中，贾政住在荣国府的正堂大院。实际上荣国府只有这么一个过继的儿子，为什么他要写贾赦呢？这点就是他发挥他的艺术想象力，以及他的艺术虚构了，如果太忠实于生活的真实写起来就很麻烦，所以他就归并同类项，因为贾赦确实在小说里面是贾政的哥哥，在生活原型当中也确实是曹𬱟的哥哥，他和贾政之间他们是亲兄弟，但是他没有过继给贾母，明白吗？他没过继给贾母，他怎么能住在荣国府的院子里呢？他当然是在另外一个院落居住，明白这个逻辑了吧。曹雪芹因为太忠于生活原型了，所以写来写去写成这个样子。

曹雪芹之所以要写贾赦这一支，主要的动机，我觉得是他想大写王熙凤，生活真实中的那个原型人物，令他刻骨铭心，难以忘怀，他要给这位脂粉英雄画影立传。生活真实中的这位堂嫂，本是他父亲那位并没有一起过继到他祖母这边来的，他伯伯家的一个媳妇，他在小说里设定那位伯伯跟他父亲一样，都成了小说里贾母的亲儿子，这样写起来比较方便，也可以生发出更多的故事，比如鸳鸯抗婚等等。曹雪芹一方面使用小说的虚构技巧，一方面又非常忠实地记录了生活原生态里的许多情况，比如他写有一天平儿劝凤姐别那么为荣国府的事情操心，说出了这样的话："依我说，总是在这里操一百分心，终究咱们是那边屋里去的。"提到府里公子小姐的婚事，需要如何筹划，说"二姑娘是大老爷那边的，也不算"。根据他对小说里人物的设计，王熙凤是贾母长房长孙的媳妇，怎么会"终究"还是要回"那边"？迎春是贾母长房的长孙女，她出嫁的事怎么会与贾母乃至整个荣国府无关？怎么能说是"那边的"竟可以"不算"？现在我们知道他写小说都是有原型的，弄清楚贾赦的原型是曹𬱟的一位并没有跟他一起过继给李氏的哥哥，那么小说里平儿跟王熙凤的对话，就都不难懂了，其实真实生活里人们就是那么谈论那类事情的。

所以我就跟你讲，《红楼梦》的人物都是有原型的。说了半天，我想说什么呢？就是说贾蓉也有原型，贾蓉的妻子秦可卿也应该有原型。我把这个逻辑梳理一遍，你现在听懂了吧，我觉得我这个逻辑起码还是自成方圆的。秦可卿这个人物，她应该也有一个原型。因此，问题就逼到这儿来了，这么样一个写书的人，写贾蓉的媳妇秦可卿，这个角色既然也有原型，那么，秦可卿的原型究竟是谁呢？我下一讲接着讲。

第四讲

秦可卿抱养之谜

　　上一讲我们得出两个结论，第一个结论就是贾氏宗族在娶媳妇上是不含糊的，第二个结论就是《红楼梦》是一个自叙性的小说，它的人物都是有生活原型的，底下我们就来讨论秦可卿，看她有没有原型。

　　红迷朋友都很清楚，关于秦可卿的出身，《红楼梦》里面是有明确交代的，就在第八回的末尾，这个交代非常古怪，和曹雪芹写别的人的家业、根基很不一样，每一句都古怪，现在我们就一句一句来分析一下。

　　在第八回的末尾，宝玉和秦钟要到家塾去读书，于是以这个为由头，顺便就提到了秦钟和他姐姐秦可卿的出身。说是秦业系现任工部营缮司，营缮司是一个很小的官，可能是管工程建设的。秦业这是曹雪芹所设定的秦可卿养父的名字。有一点特别值得注意，就是后来高鹗和程伟元续《红楼梦》的时候，他们不但在八十回以后续了四十回，前面他们也有所改动。例如在这一回秦业这两个字上他们就改动了，很奇怪，这个有什么值得改的呢？高鹗他们就把秦业的名字改成了秦邦业，可见高鹗和程伟元对这个名字是敏感的，为什么？因为在古本《红楼梦》上，脂砚斋在批语里面对"秦业"这个名字是有非常明确的评论的。脂砚斋怎么评论的呢？她说"妙名，业者孽也"。大家知道在中国繁体汉字里面，比如"造业"和"造孽"，这个"业""孽"是相通的，说"业障"和"孽障"是一个意思。秦业，"秦"是谐音"情"，因为曹雪芹是从江南移居北京的，所以《红楼梦》里边有很多南方口音，南方人 zh、ch、sh 和 z、c、s，l 和 n，in 和 ing 往往不分，所以他认为"情"和"秦"是相通的，是谐音的。秦就是谐音"感情"的这个"情"，业就是谐音"孽"，合起来的意思就是因为有感情而造成罪恶。他这个名字命名是有含义的，在以后我会进一步加以揭示。高鹗、程伟元他们也可能看出这个含义了，他们不想因为这个书稿惹事，甚至还有更坏的想法，所以就把它改了。所以你看曹雪芹的书，命运很坎坷，很曲折的。

根据曹雪芹的话，秦业是一个小官，"年近七十，夫人早亡"。书里面秦可卿出场的时候，大约应该是二十岁的样子，那么就说明秦业是在五十岁左右，得到了她，因为当年无儿无女，便向养生堂抱了一个儿子，并一个女儿，这就是秦可卿的来历，这是很古怪的。

上一讲我们已经提到了，封建社会是非常重视血脉相传的，就是今天的社会，很多人也还是很重视这个的，不但重视别人的血缘，更重视自己的血缘，我是不是自己父母亲生的儿子？现在有一种新的科学技术叫 DNA 检测，可以去检测的。现代人在血缘上尚且有这样的困惑，何况曹雪芹所表现的那样一个时代，这个血缘是一个非常重要的问题。

秦业因为夫人早亡，无儿无女，就决定到养生堂去抱孩子，虽然他是一个小官，宦囊羞涩，但是他怎么这么来延续自己的子嗣呢？还是很古怪。首先我们要搞清楚什么叫养生堂？我个人对"养生堂"这三个字是非常敏感的，为什么？我出生在 1942 年，出生地是四川成都育婴堂街，当时我家住的那条街上就有一个育婴堂，育婴堂就是养生堂，这两个名字是相通的。成都话说起这几个字，发音是"哟音堂该"，我就出生在叫做育婴堂街的那么一个地方，所以我父母告诉我以后，我再读《红楼梦》对此就很敏感。20 年前我还曾经跑到那条街，去找那条街上的育婴堂的痕迹，但社会发展很快，已经无痕迹可寻了。

什么叫做育婴堂或者养生堂，我们可以看一幅上个世纪著名作家漫画家丰子恺的漫画，他有一幅漫画，题目叫《最后的吻》，画面上是一个贫穷的妇人，抱着一个孩子，她养不了这个孩子了，她决定把他送给养生堂。在送走之前，她给他最后一吻，画面的一角还有一只狗，那只狗却不抛弃自己的孩子，还让自己的孩子在自己的怀抱里面得到温暖。这是画世相的一幅漫画，整个情调很凄楚。养生堂接受弃婴的游戏规则是很古怪的，今天我们看来的话，会觉得有点匪夷所思：养生堂的人是不见孩子的父母的，养生堂建筑的墙上会有一个大抽屉，这个抽屉可以两面拉开，明白这个意思吧，墙壁外面可以把抽屉拉开，墙里头也可以把这个抽屉拉开。丰子恺这个漫画，画的就是一个妇女抱着一个孩子，她养不下去了，就把婴孩送到养生堂，把那个抽屉拉开——画面上已经把抽屉拉开了——告别的吻之后，就要把婴孩放到抽屉里面了，放进去后就可以把抽屉推上，她就可以转身走掉了。养生堂的人，会随时检查这个抽屉，把这个抽屉打开，空的就说明这个时段，没有人来抛弃孩子，若打开一看有孩子，就把这个孩子抱出来养大。实际上养生堂的条件很糟糕，往往也养不大就死掉了，勉强养大的，也多半营养不良，或者形成残疾。养生堂的孩子可以由社会上的人抱养，小时候没人抱走，大了以后就往往会被人领去当苦力，男的充当苦力，女的可能更惨，不少被妓院领走，沦为娼妓。因此，只有最没有办法的人才会把自己的孩子拉开抽屉送给养生堂，或者是实在穷得没有办法，或者是罪家的子女，或者是因为父亲或者母亲血缘有问题，或者有别的什么问题，不想要了，或者是残疾婴儿，才会送给养生堂。

　　曹雪芹的文字，是很古怪的，他说秦业因为无儿无女就到养生堂去抱养孩子。那我们推敲一下，在秦业所生活的那个社会，按一般家族血缘延续的游戏规则，如果他是一个五十岁上下的男子，没有儿女的话，他要解决子嗣的问题，第一招就是续弦，你夫人死了就再娶一个嘛，娶的夫人还不生育的话，那你就纳妾嘛，当时实行一夫一妻多妾嘛，娶小老婆是社会允许的，是不是？你这样繁衍你的后代不就完了吗？也可能有读者要跟我讨论了，说人家秦业可能没有生育能力了，但根据《红楼梦》后面的文字描写，这个秦业他有生育能力，后来他生了秦钟嘛，所以秦业是有生育能力的，他要延续子嗣的话，没有必要到养生堂去抱养孩子。而且很古怪，一般到养生堂去抱孩子，如果为了延续子嗣的话应该抱男孩，而这个秦业一抱呢，就抱了一对，一男一女。按说你要有能力养两个，抱两个男孩双保险，你不就更可以延续你的秦姓吗？他却又抱了一个女儿，看来这个女儿是非抱不可的，谁让他抱的？恐怕未必是他愿意抱的，但是不管怎么样，他抱了一儿一女。而且更古怪的是，最后儿子又死了，死的还不是女儿，是儿子，只剩一个女儿。只剩一个女儿，要延续子嗣的话，再去抱一个儿子不就完了，养生堂的男孩很好抱啊，随便你选啊，你也不是最穷的啊，你是一个营缮郎，是一个小官，跟贾府没法比，但跟社会上一般人比的话，你还是不错啊，很奇怪，他就只养这个女儿，不再抱儿子了。

　　另外，在当时那个社会，如果自己实在生不出儿子，还可以从兄弟或堂兄弟那里过继来一个儿子。上一讲我就讲到，曹寅死了，没多久他亲儿子曹顒又死了，他夫人李氏还在，可是就再没有别的儿子了，于是康熙皇帝亲自过问这件事，让曹寅的一个侄子曹頫过继给了曹寅，继续当江宁织造，来侍奉曹寅的未亡人李氏。这种延续家族血脉的方式在那个时代，从上到下都很流行，实行起来非常方便，除非你亲兄弟堂兄弟全没有，但是在小说里，曹雪芹分明写到，秦钟死后，贾宝玉闻讯去奔丧，"来至秦钟门首，悄无一人，遂蜂拥至内室，唬的秦钟的两个远房婶母并几个兄弟都藏之不迭"，可见秦业若是要从秦氏宗族里过继来一个儿子，是很现成的事。可是这个秦业却既不纳妾也不过继，偏要到养生堂里抱孩子，抱来一儿一女以后，却又不认真养那个儿子，倒是把心思全用在了养那个女儿上头。这真是奇事一桩。

从养生堂抱来的这个女儿，秦业很喜欢，小名儿唤可儿；可儿在过去的语言里面，就表示可爱的意思。在曹雪芹写到这句话的时候，下面就有脂砚斋的批语，就是"出名"，意思是秦氏开始出现名字了，可儿便是秦可卿了。"秦氏究竟不知系出何氏，所谓寓褒贬别善恶是也"，这话倒也无所谓；下面又说，是"秉刀斧之笔，具菩萨之心，亦甚难矣"，就好像有什么隐情。如果他跟我们有的读者想法一样，虚构嘛，我就写是养生堂抱的，怎么着啊？那也就不必大惊小怪，但是脂砚斋她说，这么写是"秉刀斧之笔"，怎么会是"秉刀斧之笔"呢？刀斧是用来砍削东西的，这就是说，她指出，作者写这个人物，是用大刀大斧砍去很多真相，是不是啊？刀斧砍的是什么啊？又说"具菩萨之心"，"菩萨之心"就是不忍之心，慈悲之心，那么，显然是不忍心写出真相来，那这又是怎么回事啊？谜团重重。

脂砚斋又说，"如此写来，可见来历亦甚苦矣，又知作者是欲天下人共来哭此情字"，就是他给这家人取姓，姓秦，是有用意的，是谐音为情。这个秦可卿来历甚苦，长大以后呢，生得形容袅娜，性格风流。这个倒不用讨论，因为就是一个养生堂的姑娘，养大后，也可能是这样的，奇怪的是营缮郎秦业因素与贾家有些瓜葛，故结了亲，将秦可卿许与贾蓉为妻。上一讲咱们费了老大力气，得出一个结论，就是贾蓉的妻子千万不能乱娶，宁国府的血脉已经到了三世单传的危机时刻了，娶媳妇一定要娶一个门当户对的，门不当户不对的话也得比贾府的门和户还要高，而且要保证能给贾蓉生儿子，也就是给宁国公这一支传续后代。可是仅仅因为营缮郎跟贾家有点瓜葛，就去把他抱养的养生堂的女儿，许给了贾蓉，还不是小老婆，而是娶为了正室。旧社会一夫一妻多妾，可以先娶小老婆，后娶正妻，那也是可以的，但宁国府不是这样，是正正经经地将秦可卿娶为了贾蓉的妻子。所以这一段话实在是每一句都古怪。

也可能有朋友又要跟我讨论了。我在这儿讲，我老觉得有人和我讨论，实际上也是这样，讨论才能生出乐趣来，所以我们就讨论，说也可能啊，曹雪芹在这儿他想有一个超越，他就想写贾家有一种跟其他贵族家庭不一样的思想感情，就不嫌人家贫穷，虽然是富贵家庭，但是没有富贵眼光。但这个曹雪芹真是行文太奇怪了，他好像深怕咱们误会，好像就防着咱们这个思路了，他立刻在底下说，"贾府上上下下都是一双富贵眼睛"，生怕你忘了这一点。哪里能说他想表现贾府是没有富贵眼光的呢？他提醒你，上上下下都是富贵眼光，所以秦业要送自己的儿子秦钟上贾氏的私塾，等于是附读，因为他并不是贾氏的后代，他只是一个亲戚，经人家允许，到那儿去读书；到那儿读书就得交学费，明着不叫学费，叫做贽见礼，按当时的规矩起码得二十四两银子，二十四两银子对于贾氏家族来说，简直就不是钱，但是对秦业来说，就觉得很吃力，他宦囊羞涩，他很穷，贾家上上下下都看不起穷人的，他会很受歧视。

也可能有人要跟我讨论，说你这个抠得太细，掰开了揉碎了你干吗呢？就不许人家曹雪芹偶然写上这么一句吗？不偶然，贾家是一双富贵眼睛，在第七十一回里面又写到了，那次是贾母的八旬之庆，你还记得吗？很多亲友都来捧场，都来给她祝寿，当时远亲也来了，一个是贾珩，他的母亲就带了女儿喜鸾，来给贾母祝寿；还有一位是贾琼，这个贾琼的母亲，也带了一个女儿叫四姐的，到贾府来给贾母祝寿。贾母这个人有一个特点，她喜欢女孩子，你看她自己住在荣国府里，但她把宁国府里的惜春，贾赦的女儿，按说应该和贾赦邢夫人同住在黑油门大宅院的人，迎春，都收到自己身边一块儿养起来。她喜欢女孩子，特别她觉得喜鸾和四姐长得模样又标致，又会说话，她很喜欢，于是贾母就把两对母女留下来了，说吃完寿筵别走，玩几天。然后曹雪芹就特别写到贾母嘱咐所有的仆人，包括管家，她说到园子里各处女人跟前嘱咐嘱咐，说留下的喜鸾四姐虽然穷，也要和家里的姑娘们是一样，大家照看精心些。她说，我知道咱们家里男男女女都是一个富贵心，两只体面眼，未必把她们放在眼里，有人小看了她们，我听了可不依。如果说在第八回末尾，说贾府的人都是一双富贵眼睛的话，还只是通过曹雪芹的叙述语言来说，那么到了第七十一回，就通过其中一个重要人物贾母，通过荣国府加上宁国府贾氏宗族辈分最高的人物，让她自己来说，说我们家的情况我了解，是一个富贵心两只体面眼，连家里这些仆人都是这个样子，那么贾家的那些主子们能例外吗？贾母看来有点例外，但是她也不过是把她们留下来，玩儿几天罢了，而且毕竟从血缘上说又全是亲戚。

　　有红迷朋友注意到，书中第二十九回，贾母率全府女眷，包括几乎所有的大丫头和众多仆人，到清虚观去打醮祈福。清虚观的张道士，跟贾母很熟，忽然给宝玉提亲，贾母没接他的茬儿，推说宝玉年纪还小，命里不该早娶，而且还说如果要娶的话，"不管他根基富贵"，只要模样配得上，性格儿好就行。这是否意味着，贾母为儿孙娶媳妇，真的不讲究根基富贵呢？我们先退一万步，假定贾母确实不讲究那媳妇家的社会地位经济状况，但贾母也并没有表示，她对那媳妇可以容忍到连血缘也弄不清的地步，就连长大后的养生堂弃婴，也很乐于接受，贾母绝对不是那样的意思。实际上贾母对宝玉的婚事，一直悬挂在心，第五十回她因为觉得薛宝琴实在太可爱了，比画上的美人还要出色，就动了念，她就跟薛姨妈细问薛宝琴"年庚八字并家内景况"。宝琴是金陵四大家族的成员，血统不消说与宝玉是般配的，贾母真动了念，尚且还要细问宝琴"家内景况"，当然首先是经济状况，哪里会真的让宝玉娶个破落家庭的女子呢？薛姨妈告诉贾母，宝琴已经许配给梅翰林家的儿子了，只是因为梅家有些特殊情况，因此一时还没有完婚，贾母听后，只好作罢。我将在以后的讲座里，告诉大家我的分析，就是贾母为什么用那样的话拒绝张道士的提亲，那并不是贾母的真心话，那是一些托词。贾母虽然常常说点批评别人有富贵心体面眼的话，其实在本质上，她的心是最具富贵气，眼是最讲体面的，第五十七回她对那个给宝玉看病的王太医怎么说话的？"既如此，请到外面坐，开药方，若吃好了，我另外预备好谢礼……若耽误了，打发人去拆了太医院大堂！"这才是贾母最真实的思想感情。

　　好了，现在我们来说贾宝玉。贾宝玉在曹雪芹笔下是一个很有超越性的形象，他在那个社会里面，和主流是不相融的。那么我现在要讲他什么呢？就是说贾宝玉也有比较恶劣的一面。他虽然对周围的人很平等，特别是对丫头们，他喜欢丫头们，不光是平等对待，他把她们当做花朵一样对待。他是一个绛洞花王，是一个红颜色的洞窟里面护花的王子，他爱花，爱青春花朵，爱姑娘，不但爱主子姑娘，仆人、丫头……凡年轻的女性他都喜欢。但是他毕竟是一个贵族公子，他有时候也使性子，有一次下雨淋点雨，回去敲打怡红院的门，开门晚了一点，他一脚踹过去，没想到踹的是袭人，那晚上袭人就吐血了，这个情节大家还记得吧。他使性子，他毕竟是主子，是贵族公子，有时难免也要显露出纨绔子弟的任性。其实呢，在《红楼梦》一开始的时候，就写了他使性子，而且构成很大的事件，比踢得人吐血的后果更严重，这个是我今天特别要跟大家讲的，这事件无妨就叫做枫露茶事件。

这个情节就在第八回。第八回太好看了，在梨香院，贾宝玉和薛宝钗互看对方的佩戴物，林黛玉来了，书中第一次展开三角关系，生动地刻画出他们的不同性格，真是花团锦簇、玲珑剔透的文字。因为这些主要的情节太精彩了，以至于有的人对第八回刚才我说的那段文字，关于秦可卿出身的交代，都忽视了，枫露茶的事情，就更是那么一带而过地翻过去了。

曹雪芹写贾宝玉在薛姨妈那儿喝酒喝醉了，期间还穿插着他的奶妈李嬷嬷拦他喝酒，他不乐意，他讨厌他的奶妈，两个人发生冲突。但是李嬷嬷，也就是嘴头管一管，自己后来得便歇着去了，贾宝玉醉醺醺回到绛云轩——那时候还没有大观园，没有怡红院，他回到的地方应该是跟贾母住的房间连在一起的，那个他住的房间，这个时候就出现一个事情，就是枫露茶事件。

本来我读《红楼梦》的时候，读到这儿，我很轻视，我觉得这有什么啊，这写什么呢？就写贾宝玉回去了以后他要喝茶，有一个丫头叫茜雪，就端了一杯茶给他，他一喝不对头，说怎么给我这个茶，早上我不是沏了一杯枫露茶吗？这个枫露茶是很怪的一种茶，在有关的茶经上可以查到它的资料。大体而言是用枫叶的嫩芽制作的一种茶，这种茶沏一道的时候它不出色儿，而应该沏了一道把水澄了，再沏一道再澄了，三四道出色儿，那时候喝最好。所以贾宝玉认为他走的时候沏的，回来以后应该正好是三道，喝着最好的时候，你应该把这样的茶端给我。这个时候茜雪跟他说，这个茶是给你留着的，但是李奶奶来了，就是他的奶妈，李嬷嬷来了，让她给喝了。李嬷嬷到贾宝玉住的地方专门是喝东西吃东西，这个枫露茶，她说留着给宝玉干什么，我喝了吧，她就把它给喝了。贾宝玉听了就大怒。这时候曹雪芹就写了贵族公子可以随意发怒的特权，宝玉跳起来，大怒。他就把那个茶杯哐啷就扔出去了，茶杯就碎了，溅了茜雪一裙子的茶水，他跳着脚地骂，说，谁是奶奶，不过就是奶过我，我喝过她几口奶吗？有什么了不起，撵出去撵出去——他要撵这个李奶奶。当时因为不是住在怡红院，是跟贾母住在一起，你想一个茶杯喔唧打碎了，而且地面肯定是很高级的，当时可能是水磨砖甚至是另外当时有的高级材料的地面，茶杯碎的声音是很大的，贾母就问什么声音，袭人还代为掩饰。这时候写袭人的性格，她在一般情况下总是息事宁人，袭人就跟那边说下雪了，我摔了一跤，把一个茶杯打碎了，没什么事，把这个事掩盖过去了。贾宝玉开始不过微醺，酒劲上来以后就大醉，大醉以后就大怒，枫露茶的谐音可能是逢怒茶。就是正好逢到我们绛洞花王大发雷霆，居然不爱花了，摧花到这个地步，对着茜雪大叫大嚷。当时李嬷嬷已经回家了，根本不在场。这是第八回里的事儿。

在这儿我就有一个疑问了，本来我读不懂，我觉得第八回写这个干吗呢？后来我读了古本《红楼梦》，我就发现，脂砚斋有评语，说茜雪这个人物很重要。原来我以为茜雪就是给了一杯茶，触了一个霉头，然后就消失了，根据后来的交代是被撵走了，然后你读到八十回末尾，这个人再也没有了。高鹗续后四十回，更没有茜雪的踪影。所以我曾经怀疑过，曹雪芹写书怎么能这么写，写小说，特别是长篇小说，应该是设置一个人物，就应该有他的作用，对不对？一些重要人物，应该是有贯穿性的，这甚至是中外古今长篇小说的一个常规。怎么写茜雪写到这儿，后面就没有了呢？而且更古怪的是，宝玉虽然发怒，他口口声声要撵的是李奶奶，即李嬷嬷，往后看，怎么会被撵的是茜雪呢？在第十九回，这个讨厌的李嬷嬷又出现了，若无其事，还对宝玉房里的丫头们说，"打量上次为茶撵茜雪的事我不知道呢"；到第二十回，又提到"当日吃茶茜雪出去"；甚至到了第四十六回，写鸳鸯抗婚，她跟平儿、袭人说知心话，话里提到"死了的可人和金钏，去了的茜雪"，这都分明传达出同一个不会有误的信息，那就是因为枫露茶的事情，宝玉酒后大怒，竟导致了茜雪被撵。我们读过《红楼梦》全书就都懂得，府里的丫头，尤其是大丫头，被撵出去就意味着颜面扫地，甚至就断绝了生路。例如金钏被撵后羞愧难当，投井身亡；晴雯被撵后，仿佛一盆才抽出嫩箭的兰花被搬到猪圈里一般，很快就被摧残死了。因此，茜雪的被撵，是一桩大事，而且她几乎可以说是书中头一个遭撵的丫头，撵她的起因还并不是王夫人认为她是狐媚子，她其实一点过错也没有，她是完完全全地被冤枉，但是，贾宝玉酒后大怒摔茶，她就是被撵了！

贾宝玉酒后高喊撵出去撵出去，他要撵的是李嬷嬷，但这位李嬷嬷始终存在，贾府盖好大观园以后，她还到大观园里去活动。大家记得后来写的"蜂腰桥设言传心事"，那已经是第二十六回，讲的是小红跟贾芸谈恋爱的故事。小红在大观园里面碰见谁了？碰见李嬷嬷了，说明她没出事，没被撵，而且贾宝玉还让她给贾芸传话去。这个李嬷嬷是那回枫露茶事件的罪魁祸首，但她事后毫发无损，可是茜雪呢，还没等荣国府里建成大观园，就被撵出去，消失了。

我读第八回，开头读得不细，我以为撵出去的是李嬷嬷。这老太婆着实招人厌烦，在喝枫露茶之前，她已经把宝玉特意留给晴雯的一碟豆腐皮包子，私自端回她家去给她孙子吃了；后来又写到她把宝玉留给袭人的酥酪，一边唠叨着一边吃尽了。她倚老卖老，没有给宝玉和宝玉身边的人带来半点快乐，只是不断地在那里扫人兴致，所以囫囵吞枣地读《红楼梦》，往往就会觉得，是李嬷嬷被撵出去了。但一细读，就发现，呀，因为一杯枫露茶，被撵出去的竟是茜雪，这个后面多次点出来了嘛。

那么，问题就来了，茜雪被撵，她是怎么被撵的？为什么她本无辜，却被撵了出去，而枫露茶事件的责任者李嬷嬷，反倒被轻轻放过？这么一推敲，就觉得第八回好像缺一段文字，缺一段交代茜雪是怎么被撵出去的文字，现在各个古本的文字，在这个地方都接不上。你想想，写到这儿以后，忽然就不说了，就写宝玉醒了酒，第二天秦钟来了，他们就约了一起去家塾上学了。然后就交代秦钟家里怎么回事，附带就把他姐姐的出身交代了一下。这样的文本面貌很奇怪。所以第八回是一个很值得推敲，很怪的一回文字。

那么，你也许会这么想，曹雪芹写枫露茶事件，他就是那么随便地写一笔，茜雪这个角色，就仿佛一次性手套，用完就扔一边了。如果真是这样，倒也罢了，但是我后来看了古本《红楼梦》之后，就知道茜雪不简单。脂砚斋说曹雪芹写作《红楼梦》，有一个基本的写作技巧，叫什么呢？叫一树千枝，一源万派，无意随手，伏脉千里。就是你别看他写一件事，他这个事件是有放射性作用的，一树千枝，不是单写一个树干，他写很茂密的一棵大树；一源万派，虽然发源是一个小的源泉，但是最后流成了许多许多河流，一派就是一条支流，一源万派；而且有时候你觉得他好像是无心，无意随手，实际上他是伏脉千里。曹雪芹是很有苦心的，他写茜雪，是打着埋伏呢，别看第八回以后突然就不见了。后来在第二十回的时候，当里面人物提到茜雪的时候，脂砚斋在她的批语里面就有这样的说法，说"茜雪至狱神庙方呈正文"，意思是说，前面这点茜雪是捎带脚写到，正经给茜雪立传，是在八十回以后的狱神庙那一回。《红楼梦》是一个群像小说，你可以说贾宝玉、林黛玉是主角，但绝不是只写他们的故事，它里面有许许多多的角色，这些角色在有的回里面，可能是一个很次要的人物，但到了另外一回，可能一下子上升为那一回的主角。比如说迎春，"懦小姐不问累金凤"，那一回就是迎春正传，就是迎春的正文，作者把那部分文字整个儿献给迎春，塑造她的形象，表现她的懦弱，烂好人，好心眼到了不堪的地步，是任人欺负的那么一个人；"矢孤介杜绝宁国府"则是惜春的正文。那么茜雪的正文在哪一回呢？脂砚斋就告诉我们，在狱神庙那一回，起码有至少半回文字是专门要来写茜雪的。脂砚斋告诉我们，"余只见有一次誊清时，与狱神庙慰宝玉等五六稿，被借阅者迷失，叹叹。"她明明看见了，有一次誊清时她看见了"狱神庙慰宝玉"这样的文字，当然是写茜雪到狱神庙安慰宝玉去了。宝玉为了一杯茶，大发雷霆，造成她被撵出去的后果，但是她不念旧恶，也就是说她能全面看人，她觉得那是贾宝玉缺点的一次暴露，而贾宝玉还有很多优点，贾宝玉落难以后值得去帮助。这个还不是一次粗略的构思，曹雪芹他在八十回后某一回已经写出来了，稿子都有了，誊清了好几次，可惜丢失了。由此可见，第八回写枫露茶事件绝非偶然。

我讲秦可卿又讲到枫露茶事件，是为什么呢？我是怎么一个思路呢？就是说我觉得关于秦可卿来历的这段文字，有后补的迹象，就是说第八回不完整，他去掉了一段文字，他去掉的应该是写茜雪被撵出去的一段文字，这没有什么不可写的，对不对？怎么因为撵了一杯枫露茶，贾宝玉口口声声要撵李嬷嬷，最后撵的不是李嬷嬷，而是茜雪呢？这一回本来应该对此有所交代的，应该有这样的文字，从文气上看应该有的，但是现在我们看，各种古本一直到通行本都没有这段文字了。此外《红楼梦》每一回的字数大体上是均衡的，他有一个基本的控制，可能有点出入，但是出入不是很大。第八回传下来的文字，它的规模跟其他回差不多，虽然少了一段茜雪被撵出去的文字。因此现在所看到的有关秦可卿出身的这段文字，我就猜测他是后补进去的。因为他要保持每一回的均匀程度，又由于我们现在无法探知的原因，他去掉了那一段，补上了这一段。为什么那一段文字很古怪？

跟它是后补上的有关系，而且曹雪芹好像深怕咱们看不懂这段文字的古怪，深怕咱们不能理解他的苦心，不明白他是不得已补这一段的，所以他每一句话都是更向荒唐演大荒，每一句话都古怪到底。

刚才我已经捋了一遍，是不是每句话，我们都会有疑问？他在写其他人的时候，不会引起我们这么多的疑问，再联系到第十三回秦可卿之死那一回——原来回目叫做"秦可卿淫丧天香楼"，据说有人看到的一种古本里面，"丧"还写成了"上下"的"上"——在第十三回的脂砚斋批语里面说得更清楚，是她劝曹雪芹删去了关于秦可卿之死的大段文字。实际上，这也就是掩饰了、隐去了秦可卿真实的出身和真实的死因，这又是一种非艺术性的考虑，而不是艺术性的考虑，因为删去了第十三回关于秦可卿的真实身份和真实死因，就必须找一个地方打一个补丁，有一个交代。所以曹雪芹就很痛苦地找到了第八回末尾，在枫露茶事件之后，他就可能是删去了关于枫露茶事件当中，茜雪被撵的一些具体的文字，而接上这个补丁，来一段有关秦可卿秦钟出身的文字。我这个猜测也可能还缺乏很坚实的论证的逻辑，但是我提供出来供大家参考，希望红迷朋友们跟我一起探讨。

反正我有两个前提，我觉得你应该基本能够接受：一个前提就是说秦可卿的出身根据《红楼梦》整体对贾府的描写，不可能寒微到那种地步，是一个养生堂抱来的弃婴，是被一个宦囊羞涩的小官吏抱养大的；第二，就是曹雪芹在处理秦可卿的形象上，他很痛苦，非常痛苦，他除了艺术性的考虑以外，还有很多非艺术性的考虑，所以他在文字上删删加加，补补贴贴，因此也就形成了我们现在可以从秦可卿入手，去解读《红楼梦》的一个契机。那么我们还要继续往下讨论，继续讨论什么呢？就是我们换一个思路换一个角度看，如果秦可卿真像曹雪芹交代的，是养生堂抱来的一个弃婴，是被一个宦囊羞涩的小官吏养大的，仅仅因为和贾家有一点瓜葛，就嫁到贾家来，而且是嫁给了三世单传的贾蓉为妻，还是正妻，那么根据艺术创作的基本规律，他描写的这个人物在各个方面，应该与他设置的出身是相匹配的，相协调的。换句话说，我们下一讲所要探讨的问题就是，如果秦可卿真的是这样很寒微的出身，她在书中应该是有怎样的表现呢？我们下一讲再来一起讨论。

秦可卿生存之谜

在上一讲结尾之前我做出了一个判断，然后我又提出一个问题。我的判断是什么呢？我指出，《红楼梦》第八回末尾关于秦可卿身世的那段交代，那段古怪的文字，本来是没有的，是出于非艺术性的考虑，曹雪芹最后才贴上去的一个补丁。我提出的问题是什么呢？就是秦可卿究竟在贾府，是怎么样一个生存状态呢？这一讲我就从这儿开始，继续来探索秦可卿这个人物的生活原型。

我们知道，《红楼梦》的作者曹雪芹，他写人物很厉害，他不但通过这个人物本身的行为、语言、情感、心理来塑造人物，他往往还通过别人看他，通过别人的眼光，别人对他的评价、想法来塑造这个人物，这种例子比比皆是。写秦可卿他也不例外。所以我们首先来看一看，贾府里面这些人怎么看待秦可卿。

我们首先选出贾母，贾母是怎么看待秦可卿的？通过贾母给她定位，可以知道秦可卿在贾府当中的实际生存状态。贾母是个什么人呢？过去有一种贴标签的、简单化的分析办法，说，既然贾家是一个贵族家庭，是一个腐朽、没落的剥削阶级的家庭，贾母又是这个家庭宝塔尖上的一个人物，所以不用动脑筋了，这就是一个最糟糕的人，是封建统治阶级当中的一个腐朽、没落的人物，一个老顽固、老封建。这种简单化的分析不适合于《红楼梦》。曹雪芹他写人物是从生活原型出发，他写出了活生生的生命，他使你相信，这种生命在历史的某一个时空里面实际存在过，他写出了人的复杂性。贾母当然是一个封建贵族家庭的宝塔尖上的人物，这个家庭的一些罪恶、阴暗面，她身上也有，她本人也要对这个家族的这些方面负责任。但是这只是她的一个方面而已，贾母实际上是一个很复杂的人物。

　　贾母有很慈爱的一面，她对家境贫寒的人、地位低下的人，有时候能够表达出一种真诚的关怀，一种怜恤，而且这不是装出来的。你比如说，《红楼梦》里写了这样一个场面，大家一定记得，就是贾母带着荣国府的女眷到清虚观去打醮。打醮是一种宗教仪式，目的是祈求幸福。贾母当然是一个很享福的人了，所以这一回的回目就叫做"享福人福深还祷福"，她觉得幸福还不够，她还要去祈祷神、佛，给她更多的幸福。那天她兴致很高，她说天气很好，在打醮活动结束以后，还可以在那里让戏班子演戏，大家看戏。她说，咱们所有的太太、小姐们全去。贾母兴致一高，底下人当然就呼应，所以荣国府的女眷几乎是倾巢而出，王夫人去了，王熙凤去了，小姐们也都去了，小姐们身边的大丫头也去了，一些管事的妇人也去了，一些嬷嬷、老婆子，服侍她们的，也去了。所以书里面描写的那个场面，是书中的几次大场面之一。贾府的车轿人马前头都快接近清虚观了，后头在荣国府门口还没动窝呢。你想，是多浩荡的一个队伍啊！

　　因为是一大群女眷去打醮，所以清虚观的道士们就需要先行回避。别的道士都很聪明，一听说贾府女眷快到了，一个个赶快都回避了。有一个小道士，动作比较迟慢，他回避晚了，人家贾府的女眷都进门了，他才往外跑，就一头撞在王熙凤的怀里了。王熙凤受一个大刺激，很生气，伸手就给他一耳刮子，把这个小道士打得翻滚在地，而且王熙凤脱口而出就骂了一句极难听的粗话——实在太难听，都不便在这里引出，你如果忘了，可以翻到那段情节，自己去看。这个小道士本是负责剪蜡烛花的，那时候照明多半用蜡烛，蜡烛燃烧久了，蜡心会积存燃过的焦头，需要用一种剪子修剪，把剪下的焦头收集到剪筒里去，剪过的蜡烛火苗就恢复旺盛了。那小道士慌忙躲避的时候，手里还拿着剪筒。他躲晚了，一看全是妇女，不知道往哪儿逃，慌得不得了。所有那些贾府管事的，那些仆人，都要表示维护主人的尊严，一迭声地叫："拿，拿，拿！打，打，打！"这个小道士被吓得魂不守舍，哆哆嗦嗦往外逃。这阵混乱，惊动了贾母，她听见了，底下就有一段描写，贾母就问，怎么回事啊？贾珍就赶忙过去处理这个突发事件。

　　贾珍为什么要出现呢？贾珍是贾氏宗族的族长，当宗族的老祖宗打醮的时候，他要组织子侄们到那儿做后勤保障工作，他是这次打醮活动的总指挥。书里还描写到，作为族长，贾珍是很有威严的，贾蓉怕热躲到阴凉里偷懒，被他狠狠教训了一顿，其他子侄一个个也就服服帖帖，不敢怠慢。这样的场合，贾珍当然在场，他赶紧到贾母跟前，贾母就说，快把那个小道士给带过来，贾珍就把小道士带过去。小道士浑身乱颤，站都站不住了，贾母就慈爱地问他，多大了？几岁了？你叫什么呀？小道士哪回答得出来啊？贾母就嘱咐贾珍了：珍哥儿，你好好对待他，你把他带出去，哄着他，给他一些钱买果子吃，别叫人难为了他。贾母连说，可怜见的，小家小户的孩子哪见过咱们这种阵仗啊！你把他吓坏了，他老子娘该多心疼呀！贾母这样说这样做绝非虚伪，是很真诚的，她确实有怜贫惜老的一面。书里写贾母的这种表现不止这一次，我就不多举例了。

　　为什么要把贾母对待小道士的事情说得这么细啊，是为了顺这么一个逻辑往下去推演：如果说秦可卿是养生堂抱来的弃婴，她的养父是一个宦囊羞涩的小官吏，她居然只因为她的养父跟贾家有一点瓜葛，就嫁到了贾家，嫁到了宁国府，而且嫁到了三世单传的宁国府的贾蓉的身边，成为了从贾母往下算，第一个重孙媳妇。如果真是这么回事，我们可以推测，贾母第一，很可能反对这门亲事，说，怎么可以这么娶媳妇呢？你宁国府本身跟荣国府还不一样，我们前几讲已经点明了，你都三世单传了，你贾蓉娶媳妇非常要紧，不仅是贾蓉个人的事，是宁国府的事，也是宁、荣两府共同的事，怎么能这么娶媳妇呢？当然也可能，由于贾母一想，毕竟宁国府跟荣国府还是有点区别，宁国府人家偏要娶这么个媳妇，我也不好深管，我就忍了吧。如果说贾母她持这样一个态度，对秦可卿，她应该怎么想呢？她可能就会像对待后来见到的那个小道士一样，可怜见的，你看，父母是谁她都不知道，娘家又那么样的贫寒，嫁过来了以后，一看表现也还不错，于是她就可能嘱咐上下人等，说你们要好好对待她，别委屈了她，类似于对待小道士那种态度，应该会出现在我们眼前。可是我们一看《红楼梦》的描写呢，不对了，不是这么写的。

　　秦可卿是第五回正式出场的，她一出场就气象万千。第五回写一个什么故事呢？宁国府梅花盛开，所以尤氏兴致就很高，觉得是一个向亲戚，特别是向老祖宗献媚取宠的好机会，就邀请贾母，邀请王夫人、王熙凤她们到宁国府来赏梅花，于是她们就都来了。贾宝玉照例要凑热闹，也跟着来了。贾宝玉虽然一方面确实是反对仕途经济，具有某种叛逆性，比如他说，那些个读书、参加科举、谋求官职的人是国贼禄蠹，但是另一方面，他又是一个地地道道的贵族公子。他很慵懒，赏完梅花，吃完午饭，他要睡午觉，而且不是一般地瞎凑合睡，他要好好地睡一觉。

这个时候，书里就有一个很惊人的描写，就是秦可卿去安排他的午睡。

大家静下心来想一想，在那样一个封建社会里面，一个封建大家庭里面，贾宝玉这样一个身份的人要午睡，应该谁来安排呢？最妥当应该是贾珍来安排，他堂兄来安排，他们同辈，又都是男性。那么贾珍不在，谁出面安排？应该嫂子来安排，尤氏来安排，对不对？尤氏也没来安排。谁来安排呢？秦可卿来安排！你搞清辈分没有啊？贾宝玉辈分比秦可卿高，他是秦可卿的叔叔，秦可卿是贾宝玉的侄儿媳妇，她辈分低。但是根据书里描写，秦可卿年龄已经很大了，估计有二十岁上下，比宝玉大很多。那么一个年龄很大的侄儿媳妇去安排一个年龄小的叔叔午睡，你动点脑筋就觉得不合理，不妥当，这样的话别人眼里会怎么看她呢？别人怎么看，咱们不管，咱们先看看书里怎么写贾母的眼光。书里怎么写的呢？我们把书先拿手摁上。我们设想一下，我读过好几遍《红楼梦》了，现在从头来读第五回，贾母大概会想，可怜见的，家里没人，难为她了……不是的！——"贾母素知秦氏是个极妥当的人"，她不是一次妥当，两次妥当，素来就妥当！她忽然走出来带宝玉去午睡，极妥当。这是贾母的眼光。贾母她认为，秦可卿"生得袅娜纤巧，行事又温柔和平"——一个是形容她的相貌、身段，一个是形容性格、气质都很不错。这倒也罢了。然后曹雪芹通过叙述性语言，就替贾母做出了一个不可争议的判断。这个判断是这样的，说秦可卿"乃重孙媳中第一个得意之人"！第二都不是，并列都没有，稳占第一份。你不觉得奇怪吗？如果第八回那段文字不是我说的打的补丁，而真是那么回事的话，她怎么会是得意的一个对象呢？让老祖宗觉得很得意，而且"第一得意"。

我看到有听众在下面微笑，说，哎呀，《红楼梦》古本很多，文字有区别，有的这么写，有的那么写，是不是你选择的这一本这一句写错了呀？怪了！现在我们所能看到的《红楼梦》的古本有很多种，这些古本当中的很多文句都不一样，但是偏偏这一句，全都一样！可见是曹雪芹的原笔原意。贾母就是认为秦可卿"乃重孙媳中第一个得意之人"。在一个封建大家庭，以贾母这样的身份，来对她的儿媳妇、孙媳妇、重孙媳妇做出判断，她认为妥当，她认为得意的第一要素应该是什么，就是血统，就是门当户对，就是家庭背景好。你看，这不是和第八回末尾打的那个补丁，满拧了吗？而且再仔细推敲，这话就太怪了，在故事开始到这个阶段的时候，整个宁、荣两府只有一个重孙娶了媳妇，就是贾蓉娶了个秦可卿，本来是没有可对比的，是不是？可是贾母就等于有一个预言，就是以后贾琏你也生了一个儿子，也娶了一个媳妇，我现在都不用动脑筋，肯定比不了秦可卿；或者你贾宝玉今后也有一个儿子，也娶媳妇，或者贾环也有儿子，也娶媳妇，但都比不了秦可卿。当然，这些人都还没有生儿子。但是，贾母眼前她也有了一个重孙子就是贾兰，"草"字头，跟贾蓉是一辈的嘛。贾兰当时比较小，但也不是很小，贾母只要身体健康，她老去祈福，她有福气长寿的话，她是能眼看着贾兰娶媳妇的，那么，怎么能够事先就断定，贾兰不管娶什么媳妇，秦可卿都永远是第一得意之人呢？怎么秦可卿就那么不可超越呢？这值不值得我们思索呢？我觉得，很值得我们思索。

下面我们再分析一下，秦可卿的公婆怎么看待秦可卿。下面马上有人嘴角在弯，我就知道你是在嘲笑我，我知道你心里想什么，你说，哎呀，别提她的公公了，是不是？她公公对她好，还用您说吗？是不是？她公公对她好，还非得她出身背景好吗？人家那是另外一回事！你说得也很对，贾珍和秦可卿的暧昧关系，不是什么极端的家族隐秘，在第七回的末尾，我们就可以看到。当时是王熙凤和贾宝玉到宁国府去玩儿，而且在那一次就见到了秦钟，最后秦钟要回家。秦钟跟秦可卿什么关系呢？名分上的姐弟，既不同父，也不同母，面子上的事，所以并不让他留宿在宁国府，晚上就要送回去。管家派的谁送秦钟呢？一个老仆人叫焦大。焦大喝醉了酒，一听说派这个活，火冒三丈，而且仗着他原来在上几辈主子面前有脸面，破口大骂。骂的话很多，我现在就只拎出一句，他有一句话，惊心动魄，叫做"爬灰的爬灰"！

"爬灰的爬灰"，这是什么意思呢？是指公公与儿媳妇私通。据说过去庙里的香炉里，总有人烧锡纸叠的银锭，也许是表示向神佛献礼，也许是为亲人的亡灵提供在阴间使用的银子。有时候，因为香炉里塞进去的锡纸叠的银锭太多了，外面一层烧成灰了，里面却还剩下许多锡纸并没有烧透，甚至还颇完好。于是，就有人去扒灰，把灰烬扒开，去偷那里头的锡纸，偷出来可以再利用，再变成大小不一的银锭，卖给人拿去烧。所以，"扒灰"就是"偷锡"，转化为谐音，就是"爬灰"，就意味着"偷媳"，也就是公公偷媳妇，跟媳妇乱来，发生不正当关系。

那么焦大骂的什么意思，就很清楚了，他这个矛头直指贾珍，他这个骂的矛头还不是直接指向秦可卿，他的矛头是直指贾珍。他骂的声音很高，不但已经坐上车的凤姐和贾宝玉听得清清楚楚，贾蓉也听见了，尤氏当然听见了，周围的仆妇们也都听见了。

所以贾珍的这个问题，在宁国府不是什么秘密，就算尤氏是一个，比如说，性格比较懦弱的人，或者是这个人没有什么决断，她不能够最后断定，她的儿媳是不是和她的丈夫有通奸的关系，那么至少她应该不愉快，至少她应该觉得很恶心，很堵心。所以到第十回，写到秦可卿生病的时候，尤氏对秦可卿的反应，按我们这样的思维逻辑，应该是这样一种反应：你本来就不知道你的父母是谁，是一个野种，你又是从一个小官僚家里面，勉勉强强嫁到我们家来的，你居然跟你公公不干不净的，你得病了，得病活该，你死了才好呢！而且秦可卿的病，大家知道，书里面隐隐约约也写到，她是月经不调，几个月没有经期，或者经期特别长。这很可能是怀孕了，邢夫人就以为她是怀了孕。如果怀孕的话，尤氏转怒为喜，还是有可能的，因为毕竟娶这个媳妇，目的就是要让贾蓉把宁国府的三世单传传到第四世。但是大夫说得很肯定，不是喜，尤氏好像也认可大夫的判断，不是怀孕，就是病了。那么，《红楼梦》就有大段文字写尤氏对待秦可卿生病的态度和反应，应该细读。

针对秦可卿的病，尤氏说了些什么话呢？她嘱咐秦可卿："你且不必拘礼，你早晚不必照例上来。"什么叫"早晚照例上来"？懂不懂啊？《红楼梦》来来回回写，贾宝玉、林黛玉他们早晨要到长辈面前去晨省，晚上要去晚省，就是晚辈每天一早一晚都要去给长辈请安的，每天要坚持的，除非你病了以后长辈原谅你，允许你不去，否则都得去，例行功课，不得有误。但是尤氏对秦可卿如此宽容，她说，你病了，你就早晚不必照例上来了，你就好生养养吧，就是亲戚一家子来，有我呢；就有长辈们怪你，等我替你告诉。而且尤氏还有的话更古怪，她对她的儿子贾蓉说："你不许累掯她。"累掯又是一句北方的语言，这句话就是说，不许你难为她，"不许招她生气"。底下的话越说越奇怪，说："倘若她有个好歹，你再要娶这么一个媳妇，这么个模样，这么个性情的人，打着灯笼也没地方找去。"这事太奇怪了！她听见焦大骂"爬灰的爬灰"，在说这些话之前，她应该对她儿媳妇非常地反感，她犯不上这么看重她，又不是怀孕，得了这种怪病，居然就关怀备至到如此程度。而且，怎么就会打着灯笼，也找不到比养生堂抱来的野种还好的女子呢？这不成逻辑啊，在当今社会这也不成逻辑啊，不用打灯笼，打火把，摸黑摸了一个女子，可能就是能查清父母的。是不是？而尤氏竟然这么说话！

　　你说，秦可卿在贾府里面是一个什么样的生存状态呢？透过别人的眼光就能看得很清楚了，在那儿从贾母开始，上上下下都尊重她，喜欢她，她没有任何不适应的地方，她好比鱼游春水，非常自如，她是这么一种生存状态。尤氏跟人还说了这样的话，说，哪个亲戚，哪家的长辈不喜欢她呀！这就奇怪了，就算你宁国府容了她，贾母容了她，三亲四戚的不许人说闲话呀，你们家娶媳妇就娶一个养生堂抱来的野种？她娘家就是一个宦囊羞涩的小官僚，不许有人不喜欢她呀？哎呀，怪了！没有一家长辈不喜欢她，所以尤氏就说了啊，这两日好不烦心，焦得我了不得，我想到她这病上，我心里倒像针扎似的。这么一个媳妇得点病，她心就像针扎似的！你说说，这多心疼啊！

　　我们再看看，贾府里面一个非常重要的、拿事的人物，王熙凤，她怎么对待秦可卿。王熙凤，说老实话，就像贾母点出来的："一个富贵心，两只体面眼。"那可是好厉害的一个人！你看，远房的亲戚贾芸到她那儿求个事，她都不拿正眼瞅贾芸，直到贾芸给她行贿，送给她一些冰片、麝香，那是很值钱的东西，她才收了。因为宗族的子弟一旦被派了个事以后，就可以到总账房去关银子，关了银子以后，一部分办事，一部分，说老实话，就归自个儿了，所以贾氏的旁支，远亲的这些子侄们，都愿意到贾府里面揽一个事。在贾芸之前，贾芹就揽了个管家庙的肥差，好不神气！贾芸看着眼馋，当然也就更努力地去谋求。贾芸他费了老大劲，其间还遭到亲舅舅的白眼，偶然遇上了醉金刚倪二，才得到资助，弄了些冰片、麝香来向王熙凤行贿。可是王熙凤呢，东西是收了，却脚步都不停，连正眼都不看他，并不马上派他的活儿，到后来才假惺惺地说，你怎么不早说啊？最后才派他一个在大观园里面，补种树木花草的这么一个活儿。这就是王熙凤！她对自己知根知底的亲友尚且如此，因为贾芸虽然家境贫寒，但他是贾氏宗族的正式成员，父母是谁，再往上是谁，查家谱清清楚楚，她对他尚且如此，那么对秦可卿，按道理她应该是一万个看不上，是不是？你们宁国府瞎了眼了，娶媳妇娶来一个养生堂里抱来的弃婴，什么家庭背景啊？秦业，小官僚，好寒酸！按说，她对秦可卿最好的态度也不过是敷衍，可是，不是！她跟秦可卿形成一种密友关系，虽然她辈分高，她是婶子，秦可卿是侄媳妇，两个人却好得不得了，书里面是明明确确地这么写。像第十一回写到，王熙凤到了宁国府去看望生病的秦可卿，说了那么多的贴心话。举一例，王熙凤说了："你公公婆婆听见治得你好，别说一日二钱人参，就是二斤也能够吃得起。"她安慰秦可卿，说整个贾府会竭尽全力来保住秦可卿的性命，一天吃二斤人参都吃得起的，如果宁国府没有了，荣国府要去。她去看望秦可卿的时候，贾宝玉他老跟着，"跟屁虫"，王熙凤嫌他有点多余，就把贾宝玉给支走了。支走了以后有很重要的一笔，就是写王熙凤又和秦氏两个人压低声音，说了许多的衷肠话，你看，她们两个人感情多好？这是对一个从养生堂抱来的弃婴的态度吗？绝对不是。

秦可卿死了以后，书里写道，"彼时合家皆知，无不纳罕，都有些疑心"，有的古本"无不纳罕"又写成"无不赞叹"，怎么她死了会让人"纳罕"，或者引出"赞叹"？"都有些疑心"，疑心什么？这些以后我会再加分析。接着这两句话写的是什么呢？说是，那长一辈的想她素日的孝顺，平一辈的想她平日和睦亲密，下一辈的想她素日慈爱，以及家中仆从老小想她素日怜贫惜贱、慈老爱幼之恩，无不悲号痛哭。就算她人缘好，她毕竟是养生堂里来的，血缘不清，抱养她的秦业又只是个穷窘的小官，按说，无论是府里老的小的，主子奴才，总会有人这么样想啊：她虽然死了，运气还是很不错啊，那么个出身，享了一阵大福，也够本啦……但曹雪芹用客观叙述的语气来写，竟没有举出这种反应来，竟都一致地只是感念她的好处。最奇怪的是还特别说她素日怜贫惜贱，其实就出身而言，她自己才是既贫又贱，她是需要人家来怜惜她的呀，但是，书里的种种描写，只让我们感觉到她非常高贵，上上下下的人们，对她似乎始终都是在仰视，她死了，竟然是无不悲号痛哭。这样的总括性描写，似乎是在进一步地透露，这个人的真实出身，绝非寒微。

除了从他人怎么看待秦可卿的角度，来分析秦可卿在贾府的生存状态，还可以从她本人的心态，来做进一步的考察。

那么我们现在看一看，秦可卿自己是怎么想的。写一个人物，一个是写外面的人，周围的人怎么看待她，一个是写她自己，往她内心写，她自己怎么想。秦可卿如果真是养生堂抱来的弃婴，如果她的养父真的是一个宦囊羞涩的小官僚，她就必然会有自卑心理，她会觉得很难为情。她表面上可以强撑着，但是一到夜深人静，清夜扪心，她就会感到她处在一种凶险的环境当中，人家这么富贵，自己的背景如此不堪，她会自卑的，会痛苦。可是，书里面一笔这样的描写也没有，从她第五回出场到第十三回死去，完全没有这样的内容。就是凤姐去探望她的病情，她跟凤姐说的一番话里面，有愧疚，但也不是自卑感，不是因为自己的血统和家庭的原因而产生出来的自卑感。她是这么跟凤姐说的，她说："这都是我没福，这样人家，公公婆婆当自己的女孩似的待。婶娘的侄儿虽说年轻，却也是他敬我，我敬他，从来没有红过脸儿。就是一家子的长辈、同辈之中，除了婶子倒不用说了，别人也无不疼我的，也无不和我好的。"她之所以觉得有些愧疚，不是因为她觉得自己的出身寒微、自卑，而是觉得别人对她这么好，可是她却不争气，病得就要死了。而且她还说了一句惊心动魄的话，叫做"任凭神仙也罢，治得病治不得命"。她这是什么话呀？什么意思啊？所以秦可卿在心理上她有一个阴影，这阴影是一种死亡的阴影，而不是因为出身、血统和家庭财富不够而产生的一种痛苦，一种阴影。

下面又有听众在微笑，因为你又要跟我讨论了，我知道你想要跟我讨论什么，你会说，哎呀，就不许人家曹雪芹偏这么写吗？人家是小说，说他就要这么写，这个人物她的家庭背景比较差，她就不自卑。那么，是不是他每个人物都这么写的呢？我们可以考察一下《红楼梦》的文本，曹雪芹这个书他写作遵守一个原则，就是他写一个人的气质、身份，以及他内心的情感、心理活动，都是紧扣着这个人的血统，这个人的政治、经济地位来写的，毫不例外的。

你比如说，最简单的例子，就是探春和贾环。探春，她是贾政的女儿，她父亲的血统不要讨论了，非常尊贵，她仅仅是因为母亲的血统比较卑微，你看她的存在状态里面就有多么浓重的阴影啊！书里面有很大篇幅来写她内心的痛苦，仅仅是因为她母亲本来是贾府里面的一个奴才，不知道怎么有一天被贾政睡过了，生出了她，又生出了一个弟弟，所以，贾政就把这个人纳为了小老婆，就是赵姨娘。就是因为这么一个原因，她就痛苦得不得了。而且她和她的生母发生了剧烈冲突，她不承认赵姨娘是她的母亲。她说，我只认老爷、太太，谁是我父亲啊？贾政。谁是我妈呀？王夫人。你是什么啊？你是奴才。当赵姨娘的兄弟赵国基死了以后，在赏赐多少两银子给死人家里的这个问题上，她和她的生母就发生了剧烈冲突，她只给了二十两。因为根据贾府的老规矩，家生家养的奴才死了，抚恤金就是二十两。如果是外面进来的奴才死了，可能抚恤金要高一些，她严格地遵照当时的游戏规则来做这件事。赵姨娘就不干了，她哭哭啼啼就跑去了。当时是王熙凤病了，探春、李纨和薛宝钗代理王熙凤来理家，来管事。赵姨娘就说，你是我肠子里爬出来的，别人不拉扯我便罢了，你怎么不拉扯我啊？探春气得不得了，说，一个人要是正常的话，需要人拉扯吗？她虽然去和赵姨娘抗争，但是内心非常痛苦，就因为她血脉里流的血一半是贾政的，另一半居然是赵姨娘的。她其实比那个养生堂抱来的弃婴强多了，但她仍然很痛苦，非常痛苦。

贾环也是一样，贾环跑到薛宝钗那儿去做游戏，和莺儿、香菱她们赶围棋、掷骰子，他耍赖，莺儿就说了他几句，说，你个爷们，你就好像臭讹，贪我们点小钱财，他顿时就哭了。他哭的原因，就是他内心有一个阴影，有一个血统阴影。他说，你们都知道，我不是太太养的，你们就一味地欺负我。贾环的这种因庶出而自卑自贱的例子，书里还有许多。所以你看曹雪芹他笔下写人，是要从这个人物的血统上来写人物内心的呀，是不是？不可能他写探春写贾环，遵照这样一个写人物的原则，写秦可卿，他又是另外一个原则，不可能是这样的。

也有朋友要跟我讨论了，说，这只是一个血统问题，那么《红楼梦》有没有写某个人，因为她自己家境比较贫寒，而内心很痛苦的？有没有这种例子呢？有的。比如说邢岫烟，她是邢夫人兄弟的女儿，当时邢家家境已经走下坡路了，她的父母就带着她投奔了邢夫人，邢夫人就把她安排在大观园迎春的那个住处住下了。书里面写到，虽然她和薛宝琴，还有李纨寡婶带来的两个女儿李纹、李绮，住进贾府以后，王熙凤都按贾府里小姐们的标准，一个月给她们发放二两银子使用，但是邢夫人很克啬，她让邢岫烟只留一两银子，那一两银子让邢岫烟交给她的父母。这样邢岫烟借住在迎春那里，脂粉钱都不够，内心很痛苦，但为了笼络住迎春的那些丫头，有时候还得从本已不多的钱里，再额外拿出些来请那些丫头吃点心，她活得真够尴尬的。书里还有一段，雪后大观园的女儿们，加上贾宝玉聚会的情景，写得如诗如画。我们都应该记得，在这段描写里面，每一位小姐都穿着非常华贵的防雪的斗篷、大衣。贾宝玉不消说了，贾母给了他一袭雀金裘，用金线跟孔雀毛拈成线，用这种线织成的一个大的披风，华贵不华贵啊？贾母很喜欢薛宝琴，给薛宝琴一件披风更不得了，叫做凫靥裘，是用野鸭子头上那点毛，攒起来织就的这样一个斗篷，这得多少野鸭子的头啊！其他人穿的，或者是茄色哆罗呢对襟大长褂子，或者是所谓鹤氅，头上或者是昭君套，或者是观音兜，争奇斗胜，就是大红猩猩毡的斗篷，都不稀奇了。这时他就写到，邢岫烟她因为家境贫寒，她没有大斗篷，没有大衣服，她的形象在其他的美女面前，就成了拱肩缩背，好不可怜见的。她后来甚至还不得不偷偷把绵衣拿到当铺去换一点钱，而她自己内心也很痛苦。所以你看，曹雪芹笔下，因为家境贫寒而痛苦的例子是有的。可是他写到秦可卿，秦可卿的血统远比探春、贾环糟糕，秦可卿的家庭背景远比邢岫烟糟糕，对不对？但是在关于秦可卿的描写里面，何尝有一丝一毫的自卑心理呢？何尝有一丝一毫因为自己的血统，因为自己的家庭背景，而形成的自卑与痛苦呢？是没有的。这就是曹雪芹他给我们所描绘的，秦可卿在贾府的实际生存状态。

所以，听了我以上的讲述以后，我们就应该提出一个更新的问题，就是如果要是《红楼梦》第八回末尾，关于秦可卿的那个交代是后来他为了掩饰什么，遮盖什么，不得已打的一个补丁的话，那么秦可卿的真实出身究竟是什么呢？这个人物的原型是谁？曹雪芹根据这个原型所描写的秦可卿，在他原来的构思和原来他所形成的文本里面，是一个什么样的人呢？我们的问题就逼到了这一步。这就是我们下一讲所要揭开的秘密，就是说，秦可卿的出身不但并不寒微，而且还高于贾府。为什么？听我下一回讲。

第六讲

秦可卿出身之谜

在上一讲最后，我已经跟大家宣布，秦可卿这个原型，她真实的出身不仅不寒微，而且还高于贾府。

我为什么这么说呢？我不是去胡乱地猜测，而是根据书里面的描写所下的结论。我们要看《红楼梦》的文本，第五回，秦可卿正式出场，带贾宝玉去午睡。她先带他到贾珍和尤氏的那个正房，这是正确的，因为贾宝玉是和贾珍、尤氏一辈的，所以要先到一个正房去。结果这个正房挂了一幅《燃藜图》，《燃藜图》是一幅劝人好好读书做学问的图画。贾宝玉一看就不喜欢，说不能在这儿，于是秦可卿就把贾宝玉带到她自己的卧室。这当然相当出格了，因为贾宝玉是她的叔叔，侄儿媳妇把叔叔带到自己的卧室去午睡，这实在是有点有悖封建礼教的规定。所以书里面写了，有一个嬷嬷说了，说怎么去这样安排啊？但是秦可卿气派很大，满不在乎，说，他能多大，就讲究这个了？就硬把贾宝玉带到她的卧室。

于是，在《红楼梦》文本里面就出现了一段非常奇特的文字，就是对秦可卿卧室的描写。这段文字大家还记得吗？说，秦可卿的卧室，首先它是挂有唐伯虎的《海棠春睡图》，《海棠春睡图》画的是杨贵妃喝醉酒以后，像海棠花一样美丽的情景，贾宝玉喜欢。唐伯虎是明代的著名画家，这段描写说明秦可卿她藏有唐伯虎的一幅大画，这倒也还算不了什么。然后在秦可卿的卧室里面，还有一副秦太虚的对联。秦太虚是宋朝人，对联很符合贾宝玉的审美趣味，写的是："嫩寒锁梦因春冷，芳气袭人是酒香。"贾宝玉说这里好，我就在这儿午睡。然后他环顾这个卧室，不得了！哪里是仅仅有唐伯虎的画和秦太虚的对联呢？是什么样的陈设呢？是这样的陈设："案上设着武则天当日镜室中设的宝镜"，好夸张啊！是不是？"一边还摆着飞燕立着舞过的金盘，盘内还盛着安禄山掷过伤了太真乳的木瓜。"这里说的木瓜应该不是真正植物的木瓜，而是一个用玉石仿制的木瓜，是很贵重的东西。"上面设着寿昌公主于含章殿下卧的榻，悬的是同昌公主制的联珠帐。"你想，这些是什么东西啊？以前的红学界对这一段描写的解释，基本都定这么一个调子，说，这是夸张的描写，这样描写主要是为了表现秦可卿的生活很奢靡，而且她本人很淫荡。这个解释也不能说完全没有道理，但是它不能够让我这样一个《红楼梦》爱好者完全信服。

你说，这些描写表现她生活奢靡，这当然说得通，但说它完全是为了暗示秦可卿生活很淫荡，不太说得通。武则天，或者是赵飞燕，或者是安禄山，或者是杨太真，你说，他们都带有某种淫荡性，作为淫荡的符码出现，这个我认同，但是寿昌公主和同昌公主的故事里面没有什么淫荡的内容。这个寿昌公主应该是寿阳公主，历史上这个人，我不细说。其实关于她的故事很简单，就是一件事，有一天她在含章殿下的卧榻上休息，风吹落了一朵梅花，掉在她两眉之间稍上一点的额头这个地方，这个梅花就拂之不去，在她额头上定格了。她开头很烦恼，但别人一看以后，都赞叹道，怎么那么漂亮啊！于是宫里面就竞相模仿，纷纷用化妆品来画梅花，在当时就形成一种著名的梅花妆。这个故事一点不淫荡，是不是？还有同昌公主的故事也不复杂，其中最重要的一点就是她自己亲手用珍珠串了一个帐幔，就是一个联珠帐，当然很华贵，但是谈不到淫荡。而且请大家特别注意，武则天当过女皇帝，飞燕是一个爱妃，杨太真也是一个爱妃，安禄山是后来篡权，一度当过皇帝的人。但是作者他不仅写到了皇帝那样的人物，他也写到两个公主，那么这些夸张的暗示性的符码究竟在隐喻什么？我想，它绝不仅仅是隐喻秦可卿生活很奢靡，或者是说秦可卿很淫荡。它实际上应该是在影射，秦可卿的血统就高贵到是帝王家的公主的地步。你看，这些全是帝王家的符码，而且还两次出现了公主的符码，对不对？它用这样的手法暗示秦可卿真实的血统。

也可能有人又要跟我讨论了，说人家是小说，是艺术创作，使用一种夸张的方式，你有什么大惊小怪的呢？但是我们读《红楼梦》要通盘考虑，曹雪芹多次写到贾府里面的室内装饰，他都是非常写实的，虽稍有夸张，但是严格写实。比如，他写荣国府的正房，写到了皇帝赐的金匾，还写到了一副银子做的对联，很写实。他没有说把前代帝王的东西搬到那儿去摆着，他说是有大紫檀雕螭案上设着三尺来高青绿古铜鼎，悬着待漏随朝墨龙大画，一边摆的是金蜼彝，是一种很贵重的东西，应该是青铜制品；另一边是玻璃盒，在那个时代玻璃盒也是一种很贵重的东西，一个很大的玻璃缸；地下是一溜十六张楠木椅。他写荣国府的正房，非常写实，他的确有一些夸张，但是适度。而且，请注意，他写林黛玉进了荣国府东廊三间小正房里，那是贾政和王夫人日常活动的空间，他就特别地写到，靠东壁设着半旧的青缎靠背引枕，西边呢，也是半旧的青缎靠背坐褥，挨炕呢，是一溜三张椅子，上头搭着半旧的弹墨椅袱。他不厌其烦地连用了三次"半旧"这个形容词，不但不去夸张，而且写实写到如此"忠诚老实"的地步。可见，写实是他对场景描绘的一个基本原则。

通读八十回，除了第五回那样写秦可卿卧室，他写其他室内场景，都是近乎白描的写实手法。比如，他写潇湘馆，贾母带着刘姥姥逛大观园，两宴大观园，到了潇湘馆，就看到潇湘馆林黛玉这个屋子，窗下案上设着笔砚，书架上放了满满的书，很写实。他不使用什么极度夸张的手法。又比如说到了探春住的秋爽斋——探春是小说里面一个才女，非常有才能。有的读者粗心，他就觉得探春写诗写不过林黛玉，写不过薛宝钗，写不过史湘云，就觉得她好像比较平庸。一般读者记得惜春会画画，现在你应该懂得，探春是一个书法家，她有特殊才能，她书法好。秋爽斋里面什么摆设呢？当地放着一张花梨大理石大案，这就是用来挥洒书法的；案上磊放着各种名人法帖，她揣摩各种前代名人的书法作品；而且桌上有数十方宝砚，而不是一两块砚台，这说明：一个是她收集砚台，一个是她书法的创作量非常之大；各色笔筒、笔海内插的笔如树林一般。这也使用了夸张的手法，但是绝不是极度夸张，是基本上都可以复原的一种景象。她真是一个书法家。如果你细心，你还会注意到，元春省亲之后，因为姊妹们根据她的命令都有所题咏，最后她觉得，为一时盛事，需要做一个总的记录，她便指定探春来誊抄这些诗歌。她为什么指定她？就是因为探春本身是个书法家。

我说这些，什么意思呢？就是说，《红楼梦》的整体风格从头到尾，以写室内的陈设而言，一律采取写实的办法，几乎没有例外——惟一一处例外，就是写秦可卿的卧室陈设，极度夸张，无法复原。怎么复原呢？哪儿找这些东西去啊？这就说明他有他的苦心，他写别的那些陈设也许无非是烘托气氛，展示一下人物的性格而已；他写秦可卿的卧房陈设，耸人听闻，就是故意要让读者大吃一惊。他的目的，就是暗示我们，秦可卿的血统实际上高于贾府，乃帝王家的血肉——是公主级的人物！

　　当然，曹雪芹的这番苦心，也不是一下子就能让人领悟出来的，脂砚斋早期批语说，这是"设譬调侃耳"，又说"一路设譬之文，迥非石头记大笔所屑，别有他属，余所不知"。脂砚斋刚开始有可能还不清楚曹雪芹的深意，早期她是边读边批，批前头的时候，还没看到后头，就凭直觉发议论，比如她曾认为小红是"奸邪婢"，读到后面的文字，才恍然大悟，知道自己错了，才明白原来曹雪芹是要写一个复杂的角色。小红前面的一些作为，似乎"奸邪"，但其实在曹雪芹总体构思里，她最后会与贾芸一起，冒险去救助落难的贾宝玉，是一个有见识，有胆略，敢作敢为的青年女性。脂砚斋弄明白后就对自己前面的批评做了纠正，那么对秦可卿也是一样，开头她可能确实不明白曹雪芹为什么那样描写她的卧室，后来，读到第十三回，她就不仅弄明白了，而且，出于对人物原型的同情宽赦，更为了避免掉进文字狱中，还建议曹雪芹删去了好几"叶"文字。

　　说到这儿，可能有人不服气，说你光是举卧室描写这一个证据，不足以说明秦可卿的真实出身高于贾府。好，那么我们就接着往下看。第五回，贾宝玉在秦可卿卧室就入睡了，入睡以后就做梦了，梦中觉得秦可卿在前面，好像导游一样，领他去了一个地方。这个地方是什么地方呢？是"太虚幻境"，是一个仙境。不是别人，而是秦可卿把他引入仙境，这当然也还无所谓，因为是秦可卿安排他入睡的。然后在仙境里面，他认识了一个仙姑，就是警幻仙姑。

　　有关警幻仙姑的文字我在这儿不细重复，你自己可以回去翻来看，这不但是一个仙界的人物，而且警幻仙姑和宁国府、荣国府还有很深的关系，不是和现在活着的这些人有关系，人家是和两府的老祖宗有关系。警幻仙姑后来就说了一段话，说"今日原欲往荣府去接绛珠"——"绛珠"就是绛珠仙子，就是林黛玉——曹雪芹写这个书，一方面他写实，一方面他确实又非常的艺术，他有一个艺术想象。关于这一点在这儿不细展开，他大意是说，林黛玉是天界的一株仙草，是"绛珠仙子"，警幻本来是要去荣国府接"绛珠仙子"，"适从宁府所过，偶遇宁荣二公之灵"，宁国公、荣国公就遇见她了，当然是阴灵。两人就跟她说："吾家自国朝定鼎以来，功名奕世，富贵传流，虽历百年，奈运终数散，不可挽回者。故遗之子孙虽多，竟无可以继业。其中惟嫡孙宝玉一人，禀性乖张，生情怪谲，虽聪明灵慧，略可望成，无奈吾家运数合终，恐无人规引入正。"因此就苦苦哀求警幻仙子，求她起到一个引领贾宝玉走上正途的作用，希望警幻仙姑能够帮他们做这件事。

所以你看，这个警幻仙姑身份很高，她高于宁、荣二公，宁、荣二公见了她，是要苦苦地请求她做好事的。这本来倒也无所谓，但是这个梦境写来写去写到最后，我们就发现，闹半天，秦可卿是警幻仙姑的妹妹。警幻仙姑她怎么引领贾宝玉走正路呢？她就是说，我先把声色之娱让你享受够了，让你懂得这些也无非如此而已，希望你享受够了以后就能够幡然悔悟，觉得我还是去谋取仕途经济罢了，企图让贾宝玉形成这么一个思维逻辑。在这个过程当中，为了让贾宝玉享受性爱，就把自己的妹妹可卿介绍给贾宝玉。所以秦可卿既是警幻仙姑的妹妹，又是贾宝玉的性启蒙者。你说，秦可卿她的这种身份，难道不是高于贾府吗？对不对？如果是一个养生堂抱来的弃婴，是一个宦囊羞涩的小官僚养大的女子，她怎么能够出任这种角色呢？不可能的。但是《红楼梦》文本就是这么来写的。这又是一个证据，证明秦可卿身份非同小可。

现在要探讨的是，她的出身是不是高于贾府？那么来看一看有关她的判词，以及唱到她的曲子是怎么样来写的。大家可以回忆一下，在贾宝玉他翻看册页的时候，他就看到，在金陵十二钗正册的最后一页上，画着高楼大厦，大厦里面有一个美人悬梁自尽，然后就有四句判词，这么说的："情天情海幻情身，情既相逢必主淫。漫言不肖皆荣出，造衅开端实在宁。"这四句在今后我的讲座中会多次谈到。现在我们只说第一句，就是"情天情海幻情身"。秦可卿的背景是天和海，曹雪芹在为交代她的出身打补丁的时候，为她的养父取了一个名字，叫秦业，那么她是情天、情海幻化出来的一个身子，她的来历非同小可。画一个美人悬梁自尽，是在一个高楼上。这个楼叫什么名字啊？记不记得啊？秦可卿死了以后，贾珍给她大办丧事，除了在府里大厅上安排一百单八个和尚给她念经，还另设一坛于天香楼上，让九十九个道士给她打醮。这个醮的名字是什么呢？是"解冤洗业醮"，要连续搞七七四十九天。这都不能说是暗示了，这是明点。秦可卿上吊的那座高楼，就是天香楼。古本《红楼梦》第十三回的回目原本就叫"秦可卿淫丧天香楼"，现在我们看到的却是"秦可卿死封龙禁尉"，这根本不通嘛。龙禁尉是皇帝的卫兵，女的根本不能有那么个封号，何况书里写得很清楚，是贾蓉花钱买了个龙禁尉的封号，怎么能说"秦可卿死封龙禁尉"呢？

那么，天香楼这个楼名，有怎样的含义？有两句诗："桂子月中落，天香云外飘。"这是唐朝诗人宋之问的句子。你想想，那是非常尊贵的，如果说太阳可以比喻为皇帝的话，月亮就可以比喻为东宫，比喻为太子。月亮里面，中国人的想象，认为有嫦娥，有一棵桂花树，有吴刚，还有一只兔子在那儿捣灵药。总而言之，月亮里面是有桂花树的，"桂子月中落，天香云外飘"。桂子，就是桂花结成了米粒状的东西，"桂子月中落"，这个东西非同寻常，属于国色天香，它带来一种芬芳的气息。"桂子月中落，天香云外飘"，你想想，"情天情海幻情身"，这是一种什么出身？天香楼是一个什么象征？就是来自月亮里面，芬芳从云层飘向人间，可见秦可卿出身非同小可，是高于贾府的。

这些证据如果还不足以说服你的话，那我们就一起再来重新读第七回，第七回常被很多读者所忽略。这一回前面写的是送宫花。怎么回事呢？就是薛姨妈和王夫人在一起聊天，周瑞家的去了。周瑞家的是王夫人的一个陪房。陪房，就是随女主人出嫁，作为一种活的嫁妆，跟随女主人来到婚后的府第里的仆人。这仆人已经是一家子人了，男仆如果叫周瑞，他媳妇就叫周瑞家的。《红楼梦》里有不少这样的角色，如林之孝家的，王善保家的，等等。这个周瑞家的，是王夫人很得用的一个管事的女仆。周瑞家的到了薛姨妈面前，薛姨妈就忽然想起一个事。薛姨妈他们家是干吗的呢？是给宫廷当采买的，当采办的。所以宫里面用什么东西，会先过他们家的手，皇帝或者那些妃嫔用的东西，第一道，可能就是先从他们家过；他们在往宫里送的同时，会自己留下一部分，自己享用或者转赠他人。薛姨妈就让丫头香菱取出了一匣子十二支宫制的纱堆的插花。然后薛姨妈就交代了，说这十二支花，周姐姐你给我送一下。她说，这十二支宫花你给每位小姐两支，给林黛玉两支，这就八支了，剩下四支，你就给凤丫头吧。

在送宫花这一回，有一种古本里面有回前诗，这回前诗一共四句，非常有意思，是这么说的，"十二花容色最新，不知谁是惜花人？相逢若问名何氏，家住江南姓本秦！"你琢磨琢磨，这不是脂砚斋批语，这是回前诗，是正文的一部分。由于《红楼梦》是一部没有能够最后定稿的小说，所以它的回前诗是不完全的，有的回已经写好了，有的回还缺。但是这一回有这个回前诗，它的大意是说，这十二支宫花是宫里面的最新式样，不知道谁是真正爱惜这个宫花的人。最后会有一个人和这宫花形成一种相逢的关系，邂逅的关系，这个人姓氏名谁呢？这个人是家住江南本姓秦。说得非常清楚。关于"家住江南"，以后有机会我们再讨论，下面我们重点分析一下，姓秦的如何跟宫花喜相逢。

那我们就还来看第七回的有关描写：送宫花。当时还没有大观园，贾母把姑娘们，包括李纨都集中在她大院子后头的房子里面住；周瑞家的就拿着宫花去了，先见到了迎春和探春，姐俩儿正在下棋，见到宫花以后很客气，接受了，道谢，道完谢以后就继续下棋。你说，她们算是惜花人吗？也有的读者在底下跟我争论过，她们也算惜花人，她们没拒绝接受这个花啊，她们怎么不惜花啊？那么好，就算她们也是惜花人，那她们和这个宫花是相逢的关系吗？不是相逢的关系，这是很明显的。

然后周瑞家的拿着剩下的花，又见到了惜春。惜春在干什么呢？惜春正和到府里面来的尼姑智能在那儿玩儿呢。智能的师傅其实是为了到贾府来支领月银，贾府按月给她们尼姑庵月例银子。师傅去办事，她没事，她跟惜春特别合得来，俩人一块儿玩儿。惜春见了这花儿，惜春是个什么态度呢？应该说是一个很不严肃的态度。这是你长辈送给你的花，而且这本来是往宫里面送的花，来送给你了，是不是？但是惜春很不严肃。惜春说，哎呀，我将来要跟智能一样，也剃了头当尼姑，我还怎么戴这个花啊？她是这么一个表现。所以惜春，应该说她是不爱惜这个花，她比迎春和探春表现得应该说要恶劣一点，她很不严肃。

然后周瑞家的就去找林黛玉，要送花给林黛玉。但是在这之前，她先去了王熙凤那儿，是不是啊？这一回的回目，我记得叫做"送宫花贾琏戏熙凤"。贾琏跟王熙凤的夫妻生活写得很有趣，当然它写得很含蓄，脂砚斋说那写法是"柳藏鹦鹉语方知"，他们白昼宣淫，大白天地行房事。所以周瑞家的去了以后，发现院子里鸦雀无声，她蹑手蹑脚走到旁边房子里，看见大姐儿在睡午觉，周瑞家的就说先等一等，接着她听见了贾琏的笑声，然后就看到平儿出来，让丰儿舀大盆的水进去，这是为行房事服务的一些项目。那么就在这个情况下，她趁便就把宫花送给了王熙凤。王熙凤对宫花，你要说完全不爱惜，好像也确实过分，但是她也不是非常稀罕。本来薛姨妈是让她留下四支，她只留下两支，她让平儿对周瑞家的说，把这两支给东府的蓉大奶奶送去。她是这样一个态度。后来周瑞家的就拿着剩下的两支花去了林黛玉那儿。林黛玉小性子，就问，这个花是单给我的，还是别人也有啊？周瑞家的说，都有。林黛玉一看就剩两支了，说："敢情别人不挑剩下，也不给我啊！"周瑞家的一听就不敢做声了，因为林黛玉身份不得了，她是贾母最钟爱的外孙女儿，贾母把她留在身边居住；她跟那几个小姐不住在一块儿，她和贾宝玉跟贾母共同住在贾母院落里一个大的空间里面。这样算来算去的话，这个宫花谁是惜花人？显然前面讲到的这些女性即使勉强算惜花的话，也都不是非常爱惜，而且特别是"相逢若问名何氏"，这有姓林的，有姓贾的，有姓王的，但作者在回前诗里面交代得很明白，惜花的人不是别的姓，是姓秦的。姓秦的是谁？这两支宫花最后是送到了秦可卿手里。她和宫花是一种什么关系呢？是一种相逢的关系，说明这个人原来她的家族经常使用这种东西，现在她和宫中的这宫花喜相逢了，是这么一种关系。所以这样的情节也是在暗示，秦可卿她的真实出身高于贾府，她的血缘是来自宫中，她和宫花形成了一种相逢的关系。我想，回前诗的最后一句，应该是我们没有办法去做别的解释的。

但是秦可卿她自己忽然得了病，而且她自己说了，"任凭神仙也罢，治得病治不得命"，到了第十三回，她就一命呜呼了，就死掉了。那么在临死以前，秦可卿有一个大的行为，就是她死前去给王熙凤托梦，这是小说里面一个极重要的情节，也是引起脂砚斋高度重视，导致脂砚斋建议曹雪芹删去已经写好的第十三回当中的"四、五葉"文字的关键。

而且我认为，这也是导致曹雪芹在删去了第十三回的"四、五葉"文字以后，又到第八回末尾打了一个补丁的起因。那么秦可卿向王熙凤托梦这段情节，值得我们仔细研究。她这个托梦也是非同小可，托梦的内容很丰富。首先是理论指导，完全是居高临下，她哪里是什么养生堂抱来的弃婴？哪是宦囊羞涩，没见过大世面的小官吏家里养大的一个女儿啊？她说了："常言：'月满则亏，水满则溢'；有道是'登高必跌重'。如今我们家赫赫扬扬，已将百载，一日倘或乐极悲生，若应了那句'树倒猢狲散'的俗语，岂不虚称了一世的诗书旧族！"她就这样进行理论指导，她告诉王熙凤，我死了以后，你们贾府应该怎么办。你说，她多厉害！

然后她就提供具体的实践方案。她都给你想好了，她托付给王熙凤，她辈分比王熙凤低，但是口气极大。她提供的方案的大意就是说，你们现在还没有垮掉，赶紧在祖坟旁边多置一些地亩，族中人轮流来管理地租。地租用来干吗呢？一是把宗族的祠堂设在那儿，这样就可以世代香火不绝。另外，可以把家塾设在那儿，这样以后不管怎么样，家里的这些子弟还可以通过读书、科举去谋求一个发展。她提出了这样一个具体的实践方案。这如果不是一个有着丰富的政治经验，出身于一个非常高贵的家族的女性，她是不可能想到这些的。她如果是一个养生堂抱来的弃婴，她如果只是从小在秦业家里面长大，她哪儿来的社会政治经验？她不可能有。这就说明秦可卿她的出身是高于贾府的。

她不但提供理论，提供实践方案，而且，她还能够预言祸福哩！你说，她厉害不厉害？这真是很符合警幻仙姑的妹妹这个身份。她知道贾家在她死以后，会发生什么样的事情。首先她预言一件好事，她说："眼见不日又有一件非常喜事，真是烈火烹油，鲜花着锦之盛。"指的是什么呀？在第十六回，我们就知道了，就是贾元春晋封为皇妃。后来就有了"皇妃省亲"的故事。她预言，贾元春的地位会有所提升。

但是她也很坦率地向王熙凤预言了贾家的祸。她最后念了两句话，她说，你要记清楚。这两句话惊心动魄！哪两句话呢？叫做"三春去后诸芳尽，各自须寻各自门"。它大意就是说，在三个春天过去之后，所有的府里面的这些美好的事物，特别是这些女性就都会悲惨地陨落，贾府的人们就会"家亡人散各奔腾"，各人自己找出路去。这是一个惊心动魄的预言。如果秦可卿的出身非常的寒微，她不可能说出这些话来，所以只能解释为，她是一个出身高于贾府的人，只能做这样的解释。

在秦可卿死后的丧事里面，有一些细节更能够印证我这样的一个判断。比如说，她所用的棺木，用的什么棺木呢？用的是薛蟠家里面存下来的木料，这个木料当时还没有做成棺木，乃是潢海铁网山上出产的一种樯木。这个木料原来是谁订的货呀？是义忠亲王老千岁订的货。义忠亲王这个符码倒还罢了，当然级别很高。但是他又是老千岁，什么叫做千岁？我认为，千岁在这里就是指太子，就是指在皇帝驾崩以后，登基当新皇帝的那个人。

有人跟我争论，说千岁是一个很宽泛的称谓，在戏曲舞台上，比如梅兰芳演的《贵妃醉酒》，戏里面的高力士、裴力士就称杨贵妃千岁；在明朝，皇帝把每一个儿子都封为王，让他们到各自属地上去享福，他们都可以被称为千岁；后来擅权的大太监魏忠贤，更让人称他为九千岁，因此，千岁并不一定意味着是当今皇帝没了以后，那个继承他皇位的人。但是我们现在讨论的是《红楼梦》，我的立论前提是，《红楼梦》实际上写的是清代康、雍、乾三朝背景下发生的事情。清朝跟明朝很不一样，清朝皇帝对其儿子的分封，从来都不是均等的。比如康熙分封诸皇子，那时候叫他们阿哥，他就不是一律都封王，就是有的只封为贝子，有的只封为贝勒，有的，像十三阿哥胤祥，都成年了，比他岁数小的十四阿哥都封爵位了，他还没被册封，他是直到康熙死了雍正当了皇帝，才被封为亲王的。明朝皇帝的儿子受封后，去封地居住为王，清朝皇子分封后，都留在京城里，极个别的让其住在城外，但也不是封到外省为王。在清朝的政治生活里，本来并没有千岁这样一种称呼；但是清朝在康熙那一朝，康熙曾经册立过太子，而且明确地告示天下，在他众多的儿子里，太子就是惟一被指定的皇位继承人，因此，曹雪芹笔下的"义忠亲王老千岁"，就是暗喻康熙立的太子胤礽。这个太子很不幸的是，被两立两废，也就是最终坏了事，没能当成皇帝。康熙死了以后，继承他皇位的是他的第四个儿子，就是雍正皇帝。正是在这样的历史背景下，在这样的语境里，我认为，《红楼梦》第十三回提到的这个"义忠亲王老千岁"，就是指在万岁没有了以后，将升格为万岁的那个人。

　　对这个人物，曹雪芹使用的语言非常地精到，他叫做"坏了事"。为什么这个人后来没把这个楠木拿去做棺材呢？这个人后来"坏了事"。"坏了事"这个含义既含混又清晰。含混在哪里呢？就是如果你不懂清朝政治的话，你就会觉得糊里糊涂，是不是死掉了呀？不是。为什么说它很准确呢？如果他死了，就说他死了，不就结了吗？但是它又很准确地传递出一个信息，他没说这个人死。这个人跟棺木的关系，并不是他死了没有用，按说他死了，不更该用吗？是不是？那个时代，人还在，也是可以先拿木材制成棺材，存放着备用的，但这位义忠亲王死活都不能拿它制作棺材了，为什么呀？因为他"坏了事"，因此他就没有用。他没用，别的人也都不大敢轻易地取用。总而言之，这个楠木是这样的人物才能使用的，所以当时薛蟠一说，家里还存有这样一个东西，贾珍立刻就要用。贾政还劝了一句，贾政他在政治上比较清醒，觉得这不好乱用，说恐非常人可享。但是贾珍一意孤行，很快就把楠木拿来了，就开始把它锯开了，涂漆，就做棺材了。这样秦可卿死了以后，就理直气壮地，甚至可以说是名正言顺地睡进了本来是给义忠亲王老千岁所留的珍贵木料——檀木制成的棺材里面。你说，秦可卿她应该是什么样的出身？

到这儿我已举了那么多的例子，如果还是不能说服你的话，那我觉得我也不灰心，我们还可以往下讨论，咱们再讨论。比如说，她的丧事当中还有一些细节。她是宁国府的一个重孙媳妇，贾蓉连爵位都没有，只是一个黉门生，临时捐了一个头衔，这个头衔也很低，叫"龙禁尉"，就是皇宫里面的卫兵——当然这对平民来说，也是一个很不错的头衔了。但是它和真正的贵族府第里面的那些头衔相比的话，微不足道。这么一个人死了，何至于惊动皇帝，惊动皇宫呢？书里面写得很怪，忽然就有大明宫掌宫内相戴权亲来上祭——大家知道，曹雪芹给一个人物取名字，往往都是随手谐音，有所寓意。很多红学家指出，"戴权"，它的谐音就是大权，就是宫里面太监的总管，大太监，权力最大的一个太监。大明宫的掌权的太监，他原来就已经履行过对秦可卿死去的礼仪了。但这一天，他还要乘了大轿，打伞鸣锣，亲来上祭，他都不派小太监来。如果没有皇帝的批准，他能来吗？就算是说大太监他胆大妄为，皇帝不批准，他也来，但他也不能够乘了大轿打伞鸣锣呀？打伞倒也罢了，你可能比较娇气，遮太阳；你鸣锣干什么呀？不是生怕人不知道吗？一路鸣锣而来，什么气派啊？如果要是贾敬死了他来，好像还不太稀奇；贾珍死了，他来也不算太稀奇，贾珍他毕竟有爵位，他是三品威烈将军，是不是啊？可是不是贾珍死了，甚至也不是贾蓉死了，是贾蓉的媳妇死了。在贾府而言，不过是一个重孙媳妇。可是大明宫的掌宫的大太监戴权要亲来上祭，这怎么回事？这如果不是因为秦可卿的出身特别高贵，是不可能出现这种怪现象的。

说到这儿，秦可卿的真实出身，也就是说，这个人物的生活原型已经呼之欲出了，是不是啊？眼看就要水落石出了，但是请你保留一点耐心，事情也不是那么简单，我将在下一讲里面，进一步地去探究，秦可卿的真实出身是什么，她的生活原型究竟是谁。这一讲就到这里，我们下一讲再见。

第七讲

帐殿夜警之谜

在上一讲的末尾，我得出这样一个结论，就是秦可卿的出身不但未必寒微，甚至还高于贾府。高于贾府，你想一想，贾府已经是国公级的贵族了，高于贾府，也就意味着她可能是皇族的成员，因此我们就应该到康熙、雍正、乾隆三朝的皇族里面去寻觅一下她的踪影，看有没有秦可卿这个角色的生活原型。

这三朝经历的时间很久，皇族的成员也很多，特别是康熙一朝。康熙生殖力特别强，他一生生了三十五个皇子、二十个公主，光是他的子女就这么多；雍正的生殖能力也比较强；乾隆只比康熙生的子女稍微少一点而已，也挺多。所以我们要寻觅的话，说老实话，如果一个一个来说，那就太费时间，而且办法也很笨，那我们怎么办呢？这时我忽然想到，我们也许可以从康熙四十七年的一个著名的历史事件，从那儿说起，顺着那个往下摸一摸，看能不能有什么线索。

清朝，他们是马上得天下，就是八旗兵他们骑着马，拿着兵器，这样打进山海关，入主中原，统一中国的。所以说，清朝的头几个皇帝都特别重视保持这样一个传统，既然马上得了天下，那就应该马上治天下。当然，统一中国以后，基本平定以后，要重点地实行文治，但是武治、武备也不能松懈。尤其是在康熙朝，康熙皇帝非常重视保持满洲八旗的军事实力，他觉得满族的骑射传统不能丢，他亲自带头，每年都要率领王子、王公大臣以及浩荡的队伍去打猎，通过打猎来进行军事训练。因为一场围猎也等于是一次军事行动，在这个过程当中，是特别能够锻炼每个人的骑射能力的。

那个时候，每年打猎的重点季节是秋天，所以有一个说法叫做"木兰秋狝"。

木兰是一个地名，是一个围场，叫木兰围场，那个地方人们让它的植被自然生长，里面有很多的野兽自由活动。每年秋天的时候，皇帝就会率领浩荡的队伍到那儿围猎。我们都很熟悉的承德避暑山庄，既是当年皇帝度夏避暑的地方，也是秋狝前后作为进退驻跸的一个场所。现在河北省北部还有个县就叫围场县，这个名称就是历史留下的痕迹。当然那时的行政区划跟现在不同，如果按现在的行政区划来说，那么当年康熙秋狝所到的地方，不仅包括现在河北承德以北的围场县一带，还会更远一些，到达现在内蒙古一带，也会到达现在属于辽宁的地域。据有的研究者考证，《红楼梦》书里面提到的潢海铁网山，潢海其实就是辽海，位于今天辽宁铁岭地区，铁网山就是由铁岭演化出的一个符码。总之，康熙非常重视围猎活动，年年秋天要到那一带去打猎。后来，由于愈加重视打猎，康熙就提出来一年还要两次去围猎，有时候春天也去。远处一时去不了，就在京城附近打猎，比如在南海子，就是南苑的一些有水洼的湿地那里，甚至有时候就在紫禁城背后的景山里面进行一些小型的打猎活动。康熙晚年，六十六岁的时候，他自己统计了一下，说用鸟枪弓矢，获虎一百三十五只，熊三十五只，豹二十五只，猞猁狲十只，麋鹿十四只，狼九十六只，野猪一百三十二只，一般鹿上百只，野兔之类那就不计其数了，可见他的武功非同小可。他也希望自己的皇子皇孙能继承这个本事，他带他们去围猎，就是有意对他们进行这方面的培养。

在木兰秋狝的过程当中，由于有时候会跑到比较远的地方，在过去那个时代，不可能一天到达，当然途中就要不断地宿营。宿营就要住帐篷，到了木兰围场更要住帐篷，皇上住的帐篷呢，就叫做帐殿，那是很尊贵的。据史料记载，当时去打猎的时候，最多达到一万五六千人，非常浩荡的队伍。驻扎的时候也是很大的一个营盘，当中皇帝以及他最亲近的随从所住的营区就叫做皇城，皇帝住的那个帐篷在最当中，应该是黄颜色的，用皇帝特许的一种颜色制作的布匹做的一个大帐篷，在最当中；外面就是保卫他的一些帐篷，从四面八方包围他，包围他的目的不是去对他不利，而是为了保卫他，从形式上来说是形成一个圆圈，这个叫网城，它们构成一个内营盘，叫内城；内营盘之外还有外城，外城营帐就更多了，整个营盘是内圆外方的形制，非常壮观。一路上，他们可能会宿营几次，到达以后就进一步安营扎寨，那个营盘一定就更加的宏伟，设施也更加周备。

在这种情况下，康熙不断去打猎。到了康熙四十七年，你想，康熙四十七年意味着康熙登基已经四十七年了，康熙是一个七八岁登基的少年天子，康熙四十七年的时候他已经五十多岁了。但是，康熙这个人身体很好，上面说了，他打猎的能力也特别强，他的武功非常好。那一年，他又带着太子、皇子，以及其他随行人员去进行木兰秋狝。到达后，他当然住在最当中的帐篷里面，就是帐殿，但是没想到，接着就发生了夜警事件。夜就是夜晚、午夜、深夜，警就是一种危机的情况，一种险情就出现了。怎么回事呢？就是康熙他发现晚上的时候，有人在帐篷外面偷偷地窥视他的行动。你想这还得了？是不是啊？

发生在康熙四十七年的帐殿夜警事件，令康熙大为恼火，也直接引发了康熙朝的时局动荡。那么，究竟是谁，竟然如此大胆，去偷窥康熙皇帝的行动？他究竟是出于什么目的，胆敢这么去做？

要把这件事弄清楚，就还要再折回来，从头说起。

康熙登基的时候，只是一个少年天子，他当时主要靠他的祖母孝庄太皇太后进行政治方面的指导，指点他怎么来执政。在这个过程当中，在康熙十四年的时候——那个时候他已经早就完成了大婚，生了孩子，而且也取得了一定的做统治者、做皇帝的经验——他就在孝庄太皇太后的指导下，做出了一个非常重大的决策，就是要从儿子当中选一个来立为太子，公开向朝野宣布，清朝的皇位有了正式的接班人，这个接班人就是太子。

清朝在康熙以前的几个皇帝的情况是这样的：努尔哈赤和皇太极虽然已经称帝了，但是他们当时还没有完全打进关内，还没有成为一个统一的中国的皇帝；真正成为统一的中国的皇帝的是打进关内的那个皇帝，就是大家很熟悉的顺治皇帝。在当时的情况下，孝庄太皇太后她有一个考虑，这是一个很睿智的妇女，是一个大政治家，她考虑到从清朝皇帝的前几代情况来看，皇太极他的皇后没有生下一个儿子，就是说没有嫡子；到了顺治这一朝，皇后也没有生儿子，康熙本身也不是皇后生的，他也是庶出的，不是嫡出的。当时满族入关以后，已更深地接受了汉族宗法思想的影响，就是认为嫡出和庶出区别是很大的，这个在《红楼梦》里面是有反映的。大家记得吧？像探春和贾环就因为不是王夫人生的，不是嫡出而是庶出，就有无数的烦恼。特别是探春，那么一个"才自精明志自高"的女性，那么美丽的一个女性，那么有能力的一个女性，但是她就为自己不是嫡出的而深感痛苦。

在康熙朝的时候，就出现了一个情况，就是康熙的皇后开始生儿子了，康熙的正宫皇后赫舍里氏，她第一胎生了一个男孩，虽然出生不久就夭折了，但是她又怀了第二胎，第二胎又是男孩，而且就生下来了，生下来以后还养大了，这就成为清朝统治阶层的一件大事。因为刚才我已经给你捋了一遍，皇太极，他的皇后没有生儿子，没有嫡出的儿子；顺治，他的皇后也没有生儿子，康熙也不是皇后生的，康熙也是庶出的，当然后来康熙和他的嫡母，和这个皇后的关系非常好，那是另外一回事；到了康熙朝，清朝就终于有了自己皇帝的嫡子了。满族入主中原，要征服所有的中国人，中国人里面汉族占绝大部分，汉族的文化传统是最重视分清嫡庶的，所以，为了笼络、震慑全部的中国人，特别是整个汉族，这个时候来宣布，我们满族也很尊重分清嫡庶的排序，现在我们的皇帝有了嫡子，我们就要把他宣布为太子，这样就使清朝皇权的合法性，在人们的心灵深处进一步得到巩固。它有这个意义，所以不是简单地立一个太子，它有非常重大的政治意义在里面。

在孝庄太皇太后的指导下，康熙就决定立他的皇后生的孩子为太子。这个太子虽然是老二，但是因为老大夭折了，也等于是老大，他给他取名就叫做胤礽。皇太子立为太子的时候才多大年纪呢？还不到两岁，一岁半。但是当时康熙皇帝告示天下，举行了隆重的仪式来宣布这件事情。在这个仪式上，一个一岁多、不到两岁的孩子，他根本就没有办法完成各种仪式当中的项目，于是就由他的奶母抱着，来完成各个大礼当中的环节。这是清朝的一件大事。

这个太子立了以后，康熙就对他重视得不得了。康熙这个人爱孩子，是一个慈爱的父亲，简单来说，他的所有的皇子，他全爱；所有的女儿，他也全爱，是这么一个父爱无边的人，而且有许多例子可以证明这一点。对太子他当然就更爱了，爱到什么地步呢？爱到太子的待遇不但跟他一样，比如说皇帝应该用黄颜色，用一种特殊的黄颜色，他就让太子穿的服装、用的轿子这些东西，都是跟他用完全一样的颜色；后来他还给太子盖了一个很漂亮的宫殿，就是毓庆宫。据清朝史料记载，太子的毓庆宫里面所摆设的一些古玩，那些豪华的东西，甚至超过了康熙本人所拥有的。后来有一件事情，很滑稽，也令康熙很后悔。他觉得那个太子是他看着长大，那么可爱，又是今后他的王位继承人，他的接班人，所以觉得太子要用什么东西，应该问内务府要——内务府就是供应皇家各种用品的那么一个机构。他说那就干脆让太子的奶妈的丈夫，让他奶父当内务府总管得了，为什么呢？因为太子要东西方便。一撒娇，跟他奶妈一说，一会儿这个东西就来了，省得一层层禀报去。康熙后来对此当然很后悔，但是他一开始就是这么做的。在生活上对胤礽他是无微不至地宠爱，从其他方面来说，就是培养他：一个是从文的方面培养，首先让他要研习满文、蒙文和汉文。太子也很争气，最后满文、蒙文、汉文都特别好。因为对他来说最困难的是汉文，对不对啊？康熙的时候，宫廷里面互相说话是说满文的，所以满语首先这个语言就不用教，满文又是拼音文字，懂了满语以后，你学满文也就比较容易。满文是借鉴蒙文创制的，满文学好了蒙文自然也就很容易掌握。但是汉文就需要从头学起，汉文不是他们的母语，难度很大。康熙就找来当时中国汉族里的饱学之士、大儒、名师，天天来服侍太子，来精心地教授他。胤礽很努力，也学得非常好，后面我还要举例子，成绩确实非常出色。

我一开头就说到了，康熙特别重视保持满族的骑射传统，在对胤礽的培养上也不例外，从小就让他学打猎。我现在举的这些例子，都不是野史上面的，都是正史上面的记载。当然这些正史记载有时候你也不能完全信，因为历史是由胜利者书写的，档案也是由胜利者掌握的，这些人可能在书写历史和整理档案时会有一些主观的东西加进去，但是它基本上还是可信的，因为它基本上要根据事实来陈述。据记载，康熙带着胤礽打猎，那时候胤礽才五岁，五岁去木兰围场，那太远了可能去不了，那么在哪儿打呢？去南苑那个海子也觉得比较远，于是就在景山，紫禁城后面的景山。原来景山里头不像现在这样，它里面原来就是荒的地方比较多，所以也有一些放养的野生动物。据史书记载，太子跟他的皇父打猎，五岁，连发五箭，就射中了五个野兽，一个鹿、四个兔。下面有人在笑，说这可能吗？是不是打猎的时候底下有人把动物牵在他眼前，让他射。说老实话，一个五岁的孩子，你就是把动物牵到他眼前让他射，有的也未必能箭箭射中。但太子他就是五箭都没有虚发，就射中了一只鹿，四个兔。太子就这样在皇父的精心培养下，茁壮地成长。

太子胤礽在父皇康熙的精心培养下，长大成人，一个父慈子孝、乐享天伦的故事在红墙黄瓦的皇宫里演绎着，而太子最终继承父业、登基大宝，似乎也是指日可待的事。康熙曾在亲自率军出征平叛的情况下，让太子在紫禁城代理政务，他曾这样夸赞太子，说太子"办理政务，如泰山之固"。然而，事情却远没有我们想象得那样简单。随着时间的推移，康熙父子开始出现了裂痕。那么，一个是慈爱无边、英武一世的父皇，一个是意气风发、文武全才的太子，两个人为什么会出现矛盾呢？太子胤礽还能如愿以偿地继承皇位吗？这就是下面我要讲的。

开头谁也没有想到，康熙和太子之间，逐渐出现了皇权和皇储之间的矛盾。这个矛盾其实很好解释，从人性角度就能解释。你想想，一个太子十二岁的时候，他觉得我今后当皇帝，他很高兴；二十二岁，他觉得我已经可以当皇帝了，但是我父亲还很健康，我得好好伺候，我等吧；我三十二岁了，我的父亲还很健康，我哪天当皇帝啊？是不是啊？从人性的角度来说，皇储就开始产生这种心理，于是就接连发生了很多事情。

一开头这种事情跟康熙本人无关，比如说皇太子的脾气变得非常暴躁。他的老师都是一些大儒，都是一些饱学之士，年纪当然也很大——教他的时候，就已经是四五十岁了；他长大了，他们都七八十了，很高的年事——他经常辱骂他们，一生气，他就不管他们是多大岁数，不管那些人是多高的学问，就辱骂老师。当然不管怎么样，也有人汇报到康熙那去，康熙就觉得我这儿子怎么回事？辱骂老师，不应该啊。然后皇太子做下更过分的事，就是鞭笞权臣，地位很高的大臣，在朝廷里面都掌握很大的权柄，康熙都善待他们；康熙有时候发发火，批评一下，也很少说让人把他们的裤子脱了打屁股，当众羞辱或者是鞭笞这些大臣。康熙没做过的事，太子却做了，他一发落那些大臣，他就这么来，底下人当然是你怎么指挥怎么来，因为你就是今后的皇帝啊！还有什么好说的，对不对？你的命令就得听。康熙就开始不愉快，就觉得胤礽怎么可以这样做呢？但是康熙还是隐忍了，因为这是他自己的儿子，是他立为太子的嫡子，而且太子今后确实也要当皇帝，当皇帝有点威风也可以理解。可是后来，逐渐地，他对太子的不满就不是出现在这些事情上面了。

有一次，康熙出征的时候不舒服了，身体有病了，当然不但是太子，其他的皇子——那时康熙的儿子已越来越多了，都要去问候。结果他就发现太子对他生病，不但没有一点很忧戚、很伤心、很着急的样子，反而面有高兴之色。从人性的角度你能明白吗？有人在点头，是不是？当然这个事情比较复杂，你要认真地来读清史会发现，这种记载有不真实的一面。因为大家知道，康熙后来的政权没有交给胤礽，这是很清楚的，后来的皇帝是雍正，是胤礽的一个弟弟，是四阿哥。

四阿哥当权以后就会整理、修改各种档案。现在如果我们仔细来做历史研究，就会发现在朝鲜也有史官，也有历史记录，例如《李朝实录》。朝鲜很长时间都是李氏王朝，在《李朝实录》里面的记载不是这样的，但是也很可怕。《李朝实录》说那次太子去了，太子对康熙没有什么特别不好的表现，而是跟随太子的那些人，按捺不住内心的高兴。他们心想，你看，老爷子快完了吧，咱们跟着的这个主儿马上就要升为万岁了呀，都额手相庆，是这些人，闹得很不堪，被汇报给康熙了。但是不管怎么样，康熙就开始警觉了。哦，闹半天，我培养了半天，最后成了我的一个威胁了，是不是？想抢班夺权哇？康熙就开始警惕，但是也忍下去了。因为培养这么多年了，三十多年的培养，不能付诸东流啊！而且确实太子的优点也是有的啊！所以康熙就还是采取了隐忍的态度。可是到了康熙四十七年，就是我现在要讲的帐殿夜警事件的时候，康熙就忍无可忍了。

这事有好几个导火线，第一个导火线：当时康熙带着浩荡的队伍去木兰秋狝，途中就扎下营盘了；他带了很多皇子去，当时第十八个皇子——当时他的儿子已经很多了——十八阿哥已经七八岁了，他特别喜欢——康熙每个儿子都喜欢——这十八阿哥路上就得了腮腺炎。

这里我插一句，我在讲述里，有时把康熙的儿子说成王子，有的听众跟我提出来，皇帝的儿子是不是该说成皇子啊？这个意见很好，说成皇子更精确些。但有的人以为说王子，那就是王爷的儿子了，这是不对的。在清朝，王爷的儿子官方的称呼是世子，不是王子，王子这个词儿，是跟国王配套的。20世纪初以来，我们翻译外国文学作品，往往把相当于皇帝的人称为国王，把国王的儿子，称作王子，比如莎士比亚的《哈姆雷特》，为了通俗些，就又译成《王子复仇记》。王子就是指国王的儿子，也就是皇帝的儿子，就是本来可以继承帝位的人。其实在清朝，康熙自己也好，朝野上下，一般情况下，都把康熙的儿子叫成阿哥，太子是二阿哥，后来接替康熙当了皇帝的雍正是四阿哥。那么，现在我们讲到了十八阿哥，在康熙四十七年，木兰秋狝的半路上，十八阿哥得病了。

十八阿哥发高烧，得的应该是腮腺炎，根据清朝史书上的记载，我们今天可以做出这个判断。当然当时没有腮腺炎这个词，但是咱们可以根据他的症状，从现在的临床医学做出判断，无非就是腮腺炎，并不是个了不得的病。但是在清朝，治这个病就没有什么好办法。这个十八阿哥高烧不退，康熙就很着急，康熙疼爱他，恨不得二十四小时把他搂在怀里头，太医看病的时候都是搂在怀里头这么看的。他特别爱十八阿哥，他让太子随后从北京城赶到营盘这个地方，这个时候据史书记载，确实是太子对十八阿哥，自己亲弟弟的病情，十分的冷淡，这个在《李朝实录》里面没有相反的记载，可能就是事实。说老实话，作为太子，他觉得每一个兄弟都是潜在的威胁，是不是啊？每一个兄弟都可能来夺我这个太子的位子，都想最后来继承皇权。一看父亲这么喜欢十八阿哥，他心里当然不高兴，你什么意思，对不对？你把我搂着还差不多，你搂着十八阿哥，这算怎么回事，你让他自己躺床上歇着不就得了吗？所以他看见就心里不舒服，表现在外面就是很冷淡。康熙看到他这样，痛心疾首，他当时没说什么，但是后来康熙就说了，说他对他的亲弟弟一点感情都没有。封建社会是最重所谓"孝悌"的，"孝"是指对待父母，"悌"就是指对待兄弟，当时的人认为这两个态度是做人的最根本的立足点，那么你毫无孝悌之心，你这样的人怎么能够继承皇业呢？但是康熙当时也忍了，不过那个时候他已经是随时会一触即发了，结果，紧跟着就发生了康熙万万不能再加容忍的事情，就是帐殿夜警。

可能是康熙自己先有一些感觉，觉得晚上有点不对头，然后康熙得到密报，说父王您知道晚上有这么个情况吗？有人从您的帐殿外面偷偷往里面偷看。这个偷看您的人，不是别人，就是太子啊！这个时候，康熙就一下子，猛地感觉到他和太子之间的矛盾，已经发展到了顶点，这还得了？还用细琢磨吗？那不很简单吗？就是看我怎么样，身体怎么样，嫌我活得太久了，看我什么时候死啊！于是大怒。这就是帐殿夜警事件。

然后，康熙就在有一天当众大怒，通知所有的人，集合在一起，首先就把太子捆起来，不是用绳子，用铁链，然后他一赌气，又把其他那些太子的兄弟，那些阿哥们全捆起来，当着朝臣——当时有一个情况，他自己事先没有考虑周到，现场还有传教士，他也没来得及让外国传教士回避，所以这个当时的场景即便清朝自己的史料记载不完整的话，还有几位传教士后来写回忆录给写上了——他当时大怒，当着朝臣，他就痛数太子的罪恶，说你太不像话了。他就很痛心，痛心到什么地步呢？"仆地"。已经五十多岁了，那时候五十多岁是一个年龄很大的人了，他痛苦地扑倒在地上，场面很不堪。一个英武一世的帝王，平时是非常威严的一个人，突然失态。在他痛斥太子的话语里面就有这样一段话，这段话特别重要，他说，"更有异者，伊每夜逼近布城裂缝向内窥视……令朕未卜今日被鸩，明日遇害，昼夜戒慎不宁，似此之人，岂可付以祖宗弘业！"其中最关键的一句是什么呢？就是"逼近布城裂缝向内窥视"。"伊"就是这个他，就是说的胤礽，皇太子。说有更奇怪的事情就是，他每天晚上"逼近布城裂缝向内窥视"。

大家知道过去中国的文字是没有标点符号的，要把一篇文章读通需要做什么事情呢？需要断句。您会断句吗？断句是个学问啊，您像这一句，"每夜逼近布城裂缝向内窥视"，就有两种断句的方法：一种就是"逼近布城，裂缝向内窥视"，就是太子走到康熙住的帐篷的外面，"裂缝向内窥视"。裂缝这个"裂"是动词，那就一定要拿出匕首，对不对啊？要不你怎么划一个缝啊？这很恐怖，他把这个帐篷划开，然后把它扒开往里面看，可能还一边想，老不死的，还不死，这多恐怖啊！这是一种断句方式。还有另外一种断句方式，就是"逼近布城裂缝，向内窥视"，这就柔和得多了。大家知道皇帝住的帐篷也是布做的，而且如果圆形的帐篷的话，是很多的布幅叠合在一起构成的，明白这意思吧？咱们拉窗帘，这两片窗帘之间最后它是互相被遮盖住的，对不对？那么这个另外一种断句叫"逼近布城裂缝"，这个布城本身就有裂缝，他就可以两个手把它扒开，这个"裂缝"是名词，明白了吧？他把这个扒开往里面看，心想，哦，还在那儿活动呢，我什么时候当皇帝啊？这就柔和一点，稍微柔和一点。现在就不知道康熙当时气成那个样子，他是怎么来断这个句的？估计是刚才我说的第一种。你想那还得了，是不是啊？所以他说他很担心，他说"令朕未卜今日被鸩，明日遇害"，"朕"就是皇帝的自称，"被鸩"就是"饮鸩止渴"的那个"鸩"，明白吗？就是说既然可以拿一个匕首把帐篷划开看我，那么也可能某一天给我敬一杯酒，给我冲一杯茶，让我喝，就可能里面下了毒药啊，对不对？这我还能睡踏实吗？不但我睡不能踏实了，我吃喝都不能踏实了，对不对啊？所以康熙气得要死，他就说，根本就不行，这样的人不能够把祖宗的家业传给他，于是就宣布把胤礽给废掉了。这就是有名的康熙四十七年的帐殿夜警事件，太子就被废掉了。

太子被废掉了以后，又出现很多故事。我看下面有人在皱眉头，可能听还愿意听，可是为什么皱眉头？可能是说，哎，你不是在讲秦可卿吗？是不是啊？您这不是离题十万八千里了吗？你别着急，要把秦可卿的真实的生活原型搞清楚，您还就得听我一段一段往下说，就得有"几度柳暗"，"几度花明"，最后才能到达"又一村"，就是我所说的秦可卿原型的那个所在地，你别着急。而且我觉得你这么听听也应该挺高兴的，因为不光是要来探索秦可卿的原型，我们的目的还有就是要了解曹雪芹写这部书的整个背景，他家族的背景，他家族的荣辱兴衰，和康熙、雍正、乾隆三朝的政治风波有什么关系，这是咱们需要了解的。另外，我们也需要了解曹雪芹他写作《红楼梦》的时候是一个什么样的人文环境，一个什么样的时代背景。所以我觉得，虽然我们现在的探究活动可能你觉得离开我们要达到的那个点比较远，可是我恳求你跟着我一路探究下去，我保证你听着还是很有意思。

刚才说到太子被废了，被废了不就完了，故事应该就结束了。没有结束。甭等更久，第二天，康熙就开始后悔。因为太子被废的时候，你想想太子已经多大岁数了，太子那时候已经三十四五岁了。他从一岁半培养他，你想想这容易吗？是不是？他就开始心神不宁，就宣布不到猎场去了，就回城，回到紫禁城来。回来路上他觉得有怪风在他的轿子面前，他轿子里面有椅子，他坐着那就是御座，他觉得有怪风在御座前盘旋。他觉得这是"天象示警"，就是老天爷在警告我，不可以这样做，他心里就不踏实。回到紫禁城以后，他晚上就做梦，梦见谁了呢？梦见两个女人，都是在他一生当中起过非常重要作用的女人，两个他永远不能忘怀的女人，都是谁呢？一个是孝庄太皇太后，他的祖母，安排太子作为储君，是他的祖母给他决的策，他就梦见了他的祖母。他发现祖母离他远远地坐着，面露不悦之色，不高兴。祖母一向对他非常慈爱，一向是笑脸相迎，突然在梦里面不高兴。然后就梦见了他的皇后。康熙跟他的皇后赫舍里氏，就是胤礽的母亲，感情非常深厚，那绝不是假的，有很多的记载，我这儿就不列举了。而且皇后是生下胤礽以后，自己就死掉了。因为她第一个儿子生出来以后，养了没多大就夭折了，所以怀第二个的时候就很紧张。再加上那个时候清朝面临着三藩叛乱，就是清朝进关的时候有三个汉族的将领表示投降清朝、帮助清朝来占领没有占领的土地，最后都封了藩王，这三个藩王都不老实，后来就都开始叛乱。具体地说，在康熙十二年，即1673年，降清后被封为藩王的吴三桂、尚之信、耿精忠等人，因为不满康熙皇帝的撤藩决策，发动了联合叛乱，史称"三藩叛乱"。康熙采取巩固后方、政治分化等措施，历经八年时间，才最终平息了叛乱，维护了清王朝的统治。皇后赫舍里氏生胤礽，恰在这个关键时期，她在临产的时候，就觉得自己的任务非常重大。如果她生下的是一个儿子，而这个儿子可以养大，就意味着清朝的政权可以更有力量地往下延续，因此她非常紧张。非常悲惨的是，她生了胤礽以后，孩子活了，她却死掉了，所以康熙悲痛得不得了，时常怀念她。结果没想到，这天晚上做梦，她出现了，出现了是什么表现呢？很不高兴，她当然更应该不高兴了，因为胤礽是她以全部生命为代价生下的一个儿子，是不是？所以康熙就觉得，这件事，我是不是一气之下，做得太鲁莽了呢？

正在这个时候，又出现了一个新的情况，非常地富有戏剧性。就是又有阿哥来跟他说，说您知道为什么二阿哥好像疯了一样，辱骂老师，鞭挞大臣，而且经常疯疯癫癫的？他是被人魇了。魇了，都懂吧？记得《红楼梦》第二十五回吧，"魇魔法姊弟逢五鬼"，王熙凤和贾宝玉被谁魇了？被赵姨娘魇了，赵姨娘自己没有这个能力，通过马道婆去魇。过去魇人的办法就是用纸剪成一些人，或者用木头做成一些人，或者用布做成一些人，往其心窝、眼窝子，人的身体要害部分扎针，这叫做魇。这边你在代表这个人的纸人或者是木人、布人身上去做这个事，活的那个人就会形成反应，比如说就会疯狂，会不正常。康熙得到这个报告以后，忧喜参半。忧的是什么呢？闹半天，我立了一个老二做太子，居然就形成了这种局面，就有他的兄弟来魇他，这可真没想到啊！我儿子这么多，这还得了啊！喜在哪儿啊？可见我这个老二是被冤枉了，他被人魇了呀！当时这个胤礽被押回紫禁城以后，就没让他回到他住的那个毓庆宫去，就在上驷院，上驷院就是那个宫廷里面养马的地方，搭了帐篷，把他在那儿圈了起来。康熙就说，那我得找他谈谈，就把胤礽叫来谈话。忽然发现胤礽神志开始清醒，因为这个时候康熙已经派人去查魇胤礽的根源了，查到的根源是谁呢？在哪儿呢？就是老大，就是康熙的大儿子叫做胤褆。有人就问，说老大不是应该封为太子吗？为什么康熙不封他呢？就因为老大他不是嫡出，是庶出，懂这个意思了吗？老大不是皇后生的，老二胤礽是皇后生的，懂了吧？老大他不服气，他当然不服气了——我是老大啊？！所以后来康熙就查抄老大那个住宅，在花园里面挖出来了一些木偶，就是魇人的木偶，是蒙古喇嘛帮他弄来魇人的东西，这就证据确凿了。因此康熙就大怒，说闹半天是老大把老二给魇了，就立刻把老大给拘禁起来了。老大从此以后就一辈子被关起来，这个老大也很悲惨。老大这个镇魇老二的事被证实之后，康熙再找老二谈话，就觉得老二果然神志变得清明，就正常了，康熙说你看这不就证明他是被魇了吗？把魇物一去除，他不果然就好了吗？康熙就开始琢磨，恐怕这个老二就是冤枉的，

好容易把他立为太子了，我不能够随便地把他废掉。后来康熙就在半年之后，第
二年，康熙四十八年，宣布复立胤礽为太子。是不是很戏剧性啊？如果只是一废，
这个故事也就不这么曲折了，人家还二立呢，第二次又立为太子，这个胤礽就又
成了太子了。

　　宫廷里面的这样一些变故，这样一些情况，不仅是影响宫廷本身，影响到皇
族本身，也影响到整个朝野，特别是会影响到官僚集团，影响到上上下下各级官员，
也包括曹家。因此恳请你听我下一讲，我将给你讲到当时的统治集团的皇位之争，
如何反映到了《红楼梦》的文字里面；而这对我们探究出秦可卿的真实的生活原型，
就更为关键。

第八讲

曹家浮沉之谜

上一讲，说到了康熙四十七年的帐殿夜警事件，这个事件的影响非常之深远。

宫廷里面的这样一些变故，这样一些情况，不仅是影响到宫廷本身，影响到皇族本身，也影响到整个朝野，特别是官僚集团，影响到上上下下各级官员，也包括曹家。为什么呢？因为大家知道，曹家跟康熙、跟太子的关系太密切了，而且他们也无法把康熙和太子的关系择开。康熙在那么多年里面都这么信任太子，都培养他，大家已经习惯了；往往是康熙主持朝政的时候，太子就坐在他旁边，康熙问话，太子也问话，康熙发指示，太子表示同意，甚至还补充点什么；当然最后拍板的是康熙，但太子你能不尊重、不服从吗？如果康熙和太子没有在一起，那么往往是官员见了康熙以后，还要再去见太子，起码要去请安。当时所有官员都是这么想的：我要是对康熙好的话，对他效忠的话，我就得同时效忠太子，是不是啊？我效忠太子，也就意味着我效忠康熙，这两人应该是不可分割的，没有必要两说的，我不能对他们采取两种态度。曹雪芹祖上，直到他父亲一辈，就是这么对待康熙和太子的。

康熙几次南巡，都带着太子一块儿到南方去。到了南京，到了江宁以后，不住在别的官员安排的行宫，就住在他的发小曹寅他们家。曹寅就是曹雪芹的祖父，是康熙的发小，发小是一句北京话，意思是从小一块儿长大的小伙伴、小朋友，为什么这么说呢？这就跟曹家的历史有关系了。

大家一定要记住，曹寅的母亲是康熙的保母之一，而且是保母当中最重要的一个，这个保母姓孙，孙氏。大家知道，康熙小的时候是没有母爱的。首先没有父爱，因为康熙生出来以后，他的父亲顺治皇帝根本就不在意他。顺治皇帝当时忙什么呢？忙着跟董鄂妃谈恋爱呢，是不是啊？他就盼着董鄂妃给他生儿子，董鄂妃后来真给他生了一个，他当时就当着群臣说，这个是我的第一个儿子。如果这个儿子一天天长大的话，这个皇位就传不到康熙那儿，明白了吧？就一定会传给这个儿子。可是后来这个儿子夭折了，没养大，即使这样，顺治在他得病、身体不行的时候，还曾经想把他的皇位传给他的一个兄弟，都没想传给康熙。这个时候，顺治的母亲孝庄太后起了重要作用，后来她经过一番斡旋，最终落实了由康熙来继承顺治的皇位。所以康熙从小没有父爱，而且，也没有母爱。

为什么没有母爱？这倒不是因为他母亲不爱他，而是因为在清朝立下一个规矩，就是皇后也好，其他的妃嫔也好，生了孩子以后，一律是把孩子搁在另外的地方，甚至是紫禁城以外去养；一年里面孩子跟母亲见面的机会也就是逢年过节或一些大典的时候，他们平常根本就不是在母亲跟前长大，是在保母跟前长大。孙氏就是康熙的保母。

当时又由于清朝有一种最可怕的流行病就是天花，也就是出痘，这是当时不可抗拒的一个病魔，一出现痘情，出现痘疹，就一大片许多人都得，然后死一大堆，特别是婴幼儿，死得特别多。皇宫也不例外，皇宫里面死去的那些皇子、公主，很多都是得天花死的，就是顺治皇帝本身以及后来的同治皇帝，据说也都是得天花死的。所以天花病在当时是非常不得了的，让人一听就害怕。《红楼梦》里面对这个情况也有反映，记不记得啊？谁出痘了？正面描写？巧姐。巧姐出痘，你看王熙凤跟贾琏多着急啊！当然贾琏是假着急，后来他利用那个机会干别的去了，咱们不多说了，凤姐是真着急。康熙他在身体方面有一个优势，就是他很早就得了痘疹，得了痘疹他没死。天花这种病属于什么病呢？属于你得了没死，你就一辈子不会再得了的那种，就是你获得了终身免疫力了。所以康熙就成为顺治所有的儿子里面，一个生命最有保障的人。这也是后来孝庄太皇太后做主，让康熙能成为皇帝的一张王牌，就是他出过痘了。因此现在你看康熙的画像，你得看仔细，看仔细据说也没用，你拿放大镜看脸也没用，因为不敢画。据说康熙脸上是有麻坑的，因为痘退了以后留下疤痕，不是很多，浅麻子，康熙整个的形象还是英俊的，有点浅麻子，可能就更是像水中浮萍一样，不但无损他的英武，还使他的相貌更有特点。康熙是这么一个人，因为他得过了这个天花，而且好了，所以后来就不让他在宫里住，就把他安排在紫禁城外，就是现在的西华门外北长街，现在那个地方叫福佑寺，他就是在那个福佑寺里面长大的。他整天眼前所见到的是他的保母，有人说那就是喂奶的奶妈子是吧？不是。奶妈是喂奶的时候才来，这个保母的"母"没有"女"字边，不是现在的劳务公司、家政服务公司介绍的那个保姆，不是那个字，是"母亲"的"母"，意思就是替代母亲的一种女性。负责什么呢？负责全面培养他，用今天的话说就是进行素质教育，从小教你你要站如松、坐如钟、卧如弓，你见人应该怎么样地行礼、请安，你社交活动当中要怎么样地坐有坐像、站有站像，你怎么和人对话的时候和蔼可亲、言辞得当，怎么懂得善良，懂得爱惜东西……是负责全面培养他这个人的。所以这个康熙打小就跟孙氏关系非常好——懂得他们这个关系了吧？我讲半天康熙，讲半天太子，都是和曹雪芹他自己的家族有关系的。

康熙和曹寅的关系，和曹雪芹他爷爷的关系，太不平常了，为什么说他们是发小呢？大家知道读书经常要有读伴，没有读伴的话，一个人太寂寞了，所以就有所谓"陪太子读书"的话；康熙那个时候当然没有被立为太子，那就是陪皇子读书，谁来陪呢？往往就从保母的儿子里面来选合适的少年。当时曹寅就被选来陪着康熙一块儿读书，是一个陪读。康熙当了皇帝以后，曹寅就成为他近身的侍卫，禁卫军当中的小头目。那当然太可靠了，是不是啊？一块儿玩儿大的，这个人来保卫他多合适啊！而且后来康熙除掉鳌拜，这些近身的侍卫也起了很大作用。鳌拜是一个擅权的权臣，康熙想了各种办法都没法除掉他。你通过正式的手续逮捕他的话吧，早有人通风报信了，而且他还可能反抗，可能干脆举兵造反呢。最后康熙想了一个什么办法？就是他身边的一些侍卫包括曹寅都会摔跤，鳌拜进来见皇帝的时候，康熙是少年天子，就好像闹着玩儿似的，"把他给抓起来"。鳌拜就没怎么太反抗，因为抓他的都是些小孩儿，禁卫兵、侍卫、少年人、摔跤的，他觉得拉拉扯扯，好玩，没想到真给抓起来了。鳌拜身边也没有别的人，让谁来救他？没治了，就这么把鳌拜给除掉了。所以你想，曹寅的作用大不大啊？他们关系好不好啊？关系非常铁。

因此，康熙皇帝后来带着太子到南方去南巡的时候，几次就都住在曹寅家，住在江宁织造家。说实在话，这有点荒唐，因为江宁那边很多大官按官阶、按地位都比曹寅重要，更何况皇帝住的地方应该不是任何官员的官邸，应该是一个单独的行宫。但康熙他就都没兴趣，你哪儿都别跟我说，我就只奔哪儿？我就奔曹寅家，就奔江宁织造那儿，我就住那儿。你看他们关系怎么样啊？住那儿以后，这是据正式的史料记载，孙氏当时还活着，曹寅的母亲还活着，康熙的保母孙氏还活着，当然，皇帝来了，孙氏就要过去谒见；见了皇帝，就要跪下了，因为那是皇帝嘛。康熙立刻把她搀起来，不让她跪，而且满脸喜色，叫做"见之色喜"，满脸高兴，还说了一句惊心动魄的话，他跟周围大臣说，"此吾家老人也"。厉害不厉害？情不自禁，按说不应该这么说，你再喜欢她，她只是一个保母而已，她是一个高级奴才罢了，但是他感情太深了，他说这是我们家的老人啊！这可是我们家的老辈子啊，他这么跟周围人说，所以被记录下来了。而且他当时兴致非常高，正好萱草开花——萱花，萱草那个花在中国是象征孝顺母亲的，所以他就写了一个大匾，叫"萱瑞堂"。萱草正在开花，非常美丽；"萱瑞堂"，这里面凝结着曹家和康熙关系里最甜蜜的东西。

那么曹家和太子的关系怎么样呢？也非常好。不过太子跟曹家的关系，说起来就没有这么多温馨的色彩了，就比较粗鄙。太子后来是一个很不像样子的人，到处掠取财物，多少钱他也不够用，多少银子在他手里也像流水一样花掉，太子是这么个人。他经常找曹家干什么啊？让他的奶公到曹家去取银子，取多少？摇摇摆摆一去，两万，开口就是两万啊，曹家就立刻想办法给他两万，给两万不就完了吗？过几天又来了，又要两万。就在太子被废之前的短短几年里面，太子的奶公凌普，光是这一个人，就从曹家和李家——李家大家知道吧？就是曹寅的妻子的娘家，她娘家哥哥叫李煦，当时一直当着苏州织造，是康熙的另外一个宠信的人；凌普就到这两家，张口要银子——短短的几年之间，总共就取了八万五六千两银子。八万五六千两啊，你想想多大一个数目，所以他们的经济关系背后，也就反映出来他们的权力关系。当然曹家希望胤礽，希望皇太子能够顺利接班，对不对啊？甭说别的，你要不接班的话，这银子不就白填了吗？他们是这么一种关系。

有人就说了，你说了半天这跟《红楼梦》有什么关系呢？你不是说清史了吗？你这是痛说清史啊！咱们不是《红楼梦》讲座吗？那么好，我就告诉你，曹家和康熙、和太子胤礽的这种亲密关系，被写进了《红楼梦》。写到哪儿了？不止一处，现在我仅举一处，就是第三回。第三回你读得细不细啊？第三回写林黛玉进府，你可能说，啊，林黛玉进府，我读得很细啊，说王熙凤怎么人没到声音先到，贾宝玉怎么一看林黛玉没有玉，一听这个话，就生气了，就把自己的玉取下来摔掉了，那不是很热闹吗？我都记得啊！可是你记不记得，林黛玉到了荣国府中轴线的那个大宅院的正堂，看见的匾和对联呢？那是很重要的一笔哟，你不能够错过。我们一起回忆，想起来了吧，你应该就在《红楼梦》第三回里面，看到了一个金匾、一副银联，请注意了，一个是金的，一个比它低一等，但是也不是很低，是银的。

金匾上面写的是什么呢？写的是皇帝的御笔，三个大字，叫做是"荣禧堂"。刚才我讲过什么啊？康熙皇帝在曹寅的家里面写过一个什么匾呢？写过一个"萱瑞堂"，"荣禧堂"的物件原型就是后来一直挂在江宁织造府的"萱瑞堂"。你从这个字的含义上都可以看出它互相的联系，"萱瑞"跟"荣禧"都有一种吉祥的，预示着这个家族会越来越繁荣的含义在里面。所以，曹雪芹实际上是把他祖父家里面的金匾通过艺术升华，变化为了林黛玉到荣国府所看见的这个金匾了。这倒还罢了，这个金匾是赤金九龙青地大匾，盖着皇帝的戳子。

写完金匾，曹雪芹又写林黛玉看见一副银联，而且曹雪芹用笔非常仔细，他不是马上接着写银联，他还隔了一些文字，再接着写银联。这个银联是乌木联牌，镶着錾银的字迹，就是把乌木上抠一些槽，然后把银子压进去。这个对联我们都记得，因为在《红楼梦》上写得清清楚楚，写的是"座上珠玑昭日月，堂前黼黻焕烟霞"，这样一副对联，有印象吧？现在我告诉你，这个胤礽，做太子的时候，他有一副对联是备受他的皇父康熙表扬，而且他到处把它写出来送人。史书上只是没有具体记载，他也写了送给了曹寅而已；他在江宁南巡的时候把它送给别的官员，都被记载在案。他没事就写自己这个名对，这是他很小的时候就对出的一个好对子，这个对子是什么呢？叫做"楼中饮兴因明月，江上诗情为晚霞"。你把这两副对子对比一下，结构相同："座上"与"楼中"，"堂前"和"江上"都是呼应的；对联最后一个字呢，干脆就一样，上联都是"月"，下联都是"霞"。我现在让你把林黛玉在荣国府所看到的那副银联，和真实生活当中胤礽在做太子的时候写的对联加以对比，你就会发现这两副对联是有血缘关系的，它们之间是有一个从生活真实升华到艺术真实的过程。也就是说，它们是从一个生活中的原型物件，演化为一个作品里，一个故事里面的物件，它们之间有这个关系。

胤礽这副对联的事儿，最早记载在康熙朝一个大官王士祯所写的一本书《居易录》里面，我看到起码有两本清史专家的著作里，都引用了王士禛《居易录》里的记载，说明这记载是可信的。但是最近有热心的红迷朋友告诉我，"楼中饮兴因明月，江上诗情为晚霞"是两句唐诗，是唐朝刘禹锡的一首题为《送蕲州李郎中赴任》的诗里的，经查，这确实是刘禹锡老早写下的诗句，那么，王士禛的所谓"太子名对"的记载，该怎么看待呢？王士禛行文比较简约，我想，他所说的情况，可能是当年太子还小，他的老师说了刘禹锡诗里的前半句，作为上联，让他对个下联，他当时并没有读过刘禹锡的这首诗，却敏捷地对出了下联，与刘禹锡的诗句不谋而合。这当然也就足以受到老师夸奖，康熙知道后当然也就非常高兴，一时传为了美谈。当时太子不但学对对子，也学书法，他一再地写这两句，因为书法好，经常写出来赏赐臣属，说这两句是他的"名对"，也就不难理解了。没想到，这"太子名对"，后来又演化为《红楼梦》贾府里，与皇帝御笔金匾额相对应的一副银的对联。

书上写这副银对联，落款是"同乡世教弟勋袭东安郡王穆莳手拜"，这些字眼里，其实也都埋伏着意思，都是在暗示太子。真实生活里，曹寅跟康熙是一辈的，他转化到小说里，就是贾代善；而曹顒和曹頫跟太子是一辈的，他们转化到小说里，就是贾政这一辈。因此，写对联的人就称自己跟贾政是同辈的，他们祖上虽然是主奴关系，但是起初都在关外生活，又一起打进关内，因此谦称是"同乡世教弟"。这位"世教弟"勋袭东安郡王是谁？我们都还记得，《红楼梦》里后来写贾府为秦可卿大办丧事，来了四家王爷参与祭奠，他们是东平郡王、南安郡王、西宁郡王和北静郡王，并没有东安郡王，可见曹雪芹在对联落款上写出"东安郡王"，是别有用意，是在影射"东宫"，写对联的时候还安好，但是到后来，可能就坏了事，就消失了；曹雪芹给这个东安郡王取的名字也挺古怪的，叫穆莳，其实他也是有用意的，穆，古汉语里通"密"，胤礽死了以后，谥号就是密，莳，是将植物移栽的意思，胤礽一生两立两废，两次从当太子的毓庆宫移往咸安宫被圈禁起来，这么一想，曹雪芹用这些字眼来写，确实都是在影射废太子胤礽，否则，哪有这么多的巧合？

我们从帐殿夜警往下捋，果然就发现清朝的康熙朝的皇帝和太子，和曹雪芹他自己家族的祖父一辈、父亲一辈，关系是非常密切的，而到他写《红楼梦》的时候，他就把他从他的祖辈、父辈那儿所得到的一些信息，很巧妙地写进了他自己的书稿里面。我想这个结论应该是成立的。有人可能要问了，说你说这些倒也还可以接受，只不过我们都知道后来康熙不就死了吗？结果太子不是也没有能够接班吗？下面我还会讲到，太子后来第二次又被废。太子第一次被废掉过了半年，不是又复位了吗？但是三年以后，他又被废掉了，再次被废掉了，你想这是多大的波折啊！康熙他把太子第二次废掉之后，就发誓不再公开地来立太子，也就是说不再公开地建储，他很显然是采取了一个秘密建储的计划。也就是说他从公开地指定太子建立皇权的储位，改变为了用秘密建储的方式来完成权力过渡，就是我看重了某一个阿哥，我重点培养他，但是我不露声色，我不马上告诉他，你就是太子了，因为这样他就容易骄横，容易产生其他的不好的心思。我信任他，但是我又控制他。后来，多数人都认为他所看好的是十四阿哥，就是他的第十四个儿子。这第十四个儿子很有趣，他和四阿哥，就是后来成为雍正皇帝的那个哥哥是同母所生，他们两个是亲兄弟，就是他们既同父，又同母，是这样的亲兄弟。康熙信任十四阿哥的最突出的表现，就是他让十四阿哥当抚远大将军，去西征，给他以重兵，由他指挥。这个十四阿哥也很争气，在任抚远大将军过程当中收复了西藏，消灭了很多叛变的部族，使得清朝的政权更加巩固。康熙晚年非常喜欢十四阿哥，看起来他也确实想把他的皇位移交给这个儿子。可是他又病了，他没觉得自己这次可能到了生命的终点了，他觉得自己可能还能好，所以他就没有及时地把他所看重的十四阿哥从西北调回北京。当然如果真是下令调回的话，那也是一个很漫长的过程，大家知道当时的交通工具哪有现在这么发达啊？当时就是二十四小时不停地拿着马鞭，不断换马，一站站抽着马跑，也要很长时间才能回到京城。他没来得及把他心爱的十四阿哥叫回来，他就忽然不行了，这次就病大发了，就弥留了，生命垂危了。在这个状况下，其他的阿哥也都不知道确切消息，就知道父王病了，究竟病得怎么样，是不是很重，不清楚，但是有一个阿哥知晓康熙的病情，这就是他的第四个儿子胤禛，也就是十四阿哥的同父同母的哥哥。

他为什么能知道呢？平时这个四阿哥一副谦和的样子。在太子二废之后，好几个阿哥都想谋求自己被立为太子，比如说八阿哥就是一个不安分的人，叫胤禩。胤禩就曾经起过坏心，想谋求太子的地位，康熙是提高警惕的，康熙曾经痛斥过八阿哥，没让他得逞。但有的阿哥还是蠢蠢欲动，或者联合起来，或者共同拥戴一个，都希望通过皇权继承谋取好处。四阿哥平常显得很谦和，给人造成错觉，仿佛他从来不管这些事，再说他年纪也大了，他是老四，康熙晚年，他已经四十多岁了。他很早就在他的王府里面养喇嘛，现在北京有一处极有名的名胜，叫什么？叫雍和宫，就是由他的王府改造而成的，为什么改造成为一个喇嘛庙呢？就是因为他信奉喇嘛教，他在他的王府里面养喇嘛，搞佛堂，这样就使大家觉得他是一个不必跟他去计较的人，就放松了对他的警惕。万没想到，在康熙弥留的时候，掌握康熙病情真相的惟一的一个皇子，就是这个四阿哥。他何以能够掌握康熙的情况呢？他把当时的步兵统领叫隆科多的给笼络住了，这个人很重要，这个人就等于是禁卫军的头目，懂了吗？皇帝得需要有人保卫啊，保卫皇帝的人得是一些军事人员，军事人员得有他们的首领，这个首领就是隆科多，因此隆科多就掌握了整个康熙帝的情况。当时康熙病得不行的时候不是在紫禁城里面，而是在西郊的圆明园。隆科多就等于把康熙控制了起来，据说隆科多当时也有所考虑，在这个情况下，我应该投靠哪一个阿哥呢？投靠了哪一个对我最有利呢？十四阿哥？十四阿哥远在西北，再说隆科多原来跟他的关系也不好，其他的阿哥里，他想来想去，跟他关系最密切的就是四阿哥，所以他就单独把康熙病得不行了，要死了的消息告诉了四阿哥。因此据史书记载，虽然这个历史记载后来雍正继位之后他是进行过一番修理的，即便这样也仍然留下了痕迹，就记载下了四阿哥他一天之内好几次进入圆明园，而且能够直接逼近到皇父的病榻前，所谓探视皇父，这比那个帐殿夜警，从帐篷裂缝向内里窥视，不是更可怕吗？康熙那么弥留的时候，一睁眼，一张大脸就在眼前晃，还不是说挺老远，在帐篷裂缝外头，窗户外头，这真是挺恐怖的。最后康熙就死掉了，死掉以后就有两个权臣：一个是隆科多，还有一个是年羹尧，他们两个做主，宣布说康熙帝临死的时候留下的遗嘱就是四阿哥特别好，四阿哥特别像我本人，应该把皇位传给他，这样雍正就登上宝座了。

据说雍正登基的时候，还表现出一副非常不情愿的样子，好像还苦苦哀求，说别让我当了，似乎他确实没有权力欲望。但是一旦坐定了宝座，龙袍一旦穿到了身上，脸就往下一垮，那就不客气了，我就是皇帝。他第一件事情就是大封官爵，大封爵位，把兄弟们，把一些功臣全都予以加封，他没有贬任何一个人。当然他同时就通知他的弟弟十四阿哥，让他火速赶回北京，因为父王去世了，我继位了，你要赶快回京城。当时出现这样一个事态，这个事态对曹家打击是非常之大的。因为在当时，在所交往的这些康熙的儿子当中，曹家和许多的阿哥关系都比较密切；当然和太子那一支是最密切的，和其他的有的也很密切，比如像与八阿哥、九阿哥都很密切，和十四阿哥也非常要好，但是偏偏和四阿哥关系比较疏远，没什么大关系。因此在康熙死了之后，曹家就面临一个灭顶之灾。

当然，当时曹家无非是一个江宁织造，在雍正眼里面小菜一碟，因为他要对付的政敌太多了，是吧？他要对付哪些人呢？一个就是对付不服气的兄弟们，首先不服气的就是跟他同母的那个十四阿哥。据说十四阿哥回到京城以后，根本不给他下跪，心说，怎么回事啊？我这好好地回来，你就当了皇帝了，要我给你行君臣之礼，天下哪有这等事，就很桀骜不驯。十四阿哥不服，他的母亲，他们两个的母亲，也喜欢那个小儿子，并不喜欢雍正，所以雍正当了皇帝以后，马上就要给他的母亲移宫，因为她原来无非是康熙的一个侧室，现在就要把她尊为皇太后，就要移到皇太后住的专门的宫殿里面去，他的母亲是坚决不移，等于也是对雍正不满意，向着这个弟弟。所以当时虽然雍正登上了宝座，情况依然很复杂，再加上八阿哥、九阿哥结成联盟，共同对付他，这两个人也是使尽了招数，要颠覆他的皇位。大家知道，后来雍正就把这个八阿哥、九阿哥往死了治，把他们圈禁起来治罪，革掉他们的爵位，甚至把他们革出了皇族，就是从宗族里面予以驱逐，再后来简直就宣布他们不是人了，给他们两个各取了一个怪名字，一个叫阿其那，一个叫塞思黑。民间很多传说，说八阿哥被叫做阿其那，就是狗的意思；九阿哥被叫做塞思黑，就是猪的意思。其实根据清史专家的研究不是这样的，因为在满文里面，"阿其那"的音并不意味着是狗，"塞思黑"这个音也不意味着是猪。经过一些专家的严密考证，认为阿其那其实是八阿哥失败以后，自己给自己取的一个名字，意思是"俎上冻鱼"，俎就是案板，案板上面已经冻坏的鱼，是任人宰割的意思，是一个失败者给自己取的很无可奈何的名字。而塞思黑呢？据专家考证，是"讨厌"的意思，在满语里面是讨人厌的意思。不管是什么意思，当时雍正所要面对的是很多的政敌，像他的八弟、九弟就是他首先要对付的政敌，这两个人都被治得非常惨，后来这两个人相继地吃了东西以后立刻呕吐，很快就死掉了，据说是被他毒死的。这个传说应该是可信的，否则怎么会两个人都死得那么巧，而且死法是一样的。此外，雍正要对付的还有另外几个兄弟，就不细说了。

同时他还要对付谁呢？他要对付隆科多和年羹尧。有人说，是不是说差了？不是这两个人帮他登上皇位的吗？是的，这两个人的问题就在这里，他们知道得太多了。有时候在皇帝面前，你什么都不知道你是死罪；有时候，你知道太多你也是死罪。这两个人就是知道得太多了，大家懂我的话吧？所以他必须把这两个人治掉，封掉这两个人的嘴，后来这两个人果然都被治了罪。雍正上任以后很忙活，顾不到那些更小的官员，但是他还是及时把李煦给惩处了，在雍正眼里，李煦特别讨厌，就马上给收拾了——前面讲到过，李煦就是曹寅的姻亲，就是他妻子的哥哥，他的大舅子，就被整治了。当然那个时候曹寅已经去世了，曹家是曹頫在担任江宁织造。李煦被治了以后，在雍正三年的时候，雍正就把曹頫交给了怡亲王看管。怡亲王是谁呢？很有意思，这个怡亲王就是十三阿哥胤祥。雍正当皇帝以后，他只保留自己名字里的胤字，别的兄弟名字里的胤字一律改成允字，所以下面我说十三阿哥的时候，就叫他允祥。允祥是原来在康熙的所有阿哥当中最不得志的一个，怎么不得志呢？大家知道，康熙等儿子们长大了，就纷纷给他们封爵，这很正常吧？不能只是说老二是个太子，其他的怎么算呢？就分别把他们封为亲王、郡王、贝勒、贝子，等等。很奇怪的是，他两次封爵，第一次允祥年纪还小，没封上，倒还好解释；第二次允祥下面那个弟弟都封上了，允祥就愣没封，在康熙死以前，惟一没有被封爵位的成年的儿子就是允祥一个。这允祥就愣没封他，为什么没封他？经过后来一些分析，我们可以得出这样的猜测：上一讲我讲到的帐殿夜警大家还记得吧？帐殿夜警，康熙皇帝觉得有人从他的营帐外面裂缝向内窥视，这是有人告密的，谁告的密呢？实际上是两个人：一个是大阿哥，但是大阿哥后来败露了，上一讲我说到了，大阿哥他用镇物来魇太子，这个事被查出来，大阿哥就被圈禁了；还有一个告密者，很可能就是这个允祥，就是他。但是这个事康熙后来不好对别人说，当然康熙也希望从他那里得到情报，不能说他做错了什么，但是，告密兄长这种行为，又让康熙觉得并不值得褒奖；况且后来一度康熙又发现太子是被魇了，是冤枉的，所以康熙心里就不喜欢十三阿哥了。康熙的表达方式之一，就是始终不封他爵位，他就成了一个很尴尬的人物，他跟其他那些兄弟一样，都是皇帝的亲儿子，但是别人都封了这样、那样的爵位，只有他，始终就是一个阿哥的身份，没有任何爵位。可是，雍正一当权，立即封允祥为亲王，最高的爵位，怡亲王，而且对他非常地信任。所以在雍正三年的时候，雍正他腾出手来惩罚曹家，惩罚曹頫，就先把他交给怡亲王去。他跟曹頫说，你别乱找门路了，你有什么事，你就跟一个人说，你就跟怡亲王说，怡亲王他疼爱你，所有事他能帮你解决。雍正当然不是当面说，而是在曹頫的奏折上加的一些批语，大概就是这么个意思，这个就对曹家很不利了，是不是？因为在康熙朝一个最不受宠的阿哥现在成了亲王，曹家的命运掌握在他手里面，这不是什么好事。据说，怡亲王这个人确实还不是特别凶恶，所以对曹家，他也没有添油加醋地帮着雍正立即加以毁灭性打击。

直到雍正五年，雍正才彻底腾出手，这时他把其他的政敌都处理得差不多了，开始处理他不喜欢的官员。他有一个基本原则，凡是当年他父亲喜欢的，他都不喜欢；凡是他父亲不喜欢的，他就偏要喜欢。雍正在这样一个思维的情感支配下，整治了一大批在他父亲那个朝代里面受宠的官员，其中包括曹頫。在雍正五年就把曹家给查抄了。曹頫的罪名，一是他的家仆骚扰驿站，应该是真有这样的事。这种事如果发生在康熙活着的时候，根本就算不上多大的事，那时候曹家有康熙护着，谁敢为这样的事情告曹家？告也告不倒的。曹寅死前，康熙听说他得的是疟疾，立刻让驿站马不停蹄地给他的发小曹寅送特效药金鸡纳霜，只是曹寅自己没运气，药没送到，他就咽气了。那时候康熙自己事情正多，而且非常烦，曹寅死的那一年，也就是康熙对胤礽彻底失望的时候，那一年里他二废太子；但是就在这样的情势下，康熙依然顾念着曹家。曹寅死了，他让曹寅的儿子曹颙接替曹寅当江宁织造，没多久曹颙又死了，他又亲自过问，为已经绝后的曹寅过继了侄子曹頫，还让他当江宁织造。康熙六次南巡，四次住在江宁织造府里，他深知曹家的任上亏空，其实都是因为接驾造成的；但是康熙死了以后，雍正查亏空，就查出曹頫的大亏空，他装傻，曹頫也无从辩白，不能说这亏空其实是您父皇南巡的时候，接驾造成的。雍正六年，雍正就把曹頫逮京问罪，枷号了。虽然在北京也拨了一个很小的院子，一个有十三间半的小院子，应该在崇文门外，一个叫蒜市口的地方，给他们家住，但是曹頫被"枷号"。"枷号"就是每天得上班，上班干什么？就是戴上大的木枷，甚至上面有的时候还有铁包的边，或者是铁木结合的东西，戴着以后在街上站着，站着干什么呢？你还不能不出声，要不断地喊，我有罪，我有罪；你有什么罪，你得跟过路人说清楚，很惨，就是当街示众。曹頫是这样一种很悲惨的境遇。

但是，在《红楼梦》里面，我们仔细阅读《红楼梦》就发现，雍正朝曹家的某些情况，在《红楼梦》里面是很少被写到的，即便是从生活的原生态上升为艺术的情景也都比较少。曹雪芹他好像不太愿意写这一段，他重点写的是乾隆那一朝发生的故事，那一朝上层的政治权力斗争就更多地折射到了《红楼梦》的文字里面。我自己在探寻秦可卿原型之旅当中得到很多乐趣，我愿意把我的乐趣拿来和大家分享。所以说，我不想简单地马上告诉你这个所谓原型是谁，我恳请大家跟我一起继续我们兴味盎然的探索原型之历史旅行。

日月双悬之谜

　　我们仔细地阅读《红楼梦》就发现，雍正朝曹家的某些情况，在《红楼梦》里面是很少被写到的，即便是从生活的原生态上升为艺术的情景也都比较少，曹雪芹好像他不太愿意写这一段。他重点写的是乾隆那一朝发生的故事，那一朝上层的政治权力斗争就更多地折射到了《红楼梦》的文字里面，这是我这一讲所要重点跟大家报告的。

　　那么《红楼梦》第四十回，有半回叫做"金鸳鸯三宣牙牌令"，写贾母她们女眷在一起打牙牌，由鸳鸯担任一个报出她们手中凑出的牙牌牌名的角色。这一段情节有的读者不太喜欢，说我又不会打牙牌，曹雪芹写这些干什么呀？其实，这段文字很重要，我解释给你听。

　　那么她们的牙牌游戏就开始了，首先由贾母摸牌，先是贾母亮明一张牌，鸳鸯让贾母说一句韵语——她们的玩法就是你亮出牌以后，鸳鸯报牌名，你跟上去说一句押韵的话，于是贾母就说了一句"头上有青天"。贾母为什么说这句话？就是因为雍正突然死亡、乾隆继位，乾隆是一个大政治家，他吸取他祖父和他父亲实施统治的经验教训，觉得他父亲和他祖父这两朝所留下的政治伤痕太深了，首先是皇族内部内斗形成的伤痕太深，所以他就实行了一个叫做"亲亲睦族"的政策。亲亲，第一个亲是动词，第二个亲是名词，意思就是，凡我皇族，大家都要团结起来，过去的恩怨，咱们一笔勾销，咱们重新开始过一种团结的共同支撑我们大清王朝的政治生活。而且他身体力行，他把雍正治过罪的那些皇族的成员，圈禁的，就把他释放出来；如果死掉了，他就善待他们的儿孙，又恢复一些爵位给他的后代。

他做了很多这种事情。对于那些因为皇族内部斗争、权力更迭，犯了罪的这些官员，只要你不是真正地来反对清朝统治的，而是因为什么亏空问题或其他一些问题，我都予以赦免，一风吹。所以在乾隆元年的时候，曹雪芹他们家就碰到了一个"头上有青天"的情况，贾母对当时的那个皇帝是满意的。

当然，《红楼梦》里面所写的皇帝，是个模糊的形象，书里的皇帝上头还有个太上皇。其实在真实的生活里，在曹雪芹去世以前，清朝从努尔哈赤算起，一直都没出现过太上皇；清朝的太上皇的出现，是在曹雪芹去世很久以后，乾隆他实行了所谓内禅，把皇位给了嘉庆，自己当了太上皇。曹雪芹不可能，也没必要，去预见或假设有这么种情况。这就说明，曹雪芹他写书，虽然从生活真实出发，但他又是有艺术虚构的，他不想把书里的故事背景一语道破，但他又处处照顾到真实的社会背景，于是他就使用了许多巧妙的办法，说当今皇帝上面还有太上皇，我觉得他那是把康熙、雍正、乾隆三个皇帝合并在一起写。太上皇有隐喻康熙的意思，而书里元妃省亲以后的皇帝，所谓"当今"，则是指乾隆，至于雍正，他就体现得格外含混。贾母用"头上有青天"颂圣，所称颂的就是乾隆，乾隆的怀柔政策给现实生活中的曹家，带来了新的生机；贾母的原型李氏是真心实意地感恩戴德，化为书中的角色贾母，她在这时候就说了这样一句话。

说到这儿，我觉得还要把一个辈分问题给大家再捋一遍，大家头脑就更清楚了。清朝这三个皇帝里，康熙对应于曹家是哪一辈呢？是曹寅这一辈，投射到《红楼梦》这个书里面是哪一辈呢？就是贾母这一辈；下一辈，雍正这一辈的，就应该是曹寅的儿子，曹颙很快死了，就是曹頫，投射到《红楼梦》里面就是贾赦、贾政、贾敬这些人，他们是一辈的；然后就是第三辈，第三辈在王室当中那就是乾隆皇帝，与乾隆皇帝相对应的曹家的同辈人，就应该是曹雪芹这一辈，他们是一辈人，投射到《红楼梦》里面，就是那些玉字辈的人，贾珍、贾琏、贾宝玉等。它是这样一个对应关系。

所以贾母说"头上有青天"，就是因为在乾隆这一朝，曹家的情况得到了大大的缓解，这是有档案可查的。当时曹頫的那些所谓欠款、欠银就一风吹了，曹頫又重新回到内务府，投射到《红楼梦》小说里面就是贾政这样的人，又当上官了，虽然这个官不是很高，但是也还过得去，当了一个员外郎，是吧？所以贾母说"头上有青天"，其实就是从现实生活中的曹家来说，或者从《红楼梦》中的贾家来说，他们对皇帝是愿意效忠的，是很感激的。这是实事求是的反映、描写。

当然贾母说后几张牌的时候，她说的韵语也都很有意思，她说"六桥梅花香彻骨"，实际上也是讲，我们曹家，在小说里面当然就是讲的四大家族了——首先是史家和贾家，终于熬过了那个最困难的严冬，梅花开放了，是吧，获得了一个比较好的情景。而且她继续颂圣，叫"一轮红日出云霄"，贾母对这个小说里面的当今皇帝，实际上也就是现实生活当中的那个乾隆皇帝，她是愿意一而再再而三地表达感激之情的。可是呢，整个牌凑成一副以后，这个牌名并不好，这就是曹雪芹精心的艺术构思了。他偏这么构思。鸳鸯就告诉贾母了，说您这副牌——那个牙牌打法是三张牌凑一副——说您这三张凑一副，"凑成便是个蓬头鬼"；没想到这么三张引出感恩颂圣的牌，凑成了以后竟不是什么好的名称，是一个蓬头鬼。那个贾母也很聪明，她就说了一句，"这鬼抱住钟馗腿"。这是非常高妙的一种艺术构思，这就是曹雪芹他把生活提升为艺术的能耐了。钟馗，大家知道钟馗是专门打鬼的，他就写出一个微妙的形势，贾母一方面觉得钟馗会保护自己，是不是啊？可是鬼是不是立即被打掉了？又不是，这鬼没有被立即打掉，鬼又抱住了钟馗的腿。就是说当时贾家的局面是既碰到了困难，又有人保护，但是这个保护又不一定能够进行到底，所以究竟是钟馗把鬼打了，还是鬼抱住钟馗腿，把钟馗拖了一个马趴，还说不清楚呢，是不是？这很巧妙，所以他这些牌令词不是说在那儿随便写的，他写的时候是很动脑筋的。作者如此苦心，"十年辛苦不寻常"，咱们读《红楼梦》，千万也辛苦一点、仔细一点，这才能读出味来，是不是？就好像我前几讲讲的枫露茶，三四道才出色，刚沏出来立刻喝，那不好喝，滗了三四道水，再沏出来，您再喝，那味就好了。这是贾母的令词。

但是等到史湘云接着来摸牌的时候，情况就发生了一个变化，这时候就出现了一句惊心动魄的话。请在座的每一位朋友跟我一起来深思这句牌令词意味着什么。史湘云就突然说了一句叫做"双悬日月照乾坤"，什么意思啊？按封建社会当时那样一个统治思想，是不能够有日月双悬的，天无二日嘛！虽然不是一个另外的太阳，但是你是一个月亮，你跟太阳平起平坐地悬在天上，这还得了？这本来是李白的一句诗，李白的那句诗它所说的是唐玄宗在安史之乱的时候，匆忙地逃往四川，他当时还是皇帝，很狼狈，半道上三军哗变，他不得不把他心爱的宰相杨国忠杀掉了，杀掉了宰相还不行，人家说宰相的妹妹还在你身边呢，他就只好劝杨贵妃——杨国忠的妹妹自尽，杨贵妃也没有办法，就只好自尽死掉了；而这个时候，他的儿子就在另外一个地方宣布自己当皇帝了。他还没有退位，另一个皇帝又产生了。于是，李白当时有一句诗叫做"双悬日月照乾坤"。史湘云引用这句诗就意味着在乾隆朝的时候，在现实生活当中的曹家的头上出现了日月双悬的情况，这个情况反映到书里面，曹雪芹就通过"金鸳鸯三宣牙牌令"，通过史湘云，把它惊心动魄地宣示出来。书里的贾家别看在那里吃喝玩乐，他们头顶上，有两个司令部呢，他们究竟还能玩多久，取决于那两个司令部到头来谁吞下谁啊。

有朋友就可能会这么问我了，说日月双悬，这时候怎么日月双悬？康熙死了，雍正也死了，乾隆也当皇帝了，当稳了，怎么日月双悬？那个月亮是谁？"日"当然是乾隆了，"月"是谁啊？有没有月？有月啊！好大一个月亮！他是谁？

大家知道，太子胤礽曾经是康熙钟爱的儿子，上一讲并了半天，大家应该印象还很深刻。康熙很早就为太子完婚，太子后来身边也有很多女人，生育能力也很强。康熙的第一个皇子是他十三岁生的，他超级早婚早育，太子生育也早，生了很多个儿子。太子所生的第一个儿子也夭折了，第二个儿子就等于是第一个儿子，这个儿子叫什么呢？这个儿子叫弘晳，大家知道乾隆的名字叫弘历，他们是"弘"字辈的，是一辈人。弘晳他年龄很大，因为康熙生殖能力太强了，康熙的最后一个儿子，比他前面的儿子生的儿子再生的儿子还小，他生殖能力太强。所以单从年龄上看你觉得有点混乱，但是从辈分上是一丝不乱的。这个弘晳年龄很大，在一废太子的时候他已经大约十五岁了，已经是一个很成熟的人了。弘晳是在康熙眼皮下面长大的，他的父亲第二次被废掉的时候，他已经十八岁了，而且他就已经结婚了，他也生了儿子了，他又给康熙生了嫡传的重孙子，叫永琛。有名有姓的，到那一辈上就都是"永"字辈，到了嘉庆那辈都是"永"字辈，嘉庆当皇帝以后，才把自己名字里的"永"改成了"颙"。在二废太子之后，当时究竟朝野反应怎么样呢？你现在查那个康熙、雍正朝的文献，你会发现很少这方面的记载，它们基本都被删除了，但是好在，我上一讲引用过，我们有一个邻国是朝鲜，他们的历史上仍然有相关记载。在这个朝鲜的《李朝实录》上有什么记载呢？有以下一些记载，比如说第一，在二废太子之后，虽然胤礽本人确实让康熙伤心了，觉得不能让他继承皇位了，但是胤礽的儿子弘晳是嫡长孙，康熙非常喜欢，因此康熙仍然在考虑要把皇位传给嫡系的，如果儿子不行，可能就传给孙子，而且这个孙子不是一个幼儿，已经是一个文武全才的青年了。而且《李朝实录》还记载，康熙后来一下子就病死了，雍正继位了，康熙在临死的时候有遗言，两条，一条就是说废太子这个人确实是以后不能够再让他在政治上有所作为，要永远地把他关起来，但是要"丰其衣食"；另外，就是说他自己的嫡长孙弘晳，要立即封为亲王。《李朝实录》里面有这样的记载，即便所记载的跟历史事实有所出入，也仍然说明在当时那个情况下，弘晳是一个举足轻重的人物。虽然他的父亲被废掉了，但是他仍然得到皇祖父的喜爱，他是清皇室真正的嫡传血脉。所以说，在乾隆朝的时候，乾隆万万没有想到，出现了一个强劲的政敌，就是这个弘晳，就是他的堂兄。

乾隆年纪小，一废太子的时候，乾隆还没出生；二废太子的时候，乾隆还是个婴孩，还很小，还不懂事。所以最初他小看了这个堂兄弘晳，他万没想到，在他登基以后，弘晳很快地膨胀了自己的政治势力，成为了他的一个强劲对手。如果乾隆他是太阳的话，弘晳就被人们认为是月亮，这个你一点也不要觉得奇怪。首先这个情况从清朝的史料上可以得到很多印证，我这个论断是有论据支撑的。因为雍正当时也小看了弘晳，上一讲我讲过，雍正他坐上皇位之后，他面对的政敌太多了，俗话叫"按下葫芦起了瓢"，是不是啊？他忙不过来，而且也确实好像是康熙有过这样的意思，就是一定要善待弘晳，因为他已经是死老虎了。他父亲在雍正二年就死掉了，也就是在雍正登基不久，原来那个太子就死掉了。雍正一想，弘晳又隔了一代了，而且当时弘晳可能表面上也很谦恭老实，也没露出毒牙，所以雍正就放了他一马。既然父亲说了封他为亲王，那就封吧，果然雍正就封了弘晳为理亲王，先是郡王，后来就是亲王。弘晳当然还是个敏感人物，所以说不能够让他在紫禁城里居住，或者给他一个大的王府，在北京城里、市区让他居住，那都不大安全，那么把他安排到什么地方呢？安排到昌平的郑家庄。现在你到昌平去，还有一个地名叫郑各庄，应该就是那儿，雍正把弘晳安排在那儿，在那儿盖了一个很大的王府。有人说，能有多大啊？很大，这个是有确凿史料可查的。

其实康熙生前，就开始做这件事，康熙当时主要还不是要把弘晳挪过去，因为当时废太子还活着嘛。废太子在被圈起来以后，开头是软禁在紫禁城里面一个叫咸安宫的地方，康熙觉得这早晚是个事，有这么一个人，被废掉的，在紫禁城里面住，不安全，但是他又是自己的骨肉——康熙这个人也有他注重骨肉感情的一面，所以他就说，那就在郊区给他盖一个大的王府，便于把他看管起来。而且又是一种柔情看管，说就干脆盖在我每次木兰秋狝路过的路线上的那么一个地方，把我的行宫也跟他的那个王府盖在一起。康熙有这么一个设想，后来就予以落实。昌平的郑家庄建成的房屋情况是这样的，行宫里面是大院套小院子，大小房屋是二百九十间，游廊是九十六间；给当时的胤礽盖了一个王府，是大小房屋一百八十九间，这个待遇还是比较高的，是吧？为了供应这个行宫和这个王府，在周围又盖了比如饭房、茶房、兵丁住房、铺房等等，有多少间呢？有一千九百七十三间。整个规模怎么样？大家想一想，相当大的一个规模。经过岁月的洗刷，这些建筑物如今都很难寻觅了，但有人在现在昌平郑各庄发现了一种很特殊的铜井，非同寻常的水井，那应该就是当年理亲王府的残存痕迹。在雍正朝的时候，雍正二年不是废太子死掉了吗？雍正就把弘皙作为一个亲王，安排到了郑家庄居住。这对弘皙来说，既有坏处又有好处，坏处就是还是有点遭贬斥，虽然我是一个亲王，一般亲王王府都应该在城里面，可是我却被发配到北郊很远的地方；好处呢，就是不管你怎么看管，这比在政治中心里面还是要松弛一些，我就可以另打主意了。而弘皙果然另打主意了。

还是回到"金鸳鸯三宣牙牌令"。你看，这"三宣牙牌令"多有意思啊！光这么一句话，就可以一下子——所谓"一树千枝"——一下子可以长成这么一棵枝叶繁茂的大树，说出这么多有趣的事情来。史湘云就点出来了，小说所反映的时代，它的时代背景、政治背景就是日月双悬照乾坤。当时"日"就是乾隆皇帝，他已经继承了王位，当了皇帝了。但是他的一个堂兄，废太子的这个儿子弘皙，却在郑家庄也做着皇帝梦，而且还有很多很实际的谋取皇权的阴谋活动。在现实生活当中，对曹家他们这种大家族来说，对这种情况一定都门儿清；底层老百姓可能糊涂，曹家不糊涂，也不能糊涂，因为他们必须随时搞清楚政治形势，从积极的角度说是为了获取更多实际利益，从消极角度说是为了避免遭受打击。现实生活中的情况折射到小说里，就是贾母她们心里都明白，史湘云就说出来了：双悬日月照乾坤。

下面有的朋友可能还希望我提供更坚实的论据，怎么见得人家弘皙就要夺权啊？就要谋取皇位啊？乾隆后来说的。我底下不引别人的话，那乾隆说了还有错吗？乾隆怎么说呢？乾隆后来就说，弘皙"擅敢仿照国制，设立会计、掌仪等七司"。

就是只有皇帝才能有这样一些机构，掌仪司就是皇帝出行仪仗，仪仗队怎么来设置，怎么铺地毯，两边怎么挡帷幕；会计司更不消说了，帮皇帝管国库的；另外还有五司，一共有七司。哎，弘皙幸而他正好远在郑家庄，不在城里面，在城里头可能还麻烦。郑家庄，刚才我已经说了房子数目给你听了，很多，足够他设立自己的行政机构，对不对呀？弘皙就在那儿自己当起了皇帝了，给自己设立了七司了，他已经做起皇帝来了。乾隆比他小，一开头没在意，没有盯牢他，后来乾隆长大掌权了，又成为一个大政治家了，就明白了。在现在的清朝史料里面，明明白白留下乾隆这样的话，乾隆说弘皙"自以为旧日东宫之嫡子，居心甚不可问"。乾隆这才意识到，他自己血脉上甚至还敌不过弘皙。按封建社会那个宗法思想，伦常排序，嫡庶之分，他是一个庶出的雍正的儿子，而弘皙呢，是康熙的皇后生的儿子的大老婆生下的儿子，而且是成活的一个嫡长子，就是说弘皙是康熙正根正苗的嫡长孙，是不是啊？所以后来乾隆恍然大悟，哎呀，没把这个人防范好，闹半天，他"自以为旧日东宫之嫡子"。而且后来乾隆发现，最让他伤心的是，皇族里面很多人都是这个思想，包括他父亲善待过的那些贵族，那些亲信，都还有这样的思想，就是他们心里头总嘀咕，谁应该当皇帝啊？自然先问康熙皇帝他的嫡子是谁啊，他嫡子坏了事，死了，那么他嫡子还有没有嫡子啊？有，而且又是康熙看着长大的，又并没有坏事，康熙也没说他不好，甚至还常夸他，他还又为康熙生下了嫡重孙，好旺的正宗皇家血脉啊！那么，他不就应该当皇帝吗？很多人都有这种想法，所以乾隆后来就警惕起来。一开头他大意了，结果有一段时间就是"双悬日月照乾坤"。在《红楼梦》第四十回"金鸳鸯三宣牙牌令"中，就惊心动魄地宣示了《红楼梦》这本书它整个的政治背景是"日月双悬"，最后鹿死月手还是日手，至少到书中第四十回的时候，还尚未可定。

所以史湘云后来这个牙牌令令词一句比一句恐怖，叫做"闲花落地听无声"。在那个时候，这种斗争还是暗斗，在乾隆元年的时候还是暗斗，到乾隆四年的时候才变成一次大决斗，才变成明争。所以这个时候暗地较劲，叫做"闲花落地听无声"。据史料记载，弘皙曾给乾隆送寿礼，礼物里有一件明黄色肩舆，就是抬着走的躺椅，那东西的颜色是只有皇帝才能使用的；弘皙这样做就是一种挑衅，因为没有皇帝本人的命令，任何人都是不可以擅自制作这种颜色的用具的，但弘皙他就制作了，拿到你乾隆眼前了，看你怎么办？乾隆确实难办，如果说我就是要用这个东西，也该我自己叫人制作去，你不可以越过我让人去制作，你这是僭越妄为。可是人家又送过来，当做寿礼，表面上是好意，但若是收下，那么就等于开了个头，以后谁都可以随便去制作这种颜色的东西了。这件事情不大，"闲花落地"，当时在朝廷里也没引起什么响动，"听无声"，但其实是弘晳向乾隆发起的一次心理战。乾隆当时不动声色，只是说这肩舆不要，拿回去；但拿回去以后，弘晳就自己拿来用了，他就坐着只有皇帝才能使用的颜色的肩抬躺椅，过来过去的了。乾隆后来说起这件事还非常愤懑，但当时还是暗斗，没有撕破脸决一雌雄。

"日月双悬"的政治形势下，当时官僚阶层呈现的状态比较复杂，史湘云又说了一句牌令词，叫做"日边红杏倚云栽"，意思是也有的人会依靠日这个力量，从而得势。但是你要小心，紧接着，史湘云又说出一句来，和"双悬日月照乾坤"一样让你心跳，叫做"御园却被鸟衔出"，这句话很妙啊！御园，大家去过紫禁城的御花园吧？那么大一个大花园子，你可要小心，你防这个防那个，一只鸟就可能把你衔走啊，厉害不厉害啊？当然，这句话，一般可以理解为鸟儿飞进御园里，衔出了里面樱桃树上的樱桃。书里写史湘云的那副牌，凑成以后是"樱桃九熟"，牌相是三张牌九个红点，满堂红。鸳鸯报出"樱桃九熟"的牌名后，史湘云接着就说"御园却被鸟衔出"，意味着御园里所有的樱桃，所有的精华，实际上也就是御园的全部价值，都会被外来力量夺取走。简单来说，就是有一种潜在的夺权力量正在虎视眈眈，御园有可能被鸟就衔出去了，别看表面是"闲花落地听无声"。所以史湘云的这个令词也很可怕，预告了很多东西。

在"金鸳鸯三宣牙牌令"这一段文字里，不仅贾母和史湘云的牌令词隐含着这样的喻意，像薛姨妈说"梅花朵朵风前舞"，薛宝钗说"处处风波处处愁"，林黛玉说"双瞻玉座引朝仪"等等，也都不是随便那么一写，都有类似的意思在里面。

当然曹雪芹他写作从来都不会是写一笔就单纯地表达一个简单的意思，他总是一笔多用。后来有一个人叫做戚蓼生的，他给前八十回本的一种古本《红楼梦》作序，他就概括曹雪芹的艺术手法叫做"一声而两歌，一手而二牍"。意思就是说一个嗓子能唱出两首歌来，一只手能写出两封信来，他是在形容曹雪芹文笔的高妙，又叫做"一击两鸣，一石三鸟"。在这个地方实际上是一石三鸟，他写"金鸳鸯三宣牙牌令"，向读者揭示了小说里的贾家所面临的那种复杂的"双悬日月照乾坤"的政治形势；后来又通过林黛玉说了几句牙牌令，结果把《牡丹亭》《西厢记》里面的词说出来了，被薛宝钗逮到了小辫子——所以，这一段描写也是为后面的情节，为钗黛之间的矛盾冲突做铺垫的；同时又让刘姥姥说了一些很滑稽的话，特别最后一句，说"花儿落了结个大倭瓜"，结果下一回就表现所有贾府的这些太太小姐们都笑作一团，显示出文化差异所引起的情绪震荡。所以曹雪芹确实很厉害，叫做"一石三鸟"。

通过"金鸳鸯三宣牙牌令"，我们就知道，在《红楼梦》里面，实际上月亮是有特殊的寓意的，喻谁的？就是喻废太子以及他的儿子，更具体地说，是弘皙的一个代号，是隐藏在《红楼梦》文本后面的，构成曹雪芹写作的重大政治背景的一个人物的代号。

月喻太子，例子太多了，不仅仅是"金鸳鸯三宣牙牌令"。再细解释一下，我说月喻太子，完整的意思是，《红楼梦》里许多地方所出现的关于月亮的文字，都是在明喻或暗喻或借喻义忠亲王老千岁及其残余势力。就其生活原型而言，不仅包括胤礽，也包括弘皙，"太子"是一个复合的概念。

好，我们就来看还有哪些月喻太子的例子。我们一翻开《红楼梦》，第一回，就发现有个人物贾雨村出来了，这个贾雨村在第一回里面就有口号一绝，脂砚斋还特别指出来，说《红楼梦》"用中秋诗起，用中秋诗收"。因为她看过曹雪芹写的完整的《红楼梦》的书稿，第一回就是写中秋节，然后就有一首诗出现了，就是贾雨村的口号一绝，就是说月亮的。她告诉我们在《红楼梦》的最后一回，也会有一首诗，也是中秋诗，最后来收尾，来了结《红楼梦》，脂砚斋透露曹雪芹的写法是这样的。贾雨村的口号一绝说什么呢？"时逢三五便团圆，满把晴光护玉栏。天上一轮才捧出，人间万姓仰头看。"后两句这个场景太夸张了，这不就是皇帝出来了吗？是不是啊？"天上一轮才捧出，人间万姓仰头看"，干吗呢？说是写一个中秋的月景，实际上这首诗里面隐伏着一种政治情势，就是在"双悬日月照乾坤"的情况下，月亮已经非常地膨胀了。这首诗这样解释你可能觉得还是有点牵强，觉得用这么一首诗你说服不了我。好，咱们再来几首。

咱们知道在第四十八回，就写到有一个美丽的姑娘她要学着做诗，这个姑娘是谁呢？就是香菱，就是甄士隐的女儿。香菱前后写了三首诗，一首比一首好。第一首，林黛玉看了觉得简直是门外汉，不行，但是在这首里面就有一句，叫做"月挂中天夜色寒"，就是当时月亮的情形不是很妙，当时它虽然挂在中天了，但是夜色还寒，离月亮真正得势看来还要有一段距离才行。第二首，她写了，最后薛宝钗就说你这个不符合题目了，题目让你写月，结果你写月色了，但是这一首里面也有一句值得玩味，叫做"余容犹可隔帘看"。当时弘皙是被安排到昌平郑家庄去居住的，开头他本是被雍正安排去的，雍正死了以后，乾隆后来对他有所觉察了。弘皙他虽然被边缘化了，可是很多贵族家庭还是知道他是有势力的，特别是心里都觉得他是康熙皇帝的嫡长子的嫡长子，他是康熙皇帝的嫡长孙，所以叫做，虽然只剩下"余容"，但是"犹可隔帘看"，他还存在。到第三首，就是最后所有的人都觉得好，林黛玉、薛宝钗、李纨都说这首写得好，说明香菱终于修炼成一个诗人了。这一首被认为最好的诗里面有一句，就更惊心动魄，叫做"精华欲掩料应难"，就是说月亮这个精华，你要想把它掩盖，但告诉你，到目前为止你也难了。这月亮就要成事了，对月亮充满了期待。恐怕又有人说，说香菱这个诗，你是不是还是太牵强了？我原来读《红楼梦》哪觉得有这个含义，你是不是太耸人听闻了呀，是那么回事吗？对此我个人仍然坚持我的观点，就是那么一回事。

还有例子。大家知道，已经到了很后面了，到了第七十六回了，过中秋节，又过中秋节，林黛玉和史湘云在凹晶馆联诗，记得这个情节吧？那些诗你一句一句推敲过吗？又摇头，又不推敲。读《红楼梦》这些诗可千万不能放过，请您跟我一起细细加推敲，推敲它乐趣无穷。你的感想、你的看法可能跟我全然不同，但是咱们在共同地读《红楼梦》，探索这些诗句背后的含义的时候，不是会得到很大的乐趣吗？是不是？我觉得这是很重要的。

林黛玉、史湘云就联诗了，联诗里面有很多句都是非常值得我们注意的，当然整个这个诗，因为是中秋节做诗，几乎都跟月亮有关，但是其中有些句子还是越想越惊心动魄。比如有这样一些句子，叫做"宝婺情孤洁，银蟾气吐吞"，这两句还好，意思就是说，宝婺，它指的也是天上的星辰，它的处境是孤独的，但是它很纯洁，实际上也是在指月亮；"银蟾气吐吞"，银，就是月亮是银色的，里面有蟾在那儿吐气。"药经灵兔捣，人向广寒奔"，月亮里面不是有一个兔子在捣药吗？她们两个就联诗说，人在这个时候一看月亮就想往广寒宫奔去，要投奔那个地方，里面那个宫殿，嫦娥住的宫殿叫广寒宫，"人向广寒奔"。有人可能会说，"人向广寒奔"的"人"就是说的"嫦娥"，因此这里面也许并没有你说的那么些深意。

是的,这四句虽然是说月亮,但是好像还不算厉害,就是一般地形容一下景象罢了。那么我们再往下看。

底下几句叫做"犯斗邀牛女,乘槎待帝孙"。这两句可就不得了了,斗就是指的天上的北斗,北斗星。犯斗,一个星去侵犯另外一个星叫做犯,"犯斗邀牛女",这个诗意它在模糊当中表达出很强的一种紧张的气氛。这句倒也罢了,底下还有三句,现在我告诉你,在有的古本《红楼梦》里面,底下我说的三句也被抄书人可能读出其中的味道了,由于害怕,就给删去了,所以不是每一个古本里面都保留了以下三句,因为以下三句用今天的话说就是太露骨了。底下几句是什么呢?一句叫做"乘槎待帝孙","槎"就是那个木筏子;"乘槎",过去认为天上有天河,所以槎也可以在天河里面运行。坐上这个木筏子在天河里面运行,在等待谁的降临呢? 等待帝孙,帝孙虽然是指的星辰,过去把织女星叫做帝孙,但是在这里它分明指的就是康熙的孙子。因为在乾隆朝所有人都知道,帝孙这个字眼指的就是弘皙,没有别人。他是康熙皇帝的嫡长孙,简称帝孙,别的庶出的都不能这么称呼。于是在凹晶馆联诗里面居然就出现了这种句子,要"乘槎待帝孙",一些人就希望他成事,希望他最后是"天上一轮才捧出,人间万姓仰头看"。这是不是很惊心动魄啊? 下面可能还有人不服气,说你是不是太敏感了? 哎呀不是我敏感,谁敏感啊? 是高鹗敏感,高鹗、程伟元敏感。高鹗、程伟元他们得到的那个古本里面是有这一句的,但是他们一看,"乘槎待帝孙",哎哟,咱别惹祸啊,赶紧把这个"待"字涂掉了,改成了"访"。所以你在通行本里面就可以看到,高鹗他们改成了什么呢? 他不但续后四十回,他还改前八十回,他就把"乘槎待帝孙",改成了"访帝孙",一待一访,意思就完全不一样了。"待帝孙"就是你对一种力量有所期待,你希望他能解救自己,是盼望救星的意思,等待他成功的意思;"访帝孙"就是去做一趟客,做一次友好访问,就大不一样了。所以你说谁敏感啊? 二百多年前那个姓高的他比我敏感,赶紧改了。

还有两句叫做:"虚盈轮莫定,晦朔魄空存。"就是说有人说了,月有阴晴圆缺嘛,月亮,有的时候它就会变成一个月牙,有时候是一个满月,有时候它是虚的,有时候它是盈的、充满的;月亮嘛,可以说是不稳定的,他们也注意到这一点,这个力量确实是时而显得很强大,时而显得很虚弱。但是,下面一句明确地宣示了他们的一个信念,叫做"晦朔魄空存"。在它完全变黑的时候和它完全变亮的时候都只是它的表象，明白吧？不要看表面的变化，无论怎样，它的实体，它的魄，是在天空当中稳定地存在的呀！这个联诗当中就联出了这样的句子，难道是偶然的吗？难道我认为在《红楼梦》的文本里面月喻太子，是完全没有道理的吗？

也有人可能会说了，你光是引诗，你能不能举出点情节的例子让我听听啊，是不是？在《红楼梦》的描写当中有没有暗示现实生活当中的曹家，升华为艺术当中的贾家以后，去支应潜在的政治集团的事情呢？有没有这种情节啊？如果你读得仔细的话，是有的。在第二十八回，突然插进一个很小的情节，很多人都不注意，但是我提醒你注意，就是贾宝玉匆匆忙忙跑过凤姐的院子，凤姐说你来，你给我写几个字，有没有这么个情节啊？是吧？贾宝玉说写什么字啊？凤姐说，你甭管了，你就给我写。写的什么字？叫做"大红妆缎四十匹，蟒缎四十匹。上用纱各色一百匹，金项圈四个"，多不多啊？这东西不少啊，是不是啊？也很贵重啊。贾宝玉就问，"这算什么？又不是账，又不是礼物，怎么个写法？"凤姐说，"你只管写，横竖我自己明白罢了。"大家知道，凤姐平常写字、算账，她是有一个可供支使的人的，叫什么呀？叫彩明，记不记得这个人啊？彩明不是一个丫头啊，彩明是一个童子，是一个小男孩，但是有文化，会算术，一般的这种事情凤姐都是让彩明来做。但是在做这件事的时候，凤姐就没有叫彩明，而是找她最亲近的人，找贾宝玉来做这件事。她知道贾宝玉是个不问政治的人，贾宝玉根本就不耐烦，正合适，贾宝玉写完就忘了，太好了。凤姐要把这些东西往哪里送？有人说她送给元春的，人家这个贾家的大小姐在皇宫里面是贵妃啊，是不是？她送给元春，她要开一个单子，她需要贾宝玉这么秘密地来开吗？她让彩明开不就完了吗？而且她为什么不回答贾宝玉呢？你就跟贾宝玉说不就得了吗？凤姐说，这事横竖我明白就行了，我明白就罢了，怪不怪啊？而且底下，凤姐还有很多蹊跷的事情。到第七十二回，那一回里面凤姐讲她做了一个梦，叫梦中夺锦。她说突然来了一个人，看着很面善，仔细想又想不起是谁，来要一百匹锦，于是凤姐就问他，那个人说娘娘要一百匹锦，凤姐问他，是哪一位娘娘啊？结果那个人说的又不是咱们家的娘娘。有这个情节，是不是啊？当时王熙凤作为一个当家人，她所要支应的，要对付的不仅仅是一个太阳，她还要应付月亮那边呢，应付月亮那边只能采取这种办法，不能太明白地去应付，知道吧？

所以你看这些地方都说明，在康、雍、乾三朝，当时的政治形势影响了曹家，曹雪芹这个作者又把乾隆初期复杂的政治情势，和自己家族的命运，巧妙地投射到了《红楼梦》的文本当中，留下了诸多的蛛丝马迹；而且有的已经不是蛛丝，已经不是马迹，留下的痕迹已经是非常清晰了，这就是这一讲我所要强调的。请你注意"双悬日月照乾坤"！也可能有朋友就着急了，说您看您说了半天还没告诉我们，秦可卿的原型究竟是谁呢？关于这个，请听下回分解。

第十讲
蒋玉菡之谜

　　有的红迷朋友问我，你为什么总讲些过场戏啊，你讲的那些情节，往往是在看书的时候，我匆匆翻过去的，有的地方简直就直接跳过去，不看那个，看下头，看贾宝玉跟林黛玉又怎么样了，关心的是究竟贾宝玉后来娶了谁，他怎么当的和尚，总之，关心的是《红楼梦》里的主要人物，主要情节，大主干，大脉络。各人有各人的读书角度，读书习惯，您那么读《红楼梦》，我觉得也是一种读法，我也很尊重，说真的我一点也不想干预，更谈不到批评了。我只不过是想告诉您，我有我的读法，您可听可不听，如果您听了两耳朵，觉得我的读法虽然让您吃惊，但也还有趣；您不赞同，但在多元存在的社会里，我们互相容忍，又从互相容忍，进一步，到互相听听，了解了解跟自己不一样的人与事，不一样的读书方式，不一样的读《红楼梦》的角度，增加些见闻，聊备参考，那不也挺好吗？

　　其实，我也非常重视《红楼梦》里面的主要人物和主要情节，贾宝玉和林黛玉，他们的爱情，能不重视吗？我从秦可卿入手，并不是光研究这一个人物，我不是搞人物论，不是搞秦可卿的人物专论。我从探究秦可卿的生活原型入手，目的是为了找到一扇窗，一扇门，从那个窗口望进去，从那道门槛跨过去，可以把《红楼梦》的时代背景，把曹雪芹的创作处境和创作心理，更好地把握住。把握住以后，融会贯通，我也就会把比如说您所关心的宝、黛、钗的感情纠葛，金陵十二钗正册中其他各钗，副册、又副册中的那些女性，以及贾府最后的陨灭等等方面，把我对这些的连续性的探究心得，一一表述出来。但是我必须一环一环地进行。现在我还在探究秦可卿的生活原型，而这方面的探究，就必须要涉及到您所说的，书中的若干过场戏。

我的观点是，我们读《红楼梦》，不能够错过它的一些过场戏，《红楼梦》每一回都有主要的情节，那情节基本上在回目上就都点出来了。但在主要情节的发展当中，会有一些过场戏，这些过场戏，早已有红学专家指出，都不是废笔赘文，都是经过精心设计的，都是有着重大意义的。

比如说第二十六回，这一回回目是"蜂腰桥设言传心事 潇湘馆春困发幽情"，很显然，重头戏是表现小红跟贾芸，以及林黛玉跟贾宝玉的爱情纠葛，当然还讲了一些别的事情。但是这里突然出现一个人物，就是冯紫英。大家记得这个人物吧，实际上在这回之前，他的名字已经多次出现了，有关秦可卿得病和丧事的情节里，就多次提到他。我们从脂砚斋批语里可以得知，前面提到过的一些人物名字，虽然只是那么一提，没戏，但在八十回以后，却是要正式出场的，不但有戏，有的可能还有重头戏呢！那么冯紫英这个角色也不仅是被提到，他是会正面出场的，在前八十回里他就正面出场了，第二十六回这个人物就出现了。当时他见到了贾宝玉、薛蟠，然后贾宝玉、薛蟠就问他，说你前一段哪儿去了，冯紫英就说，是随着他的父亲打猎去了。这段文字是不是有的朋友还记得？这段文字值得推敲。他说他是三月二十八日去的，前儿回来的，他是在春天时候去的。打猎的事情，我在前面已经讲过了，就是说康熙朝的时候，康熙特别强调要保持满族的骑射文化传统，强调每年都要进行大规模的围猎活动，这些活动主要是在秋天，前几讲我讲到了木兰秋狝，但是春天有时候也会去打猎。

那么这第二十六回就讲到，神武将军冯唐之子冯紫英来了，为什么提到打猎这个事呢？就是薛蟠和贾宝玉发现他脸上有轻伤，脸上挂彩了，一开头他们以为他打架了，这些贵族公子经常挥拳打架，所以薛蟠就问他，这脸上又和谁挥拳，挂了幌子了？薛蟠自己就爱打架，他们都是一伙的，确实他们也经常打架，那么这个冯紫英就告诉他，说从那一遭把仇都尉的儿子打伤了，我就记得了再不怄气，如何又挥拳？可见他们有一个共同的对头就是仇都尉，仇都尉的儿子他们也认为不是什么好东西，他们打过架，但是自从那次以后，冯紫英说，他就不再那么随便打架了，不再荒唐了，他要做正经事了。那么做了什么正经事呢？冯紫英就说三月二十八去的，前两天回来的，干吗去了，跟他父亲打围去了，就是打猎去了。地点呢？他也说出来了，是在什么地方呢？这个地点如果你囫囵吞枣那么读下去的话，你也就把它放过了，如果你细心的话，一看眼睛就会一亮，他说是在潇海铁网山上。

潇海铁网山，这个地名在第十三回出现过，你想是不是啊？第十三回秦可卿死了，死了就要找木头做棺材，好埋葬，这个棺材当时要好木头，薛蟠就说，他家里存有一副木头，是樯木，这个樯木就是潇海铁网山出产的。第十三回出现了铁网山的地名，第二十六回又出现，这绝不是偶然的。这在曹雪芹的笔下，是很重要的信息；这对冯紫英来说，那是非常重要的地点。他说是在铁网山上叫兔鹘子捎一翅膀，兔鹘子就是一种鹰，逮兔子的那种鹰，过去有一种鹰叫海东清，专门扑兔子，特别勇猛，又可以叫兔鹘子。那么这个冯紫英就跟他们解释，说脸上轻伤哪儿来的呢？不是挥拳打架来的，是跟我父亲到铁网山打围去了，在那儿为了抓兔子放鹰，那个鹰翅膀那么一扇乎，把我打了一下，出现了轻伤，他这么解释。他为什么要这么解释呢？想必有很多的原因，曹雪芹笔下也写了，贾宝玉跟薛蟠都急着问他，你为什么要去呢？冯紫英在这儿，没有直截了当地把前因后果说出来，但是冯紫英说了一句让人听了心里发痒的话，冯紫英说这次大不幸之中又大幸。这话多有意思啊！大不幸这是一个大前提，他怎么会大不幸呢？光是让兔鹘子捎了一翅膀，只能说是个小不幸；可是大不幸当中又大幸，怎么会又大幸呢？兔鹘子没把他捎得更惨，算是幸运吧，也够不上是什么大不幸中的大幸啊！这话好怪，说得薛蟠和贾宝玉心里痒痒，急着问他怎么回事，他还不说，他都不坐，只说今儿有一件大大要紧的事，回去还要见家父面回。他还说到，他去那个潇海铁网山，是因为他父亲冯唐要求他跟着去，否则他不会寻那个烦恼去；他父亲把他抓得很紧，不嫌烦，春天里就往那么个地方跑，把他弄得也很忙，这不，又等着他回去。这个冯紫英真是忙得很，他都顾不得坐，站着饮了两大海酒，就匆匆离去了。他那么忙，他父亲跟他，显然还有些其他的人，究竟在忙活些什么呢？

这个冯紫英是一个很神秘的人物，而且贾宝玉在对话当中还掐算了一下，说你是三月二十八日去的，哦，怪道前初三四儿我在沈世兄家赴席不见你。沈世兄看来也是和他们来来往往的一伙人里的，贾宝玉到沈世兄家赴席，那个应该是四月初三初四，那么一算，冯紫英去了多久？他说三月二十八日去的，那么在四月初三初四的时候，还见不到他的影儿，起码得有多少天你算算，起码得有一周以上是不是？就算他初五回来了，说明他也得去了一周，其实很可能不止一周。那么铁网山究竟是在一个什么样的位置呢？可以估算出来，应该就在木兰围场的范畴之中。在当时那个交通条件下，打猎时骑着马，去了以后，兜一圈很快再回来，差不多就是这么个时间段。他干吗去了？这是第二十六回里写的，是个过场戏，但我主张不要放过，要琢磨。那么我说这个干什么呢？就是想告诉大家，在《红楼梦》的文本里面，除了一般读者所感兴趣的爱情描写，以及人与人之间的微妙的心理冲撞描写以外，它也时时地把他们曹家家族所经历的重大的政治斗争、权力斗争的事件，投射到他的作品文字当中。那么这段文字其实就是起这个作用，冯紫英干什么去了？他怎么会大不幸当中又大幸？隔了一回以后，我们就在第二十八回又发现一个情节，这个情节也很重要，冯紫英跟贾宝玉他们，坐在一块儿饮酒作乐。

在第二十七回里面，我们看到一些美丽的场面，贾宝玉和大观园里的一些女儿们在大观园里面举行一个活动。就是那一年的四月二十六日交芒种节，据书中说，当时闺中有一个风俗，她们把这一天当做饯花节，跟花神告别，就是百花开到这个时候，纷纷都要退场了，"开到荼蘼花事了"，最后一种花就是荼蘼花，荼蘼花都谢掉以后，所有春天的花事就都完结了。就在芒种这一天，她们要跟所有的花，跟花神饯行，这一天大观园儿女们就举行了这样的活动。

实际上这一天就应该是贾宝玉的生日。《红楼梦》里面，很多人的生日都是挑明了说，贾母是几月初几，薛宝钗是几月初几，王熙凤又是什么时候过生日，它都有一些很明确的交代，但是贾宝玉哪天过生日，在《红楼梦》的前八十回的文本里面，没有一个明确的交代。可是他又大写"寿怡红群芳开夜宴"，这是为什么？这个我们放在以后专门谈贾宝玉时，再去揭秘，现在我先点到为止。我先告诉你第二十八回冯紫英请贾宝玉去赴宴，其实就是给他祝寿，为什么这么说呢？因为那一天跟着贾宝玉去冯紫英家的是谁呢？是四个小厮。贾宝玉小厮很多了，在《红楼梦》里面可以看到很多小厮的名字，其中最主要的那个是叫焙茗的，然后有锄药、扫红、墨雨等等，当然还有其他的一些小厮。这些小厮出现往往不止一次，偏偏在第二十八回，写他去赴宴的时候，多了两个小厮，这两个小厮在这之前和之后都永远不再出现；他们的名字一个叫做双瑞，一个叫双寿，这就暗示是请他去赴寿筵去了，瑞寿嘛。所以像这样一些很精心的文笔，作者既然如此精心地写下来了，我们读的时候也无妨非常细心地去读，体会出其中无穷的奥妙。

那么冯紫英请贾宝玉和薛蟠他们去了以后，他们发现席上出现了两个新人物，一个是蒋玉菡，一个是云儿——一个妓女，几个人聚在一起饮酒。在这个故事情节当中，作者也照应了一下第二十六回，那一回不是冯紫英说这次大不幸中又大幸吗？当时他不告诉薛蟠和贾宝玉，他说改日再说，现在已经改了日子了，也把这两位请到了，这两位就请他说，结果他又说并没有什么事。他说当时为了把你们请过来，我那是一个设辞，就是我故意用一个话头把你们吸引来。作者在第二十六回把这个事情很郑重地提出来，到第二十八回又轻轻抹去，可见作者在写这个情节的过程当中，内心不断地掂掇，我应该怎么写。他没有明白写出，但是又使我们隐隐感觉到话里有话，文章里有文章。这个我在下面还会回过头来跟你解释，为什么是这样的。

且说在这一回里面有一个非常重要的情节，就是贾宝玉和蒋玉菡两个人见面了，认识了，结交了，互换信物了。贾宝玉把自己随身带的扇子上的一个扇坠儿，送给了蒋玉菡，蒋玉菡就把他自己腰上围的一条汗巾子，就是系内裤的腰带解下来，送给了贾宝玉。而且他还交代得很清楚，这条腰带是谁送给他的呢？是北静王送给他的，北静王把这条大血红点子的，非常珍贵的，从外国进贡来的腰带，给了蒋玉菡。那个外国，曹雪芹设计得很奇怪，叫茜香国，而且国王是女的；这个女国王给书里的中国皇帝进贡，贡品很离奇，是腰带，而且是系小衣的，小衣就是内衣，实际上就是内裤，是那样的腰带。皇帝把那腰带给了北静王，北静王又赏给了蒋玉菡。蒋玉菡是个伶人，艺名叫琪官；过去这种唱戏的一般都是俗称什么什么官，《红楼梦》里面就有红楼十二官，龄官、芳官等等，记得吧？贾宝玉就和琪官互赠结交的礼品，这些情节都很重要。怎么个重要呢？我看下面有的朋友瞪着眼睛，在想，这有什么重要？这个在《红楼梦》里面是很次要的情节啊。哎呀，非常重要，它实际上是把当时雍正、乾隆时期权力斗争的一些情况，折射到了小说文本当中。所以说它实际上非常重要。

因为如果你仔细通读《红楼梦》，就会发现，实际上《红楼梦》里面隐约出现了两大政治集团，这两大政治集团是互相对立、互相冲突的，其冲突最后就蔓延到了贾府，激化了贾政和宝玉的矛盾，最后导致宝玉被他父亲暴打。宝玉挨打，其导火线当然有两条，一条是金钏儿的事情，这事又是由贾环添油加醋告到贾政面前的。金钏儿的事情，今天我们暂且把它放在一边，实际上贾政之所以最后把宝玉往死里打，并不是由于这件事，这是一件附加的事，那主要的，是一件什么事呢？是贾政在那儿正待着呢，忽然外头仆人跟他说，说忠顺王府派人来要见他。忠顺王府？贾政就想了，忠顺王府和自己一向没有来往，没有关系，怎么忽然忠顺王府派人来，而且派的不是一般的人，叫长史官——那个时代一个王府就是一个小朝廷，它有它的机构班子，里面的总的负责王府事务的官员叫长史官，那就是一个很大的角色了，这样的人物一般是不轻易出动的，可是这天忠顺王府就派这个长史官来了，就要见贾政。

贾政就觉得很奇怪，赶紧把人往里迎，因为忠顺王府，一听爵位的名号就是很尊贵的，是很重要的一个皇亲国戚，是很重要的统治集团的人物，贾政就把这个长史官迎进来了，问他什么事。这个长史官说这次来不为别的事，就是问贾府要琪官，要蒋玉菡，要这个人。而且长史官的话很刻薄，意思就是说，要是别的东西的话，你们贾府都拿走了也没关系，问题是这个人是我们忠顺王最喜欢的，坚决不能放弃的，而这个琪官，满城里的人都说，跟你们家公子交好。这个时候，贾政就一头雾水，这是怎么回事情？他完全不知道这件事情，就让底下仆人赶紧把贾宝玉叫来。贾宝玉来了以后还想撒谎，说不知琪官为何物，没听说过这个名字，结果长史官就冷笑，说你不要再撒谎了，你让我说出来对你也没有好处，琪官的那个红汗巾子，不就后来到了你的腰上了吗？大意就是这样的话。贾宝玉一听，好家伙，这么机密的事情他都知道了，贾宝玉傻眼了。曹雪芹是这么写的，他写道，贾宝玉心想这话他如何得知的呢？他既连这样机密事都知道，大概别的也瞒他不过，不如打发他去了，免得再说出别的事来。贾宝玉就很紧张，在这个情况下他只好认头了，不但认了这个事，而且贾宝玉等于还泄露了机密，他说，既然连这样的事，你都知道，那你怎么不知道蒋玉菡已经在东郊二十里外，一个叫紫檀堡的地方，置了地、买了房，在那儿住下来了呢？就把蒋玉菡的去向告诉长史官了。长史官冷笑说，好，先去找一找，要找不着的话，再到你们这儿来找。这才是贾政发怒，"不肖种种大承笞挞"，贾宝玉被他父亲往死里打的根本原因。金钏儿投井是一个辅助的，一个火上浇油的原因，这把火是从琪官这儿轰的一下子燃起来的。读这些地方你要很仔细地读，你要想想这是为什么？

大家想想，忠顺王他在跟谁过不去啊？蒋玉菡被谁勾引走了啊？真正窝藏琪官这个戏子的是贾宝玉吗？并不是，是北静王。就是王府一级之间冲突，最后七冲八撞地折射到了贾府，是不是啊？双方在争夺一个戏子。据很多红学家分析，蒋玉菡你读成蒋玉函并不错，因为实际上它的谐音就是说的一个玉匣子，或者说装玉的匣子，函就是匣子的意思。双方在争夺一个匣子，这是怎么回事？琪官，写出来是琪，这个字是一个"玉"字边一个"尤其"的"其"，当然它的谐音也可以是"棋"，下围棋下象棋的"棋"，这谐音就意味着，好像在一个棋局当中，双方争夺一个非常重要的东西。那么这个玉函后来藏在哪儿了呢？紫檀堡，一个紫檀做的更大的箱子里面，这是个什么东西呢？在红学的发展史上曾经有一派叫做索引派，索引派现在是没落了，被很多人所否定，但是我个人认为，索引派在红学的发展史上，它留下了很重要的痕迹。像蔡元培蔡先贤，他就是一个索引派的大师。他们认为《红楼梦》的主题、宗旨，就是悼明之亡、揭清之失，为明朝灭亡抱不平，是对清朝统治汉族表示愤慨的这样一部书，认为它里面有很多的文字都隐含这样一个意思。他们经常从字音字义上，做一些很细微的分析，认为这样就是把它隐蔽的内容检索出来了，所以叫索引派。索引派对于蒋玉菡这个人物，对他的名字谐音"玉函"所包含的寓意的揭示，还是发人深省的。他们这样的一个思路，我觉得还是可以参考的，就是说忠顺王府和北静王府所争夺的，一方要保、一方要夺的，就是一个最高的政治权力，就是在一个棋局当中最重要的那个东西，其实就是一个玉玺，就是过去皇帝的印章。明白这个意思了吧，皇帝的章是玉做的，搁在一个紫檀木的匣子里面，藏在那里面。

这个仅供大家参考，就是过去的红学研究者曾经有这样的思路。我个人是做原型研究的，我的整个研究都是在探究《红楼梦》当中的艺术形象的生活原型，这是我跟他们不同的地方。但是人家从索引的角度揭示出来的一些《红楼梦》里面所使用的命名的方法，谐音的含义，我也吸取他们的这些营养，我觉得他们的研究成果足资参考。

我倒不一定认为蒋玉菡就代表的是那么一个东西，就象征一个皇帝的玉玺，但是忠顺王和北静王，双方最后在一个戏子的问题上发生了激烈的冲突，一方是坚决不放弃，一方是坚决要把他藏起来，而且当中就牵扯到贾宝玉，这实在值得玩味。

现在回过头来想，那个冯紫英是什么人呢？他为什么要把蒋玉菡介绍给贾宝玉呢？对不对啊？贾宝玉本来就跟北静王认识，有联系。大家有印象吧，秦可卿死了以后，专门有半回书就叫"贾宝玉路谒北静王"，而且北静王还邀请他到府邸里面去做客。宝玉那以后应该也去过北静王府，但是贾宝玉正式认识北静王所喜爱的戏子琪官，却是在冯紫英家里。冯紫英当时请他去，说所谓大不幸中又大幸，虽然这"大不幸"与"大幸"都没有说出口，而且后来说只是随便一句玩笑话，要不你们哥俩就不会来，但这些实际上都有含义。就是说在《红楼梦》里面，实际上我们可以影影绰绰看见，两个互相对立的政治集团，而这两个集团的利益冲突都牵扯到最高的统治权。

那么我们可以清理一下——如果你把《红楼梦》仔细地清理一下就会发现，其中一派是北静王这派。北静王这派实际上又可以说不仅仅是北静王，他其实还并不是这一派的最高代表人物，这一派真正的最高代表人物，在《红楼梦》的文本里面实际上是点出来了的，叫做义忠亲王老千岁。在什么时候点出来的啊？就是秦可卿死了以后，为她找做棺材的木头的时候，薛蟠说我们家存的有木头，这个木头是出在潢海铁网山的，叫樯木，当年被人订过，谁呢？就是义忠亲王老千岁。那么这个木头订了以后，怎么就没拿走呢？因为义忠亲王老千岁坏了事，就不曾拿走。什么叫"坏了事"？这可是一句非常重要的话语。如果《红楼梦》是完全虚构的小说，完全没有生活原型，那么他点出来这个木头曾经有人订过，他可以说后来这个人不得好死，所以没拿走，是不是啊？也可以说他破产了，他没钱了，所以没拿走。他不这么说，他用了一个虚构者万万想不出来，很难想出来的词叫做"坏了事"。在上几讲我给大家讲过，在康熙朝有没有千岁啊？在康熙朝，正式册立过太子，告示天下，我康熙百年之后，这皇位就由我的儿子，我的嫡子，我的皇后生的孩子胤礽他来继承，他刚一岁半，我就册立他为太子。清朝跟明朝很不一样，清朝对皇子不是均等分封，胤礽被册立为太子的时候，其他皇子都没有分封，后来分封，也没有任何一个人可以与太子平肩。尽管在清朝正式的政治语汇里，并没有千岁这个称谓，但曹雪芹行文里特意用了"千岁"字样，就是暗示万岁之下的太子。

那么义忠亲王老千岁，后来这个太子是被封为亲王的，甚至太子已经被圈禁起来以后，康熙仍然厚待太子和他的太孙。他一个是说太子的衣食供给一定不能降低标准，要保证他的丰衣足食，过得舒服；另一个他对太子的长子，就是弘晳，他也特别强调，那是要封为亲王的，所以义忠亲王这个字眼里面就不但包含着太子，实际上也包含着弘皙。他是这样的现实生活当中的原型人物，在小说里面的一种折射。当然主要还是指胤礽，主要指这个太子，这个太子在上几讲里面讲过了，很悲惨，两立两废，他的一生是很坎坷很波折的。他都到了快四十岁了，还没有当上皇帝，他的父亲仍然非常健康，本来父亲的健康应该是他的快乐，可是这个人后来等不及了，父亲的健康成为他的痛苦。又据朝鲜的《李朝实录》，当时朝鲜的使臣，曾经去谒见过太子，那时候太子一废以后还没有二废，他就非常放肆地对外国的使臣发牢骚，说你们看看全世界的太子，有没有我这么大岁数还没当皇帝的？这当然不像话，不可以说这样的话，但是这也是他真实的心声。"老千岁"，这三个字眼生动不生动啊？十几岁的话不能说老千岁，是不是啊？下面有人点头，也有人摇头，说四十岁不算太老，那您是今天的观点。在那个曹雪芹的时代，曹雪芹自己在第一回里面就说了，半生潦倒，就是作者用自己的口气说半生潦倒，什么叫做半生，在那个时候，三十岁就是人的寿数的一半，人到了三十岁就度过了人生的一半了，六十岁就说明你寿数全了，七十岁就人生七十古来稀了。所以快到四十岁，当时已是年纪很大的一个千岁爷了。结果后来果然就坏了事，第二次被废掉，而且彻底地被废掉，他后来的岁月是在圈禁当中度过的。住在一个可能是待遇还比较好，条件还比较舒适的高级监狱里面，但是没有自由，度过他的残生。而且他还眼睁睁地看着他的弟弟四阿哥坐上了本来应该由他来坐的宝座，他就在雍正二年忧郁而死。

这就说明，康、雍、乾三朝的权力斗争的源头，还是跟这个太子的命运起伏有关。所以在《红楼梦》中出现了这样一个符码，叫义忠亲王老千岁，他坏了事，他被废了，而且被废了以后没有马上死，当然这个樯木就运不走，他再要订棺材就不敢用樯木了。从书里描写来看，樯木不仅是非常优质的一种木材，而且正像书里面贾政劝贾珍的那句话一样，非常人可享，不是一般人能够去用的。樯木说明长得直，什么叫樯，一个木字边的"樯"，不是土字边，就是船上的桅杆木。桅杆木，他用这个字眼也是有含义的。这样，实际上在《红楼梦》里面，我们就找到了一派的政治力量的源头，就是义忠亲王老千岁，北静王是向着他的。

我分析《红楼梦》里互相对立的两个政治集团，最终的目的，还是要弄清秦可卿的生活原型。书里的秦可卿，她如果出身高于贾府，那么，她或者属于忠顺王那个政治集团，是皇家在那一个支脉中的一个女性；或者属于北静王，也就是义忠亲王老千岁这一个支脉，是这方面的一个隐秘的成员。

北静王这个角色太有意思了，太值得探索了，因为北静王在秦可卿的丧事后面就正式出场，而且我们发现，曹雪芹把他描写得好像是天上的神仙一样的人物，是不是啊？那个形象光彩四射，把贾宝玉都赛过去了。而且我们过去受那种论调的影响，总觉得贾宝玉是个反封建的人物，他最恨国贼禄蠹，最不愿意和达官贵人交往，但是他见北静王什么表现啊？这里我不细说，你闭着眼睛回忆，只回忆五秒钟就够了。受宠若惊，是不是啊？而且是真实的，不是装出来的，这是为什么？小说中的人物是被作家的笔所驱遣的，作家为什么要这样写，这里面有无数的奥秘。那么，北静王有没有原型呢？把这个原型搞清楚，是不是紧接着就可以揭示出秦可卿的原型了？下一讲我将就此展开探索。

北静王之谜

　　《红楼梦》是一部带有自传性、自叙性的小说。它里面的众多人物都是有生活原型的。注意，我说的是里面众多的人物，不是说所有的人物，其中有的角色，比如一僧一道，就是那个癞头和尚与跛足道人，是不是也有生活原型呢？我觉得那就不一定有，很可能是完全虚构出来的。说小说里的人物有生活原型，当然也不是把生活里的人物跟小说里的人物简单地画个等号，谁就一定是谁。前面已经讲过，比如贾赦和贾政，他们的生活原型是一对亲兄弟，小说里也说他们是亲兄弟，但是生活当中这对亲兄弟里只有一个过继给了贾母的原型李氏，另一位并没有过继给她，小说里写的时候，就变通了一下，把他们俩都说成是贾母的儿子。虽然这么说，但在具体描写上，却又按照生活的真实面貌，写一个跟贾母住在荣国府里，住在府里中轴线上的正房里，另一个呢，并不住在荣国府里，他住在一个跟荣国府不连通的，黑油大门的院子里。林黛玉初到荣国府，拜见了贾母以后，要去给贾赦请安，邢夫人带她去，是要先出荣国府，坐车到那黑油大门外头，再进去，到贾赦邢夫人他们家的。这个例子就说明，从生活原型到小说人物，从生活真实到小说世界，曹雪芹采取了多种多样的，灵活变通的手法。

　　上一讲最后，我告诉大家，《红楼梦》里北静王这个角色很重要，值得特别注意。那么，北静王这个角色，有没有生活原型呢？

　　北静王是有原型的。首先从北静王的名字我们就可以看出来，北静王叫什么名字呢？他叫水溶，那么在清朝的皇家里面有没有一个人叫水溶呢？没有，但是有一个人叫永瑢。永是"永远"的"永"，永字去掉一点，上面一点去掉是什么啊？

就是"水"。第二个字永瑢的瑢是"玉"字边加一个"容易"的"容",玉字边的"瑢"把偏旁当中的一竖去掉,变成三点水,是不是就是溶解的溶啊?对不对啊?那么《红楼梦》写北静王的名字叫水溶,显然就是把这个永瑢两个字各去掉一笔构成小说当中这样一个角色,明摆着,水溶是从永瑢这个名字演化来的。

那么永瑢是谁呢?永瑢是乾隆的一个儿子,乾隆的儿子都是永字辈。那是不是可以得出一个结论,说《红楼梦》里面的北静王水溶就是写的乾隆的一个儿子呢?细考究,又不是这样的,他借用了永瑢这个名字,各去一点,构成小说当中水溶这个名字,但实际上,这个角色的生活原型,并不能说就是永瑢。

北静王这个角色,是将生活中的两个人物,组合变化而成的。第一个人物,可以说就是永瑢,因为取用他的名字,把他的名字加以变化作为小说角色的名字。第二个是谁呢?是康熙的皇子之一。

康熙有很多个儿子,上几讲我们介绍过了,康熙的生育能力非常之强。他的第二十一个儿子,二十一阿哥叫做允禧——康熙的儿子过去在雍正没有上台的时候名字的第一个字都是胤,第二个字都有一个示字边,字意都是吉祥幸福的意思;雍正上台以后呢,就保留他自己的胤字,把其他的兄弟名字里的胤字都改成"允许"的"允"了,取一个声音相近的字。二十一阿哥叫允禧,允禧这个人他的辈分很高,他是康熙的儿子,跟雍正是一辈的,是乾隆的叔叔。上一讲里面我已经说过,从生活的真实到艺术的真实,基本上是这样的匹配关系:在生活中,康熙跟曹寅同辈,小说里面,是贾代善贾母他们这一辈;再往下,跟雍正一辈的就是曹寅的儿子曹頫、曹颙,折射到小说里就是贾敬、贾赦、贾政;再往下就是乾隆,他在生活当中的同辈是曹雪芹,反映到小说里面,升华成为艺术形象就是贾宝玉,是这样的辈分关系。那么我们再捋一捋,允禧,他是废太子允礽的小弟弟,也是雍正的小弟弟,是二十一阿哥,他辈分高,但是他生得晚,因此他的年龄,实际上应该和曹雪芹差不多,比曹雪芹略大,是这么一个皇子。

这个人很有意思,考察他的一生,这个人他不问政治,表面上不问政治,喜欢文艺。他自号紫琼道人,又有一个号叫春浮居士。他留有著作到现在,如果你去找这个书,还可能找到,一本叫做《花间堂诗草》,他写诗,还有一本叫《紫琼严诗草》。我说到这儿也可能有人确实有点不耐烦,说你是不是说得太远了,还是说点和《红楼梦》有直接关系的好不好?好!允禧,我只举一个例子,你就知道他和《红楼梦》绝对有关系。这个人除了留下诗集以外，他还留下一个匾，这个匾现在还挂在咱们北京城，你可以去看，在哪儿呢？在什刹海后海，原来叫做中国音乐学院，现在还有一些机构留在里面，据说逐步要腾清。这里在清末的时候是恭王府，后面的恭王府花园现在成为一个公开的让大家参观的园林了，前面的恭王府的建筑还没有完全成为参观点，但是里面的一部分建筑保存得相当完好。在恭王府的庭院里面，就一直挂着一块匾，甚至在"文化大革命"当中也没有被摧毁，匾上写了四个字，叫做"天香庭院"。这跟《红楼梦》有没有关系啊？有没有一点关系？"天香"两个字我们多熟悉啊，'秦可卿淫丧天香楼'，是不是啊？那么现在你还可以看到这个匾，就叫"天香庭院"，虽然他没写天香楼，但是"天香庭院"也足够我们玩味了，是不是啊？这个匾当然很奇怪，这个匾上没有允禧的签名，但是有他的一枚印章，这个印章和签名具有同样的效力，证明就是他书写的。说这个什么意思，意思就是曹家在雍正朝遭罪以后，在他们的旧关系里面还有一些康熙朝的皇子，对他们家比较好，暗中保护，明里头可能也接纳，允禧就是其中之一。他表面上不问政治，也确实没有夺取皇位的野心，没有权力的欲望，但是这个人在几派的政治搏击当中，他采取了一种中立的立场，而这个中立又不是真正的中立，用今天的话说，他具有某种人道主义的情怀，他总是同情被摧毁的一方，被打击的一方，他总对那一方给予一些援助，给予一些温暖，是这么一个人。

这个人物年龄比曹雪芹略大，他的形象、气质应该就和《红楼梦》第十四回、十五回所写到的北静王是一样的。而且这个允禧后来他的谥号为"靖"——谥号，就是过去王公贵族死了以后，皇帝会给他一个最后的评价，用一个字，个别情况下可能用两个字，多数情况下用一个字来盖棺论定，这就是谥号——允禧去世后，他的谥号就被定为"靖"。北静王的"静"字，很可能就是从"靖"字演化过来，而且他后来封的是郡王，这个"郡"字和"静"字也很接近，字音很接近，所以从这些蛛丝马迹可以看出来，北静王的生活原型，跟允禧很贴近。

生活当中这个原型，允禧，他和曹家关系是非常密切的，曹雪芹写《红楼梦》，像天香楼这样一个小说里面的具体的建筑的命名，和这个生活当中的人物，都是有关系的。

说到这儿，我必须把那个撂下的话茬再拾起来，因为有的听众朋友可能已经按捺不住了，说你刚才不是说了，还有一个永瑢，你现在又说允禧，允禧是和雍正一辈的人，年龄小，辈分大，而你说的永瑢，这个永瑢他是乾隆的儿子，他不是孙子辈吗？从允禧往下算不是孙子辈了吗？这两个人物之间，有什么关系啊？

永瑢是允禧的孙子辈，你折算得非常准确，但他们俩确实有关系，非同寻常的关系。什么关系？当这个允禧死了以后，他们家就绝后了。而当时乾隆上台以后，为了维护皇族的团结，实行了一个政策，"亲亲睦族"，就是皇族之间在他父亲那一代，甚至他祖父那一代，结下的仇怨太深了，所以他一上台就觉得大家都是亲骨肉，要去亲近自己的亲骨肉，要以亲爱的一种态度和原则，来对待自己的亲骨肉，睦族，睦就是"和睦"的"睦"，就是一个宗族里面大家要和和睦睦地过日子。乾隆这样做是对的，那个时候你不抚平前两朝所留下的政治伤痕，你怎么能够巩固自己的统治呢？你要巩固你的统治，首先就要把上层团结起来，所以当时乾隆心很细，他发现他的一个叔叔允禧死了以后，家里就没有后代了，于是他就把自己的一个儿子，就是这个永瑢，过继给允禧作为允禧的孙子。明白这个关系了吧，这两个人后来就形成了真正的直系嫡传的祖孙关系，所以这两个人实际上先后在同一个王府里面，承袭着同样的爵位。因此这两个人就都和曹家有关系，这个永瑢虽然比曹雪芹小，但乾隆把他过继给允禧显然也不是偶然的、随便的，很小这个孩子就到他这个叔爷家里面去玩儿过，应该也是一个喜欢吟诗作赋的人。后来永瑢印行过《九思堂诗抄》，把他过继给《花间堂诗草》的作者为孙子，的确再合适不过了。曹雪芹跟随曹頫去允禧府里做客，在永瑢过继到这个府里以前，他们应该就见过面，曹雪芹对此印象很鲜明，所以他后来写书，就把他们祖孙两个人，合并成为了一个艺术形象，就是北静王。

大家知道北静王这个角色出现以后，他有一段话，就是北静王当时邀请贾宝玉到他的府邸里面做客，他说，"小王虽不才，却多蒙海上众名士凡至都者，未有不另垂青目，是以寒第高人颇聚，令郎常去谈会谈会，则学问可以日进矣。"他没有政治野心，没有夺取最高权力的欲望，但是呢，他在自己家里面搞了一个政治俱乐部，各地来的高人名师可以在他那里聚谈聚谈，这个在那个朝代从皇帝的角度是不允许的，是不能容忍的，不可以这样的。但是，北静王在书里面，他就公开了自己有这么一个特点，他经常招集各地来的高人到他的府邸里面高谈阔论，而且他还邀请贾宝玉去，而实际在当时的社会生活当中，允禧就是这样一个人物。他经常在他的府邸里面举行诗会，他后来为什么出诗集啊？一个人写诗很寂寞啊，咱们看《红楼梦》就知道了，是不是啊？大观园一共没几个人，探春还要发请柬，给每个人写一封信，把他们邀请来，组织一个诗社，那么生活当中的允禧他有这个条件的话，当然要这样做，所以就邀请了很多人去他府里。估计在这个乾隆元年，曹家小康以后，曹頫，还有少年时代的曹雪芹，他们都去过，所以他们对允禧应该是很熟悉的，对他很仰慕的，并且和常到他的府邸来往的小孩永瑢也是很熟的。所以曹雪芹最后就把这个允禧的形象和永瑢的名字结合在一起，构成一个书中的艺术形象北静王。这个北静王显然在小说里面就属于我刚才说的义忠亲王老千岁这一派的庇护伞，他本人可能对夺取皇权没有什么兴致，但是他的情感是朝义忠亲王老千岁的余党这边倾斜的。

《红楼梦》里写贾宝玉路谒北静王，贾赦、贾政、贾珍他们表现得毕恭毕敬，这好理解，但是贾宝玉也表现得受宠若惊——贾宝玉按说是最厌恶国贼禄蠹，最害怕峨冠揖让的，对北静王，他却"每思相会"，听说北静三招呼他，"自是欢喜"，直至见到，举目一看，"面如美玉，目似明星，真好秀丽人物"——这是为什么？这就说明，在真实的生活里，对王爷大官，曹雪芹也是因人而异的，他不是一个搞政治的人，但他有他自己的政治倾向，再加上他的审美趣味，他是会对允禧、永瑢那样派别的皇族人物产生好感，甚至予以肯定、欣赏的。

就在写贾宝玉谒见北静王的那段文字中，在小说里面，出现了黑话。曹雪芹很露骨地写出了那样的话，我下面就要给你指出来。贾宝玉路谒北静王的时候，有这样的句子，可谓骇人听闻，千万注意，不要错过。就是北静王当时夸宝玉，说"令郎真乃龙驹凤雏"，这话已经很出格，书里的贾宝玉不过是一个员外郎的儿子，怎么能赞为"龙驹"，"龙"字好这么用么？北静王又对贾政说，"非小王在世翁前唐突，将来'雏凤清于老凤声'，未可量也。"这倒不那么扎耳，因为读者心里都有杆秤，宝玉肯定是水平超过贾政，相对于贾政那么个封建老古板，宝玉根本就是另一种人，但是请注意下面曹雪芹是怎么写的，他就写这个贾政忙赔笑，赔笑里面就有一句话，叫做"赖藩郡馀祯"，这可真是大胆文笔！

我先把这个句子里的后面四个字说一下。"藩郡"就是指被封了王位的，有王位的一个人，对他恭敬的称呼。"馀祯"这个"祯"字，是康熙一位皇子名字里的一个字，是哪位皇子的名字里面有这个字呢？是康熙的十四阿哥，当年的康熙给他取名字就叫做胤祯。这十四阿哥跟四阿哥，他们俩同母，四阿哥，康熙给取的名字是胤禛，四阿哥那个禛是一个示字边一个"真假"的"真"，十四阿哥的这个名字是一个示字边一个"贞洁"的"贞"，两个字在汉字里非常相近，上头只差半画，读音也一样。康熙之所以给他们两个起的名字表面上那么接近，也因为他们两个是同一个母亲生的，康熙生了很多的儿子，但是这两个儿子是同一个妈妈生的，所以康熙可能在取名的时候故意让这两个儿子的名字有点接近，可能是这样考虑的。在雍正登上皇位后，不服的人，就传布关于他的坏话。有一种说法在民间流传很广，就是说康熙把一个藏有传位密诏的匣子，放在了乾清宫"正大光明"匾额后面，雍正趁康熙不省人事，让人把那匣子取下来，打开一看，上面写着将皇位传给胤祯，于是就把祯字描改为了禛字；又有一种版本是说遗诏上写的是"传位十四阿哥"，他把"十"改成了"于"，变成了"传位于四阿哥"。这些说法，说明人们普遍怀疑雍正登上帝位的合法性，但这些传说被清史专家所否定。首先，康熙朝并没有将传位遗诏放到乾清宫"正大光明"匾额后面的做法，那种做法，恰恰是雍正发明的；而且传位诏书不会是那么简单的一种写法，清朝的诏书，尤其是这样重要的文件，都是先用满文书写，然后再译成汉文的，在满文里，四阿哥的名字和十四阿哥的名字，写出来差别比较大，很难描改。

但是，有的清史专家指出，康熙晚年，确实看重十四阿哥胤祯，有把皇位传给他的打算，后来这个念头表露得也很分明，因此雍正的登基，其实是一场宫殿政变。现在我们所能看到的传位遗诏，规格上倒是符合，有满文也有汉文，但疑点很多，很可能是事后伪造的。但不管你怎么在事后去分析，雍正他就是当成了皇帝。雍正当了皇帝以后，他就让他的兄弟们，把名字里的那个胤字都改成允，胤字只留给他自己专享。十四阿哥呢，成为雍正的一大心病，眼中钉、肉中刺，当然他对胤祯下的手，不像对八阿哥九阿哥那么毒，那两个后来一个被叫做阿其那，一个被叫做塞思黑，彻底削爵，而且彻底地被轰出宗族，根本不算皇族的人了，甚至人都不是了，贱民都不是了，最后雍正更干脆想办法把他们两个毒死了。这个十四阿哥毕竟还是他同母的兄弟，他先是让其去给康熙守陵，后来就拘禁起来，不过没有把他害死，但是告示天下，一个就是让他改"胤"为"允"——前面说了，所有的兄弟第一个字都不能叫做"胤"，都要改称"允"，第二就是这个人的名字，胤祯，光第一个字改成允也不行，第二个字还得改，就不许叫胤祯，就不允许"祯"字出现，谁要公开写出这个"祯"字，他就要生气，搞不好被他发现就要杀头。他把他这个同母弟弟的名字彻底改了，改成一个很怪的字，一个示字边，一个"是不是"的"是"，一个"一页两页"的"页"，这个"是"里面的一捺拖得比较长，把"页"搁进去，这个字就是"禵"，读音为提，最后他就把胤祯的名字改成了允禵。所以在雍正朝的时候，人们写文章都要避免"祯"字，到乾隆朝的时候，因为乾隆是雍正的儿子，是雍正指定的皇位继承人，虽然乾隆实行了怀柔政策，比如将允禵释放了出来，还封了爵位，但是乾隆仍然严格地执行他父皇的文字避忌。因此按说一个人在乾隆朝写书，他也是万万不能够在自己的笔下出现一个"祯"字的，而曹雪芹在写北静王的时候，就故意要把这个字放上去，各个古本在这点上没有差别，都叫做"藩郡馀祯"。

"藩郡馀祯"，这话表面上是什么意思呢？就是我们家贾宝玉确实有点如宝似玉，长得不错，是靠谁的福气呢？靠您，王爷您福气很大，您福气大得不得了，您还有富余，您剩下一点福气到了我们家，这点余福就让我们家的孩子出落得这么好，是这么个意思。表面是在向北静王谦虚，在那儿道射，实际上在这儿说句不客气的话，就是露出毒牙，你雍正皇帝不是不喜欢"祯'字吗？现在我写书就偏要把这个"祯"字白纸黑字给你写出来，在这儿呢！所以如果你认为曹雪芹写作完全没有政治性的心理呢，那是说不通的，他确实不是想写一部政治小说，但是他们家的遭遇和三朝的政治斗争牵连得太紧密了，他们家不但跟废太子关系密切，和十四阿哥的关系也极为密切，好得不得了；所以雍正当了皇帝以后，他们心里头是不服气的，这种不服气通过上一辈，通过曹頫就会感染到曹雪芹，曹雪芹在写作的时候，时不时就会露出一种他内心的怨恨，那么"赖藩郡馀祯"，这个字眼本身就是很惊人的。

说到这儿，我想有的朋友可能还是觉得，我光是举一个例子不服人，那就再举一个，其实我还好多例子呢。还记得北静王见了贾宝玉的时候，送了贾宝玉一个什么东西吗？鹡鸰香念珠，对不对啊？有人查过什么叫鹡鸰香念珠吗？你去问古董商去，有没有这种鹡鸰香念珠啊，没有。这是曹雪芹杜撰的一个名目，鹡鸰是一种鸟的名字，而且在古代的汉语里面，鹡鸰它有兄弟的含义，明白吗？那么鹡鸰香念珠，这含有讽刺意味，这个水溶就说，这个鹡鸰香念珠是谁给他的？当今皇上给他的。大家知道，在元春省亲之后，才是乾隆元年的故事，这个以后我还会再给你提供论据。从《红楼梦》第一回到第十五回，模模糊糊的应该是雍正朝的故事，对这一个阶段的故事曹雪芹在时序上时有混乱，而且有意无意地让它模糊不清，但是大体上可以推测出来，这一部分是写雍正朝的故事，或者说是写雍正刚刚暴死，乾隆刚刚即位，那个时间段上的故事，包括秦可卿死了，贾宝玉路谒北静王，应该都是这段时间里的事情。十六回以后，应该才正儿八经是乾隆朝的故事。因此把这个鹡鸰香念珠送给北静王的皇帝，应该就是暗指雍正皇帝。曹雪芹敢不敢骂皇帝？他敢骂皇帝，他骂皇帝什么啊？想起一句话了吗？"臭男人"，他借谁的嘴骂的？他借林黛玉的嘴骂的。所以你不要以为《红楼梦》里面没有政治，他有黑话的，曹雪芹是写黑话的，他不得不写下一些这种黑话。而且他为什么把这个香念珠叫鹡鸰香念珠，他隐含着这样的讽刺：您还好意思把一串念珠叫做"鹡鸰"，您那个残杀兄弟的作为在历史上都是罕见的，不但残杀了八阿哥、九阿哥，三阿哥也被整得是一溜够，死于禁所；十四阿哥，他同父同母的兄弟，也被他折磨得够戗；在底下，他整治的人就更多了，包括把他扶上皇位的隆科多和年羹尧，他都毫不留情。你想想，这么一个人，假惺惺把一个鹡鸰香念珠，象征兄弟情谊的东西，给了北静王，北静王不要，给了贾宝玉，贾宝玉不懂事给了林黛玉，给林黛玉好，这个曹雪芹设计的情节非常巧妙，就由林黛玉来骂，什么臭男人拿过的，我不要它，所以掷而不取，啪就扔地上了。大大出了一口恶气。是不是啊？有红迷朋友跟我讨论，林黛玉骂臭男人，不是连北静王也一块儿骂了吗？而且，贾宝玉跟她只是说，那是北静王给的，林黛玉骂的臭男人就是北静王。说得也对，这一笔描写，把林黛玉那蔑视封建礼法价值观的叛逆性格，鲜明地刻画出来了。但曹雪芹他也是在客观叙述，这叙述者前面是点明了鹡鸰香念珠的原始来历的，因此，曹雪芹这样写，就是骂皇帝是臭男人。

我觉得我的分析还是有道理的，这就说明在《红楼梦》里面，是有政治的，而且是两军对垒的。一派就是以义忠亲王老千岁为旗帜，以北静王为掩护，以冯紫英等人打前阵的这样一股政治力量，而且这股政治力量的人物还很多，我以后还会说到，它都是有埋伏的，这是一派。这一派概括来说就是"义"字派，明白了吧，牵头的就是义忠亲王老千岁，突出一个"义"字。另外一派就是忠顺王府这一派，这一派写得比较模糊，仇都尉和他的儿子应该是这一派的，但杀出来短兵相接，就是长史官到贾政这儿要人，要蒋玉菡。这一派在命名上曹雪芹也很费苦心，是"顺"字派，明白了吗？两派的符码里，都有一个忠字，两派对书里的太上皇，也就是现实生活里存在过的康熙皇帝，都没意见，都忠，他们在这一点上，有重叠，但对所谓"当今"，态度就不同了。一派对当前坐皇位的人，是顺从的，比较满意，对当今皇帝忠顺王府一派比较满意，所以曹雪芹给他取名叫忠顺王，"顺"字派；另一派是"义"字派，义忠亲王老千岁。

"顺"，代表着对皇权的顺从和拥护。"义"，这个"义"字，可不能随便出现的，大家想想在《水浒传》里面，一些造反的人，他们的厅堂挂一个什么匾啊？聚义厅！所谓"义"，就是面对着不义，愤而起来要主持正义，所以实际上在《红楼梦》里面，它是有很多笔墨写到了那些日常生活的流水账，你觉得无非是吃饭啊、做诗、看花，但那些文字背后隐藏着重大的时代背景、历史背景。他的故事的总背景，是有政治的。

在《红楼梦》里面，我们是可以找到两派政治力量互相激荡的痕迹的。贾府跟"义"字派是一头的，跟北静王的关系尤其密切。北静王府和贾府的关系密切到什么程度呢？在小说后面有很多透露，有些透露也还值得拿出来一说。你比如说在第五十五回好像很随便地写到了一句，宫中有一位太妃欠安，太妃就是当今皇帝的母亲那一辈的一个妃子，可是到了第五十八回，有人说是不是写错了，第五十八回说上回所表的那位老太妃已薨——前面不是说一个太妃病了吗？死的就应该是太妃，怎么又成了老太妃呢？其实这说的是一个人，看你以谁为坐标系：康熙的一个妃子，在雍正那一朝，她是什么啊？她是太妃；到了乾隆那一朝，她还没死，她是什么啊？老太妃。有人说，哎哟，能活那么久吗？哎呀，你查一查资料不得了，康熙有一位妃子活了九十七岁，的确有活得久的。那么《红楼梦》里面所写到的雍正朝的太妃，乾隆朝的老太妃，可以考证出来。因为在《红楼梦》小说的第五十五回、五十八回已经写到乾隆二年的故事了，在乾隆二年你查史料，确实有一位康熙当年的嫔，嫔比妃低一格，姓陈，是汉族的血统，在那一年薨了，确实是大办丧事。这就说明《红楼梦》写所谓太妃老太妃薨的事，也是有生活原型的，只不过书里写她的时候，把她的封号提升了一下，从嫔升格为妃。

这个老太妃的生活原型，就是陈氏，一个汉族女子。这个陈氏的父亲都可以查出名字来，籍贯江南叫陈玉卿，有名有姓的。那么为什么曹雪芹要写这个陈氏呢？为什么要把现实生活当中的这样一个好像无足轻重的角色，搁到小说里面来写呢？而且有一段文字就更古怪了，他写这个老太妃薨了以后，朝廷大办丧事，像贾母虽然年纪大了，但她是诰命夫人，还有邢夫人、王夫人，这些人都要一起去参与这个丧事的，就要离开自己的府邸，到办丧事的地方，而且还要住下来的，结果她们怎么住呢？第五十八回有一段文字你也不要放过，说他们寻找下处，下处就是参与完祭奠活动以后，去歇息的一个住处。他们所找到的下处，乃是一个大官的家庙，房舍极多极干净，有东院有西院，荣府便赁了东院，北静王便赁了西院，太妃少妃每日宴息，见贾母等住东院，同出同入都有照应。这个文字很古怪，是吧？根据小说里面的描写，贾府地位并不高，是不是啊？贾府到了贾代善死了以后，就是贾赦袭了一个爵，无非就是一等将军，而北静王何等尊贵啊！两家合住一个大院子，而且大家知道，在中国的封建社会，东边西边哪个高贵啊？东比西贵，是吧。下面有人在叨咕，说不对，不是，慈禧太后不是西太后吗，她不是挺厉害吗？她本人厉害，是不是？真正在东太后活着的时候，东太后地位比她高的，只是因为东太后这个人很善良、很懦弱，权柄就落到西宫的手里面去了，而且东太后后来又死掉了，是不是？确实是东比西贵的。

　　有的人说，这个曹雪芹写作就不认真，或者说就是艺术虚构，人家就乐意这么写，讨论什么啊，东、西有什么好讨论的？写小说嘛，贾家就住东院，北静王他们就住西院，怎么着了？你非要这么着我也没办法，这也是您的一种读书方法，我也很尊重，我这里作揖了，但是我希望下面这些朋友还是听我说一说，就是因为有生活的真实在那儿。《红楼梦》它是一个自叙性的小说，自传性的小说，他的创作素材，基本上就是他们曹家在那个时代的生活，他写这些事情都有生活原型，那为什么生活当中会是这样的，我就要告诉你，曹寅和当时他的大舅子李煦，在康熙朝他们表面上是织造，实际上他们还负有非常重要的秘密任务，包括给康熙从汉族的女子当中选择妃嫔。这是有史料支撑的，有记载的，当然现在查不到很多资料，但是仍然可以从李煦的奏折当中查到，康熙有一个嫔姓王，汉族，王氏的母亲姓黄，死掉了，李煦就专门写一个奏折上奏康熙，康熙这种私人的事就是由他们来处理的。所以，书中这一段话之所以可以理解，是因为什么呢？因为在历史上，现实生活当中的康熙和现实生活当中的曹寅是一辈的，转化到小说当中，就是和贾母是一辈的，而这个陈氏之所以给她大办丧事，现在我就要告诉你她是谁的母亲了，她就是前面我们说到的，题写"天香庭院"的那位皇子的生母，她就是二十一阿哥允禧的生母。允禧和雍正是一辈的，就是比贾母原型矮一辈了，而且很可能在现实生活当中，陈氏之所以能够进入皇宫，之所以能够在康熙身边，给康熙生了儿子，就是跟曹家当时的选拔有关系。因此这个人生的儿子，转化为小说里面的北静王以后，这个府邸的人，对现实生活当中的曹家就绝对不能够摆老资格，摆自己的贵族地位，绝对是非常感激的，甚至又由于这一个宗族的老前辈还在，于是就让他们住东院，自己这边的太妃少妃就甘愿去住西院。当然我说的是小说当中的人物，实际上现实生活当中这两组人物就是这样的一种相处方式，这被曹雪芹很认真地、纪实性地写到了小说里面，虽然这些人物的名字转化了，但是所呈现的面貌还是生活当中的真实面貌。

那么这样一想的话，就太有意思了，这个允禧究竟和曹家来往到一个什么程度？是不是啊？《红楼梦》的"天香楼"很显然就来自于允禧的"天香庭院"的匾，《红楼梦》里面一会儿说太妃、一会儿说老太妃的那位妃子薨了以后的丧事当中，北静王和贾府两府临时居住的情况，就反映出当时的曹家和允禧这个王府之间有着非常微妙的关系。那么好，不多说了，总而言之我们现在得出这个结论，我们在通过一番寻找以后，终于找到了和曹雪芹他们家族关系最密切的几个皇族的分支，那么秦可卿的原型一定就在这些分支当中。下一讲我就会告诉你究竟秦可卿的原型是谁。

秦可卿原型大揭秘（上）

经过上几回的梳理，我们已经知道，要把秦可卿的原型搞清楚，需要从康、雍、乾三朝的政治斗争当中去寻找线索。那么现在其实已经可以说是接近水落石出了。经过了一番"柳暗花明"，我们已经走到了秦可卿的"又一村"了。我现在稍微回顾一下前面我对这个问题的探讨历程。

我首先从贾府的婚配入手，一步步走近秦可卿的生活原型。通过第三讲《贾府婚配之谜》、第四讲《秦可卿抱养之谜》、第五讲《秦可卿生存之谜》和第六讲《秦可卿出身之谜》，我层层剥笋般地分析，终于得出一个结论，就是秦可卿的真实出身，不但不可能寒微到是养生堂抱来的弃婴，也不可能是在一个小官吏的家庭里长大成人，然后才嫁到宁国府，有了贾蓉妻子那么一个身份。她的真实出身，不仅并不寒微，甚至还高于贾府，应该说是出身极其高贵，很可能来自于宫中，是皇族的血脉；所谓由小官吏抱养，也确实找了个小官吏来合作，充当幌子，但从根本上说，那是对外施放的烟幕。她应该很小的时候就被隐藏到宁国府，作为童养媳，精心地加以培养，并且与她的真实的背景家庭，也还一直有着联系，她应该是这样的一个人物。通过第七讲《帐殿夜警之谜》、第八讲《曹家浮沉之谜》、第九讲《日月双悬之谜》、第十讲《蒋玉菡之谜》和第十一讲《北静王之谜》，我又抽丝剥茧般地揭示出来，《红楼梦》虽然托言无朝代年纪可考，其实这部书里讲述的故事，其时代背景是大可考据的。经我考据，得出的结论是：《红楼梦》描写的社会背景，就是清代康熙、雍正、乾隆三朝，书里把康熙、雍正、乾隆三个皇帝合并在一起写，重点写的是乾隆朝，"当今"这个"日"，和潜在的敌对政治势力"月"，构成了紧张的"双悬日月照乾坤"的形势。在真实的生活中，就是被康熙两立两废的太子胤礽，和胤礽的嫡长子弘皙，他们那一派势力，总憋着要颠覆乾隆，取而代之，他们被曹雪芹艺术性地演化到书里，就是义忠亲王老千岁、北静王、冯紫英等等。书里面也出现了忠顺王那样的角色，跟北静王，跟"义"字派，或者说"月"派，尖锐对立，双方的摩擦乃至冲突，震荡波一直辐射到贾府，造成宝玉被痛笞，皮开肉绽。总而言之，在康、雍、乾这三朝的皇族之中，存在着两股敌对的政治势力，而秦可卿这个人物的生活原型，显然与其中的一股，有着密切的联系。

经过这样一番梳理，秦可卿的生活原型已经基本浮出水面。

但《红楼梦》的文本里面，仍然存有一些至关重要的疑点需要进一步探究，这些疑点的解密，对揭示秦可卿的生活原型，有着关键的作月。比如在第五讲《秦可卿生存之谜》中，我就提到，有一点特别令人困惑不解，如果秦可卿出身真的那么低贱，贾母怎么会对她极为满意，认为她是重孙媳中第一得意之人？还有，秦可卿的卧室陈设为何那么古怪，曹雪芹用这样的笔墨，究竟在向读者暗示什么？

秦可卿是在第五回出场的，前面已经讲了很多。前面所讲的我不重复了，通过贾母认定秦可卿乃重孙媳中第一个得意之人，以及秦可卿卧室的布置，我们隐约知道，秦可卿的出身是高于贾府的，能给贾府带来好处，令贾母都得意；而且她很有可能是一个公主级的人物，最起码是郡主级，是皇家的血肉。在分析秦可卿卧室陈设的时候，前面讲过的不重复，现在略做补充，就是在曹雪芹行文时，他特别写到，秦可卿安排贾宝玉午睡，还"亲自展开了西子浣过的纱衾，移了红娘抱过的鸳枕"，记得吧？除了其他的东西以外，还有这两样呢。大家知道，西子就是西施，不展开议论，因为大家很熟悉，西施意味着一种政治阴谋，她不是一个一般的女性，她在政治上具有颠覆性。那么红娘呢？也不是个一般的丫头，红娘能够成就好事，是一种中间的媒介，可以把两方面撮合在一起使双方得到好处。所以像这样一些符码都暗示我们，秦可卿她的高于贾府的出身，其中含有某种政治阴谋色彩，并且能够使贾府从中谋取利益。

常有人说，读《红楼梦》里关于秦可卿的文字，总觉得她很神秘。其实构成她神秘的因素之一，就是她身上含有某种政治阴谋色彩。我在第六讲《秦可卿出身之谜》中，提到一个情节，就是书中第七回薛姨妈派周瑞家的送宫花，贾府里的其他小姐、媳妇，对宫花的态度都或者平淡或者调侃甚至挑剔，而秦可卿接受宫花的情况，并没有明写；但恰恰在这一回，有一首回前诗，透露出在所有这些接受宫花的人里，有一位惜花人，她跟宫花有一种特殊的"相逢"关系，这个人"家住江南姓本秦"。家住江南，现在暂且不讨论，在十二支宫花的接收者中，只一个人姓秦，就是秦可卿，对不对？秦可卿既然本属宫中的人，宫花送到她手中，是她跟宫花喜相逢，那她有什么不能公开她的真实血统、真实身份的呢？那本来应该是很光荣的呀！为什么要隐瞒呢？为什么要放出烟幕，说她是养生堂的弃婴，是由小官吏抱养的呢？可见这里面有不能公开的隐情，而且事关重大。

《红楼梦》第十回，秦可卿突然病了，得了什么病，书中交代得很含糊。冯紫英便向贾珍推荐他幼时从学的一个先生，名叫张友士，是上京给儿子捐官的，兼通医理，可以给秦可卿看看病，于是《红楼梦》第十回就出现了一个"张太医论病细穷源"的情节。张友士为什么叫张太医呢？他与秦可卿究竟有什么深层的关系？

秦可卿的病症，乍听乍看，很像是怀孕了，邢夫人就做出过这样的判断，但是后来我们就知道，她没有怀孕，她月经不调，内分泌紊乱，吃不下睡不好，人消耗得瘦弱不堪，用今天的临床医学的观点来衡量，她应该是神经系统的毛病，心理上的病症，主要表现为焦虑、抑郁。她为什么好端端地突然就焦虑了，就抑郁了？宗族的老祖宗贾母对她不是挺好吗，认为她是第一得意之人；她婆婆对她也很好啊，连荣国府的王熙凤都对她那么样地百般呵护，上上下下的人对她都很好，怎么就焦虑起来了呢？然后就写到因为病了就要看病，那么当时是怎么给她看病呢？三四个人一日轮流着倒有四五遍来看脉，很离奇，哪有这么看病的，这不折腾死人吗？说弄得一日换四五遍衣服，坐起来看大夫，每看一次大夫就要换一套衣裳，这很古怪。得病得的怪，看病的方式也很古怪。

最后就来了一个张友士。我们知道，《红楼梦》的人名都是采取谐音、暗喻的命名方式，有的时候一个人的名字就谐一个意思，有的时候是几个人的名字合起来谐一个意思，"张友士"显然他谐的是"有事"这两个字的音。那么这个姓张的，他有什么事呢？在前面我已经点明了，第十回回目当中写的是"张太医论病细穷源"，但是在第十回正文里面又明明告诉你，他的身份，公开身份不是太医，他有事，他就忽然以这个太医的身份跑到贾府里来了，到宁国府来了。他有事，他有什么事？他论病细穷源，论的什么病？穷的什么源？值得探究。

仔细研究《红楼梦》的文本，我就感觉到，秦可卿这个角色的原型她不但是皇族的成员，而且应该是皇族当中不得意的那一个支脉的成员。她是一个身份上具有某种阴谋色彩的人物，她在皇族和贾家之间具有某种红娘的作用，具有某种媒介的作用；她得病，她突然焦虑和抑郁，并不是因为贾家的人对她不好，而是因为某个她自己的背景方面传来的重要信息，这应该是一个胜负未定，而且还很可能会暂时失利的、不祥的信息。

而这个时候，忽然来了一个重量级人物给她看病。这个人物表面上说是冯紫英的一个朋友，目的是上京给儿子捐官，却有一个奇怪的身份说是太医，所以我就估计在八十回后，这个人物一定会以太医的身份出现；否则在那么多的古本当中，本来有那么多的回目出现不同的文字，而在"张太医"这三个字上，所有古本却都一致。

下面有红迷朋友在那儿微微颔首，说对呀，太医，只有皇帝他才能够设太医院，那里面的大夫才能够叫太医对不对？冯紫英这位朋友怎么能叫太医呢？《红楼梦》文本里，写到好几位正式的太医。贾府那样的人家，府里主子生病了，有权让太医院派太医来诊视，这也可以说是皇帝赐予这些封爵的高级奴才的一种福利，他们可以享受太医出诊的医疗待遇。第四十二回写贾母欠安，请来了太医院的太医，穿着六品官服。贾母见了他，派头很大，问他姓什么，说姓王，贾母就摆老资格，说"当日太医院正堂王君效，好脉息"，那王太医忙躬身低头，回答她"那是晚生家叔祖"。你看太医是要穿官服的，而且贾府请太医来看病是很平常的事，这么一对比，张友士就太不对头了，这么一个人，怎么会在回目上锁定他是太医呢？

在上几讲里面我们已经讲到，在现实生活当中，有一个什么人他擅立内务府七司，设置了一系列和皇帝完全一样的宫廷般的机构呢？这个人不是别人，就是弘皙。这个人就是废太子的儿子，从血缘上讲，他是康熙的嫡长孙。他当时住在郑家庄，身份是亲王，但是他擅自按照宫廷的规格给自己设置了各种机构，那么他既然可以设立内务府七司，当然也可以设立一个机构，给自己看病，就叫太医院。因此，从生活的真实到艺术的真实，曹雪芹就构思出了这么一个角色，这位张友士就应该是来自于这个系统的一个人物。也就是说，张友士的生活原型，就应该是弘皙在郑家庄擅自成立的小朝廷里，所设置的太医院里面的一个人物。这么一个人物，变成了小说里参与阴谋活动的角色，那么他进了京城以后，当然不能公开说，我来自一个另外的朝廷，我是那儿的太医，于是他就说自己是上京捐官的。住在谁家里呢？就住在冯紫英家。这是我们在前面一再讲到的，《红楼梦》里有两股政治势力，一股是以义忠亲王老千岁及其同情者、庇护者组成的，这是可以叫做"义"字的一派，另一派是以忠顺王府为代表的"顺"字派。这个张友士显然就是"义"字派当中的一个人物，跟冯紫英是一伙的，于是，在第十回，他就出现在了秦可卿面前，给她号脉，看病。

以太医身份出现的张友士，在给秦可卿号了脉看完病后，还开列了一个长长的药方。红学界在有关张友士行医的情节上，有不同的见解。有人认为这个情节并没有什么特别的用意，书中贾珍、贾蓉对这一江湖游医的客气，也只是反映了当时人们的观念是尊重业余的而非专业的；还有人说这是作者富有游戏性的即兴笔墨，没有更深的内容可考；至于书中的药方，也只是作者借此显示自己的学识渊博，不足深究。但是，我要问，如果真是如此的话，曹雪芹为什么花这么大气力来写"张太医论病细穷源"呢？药方当中是不是隐藏了什么秘密呢？

脂砚斋批语里透露，《红楼梦》里面原来有很多药方子，据说原来在写林黛玉的时候，从第二十三回以后，回回都要开一个药方子，以显示林黛玉的病越来越重了。这条脂批呢现在保留了，在第二十八回回后，它说"自'闻曲'回以后回回写药方是白描颦儿添病也"。"闻曲"就是林黛玉葬花以后，听到梨香院里传来十二个唱戏的女孩正在练唱，她听到了《牡丹亭》里的曲子，如痴如醉。但是我们所看到的古本《红楼梦》里面，没有给林黛玉开的任何药方子；因此也有专家认为，那条脂批的断句，应该是"自'闻曲'回以后，回回写药，方是白描颦儿添病也"。可是现在我们所看到的文字里，也并不是回回写到跟林黛玉有关的药，这就说明，就是曹雪芹在披阅十载、增删五次的过程里，来回调整已写出的文字，他把书中其他的药方子都删除了，把有关林黛玉用药的文字也精简了，现在我们所看到的前八十回里面，正儿八经地作为作者的叙述文字开出的药方子，就只有张友士给秦可卿开的这一个。这个药方子曹雪芹在来回调整文本的时候，始终没有把它删除，一直保留在那里，被一代又一代的读者默默阅读，也引起很多红学家包括民间红学家对其进行探索，究竟这个药方子有没有深意？它究竟传递着什么样的信息？

我们都知道曹雪芹他有一个惯常的写作方式，就是通过谐音，还有所谓拆字法，来进行隐喻。谐音好懂，什么是拆字？比如说《红楼梦》那个金陵十二钗册页里面写到王熙凤，"一从二令三人木"。是不是啊？"一从二令"我们现在不去分析，"三人木"就是一个拆字法，"人木"就是"休"字，就是他把"休"字拆开了呈现出来，透露出最后王熙凤是被贾琏给休掉了。他往往在文本里面用谐音、拆字这样的手段，来向读者透露一些信息，因此，很多研究者，也就都顺着这个路子，去探究张太医的这个药方。甚至有的人已经把整个药方都破解出来了。

我也研究这个药方，但还不成熟，在这里就不展开谈了，我只说药方里面的头几味药。头几味药说的什么？人参、白术、云苓、熟地、归身。我也认为，实际上这个药方，应该是秦可卿真实的背景家族，跟她，跟宁国府进行秘密联络时，亮出的一个密语单子。

张友士来给秦可卿看病，甩下一个药方，这个药方起码头几句就很恐怖，因为贾蓉在他看完病以后就问他，我们这个病人能不能好，张友士怎么说的，大家应该还记得，张友士说人病到这个地步，非一朝一夕的症候，"依小弟看来，今年一冬是不相干的，总是过了春分就可望痊愈了。"这都是一些黑话啊，是不是啊？为什么是黑话？因为曹雪芹写了这句之后呢，他在叙述当中也说，他说贾蓉也是一个明白人，也就不往下问了。明白吧，这种叙述文本就告诉你，这个话不是正常医生的话，实际上他所传递的，是某种非医疗诊断的信息。因此我们从这样的文本，也就可以进一步做出判断，秦可卿的原型，应该是属于一个皇族的分支，在当今皇帝当朝的时候，是被打击被排挤的一支；而这一支又很不甘心，又想卷土重来，想颠覆现在皇帝的皇位。在这个阴谋集团当中，有各种各样的人物，张友士也是其中之一，他负责来跟宁国府，跟秦可卿秘密联系。这样，秦可卿的真实的皇族身份就又清晰了一步。

这个药方的头一句如果要用谐音的方式来解释的话，人参，白术，按我的思路，应该代表着她的父母；如果父母不在了，那就代表她的家长，俗话说"长兄如父"，这也可能代表她的兄嫂；或者她父亲没有了，母亲还在，哥哥还在，这就代表她的母亲和兄长。人参，这个参，可以理解成天上的星星，人已经化为星辰了，高高在上，我觉得可以理解为是象征长辈；白术，作为一味中药，术的读音应该是 zhu（第二声），但是曹雪芹从南方来到北京，他还保留着不少江南人的发音习惯，张爱玲在她的那本《红楼梦魇》里面，举出过很多例子，吴语里 zhu（第二声）和"宿"的发音很接近，因此"白术"作为黑话，也可以理解成"白宿"，"宿"也有星辰的意思，白昼的星辰，当然，"星宿"里的那个"宿"字，正确的发音又要读成 xiu（第四声）。总之，我觉得"参"和"术"都隐含着星辰的意思，前面我已经揭示过，在《红楼梦》的文本中，月喻太子，星月同辉，中秋夜在凹晶馆黛玉和湘云联诗，星月的含义是相通的，因此，我觉得这药方里的头四个字，代表着秦可卿家里的长辈，她的父母，她的兄长。

如果说理解头两味药的谐音转义比较费劲，那么，下面我把第三味药的两个字拆开，与前后两味药连成句子，那意思就很直白了，它是这样的：

人参白术云：苓熟地归身。

意思就是她的父母说，告诉她底下这句话，说老实话，她的父母可能心情也很沉重，她自己看了以后也会更痛苦，就是"令（苓）熟地归身"，也即命令她，在关键时刻，在她生长的熟悉的地方，结束她的生命。为什么？在皇族的权力斗争当中，她的家族做出了一个很恐怖的决定，让她牺牲自己，延缓双方搏斗的时机以求一逞，所以她后来淫丧天香楼，画梁春尽落香尘。她的病，原来是政治病，她的死，原来是政治原因，这个角色在书里就是这样的。在下几讲里，我会讲到，为什么她必须死，为什么她死了，义忠亲王老千岁一派就得以有喘息的机会；而她的死，虽然延缓了双方的大搏斗，但斗争仍在继续；到最后，她的事情仍旧被"当今"追究，"月落乌啼霜满天"，太阳获得了绝对的胜利，书里面的贾府，也就彻底倾覆，那也应该是整个"义"字派的陨灭，"白骨如山忘姓氏，无非公子与红妆"，"落了片白茫茫大地真干净"。把这些弄清楚，我们就更接近她的生活原型了。

张友士开药方的时候，就说明她的父母兄长是处在困境当中，不但被当今皇帝所排斥，而且想进一步夺权的话，又障碍重重，很难得逞，甚至有时候不得不牺牲掉一些东西，乃至于牺牲掉自己亲生的女儿、自己的亲妹妹。这一回的文字，笼罩着浓重的阴影，调子十分沉重，怎么能说是没有深意的游戏笔墨呢？

当然，我对张友士这个药方的解读，到目前为止还没有十分的把握，说出这些想法，仅供大家参考。我对自己原型研究的总体判断，有相当的把握，但具体到对这个药方的解读，我现在只能提供出一个初步的思路来。

在张友士看完病不久，秦可卿就死掉了。秦可卿究竟得了什么病，张友士并没有指出来，只是说，"今年一冬是不相干的，总是过了春分就可望痊愈了。"从表面上理解这句话，秦可卿得的病并无大碍，很快就会好起来。但是随后不久，秦可卿却选择了死亡。这是为什么？

而且为什么张友士说"今年一冬是不相干的"，为什么冬天就不相干，为什么"总是过了春分就可望痊愈了"？而且后面写秦可卿的死，你能感到，模模糊糊是刮大风的时候，应该是在秋天，为什么总是在春秋时分决定这样人物的命运？

在前几讲里面，我已经点明了，清朝皇帝有一种很重要的活动，就是春秋两季木兰的围猎，当然其中重要的是秋狝，即秋天是最重要的一次，但春天有时候也去。所以一般来说，冬天就比较平静，因为在木兰秋狝的时候，特别是在春天比较小规模狩猎的时候，反对派是最容易下手的，最容易掀起一个义举，所谓聚义，然后闹事，来颠覆皇权的。因此小说的这个人物，给她看病的人，实际上就是她的家族派来的一个密探来跟她透露，当然这个话是当着贾蓉说的，今年这一冬是不相干的，这一冬双方可能都按兵不动；"总是过了春分就可望痊愈了"，春天那一次皇帝的狩猎如果这方面准备得充分的话，就有可能把皇帝杀掉。突发事变以后，这一派就可以掌握政权。那么你现在再想一想，我上一讲提到的那段情节，就是冯紫英说春天他跟着他父亲去过围场，有没有这样的情节？想一想对不对？来回至少有一个多星期，甚至有个把月，脸上还留下了轻伤，他大不幸，但是他又回来了，大不幸中又大幸。这就说明，他们尝试过一次，那段故事应该发生在乾隆元年，那一年的春天，"义"字派聚集过一次力量，做过一次尝试，没有能够成功。当然，秦可卿之死这段故事，发生在我说的这个情节之前，这就说明，反对派在每一次皇帝出去行猎的时候，都曾经或者去踏勘过地形，做过事先的准备，或者说从蠢蠢欲动到蠢动，到出手，有过一些尝试，可是都被挫败了。所幸还没有完全被皇帝彻底地侦破，没有遭到毁灭性打击，所以他们只能采取收缩的办法，牺牲掉一些利益，甚至用牺牲掉一些本族人员的办法，来维持一个再一次积蓄力量的局面。所以你看，这些描写背后，都有很多很多的可供思索的东西。

因此，我们就可以知道，秦可卿的原型应该是一个不幸的公主。她的家族如果登上皇位，她就是正儿八经的公主。她得的是政治病，她隶属的那一支皇族在权力斗争当中处于劣势，而她的家族经过几次向皇位的冲击以后，都没有得逞，因此给她传递了一个很糟糕的信息，就是在必要时候让她顾全大局，自尽而死，以为缓兵之计。这就是秦可卿这个角色在小说里面，她的尴尬处境；她的原型，在生活里面也应该是类似的，处于很困难的境地。

在秦可卿身上，除了她扑朔迷离的身世以外，更让人说长道短的，莫过于她和她的公公贾珍之间的关系。在现存的《红楼梦》文本里，对这一关系的描写比较奇怪，我在《秦可卿生存之谜》中，特别提出了这一点。生性耿直的焦大，在故事开始时，就很明白地骂了出来。从《红楼梦》里的描写来看，秦可卿和贾珍之间的暧昧关系，在宁国府里已是不争的事实，可身为婆婆的尤氏却睁一眼闭一眼，贾府里其他的人也都对此心照不宣，而且不动声色，这又是为什么？

在第七回的下半回，就写到焦大醉骂，这个大家都应该印象很深。焦大醉骂有两句难听的话，其中有一句我在前几讲已经分析过了，不重复了，就是"爬灰的爬灰"，这是骂贾珍和秦可卿之间有不正当关系。还有一句骂的是谁？"养小叔子的养小叔子"，这个骂人的话就比较费猜测。有人猜测说，他可能骂凤姐和宝玉呢。因为小叔子不是叔叔的意思，俗话里面什么叫小叔子？一个女性嫁了一个人家，她的丈夫的弟弟叫小叔子，丈夫的哥哥叫大伯子，如果还有另外的哥哥就是二伯子三伯子，弟弟才是小叔子。那么王熙凤是贾宝玉的嫂子，贾宝玉确实是王熙凤的小叔子，所以有人认为这句话是骂王熙凤和贾宝玉有不正当关系。但是从书中描写来看，证据不足，也很难说焦大就是骂他们俩；而且书里面描写了，骂的时候，大家都听见了，贾宝玉当时只问，什么叫爬灰，贾宝玉就没有问什么叫养小叔子，难道是贾宝玉知道自己是小叔子那个角色吗？显然不是这样的，所以这一点也值得推敲。

那么秦可卿究竟和贾珍之间是怎样一种关系，这个是历代读者都特别感兴趣的。听到这里有人在笑，说是不是这里面因为有情色描写，所以感兴趣？我看也不一定是这样，而是因为它构成一种非常复杂的互动关系，是值得我们探究的。人的生存是艰难的，人性是复杂的，好的作家总是要写到人在生存当中的生存危机，写到人与人之间在生存当中互相争斗和互相慰藉，所以我觉得我们可以在这里理直气壮地讨论贾珍和秦可卿的恋情。

有的红迷朋友始终不能原谅秦可卿，也更不能原谅贾珍，说乱伦，多丑恶啊，是不是啊？焦大都骂他们，连焦大这种水平的人都骂他，我这样一个高水平的人我能不骂他吗？我也得跟着骂！您先别忙跟着骂，其实您也是一个复杂的生命存在，您看过话剧《雷雨》吧，多半看过吧。这是一个现代作家曹禺的作品，已经成为中国话剧的经典剧目了，也拍成过电影和电视连续剧，对不对？您在剧场里观看这出话剧的时候，没准还带着手绢，擦过眼角呢，是不是啊？《雷雨》里面有爱情没有啊？《雷雨》里面有一组重要的爱情是谁爱谁啊？是周萍和繁漪之间的爱情，他们两个是什么样的伦常秩序啊？是儿子爱后妈，是后母爱前夫的大儿子，是乱伦恋，您看的时候把破鞋往台上扔了吗？您没扔，您很理解，很同情，闭幕以后您还鼓掌，那怎么对这个周萍和繁漪的爱情，您就这么能接受，对贾珍和秦可卿他们之间的感情，您就这么样地不能容忍呢？我觉得您可以冷静下来好好想一想，是不是啊？不能完全站在那个落伍的封建伦理的立场上，来看待这件事，来思考这个问题。更何况经过我前几讲的分析，您应该已经明白，秦可卿之所以到贾府里面来，是避难来了，是她的家庭在皇权斗争当中失利了，家里在某种特定情况下，必须把她隐藏起来，因此谎称她是养生堂的弃婴；直接送到贾家不方便，贾政，小说里面写他是一个员外郎，工部员外郎，负责工程建设的那个部的员外郎，因此找了自己一个下属叫营缮郎，营缮郎就是工部下面某分支的一个小官员，这个小官员是贾政的直接下属，就假称是这个营缮郎因为无儿无女，抱养了一对儿女，其中有一个女孩子是秦可卿，暂时寄存在贾家。秦可卿寄存到贾家当时贾珍已经结婚，有了尤氏，因此在名分上，只能把她说成是贾蓉的妻子。

而实际上秦可卿这个角色，她的生活原型的辈分，和贾珍是同辈的，两人并不乱伦。我为什么这么说，因为前几讲里面我反复跟大家讲，从人物的生活原型到曹家的真实情况，到小说里面的艺术角色，它的人物辈分是匹配的，这里再重复一下：义忠亲王老千岁，小说里面出现的一个名称，生活原型就是康熙朝的废太子，就是胤礽，后来被雍正改名为允礽，他的儿子是弘皙；在曹家这个家族里面，像曹頫他跟废太子是同辈的，在小说里面对应着贾敬、贾政、贾赦这一辈；胤礽生下的儿子就是弘皙，如果说他生下女儿的话，比如说弘皙的妹妹的话，在生活当中就应该对应于曹雪芹这一辈，是不是啊？在小说中对应的就是贾宝玉这一辈。小说里面跟贾宝玉一辈的是谁？在宁国府就是贾珍，在荣国府有贾琏、贾环等。所以说呢，如果秦可卿的生活原型是废太子家族的，而且如果她是弘皙的一个妹妹的话，那么她的辈分挪移到《红楼梦》小说里面，就跟贾珍是一辈人，和宝玉也是一辈人。我这个逻辑听明白了吗？因此，为什么曹雪芹放手写贾珍和秦可卿的感情，就是因为在他心目当中，他并不认为这是乱伦恋，他只是认为这是一种畸恋，一种畸形恋。

从小说里面的描写可以隐约感觉到，秦可卿的年龄实际上比贾蓉大，比贾宝玉更大。当然她比贾珍要小一些，她出场的时候应该是二十岁上下。她寄存到贾府时，很可能就是和贾珍一辈的，而贾珍是知道的。她跟贾蓉是名分上的夫妻，在小说里面你可以看到，贾蓉和秦可卿根本就没有同房过夫妻生活的迹象。第五回写宝玉要午睡，秦可卿先带他"来至上房内间"，那可能是贾珍和尤氏的住房，宝玉不喜欢那里头的气氛，秦可卿就说"不然到我屋里去罢"。这时候还写了有一个嬷嬷插嘴，她觉得不妥，忍不住就劝谏秦可卿，至少有两种古本里，那句劝谏的话是这么说的："那里有个叔叔往侄儿媳妇房里去睡觉的礼？"现在通行本里也是这么写的，但秦可卿满不在乎，就把宝玉往她卧室里带。要特别注意到，书里一再强调是秦可卿她的卧室，都没有说到贾蓉的卧室去。按过去封建社会的规矩和语言习惯，不能够说这个卧室是媳妇的，一定要以丈夫来命名这个卧室，比如说到贾政的房间，到贾赦的内室，等等。但秦可卿她就公开说那是她的卧室。这就说明，她在宁国府里面有很独特的生活方式，她多半是住在自己的房间里面，她跟贾蓉只是名分上的夫妻，而且这一点阖府上下应该都是比较清楚的。

当然，在宁国府里，也应该有一处贾蓉的居室，必要的时候，秦可卿也会在那里面，书里写张友士来给秦可卿看病，就使用了那个空间；秦氏的特享卧室，有时候贾蓉也会去，比如王熙凤和宝玉去探视生病的秦可卿，贾蓉也陪着进去；但书里写贾蓉与秦可卿的夫妻关系，相当含混，相敬如宾有余，男欢女爱了无痕迹。

焦大之所以跳着脚骂，触因当然是因为管家竟然把苦差事派给了他，他又正喝醉了酒。但焦大是跟着宁国公为皇家立过汗马功劳的人，他是有政治头脑的，他骂"爬灰的爬灰"，当然是骂贾珍，因为从名分上贾珍和秦可卿是公媳，偷媳妇是不对的，而且他应该知道秦可卿的真实身份，他知道藏匿秦可卿这件事的分量，他认为你贾珍既然把秦可卿当做贾蓉的媳妇藏匿起来，你就应该负责任，就应该扮演好公公这个角色，以等待秦可卿的家族获取最后胜利，给宁国公在天之灵争口气，却"那里承望到如今生下这些畜生来"，居然都是些败家子，贾珍就是头一个败家的畜生，你跟秦可卿乱搞，你坏了大事！

那他骂"养小叔子的养小叔子"，骂的是谁呢？我认为，他骂的是秦可卿和贾宝玉。他知道秦可卿和宝玉是一辈的，秦可卿实际上是贾珍隐秘的妻子，他门儿清，他清楚，宝玉是贾珍的弟弟，堂弟，是她的小叔子。即使不去考虑贾珍跟秦可卿的隐秘关系，就从秦可卿家族辈分与贾氏家族辈分的匹配关系上看，秦可卿主动去跟贾宝玉发生关系，不管她嫁的是谁，都是养小叔子的行为。注意，"爬灰的爬灰"，谴责的重点在偷媳的公公，而"养小叔子的养小叔子"，谴责的重点不在小叔子，而在那个越轨的女性。焦大因为知道秦可卿以矮一辈的身份藏匿在宁国府，是负有使命的，她应该静待她家族的胜利消息，应该最后为贾家带来好处，然而他发现这个女子竟然置自己的神圣使命不顾，在自己的卧室里跟贾宝玉乱搞，他真是痛心疾首啊！

书里写到，焦大骂时还说"我要往祠堂里哭太爷去"，最后还高喊，"我什么不知道！咱们'胳膊折了往袖子里藏'！"只差一点，他就忍不住要把秦可卿的真实出身叫嚷出来了，由于众小厮往他嘴里填满了土和马粪，才算中止了他的叫骂。曹雪芹写这一段，显然，是有他的深意的。

秦可卿这个形象，曹雪芹写她，确实有不安分的一面，往好了说，是浪漫，往坏了说，就是淫荡。有红迷朋友问，如果秦可卿真是皇家的骨血，藏匿到宁国府以后，贾珍怎么敢欺负她呢？贾珍是一个七情六欲都很旺盛的男子，颇有阳刚之气，胆大妄为，恣行无忌，虽然他知道藏匿秦可卿事关重大，但当秦可卿一天天在他眼前长大，出落得风流袅娜以后，他是无法克制自己的情欲的；而且他会觉得，关起宁国府大门，在那高高的围墙里，他怎么行事谁也管不着他，他也并不以为那就会坏掉宗族所期待的"好事"。而且，曹雪芹虽然对贾珍、秦可卿的恋情写得很含蓄，由于后来又删去了大段文字，更令人如堕雾中，但我们读那些有关的文字，还是能品出味来，就是秦可卿对贾珍，有主动的一面，很难说是贾珍强迫了她。这就跟《雷雨》里的繁漪和周萍一样，很难说究竟谁欺负了谁，谁勾引了谁。我觉得，曹雪芹他其实是很客观地来对待贾珍和秦可卿之间的恋情，什么应该不应该的，他们就那么相互爱恋了。生活，人性，就那么复杂，那么诡谲。

我们还要注意到，在第五回里面，警幻仙姑密授贾宝玉云雨之事，把其妹可卿许配与他，其实就是暗写，秦可卿作为宝玉的性启蒙者，使他尝到云雨情，所以之后贾宝玉和袭人不是一试云雨情，而是二试了，过去有的评家老早指出过这一点了。有的读者对曹雪芹这样写，当然是扑朔迷离的文本，也不大能接受，觉得那不是流氓教唆吗？其实在中国古典文学里面，在《红楼梦》以前的白话小说里，像《金瓶梅》，写性爱，是非常直露的，甚至可以说是相当的色情。《红楼梦》干净得太多了，色情文字很少，就是写到性行为，也尽量含蓄。比如周瑞家的送宫花，大中午的，贾琏戏熙凤，他完全是暗场处理，脂砚斋说那是一种"柳藏鹦鹉语方知"的手法；还有一处，他写贾琏忽然跟王熙凤说："只是昨儿晚上，我不过要改个样儿，你就扭手扭脚的。"凤姐嗤的一声笑了，啐了他一口，低下头便吃饭。这种含蓄的写法，是对《金瓶梅》那类作品的极大超越，是以情色文字，替代了色情文字。当然《红楼梦》也有个别地方，可以说比较色情，如写贾琏跟多姑娘偷情，但那是为了塑造贾琏这个艺术形象服务的，还引出了贾母"从小儿世人都打这么过的"著名议论，使我们知道那个时代的主流观念，骨子里究竟是些什么。简言之，《红楼梦》写性，都是为塑造人物服务的，他写贾宝玉在梦中被警幻仙姑以可卿加以点化，初尝性爱滋味，是为了展示贾宝玉这个人物的身心发展历程。他写这一笔，告诉我们贾宝玉生理上成熟了，但这时贾宝玉只是跟袭人偷尝禁果；他后来又写到贾宝玉心理的成熟和情感的成熟，与林黛玉之间有了真正的爱情，但对林黛玉没有一点轻佻的表现，那完全是精神上的共鸣，升华到圣洁的层次。因此，不能认为他写秦可卿对贾宝玉的性启蒙，是猥亵性的低俗文字。

秦可卿的"擅风情，秉月貌"，她与贾珍的暧昧关系，在宁国府并不是什么了不得的秘密。焦大醉骂，上下人等都听见了，尤氏当然也听见了，但尤氏无所谓，或许她心里不痛快，但表面上她不动声色，因为尤氏是一个深明大义的人，她知道，这个女子养在家里面，决定着宁国府今后的前途。万一秦可卿的背景家族获得了政权，那么他们就是开国功臣之一，他们保存了这个家族宝贵的血脉，他们的荣华富贵就会升级，所以她对贾珍和秦可卿之间的暧昧关系，在秦可卿死去之前，她都容忍。只是在秦可卿死了以后，他们所期盼的"好事"不幸"终了"，她才撂了挑子，说自己胃痛旧疾复发，躺在床上再不起来，后来是由王熙凤过来，张罗本来该由她张罗的丧事。贾蓉也是一样，王熙凤也是一样，他们都听到焦大醉骂，他们不能容忍焦大再骂，却一样也容忍了贾珍与秦可卿的非正当关系，为什么？那理由跟尤氏是一样的。我们这样来读《红楼梦》这些文字的话，就会有豁然贯通之感。

所以贾珍在秦可卿死了之后，他不掩饰他对秦可卿的痛惜，哭得泪人一般，还有一句话叫做恨不能代秦氏之死，如果仅仅是爱情，何至于到这个地步，是不是？他觉得这是葬送了宁国府很重大的政治前程，他很痛心，他说"合家大小、远近亲友谁不知道我这媳妇比儿子还强十倍，如今伸腿去了，可见这长房内绝灭无人了"。然后别人问他怎么料理，他说"如何料理，不过尽我所有罢了"，还是拍着手，不是压低声音偷偷地说，他公开说，他不在乎。

秦可卿死了以后，她睡在一个什么棺木里面？就睡在薛蟠提供的，坏了事的义忠亲王老千岁所留下的，那珍贵的樯木所制成的棺材里面。她叶落归根了。这时候她真实的家族血缘实际上就揭示出来了。下一讲我就会告诉你，秦可卿的真实身份。

秦可卿原型大揭秘（下）

　　在对秦可卿真实身份的层层解读中，这一人物的原型已经浮出了水面。在上一讲的《秦可卿原型大揭秘》中，《红楼梦》里关于她的古怪文字，已逐步加以破解。但仍有一些疑问还没有完全解开，例如，如果秦可卿的原型真是一个公主级的人物，她是谁的女儿？在戒备森严的清宫大院，她如何能躲过搜查送出宫中而让人收养？为什么偏偏选择了曹家来收养这个女子？曹家为什么敢冒那么大的风险？在文字狱盛行的清朝，曹雪芹对政治避之不及，为何还要以这个女子为原型，塑造出秦可卿这样一个与政治有着重大干系的角色呢？

　　在这一讲里，我要对这些疑问一一做出解答。

　　《红楼梦》是一部被删改过的作品，这是一个不争的事实。作者曹雪芹和他的合作者脂砚斋多次披露，在《红楼梦》的创作中，由于某种不能说得太清楚的原因，实际上也就是非艺术性的考虑，而删减了内容。在对《红楼梦》细细的解读中，一个明显被删减的痕迹，就出现在第十三回。脂砚斋明确指出，这一回删去了"四、五葉"之多，线装书的"一葉"，相当于现在书籍的两个页码，若以每个页码五百字计算，那被删去的就差不多有二千五百字。以曹雪芹的文笔，他用一千三百五十个字就能让妙玉的形象活跳出来，而且还把妙玉与贾母，与刘姥姥，特别是与宝玉、黛玉和宝钗这些不同的人物的互动关系，生动地表现了出来，因此也就可以估计出，第十三回所删去的文字里，该有多么丰富而生动的内容了。确实这一回也就显得比较短，跟其他各回相比，在篇幅上不够匀称。

　　第十三回说的是秦可卿突然死亡，王熙凤协理宁国府丧事的故事。根据脂砚斋的批语，我们可以知道，这一回的回目原来是"秦可卿淫丧天香楼"，因为删去了关于天香楼的文字，所以后来把回目改成了"秦可卿死封龙禁尉"。这在字面上也是说不通的，前面已经分析过，这里不再重复。

那么，第十三回里被删去的，究竟是些什么内容呢？一般人都猜测，一定写的是贾珍和秦可卿两个人的恋情，两人在天香楼上做爱，一定写这个。我也认为会有这个内容，但仅仅是这个内容吗？我觉得肯定不止这个内容，如果只是这个内容的话，曹雪芹不至于把它删掉，不至于脂砚斋给他一出主意，就把这个删了，不可能。因为在《红楼梦》里面，有时候根据情节的需要，根据塑造人物的需要，他也写一些情色场面，写得也挺露骨的，比如贾琏和多姑娘偷情，那段文字脂砚斋就没提议删去，他来回地整理书稿，都没有删。因此，可以判断删去的"四、五叶"当中，既有贾珍和秦可卿两个人的恋情，还有必须删掉的政治性内容。

删去的文字里有政治性内容，可以从两个丫头的离奇表现看出来。秦可卿在天香楼上吊死了，导致了两个丫头的古怪反应。一个就是瑞珠，秦可卿死了以后，她就触柱而亡，如果她只是看见了主子淫乱，她何至于触柱而亡啊。贵族府邸的那些老爷、少爷是满不在乎的，你是我的仆人，我当着你的面做这样的事，你能怎么着，你看惯了见怪不怪！大家记得尤二姐、尤三姐到了宁国府以后的那个情节吗？贾敬吞丹死了，当时贾珍和贾蓉不在家，尤氏来料理这个丧事，她把娘家的继母和两个妹子接到宁国府，帮助照应一下。后来贾珍和贾蓉骑着马赶回来了，贾蓉先回来，这时有很大一段文字描写，说他当着丫头婆子什么的就乱来。因为尤二姐、尤三姐虽然是他的姨母，但是他很不尊重，这两个人年龄也不是很大，又很漂亮，本身作风也不好，他就想，首先不说别的，想占便宜。你记得那一回里面写到，旁边丫头还有劝的，说她两个虽小，到底人家也是姨妈那一辈的，贾蓉说你说得对，咱俩先亲一个，馋她两个。我现在说的不是原文，是大致的情节，记不记得？搂过丫头来就亲嘴，有鬼个避忌！当时在封建大家庭里面，主子具有至高无上的地位，尤其是男主人，他不避讳这些丫头的。如果是贾珍和秦可卿在天香楼上仅仅是乱性，被瑞珠撞见了，那虽然也对瑞珠不利，但瑞珠不至于事后便触柱而亡；瑞珠一定是听见了绝对不应该听见的话。那绝对不应该听见的话，就应该是秦可卿真实出身的泄露，就应该是政治性的信息，也就是义忠亲王老千岁那一派，"义"字派的绝密信息。所以瑞珠觉得我被发现听见了，我如果自己不死，主子把我治死就会更惨，我别活了，她就急茬，活不下去，触柱而亡了。另一个丫头显然也听见了什么，那就是宝珠，宝珠不愿意死，宝珠比瑞珠聪明，她采取了什么办法呢？一想秦可卿没有生育，没有子女，我就甘愿做她的义女，我来驾灵，我来摔盆，我来充她的子息，参与丧事活动；后来秦可卿的灵柩被送到了铁槛寺，她就在那儿待下来，表示我再也不回来了。当然这样令贾珍很放心，贾珍听说一个触柱而亡了，他知道这个人听见了政治性的机密信息了，你死了，死了好，你就泄露不了了；这一位也打算永远闭嘴，永远闭嘴也好，就接受她当义女。按说宝珠那么一个丫头是没那个资格的，贾珍将瑞珠以孙女的规格殓殡，又命令府里的仆人称宝珠为小姐，都是很滑稽的，他为什么要这样？其实就是暗暗感谢她们不泄露政治性机密。可见曹雪芹所删去的"四、五叶"文字，里面会有关于秦可卿真实出身的泄露，会有关于秦可卿的这个家族处境如何困难的一些文字描写。

曹雪芹写《红楼梦》的总动机，他确实还不是要写一部政治小说，再加上当时文字狱那么严酷，所以脂砚斋跟他说，说你删去算了，不要有这些内容。脂砚斋有关的批语是这样写的："秦可卿淫丧天香楼，作者用史笔也。老朽因有魂托凤姐贾家后事二件，嫡是安富尊荣坐享人能想得到处，其事虽未漏，其言其意则令人悲切感服，姑赦之，因命芹溪删去。"经过我前面那么多的分析，这条本来让我们觉得语意含混难解的批语，就比较好理解了。脂砚斋说曹雪芹写秦可卿用的是"史笔"，就是不顾情面，照实写来。这段批语的口气，完全是在说秦可卿的生活原型，脂砚斋的意思是，你如实地写本没有什么不对，这个人尽管她没能完成原来预定的使命，但是她临死前毕竟还是贡献出了很好的主意，这是那些只知道享福的人想不到说不出的，她的这个好的表现你没有遗漏掉，给她写出来了，光是她的这些言语和一片心意就让人感动佩服了，那么，就姑且赦免她的"擅风情，秉月貌"吧，所以我让你删去她在天香楼上淫乱的这些文字。曹雪芹听取了脂砚斋的建议，他可能后来也觉得自己虽然有真实的生活依据，但是那么样写出来，未免太残酷了，这个人物的原型本来就那么可怜，这些事帮她隐瞒算了，于是就动手把有关情节删除了。当然，无论是脂砚斋还是曹雪芹，删减第十三回的重要动机，应该还是避免文字狱。这可不像"藩郡馀祯"或者"臭男人"那样，仅仅是只言片语，这可是大段的情节，还是删掉算了，但这个根本的动机他们又不能留下文字的痕迹。

我在最前面关于红学的简介中，提到红学的一个分支版本学，也就是说《红楼梦》是一部有多种版本留世的作品，早期的手抄本大都叫做《石头记》，各种版本在文字上都有若干差别，研究这些差别，可以探寻出曹雪芹的原笔原意。有的版本出现的异文可能是誊抄者的手误，有些却是人为的曲解，有的则是曹雪芹原笔原意的保留。仔细研究不同版本里的异文，对我们更准确地把握曹雪芹的创作意图，是一个重要的方法。那么，在《红楼梦》的各种版本里，有关秦可卿的文字，有没有特别值得注意的异文呢？在戚蓼生作序的《石头记》里，我就发现了一处在别的版本里被删掉的文字——回前诗。这首回前诗反映了曹雪芹真实的写作意图，作者对秦可卿这个人物的真实身份，在这首回前诗里是有所透露的。在蒙古王府本的《红楼梦》第十三回前面，也能找到这样一首回前诗，只有个别字跟戚序本不同。

戚蓼生作序的古本《石头记》第十三回的四句回前诗，是这么写的："生死穷通何处真？英明难遏是精神。微密久藏偏自露，幻中梦里语惊人。"这四句什么意思呢？"生死穷通"，生和死不用解释了，穷和通也是两个概念，跟生死是搭配的，穷就是完蛋了，到尽头了，通就是通达了，走通了。那么小说里面写的这些，尤其是秦可卿以及相关人物的生生死死，穷穷通通，哪些是真的呢？回前诗中先自问一下。"英明难遏是精神"，这文笔很英明，他不能都写出来，但是有一种精神，作者有一种精神上的倾向，他没有办法遏制；或者说是秦可卿这个人物有她的英明之处，就是她临死也还有股精神，她难以遏制这股精神，她要发泄，结果就"微密久藏偏自露"。"微密久藏偏自露"，这七个字太重要，也太露骨了，告诉我们，秦可卿她的真实身份长久都是很隐秘的，但是在这一回里面偏偏要有所暴露，有所显示，那就是秦可卿给王熙凤托梦，"幻中梦里语惊人"。她显然是高于贾府的一个有广阔的政治眼光的人物，在梦里她指点贾府，今后你们应该怎么办，我已经不行了，我要走了，但是我实际上是一场政治交易的产物，我死了以后，你们家并不是马上也要遭灾，反而会有一桩喜事降临，会有"烈火烹油、鲜花着锦"的好事出现，但是那也是瞬息的繁华，在那个好事之后跟着来的就是"三春去后诸芳尽，各自须寻各自门"。所以这个人很厉害，"幻中梦里语惊人"。秦可卿这个人物她的生活原型，其实在这首回前诗里，已经透露出来了。

　　关于秦可卿，在第七回还有一个细节，您千万别忘，就是香菱被薛家强买以后，又被带到京城，住到贾家。当时周瑞家的看见了香菱，周瑞家的说她长得像谁啊？周瑞家的跟金钏说："倒好个模样儿，竟有些像咱们家东府里蓉大奶奶的品格儿。"金钏就立即表示她也有同感。曹雪芹写这一笔是乱写的吗？随便写的吗？他都是有寓意的。香菱是个什么人呢？第一回你还记得吗？甄士隐正抱着香菱玩，来了一僧一道，这两人当时怎么说的？他们说，"施主，你把这有命无运、累及爹娘之物，抱在怀内作甚？"秦可卿就是一个有命无运的累及爹娘的一个生命。她自己很清楚，她生在最不应该出生的时刻，给爹娘带来很大的麻烦。后来她虽然被隐秘地寄养在了宁国府，爹娘牵挂她，但她的被藏匿又随时可能给爹娘招惹麻烦；而她的生死存亡，完全取决于她的家族能否在政治权力的搏斗中获得胜利。她虽然是一个生命，却无法自己决定自己的命运，所以后来她焦虑到极点，得了抑郁症。她自己说，任凭神仙也罢，治得病治不得命，她那有命无运的悲惨程度，甚至超过了香菱。

　　在《红楼梦》第五回"游幻境指迷十二钗　饮仙醪曲演红楼梦"中，曹雪芹一连写了很多首册页诗，这些诗是金陵十二钗的判词；此外，又有《红楼梦》十二支曲；每一首诗每一支曲，都暗示着书中人物后来的命运。虽然《红楼梦》是部残缺不全的作品，但是通过这些词曲中的暗示，读者能了解到这些人物的命运轨迹和最终结局，也能了解到作者对这些人物的态度和评价。在"金陵十二钗正册"最后一页的判词中，以及关于秦可卿的那支曲《好事终》中，曹雪芹概括了秦可卿的命运并对之有所评价。

　　金陵十二钗正册最后一页上，画着高楼大厦，那应该画的是天香楼，画上有一美人在高楼里悬梁自尽。这画面很明确地告诉你，秦可卿不是病死在床上，她是上吊自尽的。配合这幅图画的判词一共四句："情天情海幻情身"，意味着秦可卿的家族背景是天和海。"情既相逢必主淫"，这当然是说秦可卿跟贾珍相逢，双方都有情欲，你爱我我也爱你，必然就会有淫乱的事情发生。曹雪芹他是用"秦"来谐"情"的，吴音里 qin 和 qing 是不分的，"秦可卿"谐"情可轻"，意思就是这种感情本来是应该轻视的，不必那么看重的，但事实上却发生了——"秦可卿"又谐"情可倾"——过分倾注情感的事情。我以为，曹雪芹这样谐音，他的含义不是单一的，不光是说贾珍跟秦可卿的感情，他也是在说贾家和"义"字派的感情，和"双悬日月"的那个"月"的感情，太过深厚了，结果就做出了藏匿秦可卿的事情；如此看重政治结盟的感情，也是并不可取的，"情可轻不可倾"，这是事后悟出的，很沉痛的教训。下两句是"漫言不肖皆荣出，造衅开端实在宁"，这就说到秦可卿与贾府陨灭的因果关系了。如果秦可卿的问题只不过是跟贾珍有不正当的关系，没有别的因素在内，那么她的生死存亡，跟荣、宁二府的兴衰安危能有多大关系呢？这两句实际上就跟我们点明了，不要以为后来贾家断送了前辈创下的家业，问题都出在荣国府，那祸根，实实在在地是在宁国府这边；那滔天大罪，就是宁国府藏匿了秦可卿，又不是谨谨慎慎小心翼翼地藏匿，贾珍又跟秦可卿发生了恋情，把事情弄复杂了，因此，最后贾府的倾覆，首要的罪责，在宁国府。

《红楼梦》十二支曲，实际上加上引子和收尾，一共是十四支，那第十二支，曲名叫《好事终》，说的是秦可卿。"画梁春尽落香尘"，这是对秦可卿在天香楼悬梁自尽的诗化描绘。"擅风情，秉月貌，便是败家的根本"，是说秦可卿不安分，她不该在藏匿期间跟贾珍淫乱。在这里我要提醒大家注意"秉月貌"的措辞，月貌当然是花容月貌的意思，就是说秦可卿她非常之美丽，但是我上几讲已经告诉你了，在《红楼梦》的文本里，月喻太子，因此这样措辞，我以为也是在点明秦可卿跟"月亮"的亲缘关系。下面的句子，跟那判词一样，也说到秦可卿跟贾家败落的关系，"箕裘颓堕皆从敬，家事消亡首罪宁，宿孽总因情"。"家事消亡首罪宁"跟"造衅开端实在宁"意思一样，好懂。不好懂的是"箕裘颓堕皆从敬"，"箕裘"就是指家族的正经事，"箕裘颓堕"就是家族的正经事因为不去负责，都乱套了，颠倒了，但是这怎么能说是贾敬的问题呢？有的红迷朋友就跟我讨论，说贾敬跟秦可卿有什么关系呀，他根本就不在宁国府里待着，他跑到都城外的道观里跟道士胡羼炼丹，打算升天当神仙，怎么这支说秦可卿的曲子里，竟会责备起他来了呢？应该说"箕裘颓堕皆从珍"才是啊。贾珍一味享乐，把宁国府都翻了过来，也没人敢管他；他又跟秦可卿乱来，他有责任嘛！怎么会这里不去说他，反倒去说贾敬呢？

曹雪芹在关于秦可卿的这支曲里，他就是要透露这样的信息，就是要告诉我们，对宁国府藏匿秦可卿这桩关系到家族命运的大事，贾敬竟然采取了逃避的态度，他居然就不负责任；如果他负责的话，他留在府里，对贾珍起到抑制的作用，也许事情就不至于闹得那么乱乎，焦大也就不至于骂出那样一些丑事来；但是他逃避了，任凭箕裘颓堕，不闻不问，他连府里给他过生日，都坚决不回来，他对宁国府后来的倾覆，负有头等的罪责。这个贾敬应该也是有生活原型的，最初接收那个秦可卿原型的时候，他的父亲，也就是书里贾代化的原型还活着，跟贾代善、贾母的原型他们共同决策，决定由宁国府的原型来藏匿秦可卿的原型。做出这一决策的根本原因，"宿孽总因情"，就是他们跟现实生活中的废太子，关系实在太铁了，太有感情了，也就顾不得是否最后会导致"作孽"的后果，是否会葬送了百年望族的前程。当然，他们也是投机，这件事做稳妥了，一旦废太子，或者废太子死后，当着理亲王的弘晳，能够翻过身来，登上皇位，他们家族所能得到的好处，那就怎么往高了估计也不过分。在真实的生活里，贾敬的原型，那时候他就不同意藏匿秦可卿的原型，但长辈做了主，他也无法阻拦。后来贾代化、贾代善的原型相继死去后，他就公开撂挑子了，他就逃避了，他把爵位让给贾珍的原型袭了，把族长也让给贾珍的原型当了，他的态度就是，今后府里的事跟我都没关系了。从生活原型、原型人物、原型空间、原型事件，到小说里的人物、府第、故事，应该就是这样的一种对应关系。

关于秦可卿的这支曲，曲名叫《好事终》，现在那含义很清楚了：本来藏匿秦可卿，是一桩好事——对于秦可卿本人来说，她可以不必跟父母及其他家人过被圈禁的生活，而且一旦她的家族在权力斗争中获胜，她就可以亮出真实的公主身份；而藏匿她的贾家，如果她的背景家族，也就是月亮，"天上一轮才捧出，人间万姓仰头看"，终于成事了，那么就相当于立了大功，荣华富贵就一定会升级，这当然是大大的好事。但是最终却是"月"派的失败，而且还没等到最后失败，就先要让秦可卿牺牲，好事没成，好事终结了，所以关于秦可卿的曲子叫《好事终》。

高鹗续书，在前面他也保留了关于秦可卿的判词和《好事终》曲，那里明白地写着"首罪宁"，他往下续书，到最后当然也只好把宁国府的罪写得好像是比较大。根据他的写法，皇帝整治宁国府比较彻底，贾家延世泽，只宽恕了荣国府，但是高鹗最后给宁国府归纳的罪状是什么呢？你现在看看去，很滑稽的，大体上一个就是逼娶良家妇女，就是说尤二姐的事。但这个尤二姐是谁娶了她啊？是贾珍吗？就算贾珍在当中起了不好的作用，罪名首先也应该是贾琏啊。贾琏他国丧、家丧都不顾，违反封建礼法娶了尤二姐，而且还造成尤二姐跟她原来订婚的丈夫的分开，造成了一些其他的后果。这是荣国府的事呀，高鹗他却为了把宁国府写得罪大恶极，就列出这么一条罪状。还有一条更可笑，有关尤三姐。高鹗的文字大体就是说，这个人死了以后宁国府没有报官，私自掩埋了。可这才算多大的罪啊，在封建社会也不是什么不得了的罪。然后他就把贾珍写得最后被治得很惨。他想不出别的办法，因为什么？也许是他没有搞清楚前面关于秦可卿的描写是怎么回事？其实也许是他太清楚了，他要回避，他要掩盖，所以他这么写。实际上在八十回以后，根据曹雪芹本人的构思，贾府的陨灭，"造衅开端实在宁"，"家事消亡首罪宁"，应该主要是宁国府惹出大祸，那"造衅、首罪"是什么？应该就是后来"当今"重提宁国府居然收养了皇族罪家女儿的事情。本来这件事已经通过秦可卿自尽，体面地解决了，但"三春去后"，"当今"改变了态度，新账旧账一起算，那么藏匿秦可卿这件事，当然就是弥天大罪，贾家就没有活头了。这时不但宁国府罪不可赦，荣国府也脱不了干系，于是忽喇喇似大厦倾，昏惨惨似灯将尽，家亡人散各奔腾。

那么我说到这儿，先做一个结论，再针对可能对我提出的质问，做出一点解答。我的结论就是：曹雪芹所写的秦可卿这个角色是有生活原型的。这个角色的生活原型，就是康熙朝两立两废的太子他所生下的一个女儿。这个女儿应该是在他第二次被废的关键时刻落生的，所以在那个时候，为了避免这个女儿也跟他一起被圈禁起来，就偷运出宫，托曹家照应。而现实生活当中的曹家，当时就收留了这个女儿，把她隐藏起来，一直养大到可以对外说是家里的一个媳妇。在曹雪芹写《红楼梦》的时候，这个生活原型使他不能够回避，他觉得应该写下来，于是就塑造了一个秦可卿的形象。概而言之，秦可卿的原型就是废太子胤礽的女儿，废太子的长子弘皙的妹妹。如果废太子能摆脱厄运，当上皇帝，她就是一个公主；如果弘皙登上皇位，弘皙就会把已故的父亲尊为先皇，那样算来，秦可卿原型的身份依然可以说是一个公主。

秦可卿原型的公主级身份，是许多《红楼梦》的读者没有想到的。我这个结论出来以后，一定会有人提出质疑，头一个问题就是，在康熙时期，太子胤礽被废圈禁后，受到严格的看管，在那样的情况下，把一个婴儿偷运出宫，难道是可能的吗？历史上难道存在过类似的事实吗？

有的人不清楚清朝那时候的情况，以为太子被废被匿禁，只是把他一个人带到一处地方关起来，不是那样的；废太子被圈禁，是整窝地被圈禁。他当太子的时候，住在毓庆宫，被废被圈禁后，有个移宫的过程，移往紫禁城一角的咸安宫去，而且也不是光转移他一个人。他除了正妻以外，还有许多小老婆，有大大小小一群儿女，还有伺候他和他妻妾儿女的一大堆男女仆人，因此，那转移是个浩大的系统工程。就算康熙动了气，下了很严厉的命令，要求转移的过程中不许有疏漏，那也难免出现一些混乱，一些漏洞。何况太子一废以后，没多久康熙又后悔了，太子又复位了，那么一废的时候对太子不好的人，在太子复位后肯定会被打击报复，因此，二废的诏令下来时，执行移宫的人员里，就一定会有人觉得不能太生硬，谁知道康熙他过些时候会不会又平了气，再让太子复位呢？在那样的过程里，发生一些逃逸的事情，看守者执法不严的事情，都是可能的。更何况，贪图钱财，贿赂到手，管你什么王法不王法，这样的人，这样的事，自古有之。人性的黑暗面，加上还可能有的人性中的同情心、怜悯心、不忍之心，在那种复杂的世态中，有人以复杂的心态，做出越轨的事，实在不是什么难以理解的事。

就是把废太子一家都转移完了，太子一家全都被安顿到咸安宫里软禁起来了，看守的制度也完善了，那也依然难保没有空子可钻。因为康熙有指示，对废太子，以及他那一大家子，生活待遇上还要保持原来的水平，叫做"丰其衣食"，那么天天往里头送生活用品，往外运废物垃圾，应该还是川流不息的状态。清朝史料里还有夏天往咸安宫里运送冰块，给太子他们消暑的记载。废太子和他的家人，刚迁到咸安宫里，气焰不会太高，却也难免还会习惯性地颐指气使，还有一些余威；看守他们的人员，有的一开始也肯定让他们三分。因为那时候谁也说不清楚，以后究竟会怎么样，既然一废不久康熙就后悔过，焉知二废后会不会三立呢？当时的情况，可以说是很怪异、很微妙的。

根据史料，太子被二废后，他是一直不死心的。他曾利用太医院太医去给他的福晋——就是大老婆——看病的机会，买通那个太医，让他带出一封密信去。密信是用矾水写的，表面上，是张白纸，但是拿到火上去一烘焙，字就现出来了。太医把密信递到了废太子指定的人手里，那人也没拒绝接收。这封密信的内容，是废太子指示那个接收密信的大官，设法在见到康熙皇帝的时候，为他说好话。当时西北又有部族叛乱，废太子让帮他说话的人向康熙保举他担任征西大将军，以戴罪立功，实际上也就是图谋重新回到太子的位置上去。没想到矾水写密信、私递出咸安宫的事，很快被人告发了，康熙严厉地处置了相关的人，对废太子倒没再怎么样，只不过不去理他就是了。这个例子也充分说明，废太子他不甘心，他也还是有余威的，有的人就帮他传递密信，有的人就帮他说话。

　　根据查出的这些史料，我形成了一个思路。在当时那种情况下，废太子身边的一个女人，如果恰恰在他被二废的关键时刻，产下了一个婴儿，他们不愿意让这个可怜的孩子，一落生就陷于被圈禁的处境，于是趁着混乱，买通看守，将其偷运出宫，送往曹家藏匿。这种事情是有可能的。

　　但是抽象推论，是不能说服人的。那么我不跟你进行抽象的推论了，我要告诉你，从清朝所留下的档案里面，可以找到根据，证明在那样的情况下，是有人曾经逃逸出来的。这些材料，甚至在雍正朝和乾隆朝他们反复清理遗留档案的时候，都没有被删去。例如，根据《清圣主实录》第二百六十八卷的记载，在太子第二次被废的前后，从太子被圈禁的咸安宫里面就逃出过一个人，不过不是一个幼儿，是一个成人。这个人有名有姓，当然是满族人，叫得麟。这个人他没想到自己的主子又被废了，又要从毓庆宫移到咸安宫，而且移到咸安宫以后，就要跟主子一起被圈禁，这一圈禁，就不知道哪一天才能获得自由了，他就决定逃走。他采取了一个什么办法呢？诈死。他装死，想办法通知外面看守的人，说死人了，要运死尸，所以就把他当做死尸抬出去了。这可不是假设，不是推理，这是生活中真实存在过的事情。这个得麟诈死逃出以后，还有人收留他。你不要总是问，逃出皇帝下命令的圈禁，已经是死罪，难道会有人敢于收留他吗？那不也是死罪吗？依我看，任何时代，任何情况下，总会有人冒死做一些违法的事。那个收留得麟的是一个大学士，叫嵩祝，他就收留了得麟。后来康熙亲自处理这个案子，得麟被处死，嵩祝也被整治；康熙就指出，虽然太子被废了，但是像嵩祝这种人，还是要做讨好废太子的事，就是总怕废太子再成为太子，最后还要登基成为皇帝。现在我们虽然还没找到任何关于太子的女儿偷运出来，被曹家藏匿的史料，但我们可以不必再问：那是可能的吗？因为其可能性，应该大于得麟的逃逸和被收留藏匿。得麟是一个成人，诈死以后装作死尸也很大，尚且都可以偷运出来，何况刚刚诞生的婴儿。得麟不过是废太子身边的仆役，尚且有大学士嵩祝觉得"奇货可居"，可以作为将来向"正位"的胤礽邀功的本钱，愿意将其收留藏匿，那么，收留藏匿胤礽的一个女儿，对于曹家来说，难道不是能获取更大利益的政治投资吗？何况"宿孽总因情"，他们之间不光有共同的政治利益，交往久了，也确实有了感情。

　　说到这儿，可能有人会说，我还是有点不服气，我知道清朝当时有宗人府啊。什么叫宗人府？就是皇室的每一个成员，每一个皇族血脉的孩子，从婴儿就要开始登记的。宗人府是管这个的，这些是要严格登记的，不能说你生一个孩子就让人家抱养了，隐瞒起来，这查出来以后可是死罪。但还是上面那句话，在任何时代，都会有个别人，冒死去做一些违禁的事。我现在就举实例告诉你，也在康熙朝，康熙自己就曾经处理过相关的一个案子。就是宗室原来的内大臣觉罗他达，因为孩子太多，他小老婆又生了一个孩子，他就不想要了。尽管宗人府定例森严，他就是不报，不报这个孩子又不能把他弄死，怎么办呢？就有包衣佐领——这个人还有名字，康熙还点了名，名字叫郑特，他就把觉罗他达不要的这个孩子，领到自己家养起来了。现实生活当中的曹家，就是满族的包衣，就是统治集团的一个奴才班子里面的成员，跟这个郑特的身份，是一样的。作为包衣，郑特居然就敢于背着宗人府，收养皇族血统的后代，这可不是什么小说里面的情节，这是历史上的真事，因此你就不要再那么问了：皇家有规定，皇族血统的孩子必须一落生就到宗人府登记的，难道会有人敢于不登记吗？私自收养皇家血统的孩子，是违法的，尤其是奴才身份的人，更不允许把皇族的后裔私自抱去养起来，难道会有包衣，把皇族没在宗人府登记的孩子，私自抱去养起来吗？可能吗？不存在可能不可能的问题，康熙亲自处理过这样的事，有史料可查；而且康熙处理时还提出这样一条，说这一家血脉因此就不清楚了，所以今后在选秀女的时候，这一家的女孩子就不可以混入选秀女的名单里面了。康熙很严厉地指示，有类似情况要严格查明。虽然皇帝很严厉，但是，你看有例子是不是？有人就从被圈禁的宫里面逃逸；有人就收留逃逸的人；有的皇族生了孩子就瞒着宗人府，违禁地送给别人；而包衣奴才身份的人，他就敢私自把皇族血统的孩子抱到自己家养起来……包衣郑特的身份跟曹家差不多。曹家就是包衣世家，按说不可以随便把皇族的血脉拿到自己家里养，何况是被废掉的，坏了事的。但是康熙朝就发生过类似事件。因此，我们所面对的就不是一个可能不可能的问题，依我说，这是完全可能的，只是我们现在还没有找到胤礽的一个女儿被曹家藏匿的一手档案而已。

那么在这一讲的最后，我重申我研究得出的结论，就是《红楼梦》里面所写的秦可卿是有生活原型的，这个原型人物就是现实生活当中废太子家的一个小女儿，她应该是在废太子第二次被废掉的关键时刻被偷偷地送到曹家养起来的。曹雪芹在写作一部带有自叙性的作品的时候，就把这个生活原型化为了小说当中的秦可卿。

但是关于秦可卿的故事并没有结束，因为秦可卿在临死前给凤姐托梦的时候她有明确暗示，就是她的死亡和另外一个人的升腾是互为表里的，她是被人出卖的，她是被人告密的。那么在现实生活当中和在小说当中，向皇帝告密造成秦可卿死亡的那个人是谁呢？我将在下面几讲里，逐步地揭示这个人的真面目。

秦可卿被告发之谜（上）

　　在上一讲最后，我把自己探究的结论告诉了大家，就是《红楼梦》里面秦可卿这个艺术形象，她的生活原型，是康熙朝废太子的一个女儿。那么这个结论出来以后，我就碰到了一位红迷朋友，他不太服气，跟我来讨论。当然，我自己的一些结论，并不要求别人都来认同，本来红学就是一个公众共享的学术空间，大家都可以活跃起来，各自发表看法。我就问他，你怎么想不通呢？他说，依他想来，如果曹家藏匿了废太子的一个女儿，而且被人告密了，事情败露了，皇帝不会仅仅是让这个废太子的女儿自尽，一定会立即打击曹家。可是他说，你看看书里面怎么写的呀？书里面写的是，秦可卿在天香楼上自尽以后，贾家不但没有马上遭到打击，反而进入了一个"烈火烹油、鲜花着锦"的新局面。这家的富贵荣华，还上了一个新台阶了！因此，他就跟我讨论，问我说，如果生活当中，确实发生了您说的那样的事情，而您又说，它是一个自叙性、自传性的小说，反映到小说里边，作者却又是这样来写，秦可卿的死亡，没有马上给贾家带来打击，更不要说毁灭性的打击了，不但没有遭到打击，反而贾家情况更好了！这多奇怪呀！

　　我觉得他这个思路挺有意思的。我估计，观看我这些讲座节目的观众里，也会有人提出类似的问题，就是说，小说里这么写了，究竟是现实生活当中，大体上就是这么一个状况呢？还是曹雪芹在写这一段的时候，他完全离开了生活的真实，去进行凭空的艺术想象呢？

　　现在我可以很明快地回答大家这个问题，跟我讨论的这位朋友，我也是很明快地回答了他。我说呢，在现实当中，恰恰就是这么一个情况，曹雪芹写入小说的时候，当然对原始的生活形态，有改变，有挪移，有夸张，有渲染，有回避，有遮掩，但是总的来说，现实当中基本就是这么一个情况。我说完以后，那位红迷朋友就觉得，有一个新的问题，要跟我讨论。我说，你先别着急，因为我在上一讲里面，最后我自己提出了一个问题，我得先把我那个问题回答了，咱们再来讨论你这个新问题。他也觉得挺逗的，怎么研究《红楼梦》，跟套罐娃娃似的，一个问题套着一个问题？我说，这样研究《红楼梦》，才兴味盎然。

　　大家记得吗？在上一回最后，我自己提出一个问题，就是说，如果说在书里面——咱们先说小说，秦可卿这个事情暴露了，是有人告密，那么，这个告密者是谁呢？是谁把秦可卿的真实身份，告诉了皇帝呢？那么这个问题，我现在不绕很多的弯子，我也可以很明快地告诉你：你读《红楼梦》，读完秦可卿之死，很快就会读到另外一个人的升腾，这个人是谁呢？就是贾元春。第十三回秦可卿死了，对不对？第十四回、十五回，基本都是写秦可卿的丧事，到第十六回，就写了一件跟丧事反差很大的喜事。什么喜事？"贾元春才选凤藻宫"。因此从小说里面内在的情节逻辑来看的话，向皇帝告发秦可卿真实身份的这个人，应该就是贾元春。

　　你现在仔细想一想，贾家的命运，如果把贾家比喻为一只鸟的身子，他们家的命运，就是靠两只翅膀的扇动，来决定家族的提升。一只翅膀，就是秦可卿。贾家藏匿、收养了一个义忠亲王老千岁的骨血，一个女儿，这就是秦可卿。他们为什么要这样做呢？因为义忠亲王老千岁虽然"坏了事"，但是"坏了事"，并不等于说这支力量就彻底地毁灭掉了，它还存在，还可能从"坏了事"的状态，转化为"好了事"。所以从小说来看的话，宁国府隐藏了这样一个人物，一直把她作为贾蓉的媳妇养起来，把她调理成一个气象万千的杰出女性，就是在进行政治投资。这是往义忠亲王老千岁这股政治力量方面来投资。

　　在上几讲里边，我已经给大家讲了，义忠亲王老千岁的原型，应该就是康熙朝被两立两废的太子。他虽然被两立又被两废了，但是在康熙朝，这个人并没有死去，这个人是在雍正二年才去世的。康熙到了晚年，大家觉得，这位老皇帝的脾气，越来越让人觉得反复无常。不少人就想，他既然可以把胤礽废了又立，立了又废，那么有没有可能，就在他还在世的时候，第三次把胤礽立起来呢？因为这是他的亲骨肉，他从小把他培养成一个太子，费了多少心血啊。当时一些官僚集团的人，都有这种揣测，尤其是康熙认为"皇长孙颇贤"的传言，流传得特别广泛。"皇长孙"就是废太子的嫡子弘皙，而且弘皙那时候又为康熙生下了嫡重孙永琛，人们普遍觉得，即使康熙彻底废了胤礽，不让他继承皇位了，把帝位传给弘皙的可能性也是很大的。这些生活中的真实状况，化为小说里面的故事以后，贾家藏匿秦可卿，视她为政治投资的"绩优股"，你也就应该能够理解了，是不是？虽然义忠亲王老千岁"坏了事"，但是他的那些残余势力仍然存在，像冯紫英什么的都是，小说里面这些人物，都是属于这一派。所以贾家觉得，可以通过收养、藏匿秦可卿，进行这边的政治投资，一旦政局发生变化，义忠亲王老千岁本人，或者他的儿子，在小说里以模糊的光亮笼罩全局的"月"，在新的政治局面下成了皇帝，那么贾家就立大功了。你在人家最困难的时候，能够毅然决然地去藏匿人家的骨血，让其免于跟父母一起被圈禁，那么，人家成了新皇帝，肯定要大大地褒奖你。

我在上几讲里面，已经大体上提到了，你现在应该懂得这一点，就是为什么"坏了事"的义忠亲王老千岁，会把一个女儿寄顿到贾家呢？就是因为在真实生活当中，太子一废的时候，可能他还没有什么思想准备，有关情况我就不重复了，我前几讲讲过这个内容了；但是在二废之前，这个人会不会已有了思想准备？他经历过一次了啊！他有思想准备。他的家属，一大群人，除了他本身的正室以外，他有很多个小老婆，他的正室给他生了孩子，他的小老婆也给他生了孩子，太子也是子女满堂的。另外，还有伺候他们的很多人，是不是啊？而且在前一讲已经讲过了，那就不是小说了，是史料记载，说那时就有一个叫得麟的人，他发现太子又不行了，又要被废掉了，废掉了就要被圈禁起来啊，谁愿意被圈禁起来呢？就算是对太子的生活供应标准还不太降低的话，也没有自由啊——人总是向往自由的，高级监狱毕竟也是监狱，对不对？废太子他没有自由了，所有那些跟他有关的人，包括伺候他的人，也都没有自由了，所以这个叫得麟的人，就无论如何不想跟着被圈禁，就设法逃出去。他就诈死，把自己装成死人，想办法让人把他当尸体运出去，然后还真那么运出去了，还有一个大官僚就把他给收养了。当然，最后是被人揭发了，这个得麟处死了，藏匿他的官僚被整治了。

因此，你应该能够理解，在第二次大风暴要来临的时候，很可能这个时候，太子的一个妻妾就要临盆了，这时候，他或他的那个妻妾就想，风声传来了，又要被废了，又要被圈禁起来了，这个有命无运的孩子，为什么让她从一个婴儿起，就做囚徒呢？还是想办法通过各种关系，把她偷渡出宫吧！于是就把这个孩子偷渡出来，或者谎称是养生堂的孩子，或者谎称是被一个小官僚收养，或者就直接地，干脆藏匿到曹家，由曹家造出一些谣言，把她保护起来，养起来。所以无论是现实生活当中也好，是小说当中也好，你就都应该能够理解，一家人之所以能够去藏匿、收留暂时政治上失利的一派政治力量的一个骨肉，一是因为他们之间毕竟交往多年，有感情，"宿孽总因情"；二是因为这样做也是政治投资，将来还很难说，像押宝一样，还有一本万利的可能。这就是贾家的一只翅膀，秦可卿。

但是和当时清朝的其他官僚一样，曹家进行政治投资，不能光是一面投资——一面投资你就不保险，得"双保险"！于是就有另外一只翅膀，那翅膀也使劲扇动，就是把自己家族的一个女儿，送到宫里面去，想办法让她逐步晋升，使她最后能够到皇帝的身边，成为皇帝所宠爱的一个女子。在小说里面，这个人就是贾元春。这当然是一个很现实的投资了，因为投资对象是现在的皇帝，所谓的"当今"啊！

就这样，两只翅膀飞。如果这边这个投资失败了，不成功，那么只要这个翅膀没有完全折断，还勉强能够扇动，那边的翅膀又还强劲的话，这个鸟还能飞起来。所以他们两面进行政治投资。在现实生活里，曹家是这样的，小说里面，曹雪芹的艺术构思是设计了一个贾家，告诉你贾家一些故事。那么在小说的前半部，他就重点给你讲了，一个是秦可卿，一个是贾元春，她们两个的故事。

当然，前面也写到了一些其他的女性，写到刘姥姥，有很多的故事，但是可以说，从第一回到第十六回，"金陵十二钗"中亮相得比较充分的，应该就是秦可卿，然后在第十六回的时候，就像海面上浮出来一角冰山一样，贾元春就浮出海面了。这是关系到贾家命运的两个女子，她们是非常重要的。

根据小说的描写，我们就发现，有这样一个因果关系，就是秦可卿上吊自杀之后，接着发生的事情，就是贾元春地位得到提升。因此，我刚才之所以能够很明快地告诉你，因为我的判断就是，作者的构思——他没有直截了当写出来，但是他的构思是这样的，后面我还要举很多例证证明，他确实是这样一个构思——就是由于贾元春告诉了皇帝，我们家藏匿了一个义忠亲王老千岁的女儿，就是由于她对秦可卿真实身份的告发，才形成了小说里面那样一些情节的流动。其中最关键的情节就是，秦可卿在天香楼悬梁自尽。她不得不死，因为皇族的骨血，尤其是罪家的骨血，是不可以藏匿起来的。可是皇帝喜欢贾元春，她的告发行为，又体现出了她对皇帝的忠诚，于是皇帝就把这件事画个句号，你秦可卿自尽了就算了，贾家藏匿皇家骨肉的事情就不予追究了。而且，皇族家的这类事情，也属于"家丑不可外扬"，因此，对外还允许贾家大办丧事，宫里还来大太监参与祭奠，就对这个事情进行遮掩，让丧事表面显得很风光，不让社会上一般人知道真相。贾元春告发了秦可卿，体现出了对皇帝的忠诚，当然她也一定会苦苦哀求皇帝，不要追究他们贾氏，皇帝大概觉得她忠孝两全，于是予以褒赏，就提升她的地位，就"才选凤藻宫"了。小说里面，它是这样一个情节逻辑。

说到这里，必须回答那位红迷朋友这样一个问题了，这恐怕也是很多人都想问我的：在现实生活当中，是不是真有这么一个情况？皇帝难道就那么愿意原谅生活当中的曹家吗？小说里面，写成贾家在秦可卿死了之后，不但没有受到惩罚，反而有一个大好局面出现，这样的情节安排，有合理性吗？

要回答这个问题，就必须弄清楚《红楼梦》叙述文本里的时间顺序问题。

《红楼梦》它是小说，作者在第一回里面，通过石头跟空空道人对话，就故意有一个说法，叫做"朝代年纪，地舆邦国，却反失落无考"。就是他不愿意直接说出来，我写的是哪朝哪代的事，他也不愿意直接说出来，我写的是哪个空间里面的事情。所以红学界一直有争论，究竟它写的是什么时候的事情？在《红楼梦》文本里，对男人，避免写他们剃去额发留大辫子，贾宝玉虽然写他梳辫子，但又不像典型的清朝男子的辫子，写北静王的服饰，更接近明代的样式。以至后来许多人画《红楼梦》图画，男人的服装打扮基本上往明朝靠；戏剧影视当中，人物的服装造型就离清朝更远了。但是清代对女性的服装改变不是很大，一般汉族妇女的服饰跟明代很接近。《红楼梦》里写女性服饰，清朝的味道是有的，但不明显。比如满族妇女有自己很特殊的服饰，如旗袍、两把头、花盆底鞋等等，这些在《红楼梦》里都没写。而且，对于书中诸女子究竟是大脚还是小脚，除了尤三姐直接写到是小脚，傻大姐直接写到是大脚以外，都写得很含混。这当然是曹雪芹的一种艺术处理技巧，他不想直截了当地通过这些描写来坐实小说的具体时代背景，但这里面除了艺术考虑以外，恐怕也有避免惹麻烦的非艺术考虑。时间上有模糊处，空间上也有模糊处，大观园里，南方北方的特有植物全出现，比如红梅花。北方地栽的红梅花非常罕见，甚至根本就种不活，但是故事里出现了很壮观的红梅花。红学界因此争论也很多，大观园是在南京，还是在北京啊？究竟在什么地方？当然，更多的细节证明，书里写的荣国府、大观园，还是在北方，在北京。比如里面多次写到炕，在炕上坐，在炕上吃饭，贾环在炕上抄经，故意把炕桌上的蜡烛推下去，烫伤正躺在炕上的贾宝玉等等，炕这个东西在金陵是没有的。贾宝玉还说"常听人说金陵极大"，可见他懂事后就根本不住在金陵，金陵对于他来说只是一个常听大人提到的地方。也就是说，自林黛玉进都以后，故事里人物活动的主要空间，就是在北京，甚至连北京西北城的花枝胡同，也写进去了。当然，曹雪芹也借用了某些江南的事物，特别是景物，不过从主要的方面看，是写北京。曹雪芹在文本上，时间、空间方面，都故意让它有一定的模糊性，他使用了烟云模糊的艺术手法。

但是实际上《红楼梦》的文本，它又具有很强烈的自叙性和自传性。它的自叙性和自传性，又是可以勘察清楚的，因为它具有这种素质，所以这个文本很有意思。就在《红楼梦》第一回当中，我上面所引的"朝代年纪，地舆邦国，却反失落无考"这话旁边，脂砚斋就有一条批语，一语道破天机。

脂砚斋她很厉害，因为她是曹雪芹的合作者。小说里面的石头，不是跟空空道人有段对话吗，这段话你明白吗？为什么叫《石头记》呢？就是石头它后来缩成扇坠大小下凡去，经历一番人世的浮沉，复杂的经历，最后这个石头，又回到原来那个地方，青埂峰，还原成一个大石头。还原成大石头以后，跟原来有什么不同呢？上面就写满了字。写满什么字呢？意思就是写满了现在咱们看到的字，就是《石头记》。所以石头就跟空空道人说，我所写的这个东西"朝代年纪，地舆邦国，却反失落无考"。可是脂砚斋批语，马上跟上一句，叫做"据余说，却大有考证"。脂砚斋批的时候很开心，他们两个人互相在调侃，脂砚斋的意思就是，实际上你写这些东西，托言石头所写，其实不就是你曹雪芹写的嘛，其实你所写的这些，无论是从时间上来说，还是从空间上来说，都是"大有考证"！

我个人的研究方法，属于探佚学当中的考证派，我考证的思路，就是原型研究，所以我现在进行这些考证，我觉得不好笑，因为脂砚斋鼓励了我，脂砚斋就说了，"大有考证"。那么现在我要考证什么问题呢？就是要考证《红楼梦》叙述文本里的年代顺序问题，就是《红楼梦》它究竟写的是什么时代、什么朝代、什么历史事件背景当中的事。

　　大的方向我们老早就确定了，在前面，我已经讲了很多，比如帐殿夜警事件，曹家在三朝中的浮沉兴衰，等等，通过那些分析，我们就知道，《红楼梦》应该写的是康熙、雍正、乾隆三朝，写的是在那个大背景下发生的事。现在就需要更加细化，比如说从第一回到第八十回，究竟写的是哪一年的事？把这个问题搞清楚以后，有什么好处呢？那样的话，不但我们可以进一步地了解到《红楼梦》写作的历史背景，而且可以了解到作家写作的时候，他内心的种种情愫，他的痛苦，他的欢乐。而且我们还可以通过排一个时间表，了解到《红楼梦》小说文本后面的人物原型、事件原型、物件原型、细节原型，所以这种探究是很有意思的。

　　为了讨论起来方便，我先把最容易回答的部分，先说出来，比较麻烦的，我放在后头。最容易的部分是什么呢？就是我可以很明快地告诉你，《红楼梦》的第十八回的后半回起到第五十三回上半回，写的都是一年里面的事情。这个我想大家不应该有争论的，因为你读时就发现了，它的季节变化的时序非常清晰，可以说是一丝不乱的："元妃省亲"，当然，除夕我就不算了，转过来就是过年了，然后就是元宵节，然后就是春天了，然后就是初春，仲春，然后是春末，然后是初夏，然后是夏天，然后是秋天，然后是冬天，然后下雪了，然后又到过年的时候了。所以，从第十八回后半部，到第五十三回上半回这三十五回书，很显然，写的就是一年里面的事情，而且它把春、夏、秋、冬四季，把季节背景描绘得是非常的清楚。那么这三十五回书，所写的这一年是哪一年？就是乾隆元年。

　　为什么我说它是乾隆元年？有很多证据。但是我在这儿要讨论的问题太多，我不一一列举，我只举几例。首先举一个最小的例子，第十八回写到贾元春省亲，省亲就有一些细节描写，写到所谓的銮舆卤簿——卤簿是一个文言词，可能你听起来不太好懂，但是我跟你一说成白话文，你就懂了，就是仪仗。皇帝出行或者是后妃出行，前面都有仪仗队，仪仗队非常地复杂，有非常烦琐的仪仗规定。《红楼梦》写元妃省亲，就写到卤簿，"一对对龙旌凤翣，雉羽夔头"等等，我就不细致引用原文了，你可以自己去翻。但是里面有一个细节你值得注意，就是书里面提到在贾元春省亲的时候，仪仗队里面有一把曲柄七凤黄金伞。过去的仪仗，你看《红楼梦》的那些图画，或者现在拍成的电影、电视剧，它都会有这样一些道具出现。首先，仪仗里面会有一种伞，当然这个伞，不像我们现在生活当中的伞这么小，这么低，它都是很长的柄，上面有很大的伞盖，而且伞盖旁边，有时候有一层，有时候有三层布幔围起来。它主要的作用，还不是来遮阴或者遮雨，它有那个功能，但那是其次的，它主要是表示一种威严，是权力地位的象征。那么曹雪芹笔下，就有一个很具体的名词出现，有一个具体的器物，叫做曲柄七凤黄金伞。

现在我就告诉你，这种曲柄的黄金伞，只有乾隆朝的时候才开始有，在康熙和雍正朝时候，当时在所规定的銮舆卤簿、仪仗里面的伞，都是直柄的，曲柄伞是乾隆朝才开始有的一种创制。就是说在仪仗方面，各朝它不断要有所改进，曲柄伞是乾隆朝的时候才有。因此光是这一句就说明，十八回末尾到五十三回，书中所写的这段故事，它的朝代背景，是乾隆期间的事情。

但是这样一个很小的物件的一个细节，还不足以充分说明问题，因为你可能会说，它也可以把乾隆朝有的东西，借用在这儿。那么好，你现在读十八回到五十三回，读这一年的故事，你就会发现其中有一回，就是其中第二十七回，很明确地提出一个日子。

什么日子呢？就是四月二十六日。作者就很明确告诉你，这一年的四月二十六日是芒种节。我们都知道，每年的二十四节气，并不都在同一天里交那个节气，有的年还会是闰年，同一个节气，相近的各年日期会差很多天。二十四节气有一个芒种，曹雪芹就在书里告诉你，他所写的这一年就是四月二十六日交芒种。那么你去查《万年历》，乾隆元年就是四月二十六日交芒种。这不是巧合。再加上有的红学家，比如像周汝昌先生他就考证出来，实际上四月二十六日就是曹雪芹的生日！作者之所以这么郑重地来写这一年的故事，就是因为那一年他十三岁了，关于那段时间他的记忆是最完整的，而且这一年生活是最美好的，所以他铆足了劲来写这一年的故事。《红楼梦》里多次明写暗表，贾宝玉在那些情节中，是十三岁。例如第二十三回，写贾宝玉住进了大观园怡红院，就写了几首诗，抒发他四季里快乐闲适的生活。在叙述文字里，曹雪芹就这样写道："因这几首诗，当时有一等势利人，见是荣国府十二三岁的公子作的，抄录出来各处称颂……"又如第二十五回，写贾宝玉和王熙凤被魇后奄奄一息，一僧一道忽然出现，来解救他，癞头和尚把通灵宝玉擎在手上，长叹一声道："青埂峰一别，展眼已过十三载矣！"都是表明书里的这位主人公落生十三年了。

周先生关于曹雪芹年龄和生日的推算，您可以去读他的著作，我这儿借用他的学术成果，我不做铺开的讲述，因为这太复杂。

那么在小说里面，在一个艺术的故事里面，曹雪芹他设定为，这一年是四月二十六日交芒种节，这应该就证明，他写的是乾隆元年的事情。因为整部书它是具有自叙性、自传性的，是有写实的前提的，它的艺术的升华，都是在现实的时间和空间的基础之上去渲染完成的。把这点搞清楚，很要紧。而且曹雪芹写得非常有趣，他把四月二十六日这个芒种节说成是饯花节，饯花神的日子。因为到芒种的时候，所有的花就都谢光了。《红楼梦》里引用了一句诗，叫"开到荼蘼花事了"——据说，荼蘼这种花是开得最晚的，因此也谢得最晚，等它谢了，那基本上就没有什么花开了，植物都开始结果，开始出现另外的局面了。想象有花神，这是很美丽的一个想象，所有花都开完以后，花神就要去休息了，因此，就要跟他饯别。闺中女儿们，小姑娘们，就特别地讲究这个风俗，因此在《红楼梦》里面，出现了那一回的描写，包括黛玉葬花。黛玉为什么要在那一天葬花啊？因为那一天，是一个跟花神告别的日子，她要通过葬花，这样一种礼仪形式，来表达自己对花的一种珍惜，对花神辛苦了一年，给我们带来这么多美丽的花朵开放的情景，表示感谢。当然她也表示哀悼，因为花儿谢落了，还是很让人遗憾的事情。第二十七回准确地点明芒种节日期，大写饯花神，更证明了第十八回到第五十三回，应该就是写乾隆元年的事情。

那么第五十四到第六十九回这十六回，我又可以断定，它是写乾隆二年的事情。它就是一年一年往下这么写。为什么说它写的是乾隆二年的事？我也有证据。因为在这一部分，刚开始写那一年春天的时候，就写到宫里面有一个太妃，先是病了，后来又说是上一回所表的那一位老太妃薨逝了。记得吧？有这个交代吧？我记得我在前面，已经跟大家点出来过，所谓太妃、老太妃，或者以后我们还要讲的王妃、皇妃，有的时候指的就是一个人。因为你比如说，康熙身边的一个女子，如果是一个妃子的话，在雍正朝她就是一个太妃，是不是啊？大家称呼她太妃，非常符合；但是雍正驾崩以后，到乾隆朝她就成了老太妃了，实际上，小说里面所写到的太妃、老太妃，就是同一个人。

那么，这个人有没有原型？这样一个背景人物，其实也是有原型的。恰恰在乾隆二年年初，宫里面就死了一位康熙身边的女子。小说是很忠实地把乾隆二年朝廷里面的一个情况写出来了。在真实的生活里，这个女子姓陈，她的父亲叫陈玉卿，是个汉族人。你现在可以去查康熙的有关资料，康熙这个人，他是一个七情六欲发达的人，他身边有四十位女子，前后都有过封号，没封号的更多；就是他给过封号，或者他去世以后，由雍正或者乾隆再给予封号的女子，就有四十位之多！当然，其中三十多位，都是满族的妇女。在这点上，康熙既是一个会享乐的帝王，又是一个很有政治原则的人。这些妇女到了宫里面，他可能很宠爱，也跟她生孩子，但是给封号，他非常谨慎，他基本上只给满族的妇女封号；一些汉族的女子非常美丽，他也非常宠爱，也给他生儿养女，但在给汉族的女子封号方面，康熙相当吝啬。这就显示他是一个政治家，因为他觉得，满族的这个政权，要把它巩固住的话，必须确立一些原则，包括从细节上来确定满族高于汉族的原则，也是必要的；因为满族它是少数民族，入主中原以后，它统治这么一大批人，多数都是汉族人，所以不能够让汉族人觉得，自己好像可以翘尾巴，所以汉族女子到了宫里面以后，康熙是这样的态度。

这个陈氏到了康熙身边以后，很得宠；陈氏给康熙兰的儿子，他也很喜欢。但是在康熙朝的时候，给陈氏的封号非常低，陈氏是到了乾隆朝才死，在乾隆二年死后，才由乾隆封她为熙嫔，还没到妃那一级。但是小说把她说成一个妃，这个也是能理解的，毕竟从生活到艺术，它有一个适度夸张、渲染的过程。

我这么说，可能有的朋友，还是要跟我讨论，说，你这样说，还是猜测成分太大吧？你仅仅是因为那一年宫里面，死了这么一个康熙身边的女子，后来封为一个嫔，你现在就说，小说的第五十四回到第六十九回，就是写乾隆二年的事情，是不是太武断？我觉得，我再往下讲，你就会感觉到我真不武断，因为如果仅仅是点到这儿，其他就不说了，那么我这个说法，就确实还缺乏充分的根据。但是，大家记得吧？后面书里面有一些具体的交代，这个交代很古怪。前面我已经讲过，现在有必要略加重复，就是书里说，贾母、邢夫人、王夫人她们这些人，根据朝廷的规定，就都要去参加丧葬祭奠活动，守灵期间不能回家。那么晚上在哪儿过呢？就要找一个下处来休息，于是就租用了一个大官的家庙。这本来也不稀奇，过去的贵族他们参与丧礼活动，照例要这样做。在所租的家庙，小说里面就写得很清楚了，东院是贾母她们住。那么谁住西院呢？北静王府的人，北静王府的太妃、少妃住西院。看起来是闲闲的一笔，但是你仔细想的话，咱们先不说生活真实，就以小说来说，这写得不通啊。北静王，小说里面已经说明，他的封号是王爷，是不是啊？贾家你算什么呀？贾政官职相比就低太多了，虽然贾赦有一个头衔，有一个爵位，也无非是个将军，比王爷差很远。而且过去讲究东比西贵，曹雪芹却写贾府住东院，北静王他们住西院，所有的古本，一直到通行本，都这么写的，可见，曹雪芹他不是随意那么一写，他是有生活依据的。在《北静王之谜》那一讲里，我已经讲到这个情况，那是为了说明北静王的生活原型究竟是谁，现在我又一次讲到这些，是为了告诉你，这前后的文字所描写的，究竟是哪一年的事情。

关于《红楼梦》里的时序问题，我在下一讲里，还会有更详尽的分析。

秦可卿被告发之谜（下）

上一讲最后，我讲到《红楼梦》第五十八回里，写在参与宫中老太妃的祭奠活动时，贾府和北静王府合租一个大官的家庙，作为女眷歇息的下处；尽管贾府地位远比北静王府低，可是贾府女眷却住在了东边，占据了尊位。那他为什么这么写？就是因为他太忠于生活的真实了。

小说里贾代善的原型，是曹寅；贾母的原型，是曹寅的妻子李氏，李氏的哥哥，叫李煦。

在真实的生活当中，曹雪芹的祖父曹寅，以及他妻子的哥哥李煦，是康熙特别喜欢的两个官员，一个后来让他当江宁织造，一个让他当苏州织造。什么叫织造？这官位看起来并不高，就是管理机房，给宫里面制作纺织品的这么一个机构。但实际上这两个人，跟康熙关系可不一般了！前面几讲我讲到了，他们还兼当康熙的密探，经常密奏江南地区的气候收成，民间舆论有什么流言，还有明朝的遗老遗少有什么动向，以及退休官员的表现，等等；对遗民或退休官员，他们派人盯梢，或者亲自去拜访，实际上是摸一摸情况，然后就给康熙写密折。当时有些外国传教士，外国商人，也是他们先进行接触，然后把情况汇报给康熙。他们两人还有一个很"光荣"，但是又绝对不能把"光荣"亮出来的任务，就是给康熙挑选江南美女，充实康熙的内宫。

康熙很喜欢汉族妇女，喜欢小脚女人。这个不是我乱说，康熙朝的外国传教士，这些外国传教士有时候很放肆，按说，他们是不能够观看康熙的妃嫔的，但是有一个西方传教士，汉名马国贤，他回去后写了一本回忆录，书名叫《京庭十三年》，书里写到，有一次，他当时不许到现场，但是他把园林亭榭的窗帘拉开了，他往外偷看，看到了康熙和他的妃嫔嬉戏的情景。他就说，在康熙的妃嫔里面，有两种装扮的女人，一种是满装的，满族是大脚；一种就是汉族妇女，小脚。他说，康熙故意用青蛙吓唬汉族的妇女，汉族妇女就吓得尖叫着跑，脚又小，跑不动，康熙就哈哈大笑。这个从情爱上讲，是一种性虐待的表现，是可以理解的，从现代性心理学说，也不算太出格，这个玩笑开得不是很大，不必因为这一点就对康熙激烈否定。这个例子证明，康熙很喜欢一些美丽的汉族妇女。

那么现在能不能查到有关档案，证明在他身边的这些汉族妇女里面，就有李煦或者曹寅给他挑选出来的呢？可惜的是，曹寅这方面的资料，现在还没有能够查出来。但是李煦方面，查得很清楚。李煦跟曹寅，一根绳上俩蚂蚱，所以在他们两个之间进行类比，进行推论的话，应该是说得通的。在故宫的档案馆里面可以查到，李煦有一个奏折，报告王氏的母亲黄氏病故的一个奏折；就说明这个王氏，一个汉族妇女，一个江南美人，她就是李煦挑选的，送到康熙身边后，得到康熙宠爱。而且，这个王氏也很争气，她给康熙生了三个儿子，其中有一个儿子，就是我在前几讲提到的，在"帐殿夜警"事件当中，康熙为一个什么儿子着急啊？十八阿哥。就是用现在的临床医学观点来看，得腮腺炎的那个孩子。康熙把他紧紧搂在怀里面，还记得吧？这就是王氏生的，是一个满汉混血儿，是康熙非常喜欢的一个皇子。当然，后来很遗憾，十八阿哥死去了，没能长大成人。李煦的这个奏折就说明，这个王氏所有的事情，都由他来操办，王氏家里边，母亲姓黄，死掉了，这个事都要由李煦写奏折来告诉康熙。从现在的角度来看的话，那不就是康熙的岳母吗？岳母之一吧，当然，康熙皇帝可能不一定这么去认，但是康熙也需要及时地知道，他身边这个汉族女子家族里的情况，那么这样的私事，就由李煦来帮他处理。你说康熙对李煦、曹寅他们有多信任。

那么这个陈氏，虽然没有找到什么过硬的档案资料，证明她确实是曹寅向康熙推荐的，但是我的推测也并不离谱。为什么？就是因为后来发现，曹家和陈氏所生的一个康熙的皇子来往甚密，这就是我在前几讲里提到的允禧，就是康熙的第二十一阿哥。允禧还留下了他亲自题写的一个匾，我在前面也给你讲过，现在我们再回顾一下，这个匾挂在哪儿呢？恭王府里面。当然，这个恭亲王指的是咸丰皇帝的兄弟，晚清的那个王爷，这处地方在康、雍、乾时期由谁居住，还需要查找资料，也许，允禧一度住过？允禧题的那个匾上，写了哪四个字呢？"天香庭院"。你不觉得惊心动魄吗？在这些字眼上，难道一律都是巧合吗？天下有这么多巧的事情吗？怎么就巧来巧去，全巧一块儿了呢？这就说明，《红楼梦》的生活真实，和它的艺术真实当中，都有很多证据证明，现实中的曹家，和乾隆二年死去的这个老太妃关系密切。因此在小说里面，就写成了这个样子，就是这个老太妃薨逝以后，她的后代，对小说里面的贾家会如此尊重。

我说到这儿，你可能又一头雾水。她的后代，我记得我在讲北静王的原型的时候，讲到过。北静王的原型，他的名字，来自于乾隆的一个儿子，叫永瑢。前几讲可能过去比较久了，现在咱们回顾一下。小说里面，北静王叫什么名字啊？叫水溶，"永远"的"永"去掉一点，念什么啊？念水；一个玉字边一个"容易"的"容"，去掉玉字旁当中的一竖，变成三点水，念什么啊？念溶，对不对？所以，水溶这个名字，显然就是从永瑢那儿过渡过来的，是不是啊？那么，你会说了，那不是永瑢吗，永瑢跟允禧，有什么关系啊？永瑢后来过继给了允禧，成为允禧的孙子，明白了吗？小说里面，北静王的形象、气质，主要就取自于允禧，名字取自于过继给他的孙子，北静王是这两个人物综合起来的艺术形象。所以说小说里面，写贾家和北静王两家，在老太妃薨逝以后，他们所歇息的院落，贾家住了上院，占据尊位，北静王的少妃、太妃，甘愿住下院。小说背后是生活的真实，你现在明白了吗？他们家之所以最后能有一个允禧，有这样的荣华富贵，喝水不忘挖井人，当年谁给您推荐到皇宫里来的呀？你光是长得漂亮，没人推荐，你不也就在那儿自己憔悴到底吗？是不是？显然就是曹寅，和李煦一样，轮流地给康熙送江南美女。曹家所推荐的陈氏，也生了孩子，而且这个孩子，二十一阿哥后来还长大了，封了王，就是允禧。小说里面他就演化为北静王的形象。

通过这些分析，你也许能够大体同意我的推断，就是说，《红楼梦》的第五十四回到第六十九回，应该就是讲的乾隆二年的故事。在乾隆二年，没有其他的任何一个康熙的妃嫔，或者宫里面跟康熙有关系的、有名有姓的女子薨逝，就只有这么一个，实际生活当中是熙嫔，小说里面叫做老太妃的薨逝。而乾隆为了团结皇族，表达他对祖父的尊重，为了向官员百姓表现他如何提倡孝道，当然，更是为了显示他继承祖业的合法性，就为这位熙嫔大办丧事。这成为那一年里开初的一桩大事，书里写贾母等去参与祭奠，也写在年初，完全合榫。所以，你看书里虽然石头自己说，我写的这个年代无考，但是脂砚斋就说了，大有考证。我就根据脂砚斋的指点，考证了一番。

那么第七十回到第八十回，写的就是乾隆三年的事情。这个我也有证据。在现实生活当中，到乾隆三年的时候，曹家的情况就不是太好了，自身还撑得住，但是他们家亲戚就出事了，曹家的一些靠山，就从坚硬的石头山化为冰山了。

曹家当时有两大靠山，一个叫做傅鼐。傅鼐是什么人呢？傅鼐一生宦途，他的官运是起起伏伏，可以叫做波澜壮阔。但是，这个姓傅的和姓曹的有什么关系呢？是曹寅的一个妹妹嫁给了傅鼐，懂了吗？因此这个傅鼐，应该是曹雪芹的什么啊？他的祖父的妹妹的丈夫，是祖姑丈，他祖父的妹妹应该是他祖姑。当然现在的人不太论这个，我看下面有个小伙子直乐，现在好多年轻人都是独生子女，关系没那么复杂，三姑六爷不知道是谁。但是在过去那个时代，那是很近的亲戚。傅鼐的仕途，细说起来很复杂，概而言之，就是在康熙朝的时候，很不错；在雍正朝的时候，一开始遭到打击，因为你知道雍正，凡是他父亲喜欢的官员，他都不喜欢，但是傅鼐这个人，在做官上有一套权术，他就尽量让雍正皇帝感觉到，他是无害的，所以到了雍正晚年，政局比较稳定以后，雍正又起用了一些过去他冷淡过、甚至打击过的官员，其中包括傅鼐，雍正把他提升了。

到了乾隆朝，乾隆元年的时候，傅鼐得到重用，就做到尚书一级了，他当了兵部尚书，还兼刑部尚书，那可是非常大的官啊。但是，到了乾隆三年的时候，傅鼐出事了，得罪乾隆，乾隆就整治傅鼐，不但罢了他的官，还让他入狱了。入狱以后，他在监狱里面就真的病了，病得不行了，皇帝又发慈悲，让他回家，用今天话说，叫"保外就医"，他就死在家里面了。是不是很悲惨？当时曹家这么重要的一门亲戚，就出现了这么个很糟糕的状况。

那么还有一门亲戚，离曹雪芹就更近一点，就是曹雪芹他的祖父曹寅的女儿，嫁得比他祖姑更好。嫁给了谁呢？嫁给了平郡王，成了平郡王的正室，也就是成了平郡王妃。那么这个女子，跟曹雪芹是什么关系呢？就是他的姑妈嘛！他这个姑妈也很争气，在封建社会，一个女人，怎么叫争气啊？就是你嫁到人家，你得生孩子，生男孩，这是非常重要的。曹雪芹他这个姑妈就给平郡王生了世子。什么叫世子？就是在清朝，皇帝生的儿子可以叫皇子，更多的情况下叫阿哥，皇子再生孩子就叫世子，世代的"世"，就是说，皇族的血统世代往下传流。那么曹雪芹这位姑妈生的这个世子是谁呢？就是福彭。

那么福彭又是谁呢？福彭是乾隆的发小，乾隆当皇帝以前，当然不叫乾隆了，那时还没有这个年号，乾隆原来叫弘历，弘历小的时候读书，谁是陪读？福彭。他为什么是陪读呢？因为他是王爷家的孩子嘛，世子陪皇帝的孩子，陪阿哥读书，这很正常。两人关系非常好，乾隆那个时候就爱写诗，乾隆的诗集自己刻印，谁写序啊？福彭写序。所以乾隆当了皇帝以后，你估计福彭会怎么样啊？当然官运亨通。福彭最后当的官就比尚书还高，等于内廷一个总理事务的职位，核心政治集团里面的成员，得到非同小可的重用。

但是再好的关系，因为它是一个权力关系，利益关系，也会出现裂痕。到了乾隆三年的时候，福彭跟乾隆之间就失和了，福彭就被人参了，乾隆就拉下脸，不论什么发小不发小了，就要有关机构去查他的问题，福彭就危了。本来福彭是曹雪芹的表哥，关系多铁啊，曹家有这么大的靠山，日子多好过。但是到乾隆三年的时候，情况就不妙了。我说这些，你可能又不耐烦了，大概在想，光说这些历史上的事，干吗啊？你说的这些情况，书里面有没有反映啊？书里面有反映。在第七十回到第八十回，曹雪芹写得很聪明，他没有写贾家直接受到打击，但是贾家自己就窝里斗了，外面的还没有杀进来，自己家的人就跟乌眼鸡似的，恨不得你吃了我，我吃了你。那个时候，真实的生活中，确实是曹家还没有直接受到打击，虽然他们的权贵亲戚出了一些问题。当时曹家还混得过去，可是他家的背景开始出现问题了，靠山开始融化了，那气氛也就紧张起来。把现实生活的真实气氛反映到小说里，在《红楼梦》第七十五回开头，从那段文字，你就可以感觉到，外部的紧张气氛蔓延到了贾府里面。

有人总是不注意读这些内容，一位红迷朋友就对我说，你讲《红楼梦》，你老是讲过场戏！你讲的那是《红楼梦》吗？我也就问他：什么叫过场戏？怎么来读《红楼梦》？他是受过去的一个思维定势的影响，过去通行本的影响太大了。《红楼梦》又多次被改编成戏曲、戏剧、电影什么的，改编过程中，把很多东西全给排除掉了。它排除掉有它的道理，尤其戏曲，它的艺术特点是大写意，它不可能像小说这样说得很细，只能选取改编者认为是最主要的，粗线条地加以表现。所以不少人对《红楼梦》的印象就是一个"宝黛悲剧"。跟我讨论的这位红迷朋友，他对《红楼梦》就有个思维定势，他满脑子除了调包计、黛玉焚稿、宝玉哭灵啊，他没别的，你说别的，他就不耐烦，甚至责问：你讲这些，算是讲《红楼梦》吗？我反过来问他，我提到的这些文字，都是曹雪芹写在书里的呀，难道曹雪芹不该写下这些吗？分析这些文字，怎么会不是讲《红楼梦》呢？当然，一本书各人有各人的读法，谁也勉强不了谁，他就那么看待《红楼梦》，对此我也很尊重；但是我也希望他尊重我，尊重我发表自己看法的权利。我在这些讲座里经常举出一些以往人们很少注意到，甚至红学界也很少涉及到的《红楼梦》里面的一些所谓过场戏，一些没有在各回回目中概括到的内容，但这毕竟是《红楼梦》的正式文本啊，不是总有人说，研究《红楼梦》不要脱离它的文本吗？我很细致地来分析它里面的文字，正是紧扣文本啊，强调"文本"的人士，为什么要"叶公好龙"呢？我认为，有些一般人认为是过场戏的文字，其实都不是可有可无的过场戏，这都是一些不可或缺的文字，传递着非常重要的信息。像第七十五回开头所写的，就应该非常重视。

它写的什么呢？写尤氏在荣国府，她办完一些事，就要到上房去，要到王夫人那儿去。这时候，她身边的仆人，就悄悄劝告她说，你不要去。为什么不要去？那仆人说："才有甄家几个人来，还有些东西，不知是什么机密事。"这时就出现这么个情况，气氛不对头，甄家来了一些人，带东西来了。于是尤氏想起来，贾珍看了邸报——邸报就是当时官方所发布的，给所有官员看的，类似现在内参的东西，上面会有一些朝廷的重大事件，一些皇帝的指示，一些案件什么的，这种东西叫邸报——说甄家犯了罪，现今抄没家私，调取进京治罪。而且底下仆人，还跟尤氏反映："才来几个女人，气色不成气色，慌慌张张的，想必有什么瞒人的事也是有的。"你懂这是在干吗吗？寄顿财物，就是说，小说里面写到，江南甄家被查抄了，被查抄以后，这些人就到贾家来寄顿财物。知道吧？这是违法的，这是皇帝不允许的。但是甄家、贾家，他们之间的关系，那实在是择不开，所以贾家就帮甄家藏匿这些东西，就出现了这样惊心动魄的情节。所以尤氏一想，那就别到王夫人那儿去了，就回避了。后来又写王夫人到贾母面前，因为这样的事，你不能不跟老祖宗汇报啊。王夫人就跟贾母说，甄家出了事，被抄家什么的，贾母就不爱听，当然不爱听，心情很不好。后来贾母大意就是说，咱们就别说这些，咱们该怎么乐，咱们还怎么乐，咱们过咱们自己的快活日子，于是故事就继续往下流动。曹雪芹这样写，脂砚斋又批，脂砚斋的批语，正好批在咱们心上。我看到这儿，我就想，怎么这儿说的是甄家的事呢？真奇怪！影影绰绰写了一个甄家，似乎甄家也就是贾家，仿佛一个在镜子里头一个在镜子外头，不好坐实的，怎么这儿就写甄家出事了呢？脂砚斋批语也是这么说："奇极！此曰甄家事！"什么意思？就是你这个作者，真亏你想得出来，你把这样的事栽到甄家头上，愣告诉读者说是甄家的事！你这样处理素材，不是很奇怪吗？他们两个之间是一种合作的关系，批语因此也就很调侃。

曹雪芹什么用意？他就是要把真实生活当中，曹家在乾隆三年所遇到的，跟自己家关系很密切的这些亲戚，傅鼐家、福彭家，遭到皇帝打击的情况，含蓄地投射到小说里面去。他想来想去，在小说里面，你要说有什么人家出事的话，只能够把甄家挑出来，把这个情节安在甄家头上。所以脂砚斋等于跟他讨论，说你这样一个写法，合理不合理啊？"奇极，此曰甄家事！"但曹雪芹他就是这么写，现在我们读的文本就是这样。这就是因为在乾隆三年，曹家后台很硬的、地位很高的两家亲戚都出了问题，有一家还特别惨，傅鼐就入狱了，虽然最后允许回家养病，死在家里面，那也等于是完蛋了。福彭后来在政坛上还有起伏，但是在乾隆三年的时候危了，不灵了。

所以，实际上《红楼梦》的第一回到第八十回，整个儿是写的清朝从康熙、雍正到乾隆朝的故事，其中，第十八回后半部到第八十回都是乾隆时期的事。这一点特别清楚，有八个字可以形容它清楚到什么程度，一个叫做"粲若列眉"，"粲"就是非常的清晰，甚至发亮，好像两弯浓眉毛似的，非常清楚；另一个叫做"若合符契"。古代皇帝把将军派出去打仗，怎么下命令啊？临别时候，就拿一个"符契"，它是用金属或者玉石什么的做成，剖成两半，它有它的形状、图案，而且上面还有字，我留一半，你拿一半，到时候我有什么特别重要的命令，我就让我派的使臣，骑着驿马跑到你那儿，说皇帝传旨了。你说的有什么凭信？啪，拿出来一对，严丝合缝，这叫"若合符契"。所以实际上从第十八回后半部，到第八十回，写乾隆元年、二年、三年的事情是很清楚的。整个故事的背景不是不可考，而是正如脂砚斋所说，大有考据。

但是第一回到第十七回，究竟写的是康、雍、乾时期什么时候的事，这就比较含混了。当然第十三回、十四回、十五回，应该说还是清楚的，包括第十六回，内容都是雍正暴亡、乾隆登基那个时候发生的一些事情。这个我下面还会给你详细解释。

　　但是从第一回到第十二回，它就是比较混乱的，在时间表述上，大体上它有一个轨迹，但是前后，第一，有矛盾；第二，有含混不清的地方。比如说，我在上几讲里面反复给你讲到，有个"枫露茶事件"。"枫露茶事件"是在第八回。第八回，你记得吗？下雪了，下雪珠了，是不是啊？而且贾宝玉把茶杯摔了以后，贾母问什么声，袭人撒谎说，下雪了，我倒茶滑了一跤。应该是冬天吧！对不对啊？但是往下写，它故事又没有中断，人物事件好像顺着一条河道，继续往下航行，但是，时间上就互相矛盾了。它写到，比如说，第十一回，王熙凤到宁国府里面去，这时候又是一派秋天景象，你记不记得？又是菊花盛开，又有溪水在潺潺流动，又有蝉声在叫，是一个夏末秋初，或者是深秋景象，说什么它也不是下了雪珠子，有人被雪滑倒了之后的情况。所以它在季节时序上，有说不通的地方。

　　另外，在作者本身的时间交代上也有矛盾之处，这一点很早就有《红楼梦》研究人士指出来。比如，林黛玉的父亲林如海，究竟什么时候死的？林黛玉由贾琏带着去苏州，究竟是什么时候？它前后说得不一样，一会说林如海是冬底身染重疾，一会儿昭儿回来了，又说林如海是九月初三病故的，似乎贾琏他们去的时候还只是秋天，一时回不来，要年底才回来，所以还要给他们捎大毛衣服去……时间交代上，前后明显矛盾。而且这第十二回在故事内容上，也有一些明显的风格不统一处。比如说，贾瑞的这段故事，就显得有点突兀，对不对？

　　据我分析，这是以下几个原因造成的。第一，我个人认为，这是因为曹雪芹他不太愿意写雍正朝曹家的惨况。那个时候，他年纪很小，雍正抄检曹家是在雍正五年，曹頫被逮京问罪、枷号示众是在雍正六年。当然，红学界对曹雪芹究竟生在哪一年，是有争议的，有的认为是生在康熙朝的晚期，有的认为生在雍正二年。但不管你怎么算，那个时候他年纪都很小，他的记忆不是很清晰，主要靠听大人来讲，才能够知道当时的情况，对那段生活他个人生命体验不丰富，所以，他没怎么写，他甚至把乾隆元年以后，他们家得到一个更上台阶的新局面的一些好事情，前移了，挪到第三回到第十六回里面来写了，这是一个原因。

　　另外一个原因，我觉得，就是因为他一开始写《红楼梦》的时候，他打算把他原来的一部稿子，糅合进去。原来曹雪芹完成过一部什么小说稿呢？《风月宝鉴》。这个是在脂砚斋批语里面，说得很清楚的。脂砚斋有一条批语说，"雪芹旧有《风月宝鉴》之书，乃其弟棠村序也。今棠村已逝，余睹新怀旧，故仍因之。"这是在《红楼梦》第一回，讲到这本书有过很多名字的时候，脂砚斋的一条批语。在第一回里面，讲到这部书有过很多的书名。曹雪芹本人，当时可能正接近于写完这部书，刚刚草创完最后的情榜，曹雪芹本人就比较主张叫《金陵十二钗》；但当初身边其他人也出过主意，有说叫《红楼梦》的，有说叫《风月宝鉴》的，也有《情僧录》的叫法。脂砚斋是坚持要叫《石头记》，曹雪芹开头自己也把它叫《石头记》，《金陵十二钗》可能是他刚排定九组一百零八位女性名单时，产生的一个并不稳定的想法。不过最后他还是同意了脂砚斋的意见，就把这本书叫做《石头记》。但是其中为什么要列上《风月宝鉴》这样一个名字呢？就是因为曹雪芹在小的时候，可能还是练笔的时候，写过一本小说，估计没有多么大的篇幅，叫做《风月宝鉴》。

这小说什么内容，你现在不难估计，《红楼梦》现在的文本里面，就糅入了《风月宝鉴》的部分内容。比如说，贾瑞的故事，肯定就是《风月宝鉴》里面的。在写贾瑞的这个故事里面，就出现了那个东西，记得吧？一面镜子，正面照怎么样，反面照怎么样。当时这部书，可能内容都是写一些风月故事，就是一些性爱的故事。其中，很显然就写了贾瑞追求王熙凤，又追不到，自己淫性发作，最后死于过分的性亢奋，死得很惨。那么这部小说的主题，看起来也比较肤浅，就是告诫人不要妄动风月，就是在情爱、性爱这类事情上，你要谨慎，不要沉迷其中；如果沉迷其中，就会像贾瑞一样没有好下场，类似这样一种主题。脂砚斋看来并不喜欢这部旧稿，只是觉得曹雪芹弟弟棠村为那部稿子写过序，而棠村在曹雪芹写《石头记》的时候已经故去了，于是仅仅为了留个纪念，才保留下《风月宝鉴》这么个名字而已。

那么在第一回到第十六回的里面，秦钟和智能儿的故事，还有什么香怜、玉爱之类，估计也是原来《风月宝鉴》的一部分。你还可以找到其他一些痕迹。曹雪芹把当年《风月宝鉴》的一些东西，糅到了前十几回里面，其中保留最完整的，应该就是贾瑞的故事。这样把旧作一糅进来的话，就搞乱了，尤其写贾瑞的部分，贾瑞究竟病了多久？贾瑞从来来回回照镜子，病得越来越厉害，吃多少药也没用，到死亡，究竟有多久？这里面的叙述就紊乱了。所以在第一回到第十六、十七回的时间上，尤其是第一回到第十二回，在叙述的时间上，有大致的线索轨迹，但是又比较模糊，而且有前后矛盾之处。这是可以理解和谅解的，为什么呢？因为毕竟《红楼梦》是一部没有最后定稿的书，它大体完成了，又很悲惨地丢掉了八十回以后的那些篇章；这八十回书，又遭到了别人的改动！那么最后这八十回书，有的地方也不很完整，有些毛刺没有把它剔尽，有些该调适的地方没有调整好。

　　但是不管怎么说，就是这样一部残缺的著作，已经让我迷醉得不行了，阅读它，分析它，是极大的快乐。那么在这一讲最后，我要跟大家讨论什么问题呢？就是说，如果像我前面所讲的，在小说里面秦可卿之死，是由于贾元春向皇帝告密，那么在真实的生活当中，有可能发生这样的事情吗？贾元春的生活原型，究竟是谁呢？咱们下一讲再见。

贾元春原型之谜

在上一讲，我把《红楼梦》从第一回到第八十回，它的时间背景跟大家一起捋了一遍，同时提出一个问题，想和大家共同研究一下，就是贾元春这个角色有没有生活原型？如果有的话，可能是谁？

大家注意到没有，《红楼梦》里贾元春这个形象，真正浮出水面应该是在第十六回，前面虽然提到这个人物，在"冷子兴演说荣国府"里提到过这个人，但是这个人出戏，是在秦可卿死了之后。第十六回值得细读，里面有一句话特别要紧，就是贾府家人向贾母她们报告，说，"如今老爷又往东宫去了"，所以探索贾元春究竟是怎么一回事，咱们得从东宫说起。东宫，早在《诗经》里面就有这个词，指的是太子的居所。在很古老的时候，中国就形成这么一个规矩，就是太子他的宫殿要盖在天子宫殿的东边。东宫是隐藏在《红楼梦》文本后面，一个很重要的因素。

在第四回讲到薛宝钗，薛家，他们要到京城来，来干吗呢？当然他们有好几个目的，其中有一个目的，是从薛宝钗这个角度考虑的。书里面怎么说的呢？书里面说："因今上崇诗尚礼，征采才能，降不世出之隆恩，除聘选妃嫔外，凡仕宦名家之女，皆亲名达部，以备选为公主郡主入学陪侍，充为才人赞善之职。"在清朝，有一个选秀女的制度，这个薛宝钗作为金陵四大家族薛家的一个女孩，逐渐长大了，家里就要带她到京城来准备参加选秀女。这对薛家来说，是一件天大的事。薛宝钗她家里带她到京城来，就是因为小说里面的皇帝，当时有这样一些做法，就是要从仕宦名家里面，选这些够岁数的女子，让她们家先把她们的名字报到部里面去。过去清朝选秀女,是先报到户部。小说是虚写,就不写得那么坐实,但是大意是这样的。上了名单以后,在某一个时段,就会通知这些秀女进宫,由有关的人来挑选,选上的,就进行分配。

清朝选秀女范围很广泛,选出来的女性,用途也很广泛,分配到的处所也很多。最漂亮的或者是背景最好的,或者是有的给挑选的人员行了贿的,可能就能够分配到皇帝宫中,离皇帝比较近的地方;有的就可能只是留在宫里面,作为一个普通的宫女;还有的可能就并不留在皇帝身边,而是分配到皇帝的儿子那里,有太子的时候——比如康熙朝两立太子——就会分到太子身边,这都是可能的。有趣的是,曹雪芹行文的时候,有几处措辞特别扎眼,他说那些仕宦名家之女亲名达部后,备选什么呢? 他没有完全按照清朝有关的选秀女的那些条文来写,这个地方他有他主观的意识渗入进去,他说,选为什么呢? 选为公主、郡主入学陪侍。"郡主"什么意思? 郡主就不是皇帝的女儿了,就矮一级,指皇帝的儿子封为王爷后生的女儿,那种女性不叫公主,叫郡主了。曹雪芹就特意这样来写,点明有的女孩子选进去,并不一定成为皇帝的妃嫔,可能最后就只是公主、郡主入学的陪读,有的可能只成为伺候郡主的高级丫头。更值得注意的是,曹雪芹在行文措辞里面,还特别说,"可以充为才人赞善之职"。才人是过去宫中女官的一种称谓。但是赞善这个词是很特殊的。你查查古书就知道,赞善在清朝,在古代,是专门指太子府里面的一种官职,就是说这种官职只在太子府,或者是皇帝的儿子,没封太子的皇子,在他们的府里面,有一种专门的角色叫赞善。我认为,曹雪芹在使用这些词语上,他不是随意的,他是有他的写作动机的,就是他在很小的地方点出来,小说里面这些人物,不仅将和皇帝,和皇帝居住的皇宫发生关系,而且还将和公主、郡主、太子、皇子,和这些人以及这些人所居住的空间,发生某种特有的关系。你看,曹雪芹他在很小的地方,都埋下了伏笔。

在清朝的时候,一个女子被选进皇宫里面去,得到封号的机遇还是很多的。最低档的,你可以被叫做"答应"——你不要觉得这个词很俗、很土,在当时这是一个正式的封号,说这个女子是一个"答应",不得了! "答应"啊,说明她已经进了皇宫,而且有机会接近皇帝,可以随叫随到了。有的家族在那个时候,自己女儿在宫里边成了"答应",全家会高兴得不得了。当然,"答应"是否会被皇帝叫过去,全凭运气,那几率确实也不高,可能一辈子也没被叫过去,想"答应"

没人叫，是吧？但是如果一叫，你"答应"了，来了以后，觉得你不错，那就可能再升一级，叫做"常在"。这俩字你仔细想一想，更不错了，就是常在皇帝身边了，可能还不能完全得到皇帝的宠爱，但是距离就比较近了。"常在"之上，比较得宠的，封号叫做贵人，贵人之上就是嫔，嫔之上是妃，妃之上是贵妃，贵妃之上是皇贵妃，皇贵妃之上就是皇后了。所以皇帝他六宫粉黛，人数之多，等级之复杂，现在听起来，不少人会感到吃惊，觉得怎么会是这样？人们为什么这样生活？构建这么一种制度？那么曹雪芹写的时候，他就特别强调，薛宝钗有可能是充为赞善之职。他为什么要这样写？我们再往下一环一环去探讨。

现在需要讨论的首先是，现实生活当中，曹家的女儿有没有可能在选秀女的制度下去报部备选？这是完全有可能的。曹家虽然从血统上说是汉族，但是他们不是一般的汉人，早在满族还在关外和明朝军队进行战斗的时候，他们的祖先就被俘虏了，并被编入到满族的八旗里面作为奴仆，叫做包衣，跟着清军战斗，一直辅助满族打进山海关，入主中原，实现了在全中国的统治。曹家祖上被满族俘虏后，收编为正白旗的包衣。满族有八旗，后来这八旗又分为上三旗，下五旗。上三旗是哪三旗呢？就是正黄旗、镶黄旗和正白旗。这三旗归皇帝亲自统领，地位比另外五旗高，上三旗里的包衣，也就随主子神气了许多。曹家这个包衣虽然它是奴隶的身份，但是他们所属的旗是上三旗之一——正白旗。曹家的祖上和当时皇族的成员关系还比较好，因为那个时候是一个王朝的初创期，奴才的身份虽然低，但是如果在战斗当中冲在前面，主子还是很欣赏的，他们因此有同甘共苦的一面。到顺治一朝，满族彻底地掌握了中国政权，在北京定都，顺治就当了一个名副其实的统一的中国的皇帝。这个情况下，正白旗的包衣，就都得到了一定的好处，曹家就是一个例子。从曹家的祖上开始，皇帝就让他们出任一些比较重要的官职，后来曹寅的父亲就做了江宁织造，再后来曹寅自己也当江宁织造，曹寅的儿子曹颙也当江宁织造，曹颙死了以后，过继给曹寅做儿子的曹頫还当江宁织造。所以曹家虽然是汉族人，但是他们和满族的上层有过共同战斗的情谊，皇帝和皇族的一些成员，对他们都很善待，他们不属于后来的汉军系统，因此有人把曹家说成是汉军旗里的人，是不对的。曹家既然属于正白旗系统，虽然他们是包衣身份，但是他们家的女儿，是有资格参加选秀女的。所以在《红楼梦》里面，曹雪芹把生活的真实写入小说中，根据他的设计，像贾家的元、迎、探、惜四姐妹，都是有可能选进宫的；而元春呢，故事一开始就告诉你，已经选进去了，"冷子兴演说荣国府"的时候，就告诉你她已经进宫了。那么薛家作为金陵四大家族之一，在现实生活当中，其生活原型，应该和曹家类似。到了小说里，像薛宝钗这样的女子，都是有可能通过参与选秀女而进宫的。显然，在真实的生活当中，曹家应该是有一个女子被选进宫了，这个女子的辈分，应该是曹雪芹的一个姐姐；她可能是曹寅亲儿子曹顒的一个女儿，也可能是曹寅的过继儿子曹頫的一个女儿，也可能是曹家跟曹頫一辈的兄弟当中，某人的一个女儿。总之，这个女子进宫以后成为整个曹氏家族的一个骄傲。从辈分上来说，她就是曹雪芹的一个姐姐。

这样的推测是不是缺乏证据支撑呢？不是的，因为在《红楼梦》的文本里面，对相关信息多次有所逗漏。注意我说的是"逗漏"而不是"透露"，逗就是一个"豌豆"的"豆"加一个走之，漏就是"漏出来"的"漏"，什么叫逗漏？它和透露还不太一样，透露是比较有意识地直接把一个信息传输给你；逗漏是什么意思呢？就是它在有的地方稍微点一下，刺激你一下，稍微漏出一点，然后让你去思索。"逗漏"两个字希望你注意，我下面还会使用这个词，告诉你根据我阅读《红楼梦》的体会，曹雪芹在文本里逗漏出来了一些什么信息。

比如说，《红楼梦》第六十三回，"寿怡红群芳开夜宴"，写贾宝玉过生日，众女儿在怡红院会聚，大家喝酒，唱曲，当中还做一种游戏，抽签，签上有花名，有一句诗，暗示每一个抽签者的命运。在这个游戏过程中，大家记得吧，探春就抽到了一根签，这个签上面有一句诗"日边红杏倚云栽"，签词上就说，抽中这个签的人必得贵婿。这个时候众人就有一句议论，说："我们家已有了王妃，难道你也是王妃不成？"咱们就小说论小说，有的读者会觉得，这点写错了呀！根据书里描写，贾家有皇妃，没有王妃，是不是？小说里面设定的贾元春的身份是什么呢？在第十六回里面"才选凤藻宫"了，她是皇妃，对不对？她不是王妃，王妃你就说低了呀，凡事应该都是从低往高说，哪有从高往低说的呀？这是怎么写的呀？是不是啊？曹雪芹之所以写出这样一句话，而且在各种版本里面，这句话都一样，就是"我们家已有了王妃"，这就逗漏出一个消息，就是贾元春这个角色，她的原型最初并不是皇妃，就是一个王妃。明白我的意思了吧。

当然，前面提到，曹雪芹一个姑妈，后来成为了平郡王妃，不过那不是通过选秀女攀附上的，那时候曹寅活着，康熙对曹寅好得不得了，曹寅的那个女儿嫁为平郡王正室，是康熙指婚，她的辈分，比元春原型高。"我们家已有了王妃"，曹家人说这个话首先会是指这个平郡王妃，但把曹家的事情写成小说，生活中的平郡王妃并没有转化为一个里面的艺术形象。曹雪芹在书里写的诸多女性，生活原型都取自跟他自己一辈的，元春跟平郡王妃对不上号，其原型应该是另一个跟曹雪芹平辈，但年龄大许多的姐姐。"我们家已有了王妃"，在生活里也会是说她，在小说里，就是指贾元春。

　　前面我特别跟你强调，第四回曹雪芹关于宫中选秀女的交代，他所说的选秀女的游戏规则，是这些女性都选到皇帝身边吗？不是的，他说可能充为赞善之职。赞善这个职称，在皇帝的那个皇宫里边是不存在的，只在王府一级、太子府一级才存在，因此这个地方就逗漏出来，贾元春这个人物的原型，最早她并不是皇帝身边的一个皇妃，而只是一个王妃。

　　那么她最早可能是哪儿的王妃呢？要回答这个问题，我们就要先说到清虚观打醮这件事情。这个事情我在前几回里面讲过，你还有印象吗？很重要的一个情节。那么清虚观打醮它的起因是什么？为什么要到清虚观打醮？有人说，你已经讲了呀，贾母她"享福人福深还祷福"嘛。贾母确实是这样一个目的，但是清虚观打醮的发起者是贾元春，关于这一点书里面是非常清楚地给我们写出来的。在第二十九回，袭人报告给宝玉说，昨儿贵妃打发夏太监出来——这个夏太监不得了，一会儿我们讲第十六回，要提到这个人，叫夏守忠——送了一百二十两银子，叫在清虚观初一到初三打三天平安醮。这才是清虚观打醮最早的起因，这才是贾母求福的由头。我认为，这一笔曹雪芹不会乱写，更不可能他就偏要写一句废话。曹雪芹的《红楼梦》每句话他都是认真下笔，都有用意的。清虚观打醮由头是贾元春，她要贾府去做这件事。在什么日子做呢？在五月的初一至初三，在端午节前。打什么醮呢？打平安醮，打醮就是祈福。她显然是要为某一个人祈求平安，如果是活着的人，她希望他活着平安，如果是死去的人，她希望他的灵魂能得到安息。那么贾元春为什么要在五月初一到初三安排去清虚观打醮？我下面说出的这个事情难道又是巧合吗？查阅所有康熙的儿子的生卒年，我就发现，只有一个人生在阴历五月，只有一个人生在阴历的五月初三，这个人不是别人，就是废太子，就是胤礽。胤礽一生很悲苦，两立两废，在废了以后又被囚禁了十多年，眼睁睁看着一个没被立过太子的四阿哥当了皇帝，才咽了气。而在书里面，贾元春就指定要在五月初一到初三给一个人安魂，打平安醮。我觉得，这个不是巧合，否则曹雪芹写这个都成废话了！因此这里又是我那个词，我不叫透露，我叫逗漏。他写的时候心里边有一种抑制不住的情愫，使他下笔的时候就要这样来写。因此，我的推测应该是有一定道理的，就是生活当中的贾元春，这个原型她最早不在皇帝身边。她在谁的身边？她在废太子身边。她在选秀女当中，首先充为赞善之职，也就是说在真实的生活里，曹家有一个女子，最早应该是送到胤礽身边，跟胤礽在一起生活过一段时间，起码和胤礽的儿子弘皙在一起生活过——如果你觉得胤礽年纪太大的话，当时弘皙却并不小了——她有可能是在太子府里面，作为太子府的一个女官，一个高级的女仆，在那儿待过。否则，曹雪芹写小说不会写到这个地方，非要说是贾元春，让在五月初一至初三到清虚观去打醮，而且打平安醮。这个推测，我自己觉得还是有道理的。

曹家的一个女儿，选秀女选上了，但开始分配得并不理想，这符合曹家在正白旗里面的地位。因为在正白旗里面，曹家毕竟是包衣，毕竟是奴仆，不管后来你怎么富贵，你天生就打上了被俘房，然后当人家奴仆的出身印记，这是你以后如何荣华富贵也无法改变的，这个历史你是没有办法改写的。大家一定还记得，小说里面写贾家世仆的后代赖尚荣当了一个县官，赖妈妈到贾府里面说了一些话吧？赖家是贾府的老奴仆，这些奴仆仗着主子势力，自己也可以过一种社会上一般人很羡慕的豪华生活，并且为自己的后代谋取到一官半职。但是赖妈妈教训赖尚荣时，有句话很沉痛，就是，"你那里知道'奴才'两个字是怎么写的！"她还说："你一个奴才秧子，仔细折了福！"生活里的曹家，实际上也有这种隐痛。因此在选秀女的时候，他家女孩的竞争力，当然就不如真正的满族正白旗主子家庭的那些女儿们，对不对？你比得了人家吗？你能一下子就分配到皇帝身边吗？这种家庭送去的女儿，选来选去最后能送到皇子身边，送到太子的身边，就很不错了。"群芳开夜宴"时众人调侃探春的话，就反映出那样出身的家庭，一个女子有希望能成为王妃，就很不错了。所以贾元春的原型，应该是曹家的一个女性，最早应该是到了太子府里面，她究竟是伺候太子，还是伺候弘皙，还是伺候太子妃，这个就不清楚。但是从书中所逗漏出的信息分析，她很有可能一度得到胤礽的喜爱，否则，她怎么会非要让家人在五月初一至初三到清虚观打醮呢？虽然在书中她已化为一个艺术形象，化为贾元春了，但是从艺术形象回溯的话，原型显然会有这种心理动机，会做过类似这样的事。因此增添了这样的论据以后，我在上一回告诉你的，由贾元春来告发秦可卿真实出身的论断，就更符合逻辑了。因为在现实当中，如果是一个贾家的女子，她最早选秀女被选进太子宫里面，在那里边生活过一段的话，那么她对太子府的一些隐秘事情，就会有所耳闻，有所觉察；关于她自己家族藏匿了一个从太子府里面偷渡出去的女婴，她后来也是能够获得这个信息的，并且经过长期的观察、思考以后，她是可以得出两者必有关系的结论的。她揭发了那个被藏匿的女子的真实身份，造成了那个女子的死亡，尽管她觉得自己忠于皇家律法是正确的，也没导致自己家族受到处罚，甚至还相当"风光"地了结了那段"孽缘"，但她内心里毕竟不安，她就私下里派太监给家里送银子去，让家人给那女婴的父亲打平安醮，以免冤家来跟她纠缠。明白我这个逻辑了吧？所以从这样一些分析来看，现实生活当中，我们推测的曹家的一些情况，和小说里面所呈现的艺术文本是对榫的。因为我确定的大前提是《红楼梦》具有自叙性、自传性，那么我这样一些思路，都应该是成立的。否则，小说里面不会有这么多的"逗漏"之处。

细读小说，还要细读第十六回，第十六回非常重要。有人跟我讨论过，说第十六回有点说不通，就是贾政正在过生日，忽然宫里边就来了一个太监，一个夏太监，来下圣旨，贾氏就发急得不得了。你记得这个情节吧？书中说，"唬得贾赦、贾政等一干人不知是何消息"。后来宣贾政入朝，贾政就去了。贾赦等不知是何兆头，"贾母等合家人等心中皆惶惶不定"——书中多次写到，贾母心神不定什么的。有人跟我讨论，说这个写得很没有道理，秦可卿这个事不是已经画了句号，了结了吗？第十六回是在第十三回之后了，对不对啊？秦可卿的丧事都办完了，皇帝都派了大太监亲来上祭了，各路的公侯都在路边路祭了，北静王都亲切接见了路祭当中的贾宝玉了，你贾家心里还有什么鬼啊？你这是干吗？怎么会皇帝一下旨让贾政入朝，就慌成这个样子？这写什么呢？也有人说，这是不是皇帝对第十三回到第十五回所写的那些，那样允许贾家大办丧事，后悔了，所以又来问罪啊？但是，接下去没有那么写呀，接下去的文字里根本没有关于秦可卿的字样，完全写另外的事，写贾家很快转恐为喜，赖大这些家人就叵来报告，说老爷还请老太太带着太太等进朝谢恩，闹半天是好事，大喜事，贾元春"才选凤藻宫"了。接下去写到贾母她们方心神安定，不免又洋洋喜气盈腮，再往下就是那句很重要的话，又是我那个词，叫"逗漏"，写大管家赖大向贾母报告，说"如今老爷又往东宫去了"。为什么要往东宫去？这是怎么回事？

这些写法本身都说明，他是在写真实生活当中的一个重大事件，这个重大的事件就是雍正的突然死亡以及乾隆的匆忙继位。雍正是在雍正十三年的八月去世的，死得很突然，上午还好好的，忽然到傍晚就传出他驾崩的消息。到现在你都查不到详实的、准确的档案，说明他究竟是得什么病、因为什么死的。民间有传说，他是被仇家派刺客谋杀的，有的历史学家推测，他是服丹砂急性中毒身亡。那么《红楼梦》第十六回在写什么呢？这一回实际上写的就是雍正的暴亡，和乾隆将从东宫移到主宫去当皇帝的这样一段史实。明白我的这个意思了吗？第十六回反映的真实生活，就是雍正暴亡和乾隆的登基。贾政作为一个官员，他在家里面还在大摆宴席过生日，这意味着什么呢？意味着他不知道皇帝会出事。如果是皇帝病了，甚至是一个太妃、老太妃病了，按当时的规矩，这些贵族都不能够再进行娱乐活动，都不能够这样大摆宴席。这就说明，曹雪芹很真实地写出了雍正死亡的状态，是突然死亡，所有人都没有能够预感到，现实生活里面的曹家，转化到小说里就是贾家，也不例外。小说里面的皇帝，是把康熙、雍正和乾隆综合起来的一个模糊的形象。所以在小说里面，皇帝上面还有太上皇呢，记得吧？他有这样的写法。其实，在曹雪芹在世的时候，从努尔哈赤算起，一直到雍正，没有任何一个皇帝自己当过太上皇，或者他当皇帝的时候上面有太上皇。乾隆当过太上皇，但是那个时候，曹雪芹已经去世起码有三十多年了，曹雪芹不可能去预测乾隆以后当太上皇的事，他也没有必要预测这个事。他之所以在小说里面，写皇帝上面有太上皇，就是因为他们家族对康熙，有一种亲切的感情，于是他就把康熙也写成好像还没有去世，把康熙、雍正、乾隆合并在一起来写。但是在第十六回的这一笔所写的，应该是雍正的突然死亡。这个消息传来以后，小说里面的贾家慌作一团，这样描写是正确的；并不是因为什么秦可卿的事，他们才那么慌张，实际上他是暗示政局突然发生了很大的变化，令贾家惊恐。

一朝天子一朝臣哪，生活当中的曹家是尝过这个滋味的。康熙一死，曹家就立刻失去了皇帝的宠爱，马上生活就发生了巨大的变化，甚至发生了惨痛的转折。所以当雍正突然死亡的消息传到曹家的时候，可想而知，现实当中的曹家肯定是乱作一团。虽然雍正对他们很不好，他们对雍正的感情，应该和对康熙的感情是不一样的，但是这样一来，命运的不可知的成分显然就又增加了。所以曹雪芹把这个情况移到书里面，就出现了贾家"不知是何兆头"，"贾母等合家人等心中皆惶惶不定"的慌乱场面，他这样写非常合理。在这种情况下，得到消息的这些王公大臣，首先当然要到正宫去，是不是啊？皇帝死了嘛，要履行某种仪式，也得有所表示。然后，凡是和即将继承王位的皇子有关系的，就应该到东宫去，到那个继承皇位的人居住的地方，去表示祝贺。所以"如今老爷又往东宫去了"，写得很准确。

当然，我刚才已经说了，现实当中雍正采取的是秘密建储的传位方式，不立太子，没有明确地告诉大家，也没有告诉弘历本人，说你就是我的接班人，今后皇帝让你当。雍正是秘密地内定了由弘历来继位，但是在雍正晚年的时候，大家都看出来了，他看重弘历，虽不明说，但很明显，继承他皇位的应该就是弘历。所以在小说里面，把弘历的居所称为"东宫"，也很自然，"东宫"就是皇储住的地方。反映到小说当中，就是第十六回写的这个情况，"老爷又往东宫去了"。

肯定下面有人要跟我讨论，说，刚才你推测贾元春的原型，最早不是送到胤礽那儿去了吗？怎么会现在小说里又写成"老爷又往东宫去了"，然后传来消息，小说里面的贾元春就得到晋升了，就"才选凤藻宫"了？就晋封为凤藻宫尚书，加封贤德妃了，这怎么回事呢？这一点都不奇怪，因为你查一查清朝的有关档案就可以发现，这些选秀女被选中的女性，当她们没有成为皇帝身边宠爱的女子的时候，她们的命运完全由有关的六宫主管太监，乃至于由内务府来安排，可以多次重新分配。懂我的意思吗？你不是什么很重要的人，你又没有真正成为皇帝身边宠爱的女子，就可以对你多次进行重新分配。那么在康熙的儿子、孙子当中，身边的女子被进行重新分配的，可能性最大的是谁呢？当然就是两立两废的太子，以及他的儿子弘晳。明白了吧？而且，我在前一讲已经讲过，老早在康熙的时候，康熙就觉得，太子我不能让他继承皇位了，但是我要善待他，包括弘晳是我的爱孙，也不能亏待。但这些人搁在宫里面又不安全，对他自己不安全，对政局也不安全，于是他就决心在现在叫郑各庄、过去叫郑家庄的地方，盖一大片房子，打算把这个废太子移到那儿去住。当然，太子被废后没活很久，康熙去世以后，他在雍正二年就死亡了。而且雍正那个时候面对的政敌太多，他觉得废太子，以及废太子的儿子弘晳都是死老虎，所以并没有对他们进行十分的迫害。当然他也对其进行严密监视，但是表面上还容纳他们，就封弘皙为亲王，把他移到郑家庄去居住。在这样一个移宫过程中，需要配备上下各种各样的人员，男的派作管家、仆从，女的就派去侍候王府的女眷。可以推测，在这样的二次分配当中，曹家的这个女性，就没有跟弘皙他们到郑家庄去。这也很可以理解，因为对废太子也好，对弘皙也好，给他们配备人员时，一般来说只能是做"减法"，不能做"加法"，道理是不是这样的啊？因为他们是政治上的弱势族群了，弘皙后来虽然不是圈禁，但肯定是被监控，所以在二次分配当中，我们现在寻找到一个女性，这个人在现实生活中，可能就是曹家的一个女子，她在二次分配中，就被从弘皙那边，拨到了弘历的身边；她二次分配也没能够分配到雍正的身边，她不够格，于是她就从康熙的嫡长孙弘皙身边，被派往康熙另外一个孙子弘历的身边。这是当时这些女性共同的命运，她们像用品一样，不能自己选择去留所在，人家把你搁到哪儿就是哪儿，有的要经历多次的再分配，被挪来挪去的。但是她到了弘历身边以后，很可能在弘历还没有当皇帝的时候，就已经得到了宠幸，成为了一个王妃。小说里面把这些事写进来，她已经是王妃了，因此探春抽到"必得贵婿"的签，大家就跟她说，我们家已经有了一个王妃，难道你也要成为一个王妃吗？这个话，实际上是现实生活当中曹家人嘴边的话，曹雪芹就把它写进去了，明白吧？他写这个的时候因为全书还没有统稿，从第一回到最后一回他还没有来得及仔细地剔掉毛刺，他前面设计贾元春已经是做了皇妃了，不是王妃，但是现实生活当中，贾宝玉过生日的故事，可能还发生在这之前，他挪用了当时人们经常说的一句话。就是说，贾元春原型原来的身份就是一个王妃，但是她所伺候的这个王，一旦成为东宫的储君，一旦真正接替了王位，这个王妃和皇妃，可不可以就是一个人呢？就像太妃和老太妃可以是一个人一样，当然就是同一个人。我想，我已经把这个逻辑给你理顺了。所以，虽然寻找贾元春的这个原型不是很容易，可是我们也还是获得了这么多的线索。

那么贾元春跟着皇帝，就过了一段很美好的生活，但是好景不长，正像秦可卿可怕的预言一样，"三春去后诸芳尽，各自须寻各自门"。在乾隆元年、二年、三年，这三个美好的春天过去之后，在第四春的时候，就发生了重大的变化，现实中的曹家，这次是遭到了灭顶之灾，彻底毁灭。小说当中的贾家，最后也是彻底毁灭。因此我们就需要在下面继续探讨这样一个问题，就是如果贾元春的原型，果然是先在胤礽、弘晳身边，后到弘历身边，最后有幸成为弘历身边一个受宠的女子，那么小说为什么最后要写三个春天过去以后，在第四个春天她就悲惨地死去了呢？在生活当中发生了什么原型事件呢？现实当中这个女子，想必也是在乾隆四年的时候，悲惨地死去了。其实曹雪芹在《红楼梦》第五回中，关于贾元春的判词和《恨无常》曲里面，就对这个角色的命运有了一个非常完整的勾勒，有了非常明确的预言。但是红学界从来都对第五回里面，关于贾元春的判词和《恨无常》曲有争议。那么我在下一讲里面，就将向大家讲述我对贾元春这个艺术形象，对她在八十回以后的命运，所做出的我个人的一个探佚、推测。当然，同时也继续进行我们的贾元春原型探索之旅，请听我下一讲。

贾元春判词之谜

　　贾元春在前八十回里面正式出场很少，只有省亲的时候有她的一个重头戏，然后她就是一个背景人物了。八十回以后，贾元春肯定是有戏的。因为在第五回的判词里面，预示了贾元春后来的命运。

　　在红学发展过程中，有一个说法，认为《红楼梦》有四个不解之谜，这四个不解之谜是：贾元春判词之谜、贾元春《恨无常》曲之谜、《红楼梦》书名之谜和《红楼梦》二十首绝句之谜。前三个谜指的是什么，你一听就明白，都是《红楼梦》文本里出现过的，第四个谜则需要略微解释一下。这不是《红楼梦》文本里的，是《红楼梦》手抄本流传的过程里，在乾隆朝中期，有个叫富察明义的人，他读了以后，写了二十首绝句，诗句里透露出来，他所看到的手抄本似乎不止八十回，但八十回后也绝非高鹗所续，在诗中他道出了一些他所看到的八十回后的情节，但是他以诗的形式表达，又把自己的感慨糅合进去，意思就很朦胧，人们的理解就各不一样，因此也就成了不解之谜。由于红学界对这四个不解之谜争论不休，难有定论，因此有人干脆将它们称之为"红楼死结"。

　　四个不解之谜里，四个死结里，两个都与贾元春有关。可见《红楼梦》第五回里关于贾元春的判词和《恨无常》曲，是难啃的硬骨头。可是，这两个谜非破解不可，这不仅关系到我们对贾元春这个人物的理解，也关系到我们对整部书的理解。我自己在这方面也进行了很长时间的研究，也有所收获，现在我就把自己啃下这两块硬骨头以后，对这两个谜的破解，以及打开这两个死结的心得，竭诚地告诉大家，以供参考。

先来看关于贾元春的判词。贾元春在太虚幻境薄命司橱中的《金陵十二钗正册》里，处第二位，在她那一页上，画着一张弓，弓上挂着香橼，画弓当然是为了让我们联想到"宫"，香橼当然是为了让我们联想到"元"，弓又是凶器，被挂在上面不是什么吉兆；画旁边有一首歌词，那就是关于贾元春的判词，一共四句："二十年来辨是非，榴花开处照宫闱。三春争及初春景，虎兕相逢大梦归。"这短短的四句话，究竟在表达些什么？在每句判词的背后，究竟隐藏着什么秘密？

"二十年来辨是非"，这是贾元春判词的第一句。从字面看起来没有什么难解释的，一个是一个年代，一个是做一件事，年头就是二十年，做什么事呢？"辨是非"。但是红学界过去就觉得这句话很古怪，二十年是怎么算的？从什么时候算到什么时候？有人说了，大概是说贾元春进宫二十年了。你想选秀女，按清朝规定，三年进行一次，备选女子在十四岁至十六岁之间最合适，有时也会略微降低一点年龄，那么我们假设贾元春十三岁选上，她进宫二十年后，都三十三岁了，那就是一个中年妇女了。这个"二十年"意味着什么呢？是表示说她在宫里面待得久呢，还是想表示她在宫里面待得还不够长？说它干吗啊？"二十年"不好解释。"辨是非"就更不好解释了。过去有人怎么解释啊？说她二十年在皇宫里面，不断地去辨别皇帝的是非。这可能吗？这有必要吗？一个妇女好容易得到皇帝的宠爱，她会用二十年时间去辨皇帝的是非？在那个社会里，皇帝只有是，没有非，他怎么着都是对的，除非他的权力被别人拿走了，他是个傀儡皇帝，否则，他掌大权的话，虽然有时候他也会听取一下别人的意见，对于所谓"净臣"，有时候还会加以表扬，但是他拍了板，那就是定论了，就得照办。皇帝他本人，乃是非的终极标准。特别是当时宫廷里面的妃嫔，皇帝是严禁她们干预朝政的。在清朝的康、雍、乾三朝，这一点皇帝把持得很紧，也没有出现过后妃干预朝纲的事情。所以我认为，书里写贾元春用二十年的时间辨是非，不可能是去辨皇帝的是非。

当然，有人坚持认为，"二十年来辨是非"，就是二十年里不断地分辨皇帝的是非，贾元春就那么做，曹雪芹他就是那么个意思。我也很尊重他的看法。有不同的看法，大家讨论，才能够去愈来愈接近那个真实的存在。讨论是好事，大家记得《红楼梦》里写"秋爽斋偶结海棠社"，贾宝玉怎么说的呀？说"大家鼓舞起来，不要你谦我让。各有主意管自说出来大家平章"，咱们应该按贾宝玉的倡议去做。皇帝有没有非？从今天的无产阶级革命立场来看的话，不消说，你实行的是封建专制统治，是个大大的非；从当时农民起义者的角度来看的话，皇帝当然也绝对是大非，是个必须要推翻的坏东西。问题是我们现在讨论的是小说里面的贾元春这个角色，从贾元春这个角度来看的话，她不会去把自己的人生目的确定为去辨别皇帝的是非，小说里面也没有任何情节写到她去辨别皇帝的是非，连这样的暗示也没有。所以咱们讨论贾元春这个艺术形象，就很难解释她究竟在分辨谁的什么是非，而且用二十年时间去辨。

这句话现在我又把它分成两截，咱们先来讨论"二十年"。《红楼梦》里面"二十年"这个字样可是多次出现的哟，您回忆一下。《红楼梦》里面经常出现一些年代语言，比如说在第五回，警幻仙姑碰到宁荣二公，宁荣二公在嘱托她的话里，就有一个年代概念，他们说，"吾家自国朝定鼎以来，功名奕世，富贵流传，虽历百年，奈运终数尽不可挽回者。"在这里宁荣二公就提出了一个概念叫做"百年"，就是说他们这个家族的荣华富贵流传到故事发生的那一刻，也就是贾宝玉在宁国府、在秦可卿的卧室里面午睡的时候，已经是有一百年了。这个数字和清朝确立他们的政权，又经历了顺治、康熙、雍正这些朝代的那个年数大体相合，和生活当中的曹家，从他们当年在关外被八旗兵俘虏，沦为正白旗的包衣到当时的那个年数也是大体相合的。这也就再次说明，《红楼梦》是具有自叙性、自传性、家族史这种特点的小说。

大家印象更深刻的应该是第七回的焦大醉骂。咱们在前几讲里面，引用分析了焦大他所骂的一些话，下面咱们再引用一句。焦大醉骂当中有这样一句话，他说，"二十年头里的焦大太爷眼里有谁？""二十年头里"，这就又出现一个"二十年"。焦大所指的"二十年头里"应该是什么时候呢？小说它是一个虚拟的时间和空间，我们现在要讨论的是在真实的生活当中，如果是一个焦大的生活原型在那个时候骂，他所说的那二十年，"二十年头里"，大体是什么时候？在前几讲里，我已经分析了《红楼梦》文本的时代背景，虽然作者托言"无朝代年纪可考"，实际上脂砚斋就指出"大有考证"，我就已经考证出来，第一回至第十六回，应该大体上是雍正时期，更具体地说，是在雍正朝晚期，也就差不多是雍正暴死之前。雍正，大家知道，他当皇帝当了十三年，是在雍正十三年八月份突然死亡的。在雍正朝最后，说"二十年头里"，那么减去雍正朝的年头，所指的就是康熙朝。"二十年头里的焦大太爷眼里有谁"，这句话就证明，小说里面的贾家在二十多年前，他们的状态比小说里面写到秦钟到他们那儿去做客，然后让焦大把他送回家的时候要强得多。那个时候，焦大作为一个老仆是非常风光的，非常神气的，谁也惹不起的。考虑到《红楼梦》它是一部带有自叙性、自传性、家族史特色的小说，我们就回过头来，到真实的生活当中去看一看，会发现确实是，前面我多次讲到，在康熙朝的时候，曹家是最风光的。

我上一讲已经跟大家说了，第十六回实际上讲的是雍正暴亡和乾隆登基的情况，整个故事发生在这样一个背景下，小说节奏加快，说"老爷又往东宫去了"，然后就写到贾元春不但"才选凤藻宫"，而且得到皇帝的特许，还可以回家省亲了，于是贾府开始为省亲做准备了，这对贾氏宗族是一件天大的事，大家都很喜悦。这个时候，家里面的老仆人赵嬷嬷，还有王熙凤，她们就开始议论省亲的事情。这个时候，王熙凤的话里面也有一些年代数字，比如王熙凤说了，"可恨我小几岁年纪，若早生二三十年，如今这些老人家也不薄我没见世面了。说起当年太祖皇帝访舜巡的故事，比一部书还热闹。"王熙凤在这儿用了一个很概括的时间概念，"二三十年"。从雍正朝晚期，往前推二三十年，就恰恰是康熙皇帝南巡的那个时间段。康熙他是在康熙二十三年首次南巡，最后一次南巡是在康熙四十六年，然后他是在康熙六十一年的时候去世的。雍正他只当了十三年皇帝，你从雍正十三年往前推二三十年，大体就是康熙后几次南巡的那个时间。所以曹雪芹写王熙凤这样讲，他也是有真实生活为依托的。曹雪芹写这些人物，说这些话，不是凭空的艺术创造、艺术想象，当然写小说可以完全脱离生活真实去凭空想象，世界上有那样的小说，但是《红楼梦》不属于那种类型。

我个人的研究证实，《红楼梦》里面所讲出来的这些年代数字，都是与康、雍、乾三朝里政局的情况、曹家的兴衰对榫的，都是能够落到实处的，能够找到生活的原型事件、原生状态的。书里有一个年代数字的表述，我特别重视，是在第四十七回，贾母有一个表述，她说："我进了这门子，做重孙子媳妇起，到如今我也有了重孙子媳妇了，连头带尾五十四年，凭什么大惊大险、千奇百怪的事，也经了些。"这个数字就忽然精确到个位，前面你看都是一些"百年""二十年""二三十年"那样的概括性数字，这次曹雪芹写贾母说话，她不说"五十"，也不说"五十五"，她说"五十四"，这个我想不是偶然的，不是曹雪芹写到这儿，兴之所至，随便写上去的。前面我讲到过，贾母这个人物是有生活原型的，这个生活原型是可以非常准确地加以确认的。贾母的原型就是李煦的一个妹妹，她嫁给了曹寅，李煦在给康熙的奏折里有"臣妹曹寅之妻李氏"这样非常清晰的表述。李氏在小说当中化为了贾母这个艺术形象。你查一查曹家的历史，贾母说这个话是在第四十七回，我在上几讲里已经给你论证了《红楼梦》里的背景时序是怎样的，这里不再重复，根据我的判断，这一回写的应该是乾隆元年的事情。从乾隆元年回溯五十四年，是哪一年呢？是康熙二十一年，那一年曹玺还活着，任江宁织造。曹玺是曹寅的父亲，曹寅当时在京城，他是治仪正或兼佐领职。当时曹寅是二十五岁的样子，贾母原型的年纪应该大体和曹寅相当。她就在那个时候过门了，嫁到曹家，嫁给曹寅，从那个时候算到乾隆元年，就正好是五十四年。她说"到如今我也有了重孙子媳妇了"，这一点有人可能会提出意见，说秦可卿已经死掉了呀。但细心的读者可能会注意到，秦可卿死掉以后，贾蓉续娶了，小说后面几次提到有一个贾蓉之妻，而且在第五十八回里面写到老太妃薨逝后，"贾母、邢、王、尤、许婆媳祖孙等皆每日入朝随祭"，这句话里排在最后的一位，应该就是贾蓉之妻。这里点出了她的姓氏，她姓许，只是这个人在前八十回里面没有任何故事而已，彻底成为一个背景上的影子了。后来高鹗续书，通行本上，又把贾蓉续娶的妻子说成姓胡。所以贾母说这个话的时候，她所说的"到如今我也有了重孙子媳妇了"，那个重孙子媳妇当然已经不是指曾让她认为是"第一个得意之人"的秦可卿，她指的应该是许氏。她说五十四年前自己的身份是重孙子媳妇，意味着当时她嫁过去的时候，上面可能还有一个太婆婆；从那一年，过了五十四年之后，她也有了重孙子媳妇。而且贾母说这五十四年是不平静的，她经历了很多大惊大险、千奇百怪的事，这也正符合历史上曹家的情况。曹寅娶了李氏以后，一直到最后去世，那真是大惊大险多极了。

我说这么多，什么目的呢？就是告诉你"二十年来辨是非"的这个"二十"，不会是一个随便写下的数字，而是和我刚才说的那些数字一样，也是可以相应地加以推算的一个数字。"二十年来"怎么个算法呢？我个人认为，不是说贾元春已经进宫了二十年，不是这个意思，而是说贾元春为了一件事情，她可以说是辛苦了二十年。为一件什么事情呢？现在我们所读到的判词，在多数的版本上都叫做"二十年来辨是非"，实际上在古本《红楼梦》里面，不完全是这样的写法，起码有两个古本里面，它写的是"二十年来辨是谁"，这很值得我们思考。很可能这样的古本里边的这个句子，更接近于曹雪芹的原笔原意。她二十年来，一直在判断有一个人究竟是谁，这个人绝不是皇帝，皇帝是谁还用她去判断吗？她所判断的，就是小说里面的秦可卿。因为，我们从这个小说所叙述的贾家的情况来看，贾元春不可能年龄非常大。如果贾元春年龄非常大，王夫人生不下她来，小说里的王夫人也无非是一个五十几岁或者接近六十岁的妇女。贾元春，她的生活原型我们在上一讲里面也说了，应该是曹家曹𫖯的一个女儿，或者是曹頫的一个女儿，总之，她应该是曹雪芹的一个亲姐姐或者堂姐姐。这个人应该是在选秀女的时候，有机会被选中了，又由于他们曹家的背景不是特别好，虽然属于上三旗里的正白旗，但属于正白旗里面的包衣世家的后代，皇帝宠信你家，可以让你家男人做官，但是论身份、血统，她不能和那些正宗的满族家庭的女子相比。所以她一开始，我在上一两讲里面已经分析了，可能并不能直接地进到皇帝的那个宫里面去，她可能会被分配到皇帝下面的太子或者是其他阿哥的那些居所去，供那些人使役，她是从下到上，从低到高，一步步地完成了她人生的旅程。

贾元春，大体而言，她应该比秦可卿稍微大一点，也无非是大个四五岁的样子。在她四五岁记事的时候，她就发现他们家族里出现了一个神秘的女性，比她略小。这个女孩子被说成是一个小官吏抱养的，然后就被送到宁国府里，开头可能是童养媳的身份，因为那个时候她年龄还很小，就在宁国府里面长大成人。秦可卿，从小说里的描写来看，气象万千，派头很大，我已经有很多分析，不再重复。在真实的生活当中，这个人作为废太子的一个女儿，她并不是真正地在一个破落的小官吏家庭里面长大。之所以要把她藏匿起来，就是为了避免让她跟父母一起被圈禁嘛。她被曹家收养以后，曹家当时境况并不怎么好，不像书里写的宁荣两府那么富贵繁荣，但是她可以不被圈禁，她就有了自由，不但可以跟自己的家族保持秘密联系，还可以和皇族里其他知道她的真实身份而不予揭示的同情者，以及真以为她是曹家媳妇的、又还接纳曹家的王公贵族，比如康熙的二十一阿哥允禧那样的家庭中的女眷公开来往，建立比较密切的关系。因此她的生活环境、成长环境，绝不是一个小官吏家庭的环境，也不仅是曹家的环境，她应该有更广阔深邃的成长环境。

前面我已经多次给大家指出，雍正登基以后，所要对付的政敌非常之多，他对废太子这一支不会放松警惕，但是没有把他们作为打击的首选。而且对于废太子的儿子弘晳，他还遵照康熙的遗嘱，封他为郡王，后来又升为亲王——当然他是把弘晳移到了郑家庄去居住，不让他住在皇城里面。这种安排，不是圈禁，雍正不能公开宣布把他圈禁起来，这和废太子的待遇应该在表面上是两样的。雍正当然会对弘晳有所监视，可是弘晳的自由度应该就比圈禁状态要大得多，后来弘晳他自己私立内务府七司了嘛，可见弘晳的活动空间还是比较大的。那么，弘晳不可能不关注他的这个藏匿在曹家的妹妹，这个妹妹在逐渐长大以后，也不可能不和弘晳、她家族的人发生关系；而且既然弘晳并不是一个被圈禁的人，她又有行动自由，她就可以短时间地或者是相当长一段时间地到郑家庄的亲王府里去住。因此，秦可卿之所以不但血统高贵，而且她也有一种高于贾家的见识和修养，从其原型的这种成长历程来看，是完全可以理解的。

　　为什么贾元春她要来琢磨自己家族里面的这样一个秦可卿究竟是谁，这个在上一两讲里面我已经给大家分析过了。贾元春的原型很可能是曹雪芹的一个姐姐，先被送去参选秀女，又由于本身条件不是非常好，一开头可能并没有被选拔到皇帝的身边，而且很可能是先被派去伺候胤礽和弘晳他们。你想，如果在胤礽第二次被废前夕，胤礽的家族曾经做了这样一件事情，把即将临盆的一个妇女，把她生孩子的这个事情隐瞒起来，或者谎报生下的婴儿是个死婴，最后还把这个落生的婴儿偷渡出宫殿，寄养到跟自己关系密切的、一贯相好的官僚家族里面，这是完全可能的。而贾元春原型在小时候，她可能模模糊糊觉得这个比她小一点的女子有点奇怪，但是她不可能有深刻的意识，她也不一定有去仔细辨认她是谁的浓厚兴趣。但是她到了胤礽和弘晳的生活空间里面以后，她就会从那个空间里面的一些妇人的喊喊喳喳的私语里面，隐约感觉到有些奇怪。府里面当年说是生育了，然后生出来又死掉的婴儿，很可能就是她小时候，忽然出现在她家族里的那个女孩，于是她就一直琢磨这个事情。那句判词之所以在有的古本上写作"二十年来辨是谁"，它的含义就是贾元春一直在琢磨，他们贾府里面的这个女人究竟是谁呢？她不是到了当今皇帝身边才开始"辨是谁"的，她从四五岁上就开始纳闷了，后来她选秀女选上了，她还在辨，再后来她的生活出现了一个大的转折，她辨到第二十年的时候，她的判断就成熟了，她就说出来了。

　　我在上一讲里分析出，贾元春的生活原型，后来又从胤礽和弘晳的身边，通过内务府的二次分配，移到了弘历的身边。她逐渐掌握了确凿的证据以后，就选择了一个最佳时机来揭露这件事情，告发了秦可卿被藏匿的事情。你想她如果是四五岁开始琢磨这个事情，到二十年以后，她应该是二十四五岁；而弘历在做皇帝的时候差不多也是二十四五岁，这两个人的年龄应该是比较相当的。弘历对来到他身边的这样一个曹家的女子肯定产生了好感，她得到了弘历的宠爱。这时正好雍正暴亡，弘历登基，而弘历登基以后的第一件事就是抚平政治伤口，上下做团结工作，该赦的赦，该免的免。贾元春原型，也就是现实生活当中的这个曹家女子，看到这个情况以后，就觉得这是一个最好的时机。无论是这个生活原型，还是小说里的贾元春，告发家族藏匿皇家女子，都得选择一个最佳时机。她要达到三个目的：第一个目的，她觉得自己要坚持原则，我是皇家的人，我要坚持一个至高无上的皇家原则，皇家里面有个别的人做了这种不对头的事情，我有揭发的义务。她第二个目的，是要保护自己的家族，她揭发自己的家藏匿了不该藏匿的人，不是为了让自己的家族遭连累，她是为了保护自己的父母，让自己的家族得到解脱。为什么在这个时候来告发，她的家族就能得到赦免解脱呢？她看到了新皇帝在忙着干什么呢？就是正在给所有这些皇族遗留问题画句号呢。同时，第三个目的，她是为了达到隐藏心底的一个愿望。她不可能没有一个往上爬的愿望，因为做了这样的事，而且家里配合得也很好，皇帝会认为她忠孝贤德，所以小说里写皇帝最后就把贾元春提升了，她于是就"才选凤藻宫，加封贤德妃"了。小说里面写的，虽然把真实生活当中发生的事情在顺序上略有挪移，但大体上应该就是这样。经过我这样分析，你再读小说里面第十三回到第十六回，你会觉得它在叙述的时间排列上就基本合理了。因此我觉得"二十年来辨是非"这句判词的意思应该是很清楚的，并不难解释。

关于贾元春的判词，第二句是"榴花开处照宫闱"。对于这句判词，很多红学研究者认为它没有什么特别意义，只不过是一句景观描写而已。我不这样认为，这一句也需要破解出其中的深意。

"榴花开处照宫闱"。"榴"就是石榴，石榴有一个什么特点啊？石榴多籽。为什么在紫禁城里妃嫔住的那些院落里面都种石榴树啊？它有时候不直接栽在地下，而是栽在一个大盆里面，现在你去故宫参观，有时候还能发现，月台上一溜都是石榴树。封建社会，从皇族一直到普通老百姓，都希望多子多福。康熙皇帝本身就是一个榜样，你看他那么多子女，而且以子女众多为荣、为喜。"榴花开处"

意味着什么？我个人以为，意味着小说里面的那个贾元春实际上她已经为皇帝怀孕了，所以她得到皇帝那么大的宠爱。一般来说，皇帝宠爱一个妇女，在多数情况下，还是因为她为自己有所生育，特别是能给自己生儿子。所以贾元春她后来命运为什么悲惨呢？因为从小说里面我们看不到一点痕迹，说她把怀的这个孩子生下来了。在真实的生活当中，情况可能也是很悲惨的，她的原型给乾隆怀了孩子，孩子却并没有能顺利地落生。所以"榴花开处照宫闱"，那个石榴树开着花，石榴树开花就意味着要结石榴果，但是结出来没有呢？它不是"石榴结处照宫闱"，它仅仅是"榴花"，并没有完全结成石榴。这一句就点出来，贾元春她是处于这么一种状态。

关于贾元春判词的第三句是"三春争及初春景"。对于这句判词，很多红学研究者认为，这是指贾府四位小姐——元春、迎春、探春和惜春之间的关系，"三春"指的是迎春、探春和惜春，因为她们三人都不如元春地位风光显赫，所以是"三春争及初春景"。

那这句话又为什么被人说是"红楼死结"，是不解之谜呢？大家知道，贾家有四个平辈的女性，元、迎、探、惜。这四个女性的名字本身的第一个字合起来又是一个谐音，就是"原应叹息"，"原来就应该为她们叹息啊"。这是曹雪芹为这些最后命运都不好的薄命女性进行的艺术概括。她们的名字又都带春字，因此可以说是四春——元春、迎春、探春、惜春。所以"三春争及初春景"，很多人就解释成，你看元春多风光啊，元春到皇帝身边，"才选凤藻宫，加封贤德妃"了，迎春、探春、惜春你们都不如她，所以叫做"三春争及初春景"。但是这个话是说不通的。为什么说不通呢？因为《红楼梦》第五回关于十二钗的判词和曲，都不是说她们一段时间里的状态，而是概括她们的整体命运，点明她们的结局。那么就结局而言，迎春确实命最苦，她嫁给"中山狼"孙绍祖以后，很快就被蹂躏死了；但是探春跟惜春都没有死，尽管一个远嫁，一个当了尼姑，总比死了好吧；而元春呢，我们读完这个判词再读有关她的那个曲《恨无常》，就知道她后来是很悲惨地死掉了。在第二十二回，元春的那首灯谜诗，也很清楚地预示着她的惨死："一声震得人方恐，回首相看已化灰。"她究竟怎么死的，那些情节，有关细节，因为曹雪芹的八十回后文字散佚了，所以探讨起来可能麻烦一点，但是她的结局是悲惨地死掉，这是无可争议的呀！如果非要以四位女性的结局作比的话，只能感叹"迎春怎及初春景",怎么会"三春争及初春景"呢?而且元春是元春,你说初春干什么呀?所以如果这么解释,会越解释越乱。

非把"三春"解释为元、迎、探、惜里面的三位,非把"春"理解成指人,那读《红楼梦》就会越读越糊涂。不光是这一句的问题,书里有"三春"字样的句子非常之多,比如说"勘破三春景不长""将那三春看破",更何况还有我们反复引用过秦可卿临死前向凤姐托梦,最后所念的那个话,那个偈语,叫做"三春去后诸芳尽,各自须寻各自门"。所以如果你要是胶着在"春"是四个人,来回来去抠饬这"三春"的话,你怎么抠饬也抠饬不出一个道理来,越抠饬越乱乎,特别是"三春去后诸芳尽",怎么算"去"?如果死了算"去"的话,那只有迎春、元春死了,应该说"二春去后诸芳尽";如果远嫁、出家也算"去",那就该说"四春去后诸芳尽",怎么也算不出"三春"来。那么这些话里面的"三春"究竟都是指什么呢?其实很简单,不是指三个女子而是指三个春天,"三春去后"就是"三度春天过去"。那么"三春争及初春景"是什么意思呢?如果你把"三春"理解成三个春天,也就是说把"三春"理解为三个美好的年头的话,这个问题就迎刃而解。一年固然有四季,但如果我们觉得我们三年都过得不好,我们就可以说这三年是"三冬",因为冬天一般就让人觉得比较寒冷。"三春"则应该是指美好的年头一共有三个。你把胶着在四个人身上的思路搁在一边,你把你的思路挪移到按年头来理解的话,所有的这些话全通了,一通百通。"三春争及初春景",就是贾元春她最美好的日子就是封为贤德妃的第一年,就是乾隆元年,就是初春,首先她省亲了呀,那多美好,是不是?小说也写了二春、三春的故事,写了背景大约是乾隆二年和乾隆三年的故事,由于各种各样的原因,虽然那个时候元春的情况还是比较好,但是她又回家省亲了吗?没有了。所以对于贾元春来说,确实是"三春争及初春景"。她一共有三个都比较美好的春天,但是在这三个春天里面加以比较的话,哪一个春天最好呢?初春。这样就把贾元春她的命运发展的轨迹表述出来了。

关于贾元春判词的第四句是"虎兕相逢大梦归"。对于这句判词,红学界争议更大。那么红学界争论的焦点在哪里?这句判词究竟意味着什么?

"虎兕相逢大梦归",我这么一念,下面我看有的红迷朋友就在那儿皱眉,可能要对我说:您念错了吧?不是"虎兔相逢大梦归"吗?你看的那个版本,很可能上面写的是"虎兔相逢大梦归",后来的通行本写的都是"虎兔相逢大梦归"。但究竟是"虎兔相逢大梦归"还是"虎兕相逢大梦归",这是《红楼梦》研究当中一个很热门的话题。

有的研究者认为,原来是"虎兔",因为"兔"字跟"兕"很相似,当年的抄手抄错了;有的研究者也认为是抄错,但却是把"兕"字错抄成了"兔"字,因为"兕"字比"兔"字生僻,如果原来是"兔",很难想象有人会把一个常见的字抄成一个许多人都不会写也不知道该怎么念的怪字;也有的研究者认为,是高鹗续书的时候选定了"兔"字,他那是别有用心,故意把曹雪芹原作里传递的权力斗争的信息,化解为一种宿命,一种迷信。

我个人的意见是这样的,我认为,曹雪芹的原笔原意,应该是"虎兕相逢大梦归"。

虎,不用解释了,一种猛兽。兕也是一种猛兽,犀牛一类的那种兽,独角兽,很凶猛,身体体积很大,力气很足,顶起人来很可怕。它跟虎之间可以说是有得一搏的,很难说一定是虎胜,也很难说一定是兕胜。在虎兕相逢,两兽的恶斗当中,贾元春如何了呢?"大梦归"。这个你应该能理解,就是意味着她死掉了,人生如梦,魂归离恨天,就是死掉了。

但是有一些人坚持认为是"虎兔相逢大梦归"。高鹗、程伟元他们续后四十回《红楼梦》,写了元妃之死。高鹗他的续书是有一些优点的,我不想全盘否定,但是高鹗写这个贾元春之死确实是太荒唐了,现在我们来看一看他怎么写的。

首先,高鹗说贾元春怎么死的呀?没有发生任何不测,她是"自选了凤藻宫后,圣眷隆重,身体发福",用今天的话说就是肥胖症。说她"未免举动费力,每日起居劳乏,时发痰疾",说她吃荤东西吃多了,喉咙这儿老堵着痰,"偶沾寒气"以后,就"勾起旧疾",勾起她的旧病后,"竟至痰气壅塞,四肢厥冷",因此就薨逝了。她是因为发福,因为多痰,因为受了风寒,可能得了点儿感冒,她就死了,很太平地死在凤藻宫里面了。那么,前面第五回的判词也好,关于她的《恨无常》曲也好,关于她那首灯谜诗也好,等于都白写了,一点没有暗示作用,成胡言乱语了。高鹗就这样告诉我们,贾元春这个人,她很太平、很正常地在宫中薨逝了。

那他怎么解释"虎兔相逢大梦归"呢?这不是我非要跟高鹗过不去。他实在没办法，他写的才确实是胡言乱语，他这么说，"是年甲寅年十二月十八日立春，元妃薨日是十二月十九日，已交卯年寅月，存年四十三岁。"他就说，因为那一年是卯年，那个月是寅月，卯就是兔，寅就是虎，所以这不就是"兔虎相逢"了吗，她就大梦归了。首先，这是兔虎相逢，不是虎兔相逢，应该先把年搁前头，把月搁后头，对不对？再加上中国人关于属相关于十二生肖的规定，都是冲着年说的，几乎没有人把一月到十二月，按十二生肖来划分的；你们家，你自己，你们家老人，老祖辈有这么分的吗？现在是阴历几月呀？属于哪个属相啊？有这么问吗？一般不这么做。更何况，他语无伦次在哪儿呢？他自己说"是年甲寅年十二月十八日立春"，他说那是一个甲寅年，甲寅年那是虎年啊——过去也确实有一种说法，就是立春以后，可以算是另外一年了，甲寅过后是乙卯，你就说元春是死在虎年和兔年相交接的日子不就行了吗？他又偏不按年与年说，非按年与月说，也许他的意思是到了卯年了，但月还属于寅年的月，所以卯中有寅，算是兔虎相逢。但这样营造逻辑，实在是说的人和听的人都脑仁儿疼。我认为，说来说去，他就是要回避"虎兕相逢"这个概念，他一定要写成"虎兔相逢"，这个起码可以说它是败笔吧。而且他说贾元春去世的时候四十三岁，在那个社会四十三岁是一个很大的年纪，就是说贾元春死的时候已是一个小老太太，这个也很古怪，不知道他怎么想的。"才选凤藻宫"没多久，贾元春就四十三岁了。高鹗他续《红楼梦》八十回以后，他也没有很大的时间跳跃，没有说现在过了三年、过了五年，他没这么说，他就那么煞有介事地，按前八十回的那个时间顺序往下写。他写到贾元春死的时候，离元妃省亲也不过是几年的事情，这样往回推算的话，一个三十七八岁的妇女，还能得到皇帝那么大的宠爱吗？也没有生下一个儿子来。当然，他有想象的自由，问题是我不跟着他想象，我觉得他这个读起来不舒服。按我的分析，贾元春在省亲的时候不过二十四五岁，我那样算，和书中对其他年代的交代是对榫的，和真实生活当中曹家的情况也是能够大体对榫的，所以我觉得我的这个思路应该还是成立的。何况古本上写的就是"虎兕相逢大梦归"，就是意味着两个猛兽进行恶斗，在这个过程当中，贾元春不幸地一命呜呼，最后只得到一个人生如梦的感叹。这样，我们现在就把贾元春的判词完全读通了，它不再是不解之谜，更不是什么死结，是个蝴蝶结，一抻就解开了。

当然了，第五回不仅是通过一个判词来暗示贾元春的最后结局，还通过了《红楼梦》十二支曲当中的一支曲《恨无常》，来概括贾元春的命运。因此对贾元春的死亡原因如果要做探究的话，就必须对《恨无常》曲以及书中其他的一些描写来做研究，来做分析。我的下一讲，就将专门跟大家一起来讨论贾元春之死，我们下一讲再见。

贾元春死亡之谜

　　我们现在要探讨的问题就是贾元春究竟是怎么死的，因为我们现在看不到八十回以后曹雪芹关于贾元春的描写了。因此，我们只能够从第五回里面，曹雪芹写下的对贾元春命运的暗示里去分析。上一讲里面，我已经分析了关于贾元春的判词，指出按曹雪芹的情节设计，她不是像高鹗续书里写的那样，很太平地薨逝在凤藻宫，她是因为虎兕相争，在一场权力争斗当中，悲惨地死去。第五回除了判词，还有曲，现在我就要把关于贾元春的那一首《恨无常》曲，探究一番。判词和曲，总的意思是相通的、相同的，但是在对一些具体事件、具体情况的交代上，又各有侧重。

　　《恨无常》曲是这样的："喜荣华正好，恨无常又到，眼睁睁，把万事全抛，荡悠悠，把芳魂消耗。望家乡，路远山高。故向爹娘梦里相寻告：儿命已入黄泉。天伦呵，须要退步抽身早！"

　　对于这支曲，我们应该如何解读？它究竟怎样预示了贾元春的死亡？

　　这首曲曲名叫做《恨无常》，大家再想一想关于秦可卿的那首，曲名是什么呢？是《好事终》。两首曲的曲名搁到一起，触目惊心。我认为，两个曲名体现出了我在前几讲里面所说的那个因果关系。秦可卿和贾元春是扯动贾家命运的两翼——秦可卿的好事终了，很快贾元春的好事就来临。但是贾元春的最终命运仍然不好，所以叫《恨无常》。什么叫无常啊？如果始终不好，就叫常不好，始终好就叫常好；情况总在变动中，没有什么是可以持久的，而且往往那变动也无法预测，因此也就无法控制，无法避免，这才叫无常。各种状态都不能持久，如果是不好的状态不能持久，当然挺不错的，但是贾元春命运的悲惨在于，她的好运不能持久，所以她所谓的"恨无常"，实际上也等同于"好事终"。曹雪芹在营造这些《红楼梦》曲的时候，真是呕心沥血。

这个曲我们要一句一句地去体味。"喜荣华正好，恨无常又到。"这两句我觉得跟秦可卿那个曲的曲名真是挺对榫的，你把秦可卿的《好事终》那个曲名挪到这两句前头，不也挺恰当吗。"荣华正好"，结果"无常又到"。"无常"既是一个意味着事情不稳定，经常变化的名词，同时在中国过去的社会里面，它又是一个特指。什么叫"无常"？催命鬼。一个人死了以后，牛头、马面就来了，无常就来了，牛头马面是指人身子上头长着牛和马的脑袋的一对鬼怪，是专门为阎王爷从阴间跑到阳间来勾人魂的，他们把锁链套在人脖子上，拉着那么一走，人就死了，就奔赴黄泉了；无常则是另外一种形象。鲁迅在他的著作《朝花夕拾》里，就有一篇《无常》，回忆他小时候在乡间看迎神赛会的民俗活动中，所看到的装扮出来的这种鬼，"浑身雪白"，"一顶白纸的高帽子"，手里捏一把"破芭蕉扇"，有时候还拿一个算盘，意思是来找人"算总账"。鲁迅在那本书里还亲自画了关于无常的插图，你可以找来看。总之，无常也是过去民间传说中的来自阴间的一个鬼，他让活人感到一切都不可能长久，一切都会变化，到头来要被他清算，被他带往阴间；而且他不讲情面，鲁迅先生就在他那篇文章里写到，过去的目连戏里，无常给人印象最深的唱词就是，"那怕你，铜墙铁壁！那怕你，皇亲国戚！"因此关于贾元春的曲里说"恨无常又到"，既是表示说，没有想到的一种最坏的变化来到了，同时也意味着，去勾她赴黄泉的无常鬼跑来了。

底下一句就接着说，贾元春"眼睁睁，把万事全抛"，很悲惨的。她"二十年来辨是谁"，多费心思啊！向皇帝效忠，告发了宁国府的那个女子是谁，是不是？她苦心经营了一番啊，又让皇帝觉得她忠心耿耿，又为贾家求得了赦免，只是让秦可卿自尽了事，没把真相暴露于社会，皇家、贾家的面子全保住了。而且，秦可卿的长辈在当时那种情况下，也忍痛牺牲了秦可卿，以求暂时的政治平衡，而她就因此被皇帝褒奖，才选凤藻宫，加封贤德妃，而且回家省亲，大大地风光了一回。甚至于为了面面俱到，她还专门安排了清虚观打醮活动，在秦可卿的父亲生日那天，为其打平安醮，以表示她的告发是不得已，是坚持原则，当然也是希望事情了结后，他能理解她谅解她，她自己也求个心理平安。而且很可能她还怀上了孕，"榴花开处照宫闱"，石榴树都开花了，如果结出果子的话是什么样的情景啊？但是，没想到这些竟然都是过眼烟云，正如秦可卿在天香楼上吊前跟王熙凤预言的那样，"也不过是瞬息的繁华，一时的欢乐"，到头来，她还是"眼睁睁，把万事全抛"。

注意，曹雪芹在《恨无常》曲的第二句里，就已经非常明确地告诉我们，这个人的死亡，不是因为什么发福、痰壅、感冒，因病死亡，她是突然死亡。什么叫做"眼睁睁，把万事全抛"啊？一个人眼睁睁地不愿意死，生理上不到死的时候，结果"把万事全抛"，就说明是非正常死亡。

如果我这么解释你不服的话，请读或者叫做请听警幻仙姑让歌姬们所唱出的下一句，"荡悠悠，把芳魂消耗。"这句话很恐怖。有位红迷朋友跟我讨论，说闹半天，她也是上吊死的呀？她的死法和秦可卿闹半天是一样的呀？他很感叹。但是我现在要郑重告诉你，她的死法和秦可卿是有区别的。秦可卿是自己上吊而亡，是"画梁春尽落香尘"。她怎么死的呀？"荡悠悠，把芳魂消耗"，她很可能是被别人缢死的，被别人用绸巾、玉帛绞死的。而且这过程当中她非常痛苦，她的"芳魂"是"荡悠悠"地、一缕一缕地归于消失，非常悲惨，她的死相应该是比秦可卿还要可怖。

她死在什么地方呢？《恨无常》曲交代得非常清楚。是像高鹗写的那样，死在宫里面吗？在凤藻宫吗？不是，叫做"望家乡，路远山高"，你想这是在什么地方？也有人跟我辩论，说她不是金陵十二钗吗？她的"家乡"应该指的是金陵了。如果她是在皇帝身边，在北京的话，她望她的家乡不是"路远山高"吗？这个听起来似乎也还自成逻辑，但是我认为，这样解释很牵强。因为通过小说里面的描写可以知道，贾家很早就离开金陵了，小说里面写到贾宝三神游太虚境，看到有金陵十二钗的册页，就向警幻仙姑提问："常听人说金陵极大，怎么只十二个女子？"小说里面的贾宝玉，他对金陵就完全没有记忆。当然，警幻仙姑就有一个解释，说不重要的就不录了，录进的都是重要的。这就说明小说里面的贾家已经离开金陵故乡很久了，金陵只是一个原籍。贾家里面每一个人的死亡，后来几乎都是在离金陵很远的地方，曹雪芹不可能把一句可以通用于贾家诸多人物的词句，特特地写在这里，所以我认为"路远山高"不会是指原籍。在《恨无常》曲里面这样来写元春之死，它指的应该是元春死于一处荒郊野外，也就是说元春死在不但离她的祖籍金陵很远，而且离她平时所居住的凤藻宫也很远，当然离她自己父母所住的荣国府也一样远，应该是比如说潇海铁网山那一类的地方。"路远山高"是那样的含义。

她和秦可卿又有类似的地方。秦可卿上吊以后，没死绝的时候，跑去给凤姐托梦，说我要走了，你们贾氏宗族应该怎么办。贾元春在"芳魂荡悠悠"的时候，她也向她的父母，估计也托了梦，或者起码是她的阴灵想托梦，想表达一个意思。一个什么意思呢？《恨无常》曲里面写得很清楚，就是"故向爹娘梦里相寻告"，这句话说明她也是托梦。小说的八十回以内没来得及写到她的死亡，八十回以后的文字，曹雪芹的原笔现在没有看到，估计她也是托梦。她在梦里跟她的父母说了什么话呢？表达了一个什么意思呢？她说"儿命已入黄泉"，这句话就更确定她是死亡了。如果说"荡悠悠，把芳魂消耗"你觉得还不一定是死，那么这句话就太清楚不过了，说明最后她是死掉了。她发出一个什么样的惨痛的警告呢？她说，"天伦呵，须要退步抽身早！""天伦"就是她向她父母的一声呼唤，当然也不仅是父母，一说天伦的话，所有的亲族它几乎都可以包括在内，就是说建议贾氏家族"须要退步抽身早"。什么叫"退步抽身"？大家记不记得《红楼梦》的第二回写到贾雨村这个人物？他赋闲的时候到了一个破庙，叫智通寺，这个庙有一副对联，怎么写的呀？"身后有余忘缩手，眼前无路想回头。"这些意蕴在《红楼梦》里面是贯通的。就是说，不要老觉得荣华富贵是可以持续绵延的，不要总是去想尽办法到争夺权力的战场上去抢一块肉、分一杯羹。人生在荣华富贵的诱惑面前，不要眼前无路才想回头，身后还有余的时候忘了缩手。你看，在第二回就出现了这样的句子。在《恨无常》曲里面，作者在贾元春向她父母，向她的家族提出的警告当中，又发出了这样的声音，就是要"退步抽身"。从哪儿退步？从哪儿抽身？就是从"双悬日月照乾坤"的这种皇权斗争的格局里面来退步，来抽身。当然这种劝告估计起不到作用，因为像小说里面所描写的四大家族，像贾家这样的贵族家庭，特别是这个家庭里面的那些主要成员，他们是不太可能真正从权力的角逐当中去退步抽身的，而整个《红楼梦》的悲剧根源也就在于此。

尽管由于稿子的散失，我们无法看到《红楼梦》八十回之后真正的原作，不过通过贾元春的《恨无常》曲，我们还是可以得出一个清晰的结论，就是贾元春最终将难逃悲惨死去的命运。那么，以"草蛇灰线，伏延千里"著称，擅长设置大伏笔的曹雪芹，在《红楼梦》前八十回里面，有没有这方面的设计呢？元春惟一的一次公开亮相也就是省亲的时候，会不会透露了这方面的蛛丝马迹呢？

关于贾元春的悲惨结局，其实不仅是在判词和《恨无常》曲里面有所揭示，前八十回虽然没有直接写到贾元春后来的遭遇，但是也多次暗示了她不幸的结局。比如说在贾元春省亲的时候，进行完其他活动以后就要演戏，当时就点了戏，点了什么戏呢？点了四出戏。这四出戏非常重要，因为脂砚斋提醒我们，说"所点之戏剧伏四事，乃通部书之大过节，大关键"。虽然我们现在读小说只能读到八十回，曹雪芹的原笔原意只到八十回，可是在第十八回里面元妃省亲的时候点的这四出戏中，实际上把八十回以后的一些情况早就已经暗示出来了。

哪四出戏呢？第一出叫做《家宴》，是一个折子戏，什么戏里面的一折呢？叫做《一捧雪》。这个戏名是什么意思呢？一捧雪是一个古玩，一个玉杯的名称，就是一个玉器，一个像白雪一样的玉器，拿到手里面像一捧雪一样，非常珍贵。这是清代一个叫李玉的人，他做的剧本《一捧雪传奇》。我就不细讲这个戏的剧情了。总而言之，一捧雪这个重要道具贯穿这出戏的始终，造成了很多人的不幸命运。脂砚斋的批语很细，在这第一出戏《家宴》，《一捧雪》当中的《家宴》的旁边，就批了，说"伏贾家之败"。在元妃省亲的时候这出戏的出现之所以是一个伏笔，说明在八十回以后，估计贾家的最后陨灭和一件重要的古玩有关。戏里面是一捧雪，小说里面不会这么笨地也去写一捧雪，所以估计是会写到另外的古玩。和元春有关系的应该是一件什么样的古玩呢？我觉得我的看法是应该可以引起你的兴趣的。

大家知道，在《红楼梦》第七十二回里面，忽然写到一件事情，就是鸳鸯因为一件什么事，跑到贾琏和王熙凤他们住的那个地方，他们两个住在贾府后面一个单独的小院子里面。贾琏突然就问鸳鸯，大意就是说有一件事我忘了，上年老太太生日，有一个外路来的和尚孝敬的一个腊油冻的佛手，因为老太太喜欢，就立刻拿去摆着了。他说因为前日老太太生日，我看古董账上还有这一笔，可是又不知道这件东西现在着落在何方。贾琏作为一个荣国府的管家，他亲自过问这件事情。每一件古玩在使用完了以后都要归档，贾府它有一个机构专门来管理府内事务，结果就发现古董账上记的一个腊油冻佛手，归档的实物里面没有这样东西，他就认为是一件天大的事，就要查问。鸳鸯就生气了，鸳鸯说，老太太摆了几天就厌烦了，早就给你们奶奶了。就是说给了王熙凤了。贾琏还要查问，后来平儿出来了，平儿就说是给了王熙凤了，然后就埋怨贾琏，说这么一个事你怎么记不清楚，来回来去地问。贾琏后来还感叹，说我现在也是记性越来越坏了。大意是这样。曹雪芹写文章，他是几乎没有任何废笔废墨的，他写腊油冻佛手用了好几百个字，他写它干吗呀？难道又是废话连篇吗？又不值得细读吗？

什么叫腊油冻佛手？这个腊油冻，我请教过有关的古玩专家，还有特别是做玉器的玉工，他们说腊油冻其实指的是它的颜色和质感，就和南方的腊肉上面的肥肉部分一样滑润，明白这个意思吧？是那样的一种石料所雕刻成的佛手。我获得的这个信息，我认为非常重要。就事论事，贾琏为什么要追问这个东西呀？腊油冻石料是产量非常之少的，用这个东西雕刻的佛手是非常有特点的，也是非常名贵的，非常值钱的。这个东西在古董账上有，可是查摆古董的架子上却没有，当然构成一个事件，查问它的下落是有道理的。为什么在前八十回里面会有这样一段情节呢？用的字还挺多。我估计在八十回后，这件古玩将是贾家败落的一个导火线。因为在省亲时候点戏，第一出就是《一捧雪》嘛，一捧雪就是古玩嘛；脂砚斋也说了，这出戏"伏贾家之败"嘛。而且请你注意，什么叫佛手啊？佛手是一种芸香科植物，佛手是这种植物果实的变异，如果它不变异叫什么？叫香橼。香橼这个词在《红楼梦》里面你应该很熟悉呀，上一讲我讲了贾元春的判词，跟判词配套的那幅画是怎么画的呀？记得吗？画的是一个弓，弓箭的那个弓，它当然是谐音，让你联想到宫殿的意思，元春她入宫了嘛，对不对？弓上挂着一个什么呀？挂着一个香橼，香橼的"橼"当然是谐元春的"元"，有没有这么一幅画啊？腊油冻佛手，也可以说就是腊油冻石料雕刻出的一个变形香橼，也就是元春本人的一种象征。当然，现在因为看不到曹雪芹在八十回以后所写的关于贾元春的具体故事了，我只能做一些猜测。但是我这种猜测也不能说绝无道理吧？有人跟我说你看又是巧合，您这一讲一讲里面充满了巧合。我开头也是这么看，我说这是巧合，那是巧合，但是第一次是巧合，第二个例子又是巧合，第三个它还是巧合，到最后，我个人的看法是去掉这个"巧"字，不是"巧合"，就是"契合"，就是"合"，就是这些地方显然绝不是信笔乱写，毫无含义的。因此在省亲的时候所点的这出戏《一捧雪》，伏贾家之败，而且还伏在元春的身上，可能跟腊油冻佛手有关系，这应该是一个合理的猜测。

那么第二出戏是什么？第二出戏就是《长生殿》。这个《长生殿》，脂砚斋在这个戏的戏名后面的批语就更清楚了，脂砚斋就明写"伏元妃之死"。《长生殿》写的是唐玄宗和杨贵妃的故事，杨贵妃后来怎么了？三军哗变，杨贵妃就被赐死了，自己又不愿意上吊，是被人用绸子缢死的，就是"荡悠悠，把芳魂消耗"。对不对？所以贾元春后来显然是惨死，她不愿意死，可是又不得不死，她死得比秦可卿还要惨，秦可卿还可以选择自己上吊的地点，自己来结束自己的生命，贾元春最后是让别人慢慢地给缢死的，很惨。

第三出戏是折子戏《仙缘》，写的是什么呢？写的是黄粱一梦的故事。脂砚斋对此的批语特别惊动红学研究者，这个大家就都没法猜了。脂砚斋说，点这出戏埋伏的是什么呢？是什么伏笔呢？是"伏甄宝玉送玉"。就是在八十回以后会有一个重要情节，甄宝玉这个人物要正式出现，而且他有一个行为就是送玉，这个甄宝玉送的什么玉？为什么要送玉？送完玉以后又出现了什么情况？现在一概不得而知，我也不再去猜测，因为这个目前实在是没有线索。

第四出戏也是折子戏，是《离魂》，《牡丹亭》里面的。脂砚斋的批语说得很清楚，就是"伏黛玉之死"，因为我们现在主要是探究贾元春，黛玉的事情我们暂时按下不表。

除了元春省亲时的点戏对贾元春的结局有所暗示之外，《红楼梦》里还有相关的描写，也起了暗示的作用。在《红楼梦》第二十二回的下半回"制灯谜贾政悲谶语"中，就通过元宵节时贾府众人制谜猜谜的故事，暗示了这些人物各自的命运。其中，贾元春所制灯谜最能够引起人们的兴趣，上一讲里我提了一下，现在来详细地加以分析。

在省亲后的元宵节，元春带头写灯谜，引出了荣国府里的灯谜大会。她写了一个灯谜，这个灯谜的谜底是炮竹。这个灯谜是这么写的："能使妖魔胆尽摧，身如束帛气如雷。一声震得人方恐，回首相看已化灰。"这个谜语意思是很浅白的。她把自己比喻成一个炮竹，"能使妖魔胆尽摧"，为什么她自己有这样一种情怀呢？就是因为我上一讲所讲的，她自己"二十年来辨是谁"，她发现自己家族里面居

然藏匿着一个义忠亲王老千岁的女儿，她认为这样做是不符合皇家的规定的，是
违法的，是一种妖魔的做法，是不对的；特别是因为她本人，在小说里面也设定
为荣国府的人，她对宁国府可能本来就没有什么好感，尤其对贾珍这样的人，她
没有好感，所以她觉得她自己"能使妖魔胆尽摧"，很有勇气。她"身如束帛气
如雷"，之所以能够去揭发秦可卿，她觉得是道理、正义在她这一边，在她手里面，
她一身正气，所以气势如雷，义无反顾。她"一声震得人方恐"，最后出现了什
么事态呢？秦可卿不得不死。而她自己又怎么样呢？"回首相看已化灰"。别人
回过头一看，您很快化为灰了。就这么个谜语。脂砚斋在这个谜语旁边是有批语的，
批语就把这个谜语的内涵解释得更清楚了。她这么说的，"此元春之谜，才得侥幸，
奈寿不长，可悲哉！"什么叫侥幸？就是说她之所以获得皇帝的宠爱，不完全是
因为她本身的素质，还因为她有某种贡献，一个贡献可能就是因为她揭发了家族
的一个不应该做的事，还有就是"榴花开处照宫闱"，她可能怀孕了。所以她很
侥幸，得到皇帝充分的信任。但是，"奈寿不长"，她的命太短。所以高鹗说她活
到了四十三岁，不但和曹雪芹前面的描写不相合，和脂砚斋的批语也不合。你老
说我现在的分析是巧合、巧合，那你那么喜欢高鹗的话，高鹗他怎么就那么不巧
啊？怎么就那么拙啊？怎么就老不能合呢？你续书，你就得合啊！高鹗的写法不
合，是不是？

　　贾元春悲惨地死去，那么她死在谁的手里呢？因为八十回后文字我们看不到
了，不好做非常具体细致的猜测，但是大体而言我们也可以了解到，贾元春之死
应该是在贾家彻底败落之前。那不应该是八十回以后最后几回的故事，应该是在
写到整个贾家家族大败落之前发生的事，她作为一个前奏，她的死亡应该是在那
样一个节点上。前几讲里我分析了，到第八十回，故事的真实的时代背景，已经
写到乾隆三年了，写到那一年的深秋了，宝玉吟出了"池塘一夜秋风冷，吹散芰
荷红玉影"的句子；八十回后，应该很快就写到乾隆四年的事情。乾隆四年春天，
发生了所谓"弘晳逆案"，就是弘晳那一派趁乾隆离宫外出春狩，实行了对他的
谋刺；但是没有成功，并且也不再是"大不幸之中又大幸"，弘晳那派这回是彻底
地"大不幸"了，乾隆快刀斩乱麻，果断地处理了此案。对外他尽量不动声色，
似乎朝政并没有出现什么大的问题，对弘晳一党则分化瓦解，有的参与者处理得
相当轻，对弘晳本人也没有处死，而是把他拘禁到景山东果园里严密看管。后来

乾隆又销毁了绝大部分有关档案，但这个逆案对乾隆本人的刺激，是很深重的。现实生活中的曹家，也正是因为被牵连进了弘晳逆案，而遭到毁灭性打击。曹家在雍正朝遭打击的情况，还可以查到一些档案，乾隆朝的这次彻底陨灭，却几乎找不到任何正式档案了。但是我们可以估计出来，贾元春原型的死亡，应该就是在乾隆四年的这个刺杀事件当中，乾隆皇帝没有被刺而死，并且最后平定了叛逆，但是贾元春的原型却没能幸免于难。

八十回后，作者应该很快会以这个真实的事件为素材，写到贾元春的非正常死亡，死亡的地点很可能就是潢海铁网山。小说里在写完贾元春死亡以后，估计就会写到皇帝对贾家不但再无任何好感，而且深恶痛绝，新账旧账一起算，本来秦可卿被藏匿一事已经了结，这时候却又重新追究，宁国府的罪就比荣国府更大；当然荣国府帮甄家转移藏匿财物也是罪该万死，皇帝不可能对他们"沐皇恩延世泽"，而宁国府的被连根拔掉就彻底应了前面写下的那些预言："造衅开端实在宁"，"家世消亡首罪宁"。

那么，具体而言，贾元春死于谁手呢？很显然，她的死和小说当中的"月"派分子有关。最恨她的，应该是小说当中的"月"派人物，尤其是义忠亲王老千岁这个家族的人。在真实的生活当中，最恨曹家的这个女子的，也应该是弘晳他们这些人。所以，贾元春最后应该是死在他们手里，情节应该是类似《长生殿》里面所写的，在逼宫的情况下，皇帝不得不以牺牲她来换取暂时的休战。她成为两派政治力量斗争当中的一个牺牲品，非常悲惨。

在前八十回，影影绰绰出现了很多"月"派人物，比如冯紫英就是其中的一个活鲜鲜的人物。这个人物，作者对他的刻画比较多，出场后给人印象深刻，性格活跳，暗场出现也有好几次。在脂砚斋的相关批语里面还有很有意思的话，有一条批语它是这么说的，它称倪二、紫英、湘莲、玉菡为"四侠"。它又说，"写倪二、紫英、湘莲、玉菡侠文，皆各得传真写照之笔。""传真写照"既是一个审美性的评价，也是一个透露各人生活原型的话语。它所点出的这"四侠"很有趣，身份、性格完全不同。倪二排第一，倪二是什么人呢？市井泼皮无赖，放高利贷的，记不记得啊？这个人在《红楼梦》的书里面是很跳色的，一大堆贵族家庭的人物当中，忽然出现这么个人物。这个人物显然不会只在小说里面出现那一次，不会只有一个借给贾芸银子的行为。而且在关于倪二的那段描写里面，醉金刚倪二他最后跟贾芸怎么说啊？把银子给了贾芸以后他说，今晚就不回家了，他的意思就是说，你给我家里带个信儿，如果家里有事要找他，到马贩子王短腿儿那儿去找，书中有没有这样的一个人物的称呼出现呢？你翻一翻书，是有的。我认为这都不是闲文废笔，王短腿作为这个政治派别最底层的一个角色，在八十回后也应该是有戏的。冯紫英排第二，这个角色就不消说了，他是一个贵族公子，神武将军冯唐的儿子，和贾珍是铁哥们儿，和贾宝玉、薛蟠也好得不得了。第三个侠是柳湘莲，此人却又是另一路人物。柳湘莲是破落世家的飘零子弟，这个人多才多艺，还会串戏，文武双全，是一种存在于民间的边缘人物；他既可以和贵族府邸发生关系，也可以和乡间野民混在一起，是一个身份很暧昧的人。比较令我意外的是脂砚斋把蒋玉菡也列为四侠之一。蒋玉菡说难听点是一个戏子，说好听点是一个优伶。这个蒋玉菡不是一个普通人物，他原来是在忠顺王府里面，为忠顺王唱戏的，可是后来他自己自觉地跑到北静王府，成为北静王所心爱的一个戏子，而且更后来为了不让忠顺王府找到他，他在京东二十里地的紫檀堡置了庄院隐居起来。前八十回里，他的形象显得柔媚有余，估计在八十回后，他一定会显露出其性格的另一面，会有比较惊人的侠义行为，否则，脂砚斋不会把他列在"红楼四侠"之中。

你想，脂砚斋她读了八十回以后的全部的已经写好的文字，她就告诉你，有"红楼四侠"，而且这四侠居然是四个身份如此不同、反差如此之大的人。这意味着什么？我认为这意味着在"月"派势力方面，通过小说你可以感觉到，它纠集了社会上不同阶层的不同人等，构成了一种不可忽视的、立体推进的力量。这四侠应该是杀死贾元春的那支力量里面最活跃的人物。

但是，在真实生活当中，"月"派最后没有成功。估计在真实的生活当中，冯紫英的原型这伙人，他们之所以在春天跑到潢海铁网山打围，就是为了勘探地形，进行演练，为他们在一旦皇帝出来打围的时候行刺做准备。第二十六回写冯紫英的那段戏，在八十回后，一定会有所呼应。

我这样推测并不离奇，因为据清史专家考证，后来乾隆之所以扑灭"弘皙逆案"，确实并不仅仅是因为弘皙私设什么内务府七司，或者仅仅从语言上表露出一点野心，而是他已经纠集了一批人，确实是在乾隆离京出行的时候，营造了一次谋刺事件。但是他们没有成功，乾隆在扑灭这个事情之后，销毁了有关档案，以维护自己的尊严。

因此小说里面这样一些影影绰绰的情节，实际上还原为真实生活的话，都是一些惊心动魄的事情。书里面的冯紫英始终感觉到有人盯梢，所以他说"大不幸之中又大幸"，就显然是指在那次预谋行动当中，几乎就要被皇帝查获，但是他们逃脱了。究竟是怎么回事，他没说，他的警惕性高是对的。因为你要知道，在他宴饮的时候旁边还有妓院的云儿，云儿是个妓女，妓女所交往的人非常杂，他不得不谨慎。

你如果读得细，你还会发现，在写到忠顺王府的长史官到荣国府里，问贾政、贾宝玉索要蒋玉菡的时候，贾宝玉起初耍赖，说不知琪官二字为何物，那长史官就冷笑道："现有证据，何必还赖？……既云不知此人，那红汗巾子怎么到了公子腰里？"宝玉听了这话，不觉轰去魂魄，目瞪口呆，于是为了免得那长史官再说出别的事来，就只好交代出蒋玉菡的去向。初读这一段的时候，我朦胧觉得，是因为贾宝玉腰上系着那条血点似的大红汗巾，被那长史官看见了，所以长史官指着他的腰那么说。后来一细想，再重读，白天汗巾子是系在大衣服里面的，根本不可能被长史官看见；何况书里前面交代得很清楚，那天得到那条汗巾子以后，晚上睡觉的时候，贾宝玉就将它换到袭人腰上了，袭人醒来发现后，很不乐意，就把它扔到一个空箱子里去了。这就说明，长史官来之前就掌握了这个情报。那么，那天在冯紫英家饮酒唱曲，冯紫英说什么也不肯解释"大不幸之中又大幸"，他的谨慎是有道理的。但就是那么谨慎，贾宝玉跟蒋玉菡互换信物的事，还是被忠顺王府派的探子探到了。因此，在表面平静的吃喝玩乐的日常生活后面，"月"派和"日"派的权力较量，是多么紧张激烈啊！秦可卿之死，贾元春之死，都是这种权力斗争造成的，她们的命运一样悲惨，一样是政治角力的牺牲品，都值得我们叹息，而曹雪芹塑造她们的形象，也正有这样的目的。

我通过这么多讲，把《红楼梦》金陵十二钗正册里面的二钗讲了一下。一个讲的是秦可卿，我花了很大力气；最近几讲，我讲的是贾元春。请你注意，我所做的研究不是人物论。我是把秦可卿这个人物，当做一个朝里眺望的窗口，一道最重要的门槛，一把最灵便的钥匙，去探究《红楼梦》这座巍峨宫殿里面的奥秘。我要达到的目的，不是仅仅去给你分析秦可卿，或者仅仅分析一个跟她同属于扯动贾府命运两翼的贾元春，我的探索将涉及金陵十二钗当中的几乎所有人物，首先是金陵十二钗正册当中的人物。金陵十二钗正册里面都有谁呢？你是心中有数的。我会在下一讲里面，首先向你汇报我自己对哪一钗的研究成果呢？我将向你讲述我探究妙玉的命运的心得，愿我们在下一讲愉快地再见。

第二部

第十九讲

妙玉入正册与排序之谜

　　通过前面各讲，我对金陵十二钗中个人命运与政治联系得最紧密的两个人物——秦可卿和贾元春——的生活原型进行了细致的探索。有红迷朋友问我：你讲的倒也大体上自圆其说，但照你这么分析，《红楼梦》的文本里隐含着那么多的政治因素，是否就可以做出《红楼梦》是一部政治小说的结论呢？我告诉他，我的看法是：《红楼梦》里有政治，曹雪芹有政治倾向，但是，曹雪芹又终于超越了政治，把《红楼梦》写成了一部超越政治的奇书。比如，在第一回里，作者通过空空道人检阅《石头记》的心得，明确指出：此书"上面虽有些指奸责佞贬恶诛邪之语，亦非伤时骂世之旨""大旨谈情""毫不干涉时世"。"奸佞恶邪"对曹雪芹及其家族的打击刺激是深重的，艰难时世中曹雪芹的感受是丰富强烈的，他写这部书时，内心里被这些因素所煎熬，对这些，我们是应该理解的。但是，曹雪芹却以伟大的艺术力量，从痛苦中升华出理想，他没有把《红楼梦》写成一部表达政见的书，而是通过贾宝玉以及金陵十二钗中许多女子的形象，表达出对人的个性尊严的肯定，宣布个体生命有追求诗意生存的神圣权利。这是非常了不起的，特别是在二百年前的封建王朝的社会环境里。

　　我认为，金陵十二钗正册里，妙玉这个人物的设计与塑造，就特别凸显出曹雪芹对政治的超越。如果说秦可卿和贾元春身上的政治色彩太浓，那么，妙玉身上的政治色彩却很淡。政治，主要是个权力问题，所谓政治倾向，就是你究竟喜欢由哪种力量，喜欢由谁来掌握权力的内心看法。超越政治，就是对权力分配不再感兴趣，就是认为不管你是哪派政治力量，作为权贵，你都不能以势压人。这样的想法，当然就比拥护谁反对谁的政见高一个档次了。妙玉这个人物，就体现出曹雪芹从政治意识升华到了对社会中独立人格的关注，值得我们好好探索。

《红楼梦》第五回，曹雪芹设计了这样一个情节：贾宝玉神游太虚幻境，见到金陵十二钗的册页，里面有正册、副册和又副册，每一册各有十二个人物。正册里面有十一幅画和十一首诗，现在大家都知道，其中第一幅画第一首诗说的是两位女性，以后每一幅画每一首诗，都预示着《红楼梦》里一个女性人物的命运结局。在这十二名女子中，她们的排名依次是林黛玉、薛宝钗并列第一，第三贾元春，第四贾探春，第五史湘云，第六是妙玉，第七贾迎春，第八贾惜春，第九王熙凤，第十巧姐，十一是李纨，十二是秦可卿。这个排名，匆匆那么一看，似乎没什么稀奇，但不知您细想了没有？稍微多想想，就会有疑问。

我后来读《红楼梦》，读得仔细以后，就发现金陵十二钗正册的排列顺序有点奇怪。大家知道，金陵十二钗正册里面是收入了十二位女性，这十二位女性其中十一位要么是第四回里面所写到的贾王史薛四大家族的女子，要么是嫁到四大家族做媳妇的女子，惟独有一位，两不是。这两不是的是谁呢？就是妙玉。这有点奇怪，你现在稍微回忆一下，是不是金陵十二钗正册里面，其他十一位都是四大家族的呢？其中元、迎、探、惜这是贾家的四位女子；然后有三位非常重要的女子，一个是林黛玉，另两位是宝钗和湘云。林黛玉虽然姓林，但她是谁生的呢？贾敏生的，贾敏是贾母的女儿，所以她也有贾家的血统；薛宝钗是四大家族里薛家的后代；史湘云则是这四大家族里史家的后代。所以说，她们都是四大家族的女子。

至于王熙凤，她的身份就更特殊了，她既是四大家族中王家的女子，又嫁给四大家族的贾家为媳妇；那么她的女儿巧姐，则既有贾家的血统，又有王家的血统，她们母女俩不消说都在特定的范畴之内。而李纨虽然姓李，并不是四大家族的女儿，但是她嫁到四大家族的贾家当了媳妇，而且还给贾家生了孩子，是不是？关于秦可卿，前面已经探究很多了，她后来是以贾蓉妻子的身份，在宁国府生活了一段，因此她也是四大家族的媳妇之一。所以这样算来算去，在金陵十二钗正册里面，惟一无四大家族血统，也没有嫁到四大家族里面做媳妇的女性，只有妙玉。

开头我觉得无所谓，后来我一琢磨，觉得有点奇怪：曹雪芹为什么有这样的艺术构思？我也跟一些朋友探讨过，有的就说可能是书里面其他的女性角色不够多，再挑出来加入金陵十二钗正册可能都不够格。因为大家知道，曹雪芹他在金陵十二钗正册、副册、又副册的设计上，还是有等级观念的，能够入这个正册的，简单来说，按当时的标准就是主子辈儿的，丫头比如说晴雯，再美丽、聪明，再值得肯定，也不能入正册。是不是主子辈儿这方面的角色不够？人不够，拉来凑，所以就想来想去，勉强找一个妙玉搁在里面？那么你仔细想想，是这个情况吗？显然不是。丫头我们现在就排除了，因为我们知道他的艺术构思框架——你怎么评价曹雪芹，咱们现在不讨论——他就是有上、中、下等级观念的。在《红楼梦》里面，他写到贾宝玉到太虚幻境偷看册页的时候，先拿出来的不是正册，是又副册，拿出又副册以后，他就翻，他翻了以后，是不是把又副册全都读了，曹雪芹全给写出来了呢？也不是，只写了两页，介绍两幅画，每幅画配有一首叫做判词的诗，当然后来读者们都猜出来了，一个说的是晴雯，一个说的是袭人。那么在这个册页里面，还有十位是谁呢？我们就不清楚，就需要探讨，可能在八十回以后，作者会有一个明确的交代，但是我们可以根据写出的两个，推测出其余十个也肯定都是大丫头这种等级的。然后他写贾宝玉在那儿打闷葫芦，看也看不明白，也不感兴趣，就没有继续往下看又副册，而是又拿出一本来翻，这本就是副册。在副册里我们就发现，曹雪芹的构思是这样的，他只介绍了一幅画，一首诗，也就是说他只透露了副册里面的一个人，那这个人，后来我们猜出来，就是香菱。香菱虽然出身也是很不错的，可是她被拐卖以后，到了薛蟠家，地位是比较低的，比薛宝钗这些人的地位要低，所以这样的人曹雪芹就把她安排在了副册里面。但是香菱后来毕竟一度成为薛蟠的妾，比大丫头等级略高，所以她不在又副册里，估计跟她在一个册子里的，应该是些次要的主子一类的女性。那么类似香菱这种身份的，或者类似晴雯、袭人这种身份的女性，我们就不去探讨了，我们现在只扫一扫，小说里面，正经主子小姐身份的，有资格进入到金陵十二钗正册的，还有没有？很明显，起码有一个，按说是无可争议的，她就是薛宝琴。大家想一想，这个角色戏多不多啊，作者用笔细致不细致啊，通过其他人物之口对她的赞美多不多啊？所以说，这是非常重要的一个角色。但是，曹雪芹他最后调整来调整去，就是说琢磨这个金陵十二钗正册里面该放进哪些人呢，我究竟该把哪十二个女子作为我最主要的一组呢？想来想去，他最后放弃了薛宝琴，安排了妙玉。薛宝琴是四大家族薛家的女子啊，按说把薛宝琴搁进去，十二钗正册不就整齐了吗？整整齐齐，完完满满，都是金陵四大家族的女子，或者是嫁到贾家来做媳妇的人。但是他宁愿不整齐，他选择了妙玉，放弃了薛宝琴。这是为什么？我觉得值得研究一下。

薛宝琴是薛姨妈的侄女，是一位异常美丽聪慧的女性，因到贾家做客，成为了大观园里的活跃分子。虽然她也是四大家族的成员之一，却没能入金陵十二钗正册，而与四大家族没有血缘与婚姻瓜葛的妙玉不但入了正册，还排在了《红楼梦》里的一大主角、被称为脂粉英雄的王熙凤之前。曹雪芹为什么要这样安排？难道是薛宝琴的戏份儿不多？还是什么别的原因？

我们可以对比一下书里面关于妙玉和薛宝琴描写的篇幅，这个篇幅是有差距的，妙玉在前八十回正式出场只有两次。你想想，妙玉正面出场多不多啊？只有两次，一次就是第四十一回，在栊翠庵里面品茶，这个时候妙玉正式出场了，这是书里前八十回妙玉的正传，是以她为中心的一场戏。此后她几乎都是暗场出现。她再一次正式出场就比较晚了，是在第七十六回了，就是在凹晶馆林黛玉和史湘云两个人联诗，这一回重点是写林、史两位女性，联到最后，突然有一个人走了出来，是妙玉。最后妙玉把她们两个领到栊翠庵里面，并把她们两个没联完的诗，一口气，自己写了一大篇，就把这个诗续完了。这是妙玉第二次出场。

在前八十回里面，妙玉就这么两次直接亮相。当然其他的暗写比较多，比如写到大观园盖好了，家里的仆人向王夫人汇报，说有这么一个女子是不是可以请来，这是暗出一次；还有一次很重要的暗出，就是贾宝玉过生日，寿怡红群芳开夜宴，第二天早晨，大家黑甜一觉醒来，贾宝玉发现砚台底下压了一张帖子，是妙玉给他祝寿的一张帖子，然后由此引出一些情节，这样妙玉又暗出一次。

当中还有一些情节比较模糊。比如下雪了，大家很高兴地赏雪，想起栊翠庵里面梅花盛开，红梅很美丽。李纨就说了，妙玉的为人我很讨厌，我不愿意自己派人去要，但是她那个红梅很好，咱们应该要一点红梅花来赏，然后就罚贾宝玉出面，去乞红梅。后来薛宝琴也去了，妙玉开头是送了他们一枝形态十分奇特漂亮的红梅，后来又送薛宝琴红梅，同时给每一位小姐都送了红梅，可能还包括讨厌她的李纨，也给她送了红梅。你要再细算，比如贾元春省亲的时候，写她到这儿，到那儿，最后说她忽见山环佛寺，于是就另外盥手——因为进佛堂要非常虔诚——然后拈香拜佛，还题了一个匾，这就算是又暗写了妙玉一下，但是都很模糊。实际上我们仔细看妙玉在《红楼梦》前八十回里面的文字，精确统计的话，她的明出就是两次，暗出，把我刚才说的全算上，也无非四五次。虽然她很重要，但她出场次数不是特别多，按戏份儿她并不是到了非入十二钗正册不可的地步。按一般的思路，应该得出这个结论：除非是人不够，人不够她也算一个。但实际上我就点出来了，薛宝琴非常够格，身份够格，跟其他的十一个女子也匹配，是不是？

薛宝琴出场的次数多不多呢？非常多，而且都是正面出场。薛宝琴正面出场有多少次呢？我们可以算一算，首先是第四十九回，写她和李纨两个堂妹李纹、李绮，还有邢夫人的侄女邢岫烟——都是大美人儿，连眼光最挑剔的晴雯都说，"倒象一把子四根水葱儿"——四个人一块儿投奔了贾府，贾母很喜欢，就把她们都留下来住。而且贾母特别喜欢薛宝琴。李纹、李绮因为是李纨的亲戚，自然就住在稻香村；邢岫烟因为是邢家的亲戚，就住在邢夫人的女儿——当然不是她亲生的——迎春的那个地方，安插在那儿。薛宝琴什么待遇呢？薛宝琴是贾宝玉和林黛玉当初的待遇，就是被贾母留在身边住，贾母喜欢她到这个地步。而且薛宝琴一出来就光彩照人，贾母喜欢得不行，给了她一件非常华贵的披风，前面我讲到过，大家还记得吧，就是用野鸭子头上的毛做成的披风，藏了那么多年，连宝玉都没给，林黛玉来了以后也没拿出来，见了薛宝琴，却马上让取出来，单让她穿；书里面甚至还写到，她们到府里面住下以后开宴席，贾母是让薛宝琴和宝玉和黛玉跟自己坐在一起，薛宝钗这个时候因为有了薛宝琴，就到另外一桌，跟迎春坐在一起去了；而且书里面特别写到，这些小姐在玩儿的时候，贾母还派人来传话，说不能委屈了薛宝琴，薛宝钗因此还有点吃醋。薛宝钗按说是书里面处处写她如何大度，那么一个最不说酸话的人，但是在那个具体的场景里面，也酸溜溜地说了一句话，心眼窄的程度不亚于平时的林黛玉。曹雪芹就这么来写薛宝琴，她一出场就气度不凡。

在第五十回作者又写到，在芦雪庵（有的古本里"庵"这个字是"广"，不是现在"广州"里的那个简化字"广"，繁体字范畴里的"广"读音是"掩"，意思是依山傍水的亭榭，写成"芦雪广"应该更接近曹雪芹原笔）这些小姐开始联诗，联诗最突出的角色是谁啊？有好几个，其中最重要的就是史湘云和薛宝琴。因为联诗就是要比各自的能力，看你才思是否敏捷，人家说了上句你能不能马上接续下句，接上来以后是不是符合诗词格律，是不是意思恰切，并且优美生动。这个时候，作者就特别地写到了几个人大战史湘云，最后是剩下了一个人跟史湘云争，就是薛宝琴。她的诗才技压群芳，不让林、薛——我现在说的这个薛指她的堂姐薛宝钗——而且直逼史湘云，她是这么一个可爱的聪慧女性。她又写了《红梅花诗》，又亲自去栊翠庵讨梅花，而且制造了小说里面最美丽的一个场景，就是在那个白雪皑皑的山坡上，突然出现了一个非常俏丽的画中人，就是薛宝琴；她出现以后，又出来一个丫头，她的丫头小螺斜站在她身后，抱着一个瓶子，瓶子里面插着红梅。你想，当时没有电影、电视，但是曹雪芹这个艺术思维简直叫人惊叹，这是影视思维啊！书里贾母就说，这个人怎么这么漂亮，有人就说这跟老祖宗您屋里的一幅画太像了——贾母在她的屋子里挂有一幅非常名贵的明朝大画家仇十洲的画，叫《双艳图》。贾母接着怎么说呢，贾母说画上也没现在咱们看见的这个人好。贾母他们都是曹雪芹笔下的人物，作家写小说呢，他虽然有生活依据，有生活素材，但是他写起来以后，这个人物由他的笔支配，对吧，他就支配他笔下的贾母这么样赞美薛宝琴，没见贾母这么样赞扬林黛玉和薛宝钗，任何女性贾母都没这么赞扬过，而且，他底下写的这个情节就更加让人觉得耐人寻味。

　　贾母后来就问起薛姨妈，问什么呢？细问薛宝琴的年庚八字和家内况况。你想想这是什么意思，竟然喜欢她到这个地步。贾母就动了这个心眼了，而且书里面明文地写薛姨妈也是聪明人，懂得贾母的意思，好像就是想问清楚以后许配给宝玉。但是贾母又没有明说，因此，薛姨妈就半吞半吐地告诉贾母，大意就是说薛宝琴已经许了人家了，许给了梅翰林家。贾母一听已经许了人家——在封建社会若女子已经许了人家，在法律上和道德上就都等于已经被定位了，你要破坏的话，去把它拆散的话，既违法又有违道德——就没继续再说了。作者写薛宝琴写到这个程度，几乎就要被贾母认定为可以跟宝玉结婚的人物了。

　　作者对薛宝琴的用笔毫不吝啬，那么挥洒到什么程度呢？第四十九回这么写她，第五十回这么写她，第五十一回还写她，而且这第五十一回干脆就让她上了回目，"薛小妹新编怀古诗"。当然薛小妹这十首怀古诗，到现在仍然是红学研究当中的最大的难题，不少人都对这十首怀古诗做了猜测：因为她做的是灯谜诗，首先你要猜测这个诗打的是一个什么东西；其次，因为我们都知道，《红楼梦》里面的诗都有深层次的含义，那么这十首诗究竟表达了什么样的深层意思？如果每首诗暗示一钗的命运，那么又为什么不足十二？聚讼纷纭，以后有机会我们可以讨论，现在我想强调的是，作者对薛宝琴这个角色，真可谓厚爱不已。

到了第五十二回，更出奇了。薛宝琴真不得了，她不仅自己会写诗，而且这个人跟着她父亲还到了很多地方，不但中国境内她几乎是走遍了大部分，在境外她也有所游历。她还掌握真真国女子的汉文诗，她还把真真国女子的汉文诗背给大家听，这首诗就完整地出现在《红楼梦》的文本里面，你说薛宝琴这个角色厉害不厉害？她的视野，是林、薛、史等才女们望尘莫及的。

更重要的是第五十三回，第五十三回写什么呢？又到年底了，新一年要开始了，这个时候就要祭祖了，祭宗祠。历代都有一些《红楼梦》的评论者指出，曹雪芹这一点写得非常奇怪，按说是不符合当时的社会习俗的，因为贾府祭宗祠，外姓是不能进入祠堂的，也是没有必要进祠堂的，而曹雪芹却偏偏写有一个人去旁观贾府祭祀，记不记得？谁进去旁观了，作者选择了哪一个角色呢？选择的就是薛宝琴。这个很奇怪。有朋友说，也许是因为书里面写了，贾母因为喜欢薛宝琴，逼王夫人认了她做干女儿，所以她也就算是贾家的人，可以一起祭宗祠。我却觉得这样解释还不足以说明问题。例如，贾雨村不是外姓，在第二回跟冷子兴对话时，自称与荣国府一支同谱，后来跑到京城，跟贾赦、贾政过从甚密，但宁、荣二府祭宗祠，他也没有参与或旁观的必要。我想，如果作者不是对薛宝琴这个人物有一种特殊的情感或者特殊的评价，如果在他的总体构思里面不是对这个人物有一个非常特殊的关照的话，他不会这么写。因为整个《红楼梦》的叙述语言，基本上是客观叙述，就是第三人称叙述，偶然有一点第一人称语言插入当中，基本也是第三人称的叙事，犯不上非得通过一个薛宝琴去看贾府怎么祭祀，可是作者就要这么写。生活素材一到了艺术作品里头，艺术家本身，作家本身有他的创作自由，他之所以这样来运用自由，他内心一定有一种驱动力，你想薛宝琴在曹雪芹心目中是多么重要啊。

我说这么多，什么意思？就是说薛宝琴这个角色非同小可。八十回以后可见她还有戏，这是一个贯穿性的人物，但是曹雪芹在调整来调整去以后，却没有把她安排在金陵十二钗正册里面。她是四大家族的一个正牌主子小姐，戏又这么多，可是曹雪芹想来想去，不安排。安排了谁？妙玉。

所以从这个角度研究妙玉，也很有意思。前八十回里面，妙玉只正面出场两次，薛宝琴出场多少次呢？我刚才这么一说，你算算吧，一二三四五六七，起码六七次，是不是？可是呢，想来想去，曹雪芹却选择一位戏少的进入了正册。

有红迷朋友跟我讨论，说薛宝琴不入册，可能是因为她不属于薄命，她很幸福，命运跟书里其他女子不同，贾宝玉是在太虚幻境的薄命司里面翻册页，不薄命的女子当然册子里不收。薛宝琴的具体命运轨迹我们放到后面再讨论，这里只强调一点，就是她属于贾、史、王、薛四大家族，在第四回说到护官符的时候，讲得很明白，就是这四家皆联络有亲，一损俱损，一荣俱荣，扶持遮饰，俱有照应的。八十回后，贾家败落，而且惨痛到"家亡人散各奔腾"的地步，一损俱损嘛，薛家肯定也要遭殃，薛宝琴怎么可能独好？我认为，到头来她也薄命，曹雪芹只是没把她搁到正册里而已。曹雪芹把金陵十二钗的册子分成了几组，每一组十二人，怎么分？他动尽脑筋，这是他非常重要的一项工作。因为写一个长篇小说你要列提纲的，即使还来不及确定每回的回目，但每一回打算写什么，应该是有一个考虑的；还要列人物表，列出我要写些什么人物。这部书主要是为闺阁立传，为女子立传的，那么他就构想了一个金陵十二钗，这样一个办法，一组一组地呈现这些女性：最重要的是正册，其次是副册，然后是又副册。现在据有的红学家考证，在最后一回就是情榜，情榜中共有九组金钗，一共是一百零八个女性，作者应该是这样的构想。所以你在古本《石头记》里面，会发现第一回里面就介绍了这个书名的演变，最早这个书就叫做《石头记》，因为他的艺术构思是，一块女娲补天的剩余石被弃掷在大荒山青埂峰，它化为通灵宝玉，到人世周游了一番；它本来很大，后来经过仙界僧人大施幻术，可大可小，最后缩成扇坠儿那么大，可以和一个生命同时降落到人间，因为它可以让那个婴儿衔在嘴里面；小说里面那个婴儿就是贾宝玉，口衔一个通灵宝玉，就生在一个温柔富贵乡，历尽了离合悲欢炎凉世态，最后那块石头又返回到了大荒山，回到青埂峰下；在那里，它恢复原来的形状，很大一个石头，上面写满了字，讲述它下凡所经历的故事，所以这个书是《石头记》，最早书的定名就是《石头记》。

那书里面又说，空空道人——这是书里面作者设想的一个人物，一个有点非现实色彩的人物——读了一遍以后，觉得可以抄下来去流传，就将之易名为《情僧录》，因为书里面八十回以后写到了贾宝玉出家，出家就是当了和尚，和尚就是僧，他又是一个情痴、情种，所以是《情僧录》。那么在古本《石头记》里面，很多版本里面都没有《红楼梦》这样的书名，只有甲戌本里面有一句，说有一个叫吴玉峰的人把这个书叫《红楼梦》,这是怎么回事,以后咱们再研究。这里面特别提到,还有一个人是东鲁孔梅溪,东鲁是个地名,表示孔夫子的家乡,孔梅溪这个名字意味着他是孔夫子的后代,他又把这个书叫做《风月宝鉴》。通过脂砚斋批语我们知道,曹雪芹在少年时代曾经写过一部小说叫《风月宝鉴》,那么很显然现在的《红楼梦》里面,运用了他早期小说里面的一些情节,特别是贾瑞的故事,在那段故事里面,就出现了那样一个东西,叫风月宝鉴。大家还记得吧,像一个镜子一样的东西,你拿着以后,正面照会怎么样,反面照会怎么样。这一段故事很显然是从他的旧作《风月宝鉴》里面挑出来,融化到《红楼梦》整体故事里去的。当然,用《风月宝鉴》这个名字概括《红楼梦》,现在看来是很不恰当的,脂砚斋就解释了,因为当年曹雪芹写《风月宝鉴》的时候,可能还是比较小的时候,他的弟弟叫棠村,给他写过序,这个棠村后来不幸去世了,所以为了纪念棠村,脂砚斋觉得《风月宝鉴》这个名字还可以保留。而对曹雪芹本人来说,在他自己写成的第一回里面他就强调,说曹雪芹在悼红轩中批阅十载,增删五次,纂成目录,分出章回,则题曰什么呢?曹雪芹自己一度比较倾心于把这个书的名字定为《金陵十二钗》。当然最后他的合作者脂砚斋劝他,说这个书还是应该叫做《石头记》,所以脂砚斋后来在甲戌年她抄阅再评本书的时候,又恢复了最早的书名叫《石头记》。有人就不理解,有人读了古本的这段话不理解,埋怨说,曹雪芹也真是,我们现在都把他的书叫《红楼梦》,他老兄倒好,他连《石头记》都不叫,他叫《金陵十二钗》。因此有人怀疑,这些文字是曹雪芹自己写的吗?我倒觉得这恰恰是他写的,这就说明,一个作者他在构思一个长篇的时候,他在考虑人物配置的时候很动脑筋。曹雪芹为了确定这个小说里面的女性角色,他呕心沥血,正册应该是谁,副册应该是谁,又副册应该是谁,四副、五副到九副都是谁,他来来回回调整,不是一次就成型的。像正册究竟收入哪几位,如何排序,他费了很多脑筋。

在《红楼梦》这部小说的定名过程中,作者曹雪芹曾一度倾向于《金陵十二钗》这个名字,由此可见作者对所选十二位女性的珍视程度,他绝不是轻率而为,而是经过一番思索之后,才确定下来的。尽管薛宝琴近乎完美,但曹雪芹在正册中最终没有选择薛宝琴,而选了妙玉。曹雪芹为什么要这样安排?他通过妙玉到底想说明什么?

那么现在我们就注意到,妙玉不但入了正册,而且排名还很靠前,她排名第六。你想妙玉特殊不特殊？你现在记得《红楼梦》里面金陵十二钗正册的排序吗？那排序很有意思，第一、第二不分名次，并列，就是林黛玉和薛宝钗。在这个太虚幻境里面，金陵十二钗正册实际上只有十一幅图十一首诗，林黛玉和薛宝钗是合为一图一诗的，在《红楼梦》十二支曲里面，林黛玉和薛宝钗也是合在一起的。所以，对排名作者他很动脑筋，他觉得这两个人很难分出一二，于是就让这两个人并列，这是头两个。第三就是贾元春，因为他觉得贾元春很重要，是贾府女儿里面年龄最大、后来地位最高的，并且通过前几讲你也知道，她是牵动整个贾府命运的重要女性，所以贾元春排第三。但是底下你看他动不动脑筋，按说贾元春排了以后，接着应该是迎春、探春、惜春对不对？"原应叹息"嘛！但是他不这么排，你注意没有，他第四位排的是谁呢？贾探春。所以贾探春这个人物也不得了，这说明她在作者心目当中是一个非常重要的角色，"三春去后诸芳尽，各自须寻各自门"。探春的命运是最特殊的，以后我们还会探究的，她既不是死亡，也不是出家，而是远嫁，而这个远嫁又不是一般性的远嫁，所以说这是一个非常重要的角色，他想来想去，把探春排在了第四位。第五排的是史湘云，按说史湘云排第五已经是够委屈的了，史湘云，你想这是一个多么可爱的女性，对吧？非常重要的一个角色，但是他想来想去把她排在了第五。那么谁应该第六呢？我当时看《红楼梦》，就觉得王熙凤应该第六，王熙凤不能再往后排了，是不是？你从各种角度看，这都是一个脂粉英雄，戏份儿太多，她出场多少次都算不清，算完了以后，咱俩还得打架，你会说我算得不准，还有哪点儿忽略了。她的戏太多了，说过的话能装好几车，对不对？人没到声先到，大家印象多深刻啊。可是这个人，曹雪芹在正册里面就没把她往前排，第五之后，第六排的就是妙玉，不是她，妙玉在十二钗当中等于是横云断岭，把其他各钗分成两半。曹雪芹怎么这样构思？难道不值得我们探究吗？妙玉之后才是迎春、惜春，然后才是王熙凤，还有王熙凤的女儿巧姐。有人说巧姐好像排在十二钗里面牵强了一点，因为巧姐在前八十回里面年龄很小，也没什么戏，但是我想她排进去是有道理的，因为他要展示这样一个金陵世家女子的命运的话，其他人基本都是一代人（秦可卿的实际辈分问题，前面讨论过，这里不再枝蔓），那么有了这个巧姐以后，能够使这个阵容稍微立体化一点；而且巧姐最后的命运又很特殊，又和刘姥姥的故事有关系，体现了曹雪芹他思维里面的一个很重要的方面，所以正册中有巧姐是说得通的。然后是李纨，最后是秦可卿。所以你看这个妙玉，她既不是有四大家族血统的女子，又没有嫁到四大家族里面做媳妇，在书里面的戏份儿，她又少于薛宝琴，但是曹雪芹却绝不能割舍这个角色，他珍爱这个女性，他就一定要把她列为金陵十二钗正册当中的女子，而且要给她排名第六。

那么，我们能不能从书里面找到一些线索，来破解曹雪芹的创作心理，揭示他设置这个人物的一些奥秘呢？请听下回分解。

太虚幻境四仙姑命名之谜

　　妙玉，她既不是四大家族的女子，又没有嫁到四大家族里面做媳妇，在书里面的戏份儿，她又少于薛宝琴，但是曹雪芹极其珍爱这个女性，他一定要把她列为金陵十二钗正册当中的女子，而且要给她排名第六。我们能不能从书里面找到一些线索，来破解曹雪芹设置这个人物的一些奥秘呢？我觉得是有线索的。

　　第五回的文字，你仔细读，很有意思，贾宝玉到太虚幻境，警幻仙姑领着他到处游玩，最后警幻仙姑唤出仙境的一些仙女，来跟他见面。

　　有的读者粗心，他没觉得这个细节有什么值得注意的，以至于现在我提出来讨论，他还觉得奇怪，他简直不记得有那么一笔了。现在我请求大家注意，曹雪芹在写贾宝玉神游太虚境的时候，他特别写到，翻看了一下金陵十二钗的册页后，贾宝玉又随警幻仙姑到仙府后面去，但见珠帘绣幕，画栋雕檐，又有仙花馥郁，异草芬芳，这时候警幻仙姑就呼唤了："你们快出来迎接贵客！"一语未了，房中走出几个仙子，开头几位仙子还瞧不上贾宝玉，经警幻仙姑解释，她们才接受了他。贾宝玉本来对仙境仙人也有陌生感，很拘束，但是，他忽然发现那仙人居住的屋子里，窗下有唾绒，奁间渍有粉污，这就很有人间气氛了。脂粉污渍好懂，就是说这些仙女也跟薛宝钗、史湘云她们一样，是使用化妆品打扮自己的；唾绒是什么东西呢？过去妇女刺绣，停针后，要用牙齿咬断丝线，那样就会有一些丝线的绒毛含在了嘴里，需要把它啐出去，那啐出去的东西就叫唾绒。这在荣国府里，是处在女儿丛中的贾宝玉常见的东西，因此他看到很亲切。曹雪芹写这一笔，也是在暗示仙境里的这些仙子，跟人间的女性，其实是相通的。于是曹雪芹写到，贾宝玉在感到亲切后，就主动问众仙姑的姓名。

仙境里的仙子很多，但他没多写，他就写了最主要的四个仙姑，这四个最主要的仙姑都有仙名，这四个仙名你推敲过吗？曹雪芹绝不是随便那么一写。这太虚幻境四仙姑排列顺序是这样的，各个古本在这一点上文字是一致的，一名痴梦仙姑，一名钟情大士，一名引愁金女，一名度恨菩提。很多人不推敲，可这些名字太值得推敲了。太虚幻境虽然是作者设置的虚幻的空间，但是在这个空间里面作者却把他对现实当中的一些人物的命运做了预设，所以第五回是很重要的，应该是全书的一个总纲。所以他写这个太虚幻境四仙姑，还给她们取出名字，绝不是随便一写，即便你看着他是无意随手，但是脂砚斋就告诉你了，作者的无意随手，实际上都是一树千枝，一源万派，都是草蛇灰线，伏延千里。所以四仙姑的命名，我现在告诉你我的推敲心得，实际上就是曹雪芹在这个地方向你点出来，在贾宝玉一生当中，对他的命运有着重大关键作用的四个女子，他给四仙姑取的这四个名字，影射的就是金陵十二钗正册中的四钗。请注意，我是说这四仙姑的名字，是在影射书里大观园里的四个女子，而不是说她们就是那四个女子，但这个地方的影射很重要，应该把作者的意图搞清楚。那么，四仙姑的名字，是在影射金陵十二钗正册里的哪四个女子呢？我们一个一个来说。

一名痴梦仙姑。这不消说是影射林黛玉。再强调一下，我是说这位仙姑的这个名字影射着林黛玉，并不是说这仙姑就是林黛玉，林黛玉下凡人间以前，是西方灵河岸三生石畔的绛珠仙草，后来化为女身下凡人间，有时候，她那生魂还会升到天界游玩，那段时间里，人间的林黛玉应该是在做梦；警幻仙姑唤出众仙姑来时，她们见到宝玉，还埋怨，说本来等的是绛珠妹子的生魂，怎么反而来了这么个浊物？请你一定要听明白我现在所讲的意思，我是说，四仙姑的名字，是曹雪芹特意设下的譬喻，影射四位在贾宝玉一生中最重要的女性，那么痴梦仙姑这个名字，是影射林黛玉。林黛玉很痴，第五十七回的回目就叫"慈姨妈爱语慰痴颦"。薛姨妈究竟是否真的慈爱——有的评论家指出，她住进潇湘馆其实是为了监视林黛玉——这里暂不讨论，但颦儿被冠以"痴"字，读者们都是认同的。林黛玉沉浸在爱情梦里，她本身就是天界的一个仙女下凡，是天上的绛珠仙草，用痴梦仙姑这样一个名号影射她再贴切不过。她是贾宝玉一生当中最重要的一个女性，贾宝玉真正爱的就是这个人。有人猜这个猜那个，贾宝玉是不是也爱薛宝钗，又爱史湘云，是不是还爱妙玉，贾宝玉和有些丫头也很轻佻，他和有的丫头还有肉体关系，似乎他见一个爱一个，但是真正严格意义上的爱情，他只给了一个人，就是林黛玉；林黛玉更不消说，她把全身心的情感都献给了贾宝玉。所以痴梦仙姑就是影射林黛玉，在宝玉一生当中，她最重要，最关键。

那么第二位是谁呢？你注意一下太虚幻境四仙姑的排序，第二位叫做钟情大士，是哪一位？就是影射金陵十二钗当中的史湘云。为什么这么说？因为在同一回里面，作者为史湘云所写的判词，及关于史湘云的一首曲里面，就说得很清楚。史湘云是一个什么人呢？从未将儿女私情略萦心上，这个人，幸生来英豪阔大宽洪量，虽然是一个女性，却有男子风度。小说里面几次写到，她穿贾宝玉的衣服扮男孩，还惹得贾母以为她就是宝玉。记不记得还有这种情节？她玩儿什么游戏？把整个身子往雪上扑。记得吧，有这种描写。而且她和贾宝玉在芦雪庵还吃烧烤，吃鹿肉，现在吃烧烤你觉得是一种很流行的吃法，但是当年的一个封建的、大家族的贵族女子，居然在铁丝蒙上自己亲手烧烤，这个是很出格的，书里的李婶娘就对此大为惊异。所以他用钟情大士概括史湘云。所谓钟情，在《红楼梦》里有一个概念叫"情种"，就是特别懂得感情的人，在有的古本里面这个地方又写成"种情"。种情大士，史湘云确实是一个播种快乐，播种情感的人，但是从前八十回里面看，她本人还不太懂得男女之间的爱情，她"爱哥哥""爱哥哥"地叫着贾宝玉（因为咬舌，她把"二"说成"爱"），那是一种少男少女间最纯真的友情的体现。所谓闺友闺情，是打动曹雪芹最深，促使他超越一般政治社会情绪，写出追求诗意生存的《石头记》的原动力，史湘云就是一个充溢着这种纯真感情的活泼女性。"大士"是佛教语言，在民间一般指观音大士，即观世音菩萨。菩萨一般来说，按我的理解，是没有性别的，是能够解救人间百姓苦难的一种天界的存在。观音菩萨之所以那么受欢迎，是因为观音呈女相，显得特别温柔慈祥，其实观音无所谓男女；反过来说，大士、观音，本身又意味着具有女相，所以拿来影射还不谙风月、有男子气度、却又非常具有女性魅力的史湘云，也很贴切。她是贾宝玉生活当中另一个非常重要的女性，而且有不止一位红学家，通过他们的研究和考证指出，在小说的八十回以后，还会写到史湘云：她或者曾经嫁了一个很不错的丈夫，那丈夫却因病去世了；或者还没等到出嫁，她的家族就遭受沉重打击，家破人亡，历尽坎坷。在非常困难的情况下，她和小说当中的贾宝玉"因麒麟伏白首双星"——这是前八十回的一个回目，还记得吧？他们最后遇合，相濡以沫，厮守终老。当然，这只是一个粗略的概括，事情应该也不那么简单，以后我还要跟大家详细讨论。

那么在贾宝玉最后的岁月中，陪伴他的女性就是史湘云。当然对这个八十回后的探佚是有争议的，但是支撑这种论点的论据也不少。曾经有民国期间的人见到过另外的一种续书，另外的续八十回，就是早期的续书人，从八十回往后续的，就和高鹗的大不一样，写到了贾宝玉和史湘云的遇合；还有人看见的更离奇，那续书一开始不是紧接咱们看到的第八十回，一开始他续的第一回，就是贾宝玉和史湘云两个人作为乞丐，乞丐夫妇，在那儿乞讨，可见这个续书人所看到的古本的最后的结尾，就是史湘云和贾宝玉是一对贫贱夫妻，一块儿结伴在那儿讨饭。史湘云在贾宝玉的人生中，实在是太重要了，越到后来越重要。

四仙姑的第三名是引愁金女，这个比较好讨论，金女就是薛宝钗，薛宝钗戴金锁，是不是？在这儿我插一句，前面我提到《红楼梦》这个书各种不同的书名，可能下面会有人提醒：你忘了一个，还有一个书名叫《金玉缘》。现在我告诉你，在曹雪芹活着的时候，无论是他还是脂砚斋，还是当时跟他亲近的人，或者跟他不亲近的人，都不曾把这个书叫做《金玉缘》。高鹗续书，程伟元活字摆印，都不曾这么叫过，这个书名是较晚的时候才叫开来的。按当时叫它《金玉缘》的人的意识，它主要是讲一个戴金锁的女子薛宝钗，和一个衔着通灵宝玉诞生的男子的故事，所以就叫《金玉缘》，他们俩后来也一度结婚，是不是？他们是这么理解的。这么叫从逻辑上我可以理解，我能够认同。确实薛宝钗就是一个金女，可是这个金女引出贾宝玉一生当中无数的烦闷，无数的忧愁，所以她是一个引愁金女。薛宝钗自己也很不幸，这是一个非常美丽、非常有才能，也有思想、有作为的女子，怎么评价她，我们以后再说。但是她最后也很不幸，她虽然和贾宝玉结合了，但是根据很多线索我们可以知道，他们两个并没有真正地过夫妻生活，她等于是守活寡，最后也是抑郁而死。这是一个很悲惨的女子，她是一个引愁金女，也是贾宝玉一生当中对他起了很大作用的女子。

有朋友跟我指出，金女，也可能是指史湘云啊，她佩戴了一只金麒麟，比较小，是雌麒麟，而贾宝玉从张道士那里，也得到一只麒麟，比较大，是雄麒麟。"因麒麟伏白首双星"嘛，你说贾、史后来遇合，那不也是"金玉缘"吗？我的回答是：

第一，把《红楼梦》叫成《金玉缘》的人，几乎没有把"金"往史湘云身上想的；第二，史湘云虽然佩戴金麒麟，但她从来没有给贾宝玉引来过愁闷，所以"引愁金女"只能是影射薛宝钗而不可能是影射史湘云。至于薛之金与史之金在书里的作用，我将在下面专门讲到她俩时再作探究，这里且不枝蔓。

以上我把太虚幻境四仙姑中的三位都探究了，虽然也费了点周折，但是结果出来以后，估计大家不会怎么惊讶。

那么第四位呢？度恨菩提是影射谁呢？菩提大家知道，这是一个佛教用语，也指菩提树，据说北京一共只有两株，这个咱们不细说，总之是很珍贵的一个树种。据说当时释迦牟尼就在菩提树下悟道，创建了佛教，所以菩提也就是菩萨的意思，延伸开来也指救苦救难一类的意思，或者是佛教教义中觉悟、醒悟的意思。那么，度恨菩提，就是最后引导贾宝玉渡过所有的艰难困苦，最后把恨——情感当中最硬的那一档——都渡过去了，使他进入了一个全新的精神境界的人。这个女性是谁呢？我认为，就是妙玉。刚听我点出来，你可能多少有些意外，但如果你能细想想，就有可能认同我的分析。

所以，实际上林黛玉、史湘云、薛宝钗、妙玉，才是贾宝玉一生当中最重要的四位女子。这在第五回警幻仙姑引出四位仙姑和贾宝玉见面的时候，通过给她们取的名字，就已经向读者透露了。这反映出曹雪芹在他的整体构思当中，妙玉在前八十回出场的次数虽然比较少，戏份儿比较淡，但是在八十回以后，她将是一个使落难的贾宝玉和史湘云终于脱离苦难结合在一起的关键人物，她是一个度恨菩提。在下面我还会展开来讲这个意思。

《红楼梦》里的太虚幻境，是一个谜语式的布局方法，曹雪芹用贾宝玉神游太虚境一段来对"金陵十二钗"的命运做了概括性预言，给读者勾勒出一个大致的轮廓。但具体到里面的四位仙姑，历来很少有人研究，我认为她们的名字，分别影射着贾宝玉一生中最为重要的四位女性。林黛玉、薛宝钗、史湘云这三位女性，可以说是公认的与贾宝玉关系密切的人，这个看法大概多数人能够接受，但是第四位的妙玉，我这样强调，是不是有人会觉得牵强呢？

如果你真的这么想，那么我说，你应该跟我讨论，我从来不觉得我自己的观点都是对的。不要以为我在这儿讲这些东西，我来开一个讲座，就好像我认定自己都是对的，我要把正确的告诉大家，你跟我想的不一样就都是错的，要予以纠正，不是这个意思。《红楼梦》是一个公众共赏的古典文学宝库，红学也是一个公众共享的学术空间，我只是把我自己经过仔细钻研以后的心得，很诚恳地告诉大家。到现在为止，我所讲的只是我现在觉得是对的，或者我觉得是有道理的，至少是我觉得有一定道理的。我希望你跟我讨论，通过讨论可能纠正我确实存在的错误，也可能咱们各自保留自己的看法。但是在这个过程当中，我想我们大家对《红楼梦》的兴趣肯定就更浓了，我们对它的理解可能就各自加深了。

那么我们现在讨论什么呢？如果说，刚才我们所说的这些事情，都还不足以说明曹雪芹这么看重妙玉，是因为她在贾宝玉一生当中起了很重要的作用，那么我们现在来看一看《红楼梦》十二支曲。《红楼梦》十二支曲和《红楼梦》金陵十二钗的那个正册的画和诗是匹配的，也是来概括这十二位女性的命运的。

《红楼梦》第五回是特别耐人寻味的一回，也是理解《红楼梦》人物最关键的一回。在这一回里，曹雪芹设置了很多伏笔，真可谓呕心沥血，用心良苦。在这一回的每一句后面都隐藏着许多故事。第五回贾宝玉神游太虚幻境，见到金陵十二钗的册页，里面有正册、副册和又副册，每一册各有十二个人物，其中正册里面分别有十一幅画和十一首诗。我们有必要再温习一下，正册中十二位女性的排名依次是林黛玉、薛宝钗并列第一，第三贾元春，第四贾探春，第五史湘云，第六是妙玉，第七贾迎春，第八贾惜春，第九王熙凤，第十巧姐，十一是李纨，十二是秦可卿。贾宝玉看完这些诗后，警幻仙姑又命人演唱曲子，一共演唱了十四支曲。这十四支曲分别是第一〔红楼梦引子〕，第二〔终身误〕，第三〔枉凝眉〕，第四〔恨无常〕，第五〔分骨肉〕，第六〔乐中悲〕，第七〔世难容〕，第八〔喜冤家〕，第九〔虚花悟〕，第十〔聪明累〕，第十一〔留余庆〕，第十二〔晚韶华〕，第十三〔好事终〕，第十四〔收尾·飞鸟各投林〕。这十四支曲也是对十二位人物最终命运的概括和暗示，但是为什么是十四支呢？难道又是曹雪芹随便那么一写？——每当我进行文本细读，将书里的某些片段、细节和语言拿出来探究时，总有人这样反对：这是小说，作者进行艺术想象，他虚构，可以很随意的，如果像你分析的那样，句句都那么呕心沥血，都蕴涵着那么多的意思，作者岂不是太累了吗？我们读这部书，不也太累了吗？曹雪芹确实写得很累，他自己说了嘛，"字字看来皆是血，十年辛苦不寻常"。但那不是艺匠的累，而是神驰魂飞的辛劳，是悲欣交集的心灵悸动。他说，"满纸荒唐言，一把辛酸泪；都云作者痴，谁解其中味？"当然我们各人读《红楼梦》可以有各人的方法，不细读细品也是一种读法，但通过细读细品，善察能悟，获得醍醐灌顶的快感，解出书中醇味，那种"累"，其实才是审美的大愉悦，精神的大升华，值得。

那么我们就发现，在《红楼梦》十二支曲里面，有一曲叫《枉凝眉》，记得吧？而且如果你仔细来对比的话，你就会发现，在第五回里面，金陵十二钗正册的这个排序，和《红楼梦》十二支曲的排序，不完全匹配，这个现象你注意到了吗？咱们现在来捋一下，金陵十二钗正册第一幅画，第一首诗，那是钗、黛合一，对吧？就是把林黛玉和薛宝钗合在一起的，所以整个金陵十二钗正册，实际上只有十一幅画、十一首诗。所谓《红楼梦》十二支曲，是警幻仙姑说的，实际上她给了书里面的贾宝玉一个文字稿，让贾宝玉一边看这个一边来听，文字稿实际上是十四支曲。这套曲前面有一个是引子，最后有一个是收尾，当中是十二支曲，所以实际上曲子是十四支。咱们先不去把引子跟收尾算上，当中的十二支曲，你应该注意到，它和金陵十二钗正册里面的画和诗不完全匹配。因为金陵十二钗正册那个册页，实际上只有十一页，林黛玉和薛宝钗合为了一页，对不对？可是十二支曲真有十二支，一个是十一，一个是十二，这个数就不一样，对不对？而且一般人都认为，十二支曲的第一曲叫《终身误》，是以贾宝玉的口吻，把薛、林两个人都说了，既说了林黛玉又说了薛宝钗，我就不俱引了，你自己去翻看就明白，这不就相当于《红楼梦》里面所写到的金陵十二钗正册的第一幅画和第一首诗吗？对不对？也就是说，最后我们发现十二支曲多出一支曲来，就是第二支曲，而从第四支曲开始，也就是说去了引子以后的第三支曲，就和金陵十二钗正册里面的排序吻合了。因为金陵十二钗正册里面的第二幅画、第二首诗说的谁呢？说的贾元春，那么你现在看《红楼梦》十二支曲，不算引子和收尾，《恨无常》正是第三，底下就都可以对应了；所以册页里面第三是贾元春，第四是探春，第五是史湘云，然后你往下，一直到秦可卿，在十二支曲里面，如果你把第二支《枉凝眉》挑出来，先不管它，那么，册页和曲子就都是配套的，一一对榫，明白了吧？就是说《终身误》是黛钗合一的，然后就是元春、探春、史湘云、妙玉、迎春、惜春、王熙凤、巧姐、李纨、秦可卿。但是曲子里却比册页多出来了一个，所以就必须要研究这个多出来的《枉凝眉》曲，这一曲究竟说的是谁？为什么要设计出这么一支曲？

你现在看那些一般的《红楼梦》版本里面的解释，就都告诉你这一支《枉凝眉》说的是贾宝玉和林黛玉。从字面上看这么说似乎也通，《枉凝眉》这个曲子怎么说的？在电视连续剧《红楼梦》里面，是把这支曲当做歌颂贾宝玉和林黛玉爱情的主题曲，幽咽婉转地唱出里面的词句：一个是阆苑仙葩，一个是美玉无瑕；若说没奇缘，今生偏又遇见他；若说有奇缘，如何心事终虚化；一个枉自嗟呀，一个空劳牵挂；一个是水中月，一个是镜中花；想眼中有多少泪珠儿，怎经得秋流到冬尽，春流到夏。这个内容要理解成在说贾宝玉和林黛玉，好像说得通，因为你想"美玉无瑕"不就是贾宝玉吗，他戴着通灵宝玉，对不对？说林黛玉是"阆苑仙葩"，因为她是绛珠仙草下凡，模模糊糊好像也对得上茬儿。更何况林黛玉最是爱哭，林黛玉下凡的使命是还泪，要把她的眼泪还给曾在天上用雨露灌溉过她的神瑛侍者，也就是下凡到人间的贾宝玉，所以曲子里最后唱到"多少泪珠儿"如何如何，多少年来没有人怀疑过，就觉得这首曲铁定说的是贾宝玉和林黛玉。人民文学出版社 1982 年初版的，由中国艺术研究院红楼梦研究所校注，现在非常流行的一个《红楼梦》版本，它对《枉凝眉》也是这么注解的。

但是现在我要说出不同的看法，要跟大家讨论一下。为什么要讨论？因为在《终身误》的曲子里面，已经用贾宝玉的口吻说到林黛玉和薛宝钗了，是不是？怎么会又来一个《枉凝眉》，又单说一遍？但是这一遍里面好像没有薛宝钗了，单说贾宝玉和林黛玉，有这个必要吗？再说，林黛玉她是仙草，大家知道，而什么叫做"葩"呢，"葩"说的是花是不是？林黛玉她不是花，她始终是天界一株草，是不是？那么，这个"葩"究竟说的是谁呢？再一推敲，觉得很有趣。"阆苑"，这个词汇泛指大观园，一处很美丽的园林，元春省亲的时候，让众姊妹和宝玉赋诗，那些诗里就一再地把大观园比喻为仙境——"谁信世间有此境""风流文采胜蓬莱""名园筑何处，仙境别红尘"……那这仙境里有什么样的仙葩呢？往后看，我们在《红楼梦》正文里面就发现曹雪芹写到怡红院，怡红院有什么花？有海棠花，而这个海棠花是谁的象征呢？在"寿怡红群芳开夜宴"的时候我们都很清楚，就是史湘云，海棠花是象征史湘云的。在《红楼梦》写到怡红院的海棠花的时候，有什么样的文字呢？说那一边乃是一棵西府海棠，其势若伞，丝垂翠缕，葩吐丹砂。所以"一个是阆苑仙葩"，就很可能说的是史湘云，史湘云的象征就是"葩吐丹砂"的海棠花。而且大家知道史湘云的丫头叫什么，叫翠缕，那么，曹雪芹他在写到这个怡红院的海棠花的时候，他为什么用这样的字眼呢？他说海棠花其势若伞，丝垂翠缕，葩吐丹砂。《红楼梦》的文字有一个特点，它总是前后互相呼应的，曹雪芹在无意随手之间，他总是要传递很多信息的。所以我们可以说，因为在描写怡红院的海棠的时候，作者很明确地使用了"葩"这个字眼，而且作者给史湘云的丫头设定的名字就是翠缕，所以"一个是阆苑仙葩"，越想越应该是指史湘云。

那么"一个是美玉无瑕"又是在说谁呢？不一定指的是贾宝玉。谁美玉无瑕？妙玉啊。第五回，在那个关于妙玉的判词和关于她的《世难容》曲里面很明确地说，妙玉是美玉。大家记得关于妙玉的那幅画，一块美玉落到污泥里面，是不是？"无瑕美玉"，这个字眼在关于妙玉的《世难容》里明明白白地写出来了嘛。贾宝玉是赤瑕宫的神瑛侍者下凡，"赤瑕"就是有红色瑕疵的玉，"瑛"虽然是玉但并非最纯净的玉，脂砚斋在批语里就明确指出赤瑕的意思："玉，小赤也；又：玉有病也。以此命名，恰极！"下凡后的神瑛侍者，也就是贾宝玉，他"行为偏僻性乖张"，是块病玉，并非无瑕美玉啊，因此，基本上可以排除拿"美玉无瑕"形容他的可能性。这样看来，曲子里所说的"一个是美玉无瑕"，只能认定为妙玉。

这样一想的话，思路就豁然贯通了。你想一想，我们刚才分析了太虚幻境四仙姑，四位女性是谁呢？就是林黛玉、史湘云、薛宝钗、妙玉这四位女性。那么现在曹雪芹再给她们写成曲，第一曲是两个女性合一，就是林黛玉和薛宝钗；第二曲呢，很可能就是把另外的两个再合在一起来说，一个是史湘云，一个就是妙玉。我不是说我的思路就绝对正确，但是这样探究还是很有意思的，对不对？

那么你再推敲，你把这支曲子里的话拆开细琢磨，相应"一个是阆苑仙葩"的这个句子下面所说的，就是"若说没奇缘，今生偏又遇着他"。这是说贾宝玉和史湘云在前八十回，看得出他们没有爱情关系，他们就是亲如兄妹，或者说是大家都没有性别感，天真烂漫的生命，进行着完全没有遮拦的情感交流，是一种人生最美好的境界，他们两个没有奇缘；但是在八十回后，他们两个却很奇怪地遇合了，我说的这个"遇"是遇到的遇，就是又遇上了，又合在一起了，所以"若说没奇缘，今生偏又遇着他"。"一个枉自嗟呀""一个是水中月"——这都是我把这个曲劈开了，相应史湘云下面的一些话，这些话的意思就是，经过一番坎坷的经历，两人遇合以后，"枉自嗟呀"，当然就很感叹，但是事已如此，命运就是这样，生活就是这样，人生就是这样；而为什么说是"水中月"，当然可以探讨，因为所有这些女性最美好的岁月都过去了，呈现在面前的史湘云是一个脱了形的月，是一个水中月，贾宝玉自己的形象肯定也很不堪了，但是两人还可以相依为命，相濡以沫，共度残生。这是对"阆苑仙葩"史湘云的吟唱。

"一个是美玉无瑕"下面的话是些什么意思呢？把这个曲劈开了，再看这些句子："若说有奇缘，如何心事终虚化？"因为曹雪芹在八十回后，很可能写到妙玉又出现了，和贾宝玉又见面了，如果真是有奇缘，如何心事终虚化？什么叫做心事，这也值得探讨，就是贾宝玉和妙玉之间，究竟有没有爱情，这是一个很大的探讨课题。我觉得，这儿说的心事，不一定指的爱情，他们两个是互相肯定、互相欣赏的，但是生活的巨变使得他们终于还是无法沟通。"一个空劳牵挂""一个是镜中花"，相对于贾宝玉来说，他对妙玉的牵挂，并不能解决妙玉什么问题，而恰恰是妙玉，后来在他生活里起到了决定性的作用；对他来说，妙玉只是一个可望而不可即的美丽女性，只留下一些镜中花般的回忆而已。想起这两个女性最后的命运，贾宝玉自己想，"眼中有多少泪珠儿，怎经得秋流到冬尽，春流到夏。"

这就是我对《枉凝眉》曲的一种破解，这种解释的好处，就是可以和太虚幻境四仙姑所影射到的四位女性的重要性相匹配，而且可以解释为什么在册页里面是十一页，十一幅画、十一首诗就把十二个人说全了，而这里的曲子却有十二首；去掉开头的引子和后面的收尾，十二支曲里面，为什么从第三支以后，就都是符合那个自贾元春往下的排序了。也就是说，曹雪芹他把最重要的女性，每两个人一组，各写了一支曲，一个是《终身误》，一个就是《枉凝眉》。"枉凝眉"就是白白地皱眉头，是吧，面对一个无可奈何的命运结局，深深地皱起眉头悲叹，就是这个意思。

当然，我只是向大家提供一种新的思路。有人说，"凝眉"就是皱眉，林黛玉眉尖若蹙，贾宝玉送她一个妙字"颦颦"，那以后人们常称她"颦儿"，因此，从这个曲名上看，这支曲就该是说黛玉。我的思路是，不能光看曲的名字，还要仔细分析曲的内容，才能做出最终判断。比如《世难容》，林黛玉她"一年三百六十日，风刀霜剑严相逼"，不也是"世难容"吗？但《世难容》曲的内容跟她的情况不对榫，因此当然就不能说是一支关于她的曲。有人说，把《终身误》理解成说薛宝钗，把《枉凝眉》理解成说林黛玉，那么，十二支曲不就成了每钗一曲，很匀称了吗？但是，《终身误》分明是既说了钗又说了黛，是合一的格局，曹雪芹对于黛、钗总是不去分一二的，如果《终身误》是说钗，《枉凝眉》是说黛，那么，不仅打破了全书黛、钗合一的总体设计，还排出了次序，成为钗一、黛二，再看《终身误》的内容，全是怨钗怀黛的内容，如果真要将黛、钗分列两曲，也应该是《枉凝眉》排前头呀，因此，认为《终》《枉》二曲先说钗后说黛的观点，我很尊重，但不认同。又有人说，如果这支曲说的是史湘云和妙玉，那么，后面又专门为湘、妙二人各写了一曲，曹雪芹至于对湘、妙那么偏爱吗？当然，把黛、钗定位于其他各钗绝对不能超越的思路，已经成为许多读者和研究者的思维定势，我很理解，佴是，应该允许在文本细读的情况下，提出新解新说，以活跃思路，打破红学多年的沉闷局面。我认为，不能光从"凝眉"两个字，就断定这支曲非黛玉莫属，容不得讨论，因为贾宝玉"天然一段风骚，全在眉梢；平生万种情思，悉堆眼角"，这也是第三回里的明文。那么，他想起湘、妙，伤怀地"凝眉"而又觉无可奈何，也是说得通的；而且，尽管曹雪芹在前八十回里，特别是前四十回重点描写了宝、黛的爱情，但从全书来说，有很多证据可以说明，在八十回后，他对湘、妙厚爱有加——我下面会讲到我这方面的探佚收获——那么，他为湘、妙再各写一支曲，也是有可能的。

　　我将在下一讲里面继续来探讨妙玉，她究竟是一个什么样的身世，也包括其他方面，比如说她和贾宝玉之间究竟是一个什么样的关系，他们互相爱恋吗等等内容。咱们下一讲见。

妙玉身世之谜

　　金陵十二钗正册里，妙玉身份最特殊，虽然与四大家族没有血缘与婚姻关系，却也能跻身其中，排名又在脂粉英雄王熙凤之上，这令很多人不解。而更让人吃惊的是，通过我上几讲的探究，妙玉还是贾宝玉生命中最为重要的女性之一。那么妙玉的身世究竟如何？她在贾宝玉的人生途程里究竟有什么重要作用？曹雪芹设置这样一个人物，意图何在？这是我要跟大家接着来深入讨论的。

　　首先探究一下妙玉的身世。

　　关于妙玉她是一个什么样的身世，书里面主要是通过两个人从旁介绍的。通过旁人介绍、评价人物，给读者留下印象，是曹雪芹常用的一个写作手法，对妙玉这个人物也是这样。

　　第一次是在第十七回和第十八回里面，大家知道，古本的《红楼梦》十七、十八这两回没有完全分开，一直保留着一个待分开的状态，所以我说第十七、十八回，说的是古本的状态。在第十七、十八回里头，妙玉第一次暗出。这个时候大观园已经造好了，元春要来省亲，府里面为了迎接她来，就要做各种准备，包括一些宗教仪式的准备。当时府里面已经去买了来一些年轻的女孩作为尼姑、道姑，进行培训，准备在省亲时使用。在准备工作即将完全结束的时候，就有一个仆人来向王夫人汇报，说除了这些小尼姑、小道姑之外，还有一个人您是不是考虑，说外有一个带发修行的女子，本是苏州人士——苏州当然也属于金陵的范围，金陵是一个大概念——祖上也是读书仕宦之家，云云。其中有一大段话说她为什么出家，大意就是说她小时候多病多灾，往往有钱人家在这种情况下，就会花钱请一些人做替身，替她去出家，结果这也不中用，她简直病得不行了，最后干脆让她自己出了家，她的病才好了，从此就带发修行了。而且，故事发展到元妃要省亲的时候，她就已经十八岁了。她真实的姓氏究竟是什么呢？她有没有一个真实的名字呢？没有交代，起码在前八十回里面，我们始终没有看到任何这方面的蛛丝马迹。书里只说她有一个法名——出家以后就要取一个佛教范畴之内大家互相称呼的名字，这叫法名——她的法名是妙玉。此外交代得很清楚，妙玉的父母已经双双亡故了，现在妙玉怎么生活呢？身边只有两个嬷嬷、一个小丫头服侍，就是说孤苦伶仃的。但是妙玉她也有很大的优势，这个仆人汇报说她文墨也极通，经文也不用学了，模样又极好，不是一般地好。那么现在为什么跑到都城来了？书里面反复说长安、都城，其实都是影射北京，影射清朝当时的首都北京。妙玉为什么到长安都城来？因为都城里面有观音遗迹和贝叶遗文，这是佛教界最珍视的一些文物。过去印度有一种树叫做贝多树，它的树叶很长，很厚，就叫贝叶，在上面可以直接书写经文，不用去造纸，有了这树的树叶，就可以直接拿它当纸用。在故事发展到这儿的时候，那仆人继续汇报说，妙玉前一年随她师傅到了北京，在西门外牟尼院住。妙玉就是这么一个情况，作者就是这样通过贾府的仆人，以向王夫人汇报的形式来介绍她的。

那么这个仆人向王夫人说完这些以后，本来就想提建议，但是书里边的行文就很有趣。大家知道王夫人是一个什么性格，王夫人这个人心里面往往是很有看法的，但是这个人凡事一慢二看三通过，性格是比较沉稳的。甚至她驱逐金钏那一次，她也把贾宝玉和金钏他们两个调笑的话听完，等到她觉得金钏罪证确凿之后，她才突然起身，打了金钏耳光，发起怒来。要是别样性格的人，听第一句可能就要蹦起来，王夫人不是这样。包括对晴雯的处置，她也隐忍了很久，后来她坦白地说，她老早就看着她不顺眼，看到一个模样像林妹妹的那么一个大丫头在那儿骂小丫头，老早就觉得不对头，但是她都能隐忍，所以说她是一个很沉稳的人。但是书里面在这个地方请你注意曹雪芹的行文，他说王夫人不等说完，没等仆人说完，没把汇报听完便说，既这样我们何不接了他来。很痛快，人家还没有说完话呢，她就做决定了。这意味着什么？一会儿到后面我会回过头再解释这一点。但是这个仆人把话也说在前头，说这个妙玉可不太好请，她说了，侯门公府必以贵势压人，我再不去的。这句话一方面反映了妙玉的性格，我们都知道，她是一

个孤高自赏、万人不在她眼里的怪人；另一方面则说明，妙玉的家庭背景应该不
是侯门公府一类的，她家应该是书香门第，靠科举一步一步考上去，才成为一个
仕宦之家的——应该是那样的家庭，否则她不会那样说，因为如果她自己也是一
个贵族家庭的女子，她说这个话就等于把自己家也骂了。但是王夫人这个时候，
就让人觉得很奇怪，王夫人听到仆人这么说，丝毫不犹豫，主动说，她既是官宦
小姐，自然骄傲些，就下个帖子请她何妨呢。王夫人主张下帖子请她，一下帖子，
这就是一个白纸黑字的东西，是不是啊？后来果然这个仆人就照办了，书里面就
交代，命书启相公写了帖子，去请妙玉，第二天就派人备车轿把妙玉接进大观园，
住进栊翠庵。《红楼梦》里的道具都不是随便出现的，这个帖子我估计八十回后，
会有有关情节涉及到它。既然前面交代是写帖子请的，抄检大观园，先是内部自
己抄自己胡闹，后来外面抄进来，皇帝治罪，造成毁灭性打击，这个帖子早晚是
要被抄出来的，抄出来后会是什么后果？八十回后估计会有相关情节。这是曹雪
芹的艺术手法，草蛇灰线、伏延千里的又一例证，很有意思。

　　这是一个仆人在向王夫人汇报妙玉的情况，是妙玉第一次侧面出场。

　　那么第二次呢？是另外一个人来说她。她已经正式出场过了，但是她仍然是
云龙见首尾不见身子，所以小说就安排另外一个人物从旁再来介绍她，这个人就
是邢岫烟。相关情节出现在第六十三回。

　　第六十三回，贾宝玉发现他过生日的时候，妙玉给他留下一个拜帖，一个祝
寿的帖子，上面写着"槛外人妙玉恭肃遥叩芳辰"。贾宝玉看了以后很高兴，很珍视，
觉得应该有所回应，人家给你一个帖子，你应该有一个回信给人家，所谓有来有往，
但是怎么写呢？他就想找人解决这个问题，找谁？自然是找林妹妹，能找宝姐姐
吗？这种事不能找宝姐姐，这种事要找林妹妹。可是还没找到林妹妹，就看对面
颤颤巍巍走来一个美女，是谁呢？就是邢岫烟。他就问邢岫烟，他也没想跟她请
教，因为书里在这段情节以前，邢岫烟是个不起眼的角色，显得比较寒酸，没有
出众的才华见识，对她以礼相待就是了，谁会去请教邢岫烟什么啊，所以他就随
便问一句，说你去哪儿？邢岫烟说我去栊翠庵。宝玉一听，好家伙，这个妙玉是
万人不接待的，是不是？怎么你去栊翠庵呢？于是邢岫烟跟他讲了一番话，通过
邢岫烟就又交代了妙玉一些情况，补充了前面那个仆人向王夫人所介绍之外的另
外一些情况。邢岫烟把这些告诉宝玉，让宝玉大吃一惊，原来邢岫烟和妙玉老早认

识，关系极好。邢岫烟就跟贾宝玉讲她们两个的交往经过，说她也未必那么真心重我，为什么别人不理，专接待我，就是因为我和她做过十年的邻居——邢家当时赁的房子就是庙里面的房子——在十年之间，当时可能还是个小姑娘，邢岫烟就经常到庙里面去跟妙玉做伴，她认得的字都是妙玉教给她的，所以邢岫烟就概括她跟妙玉的关系，既是贫贱之交，又有半师之分，是那么一种非同寻常的关系。底下邢岫烟再说的情况，就是听说了，也是一个模糊信息了，因为后来他们家就离开了。她说，因为妙玉她不合时宜，权势不容，竟投到这里来了。这妙玉不合时宜，关于她这样一个定评多次出现。什么叫做不合时宜？这个不合时宜不是一个政治色彩很浓的语汇，这是在俗世社会里面非政治性的一个贬语，就是说这个人做的事可能不犯法，但是跟别人做的事不一样，特古怪，一般人见了以后，都讨厌。妙玉她有一些行为是不合时宜，但是她这个不合时宜又导致了什么？又导致了权贵不容。按说一般人讨厌她也罢了，一般人讨厌她，也不能把她怎么样，最后显然又惹怒了权贵，为权贵所不容，所以才投奔到这儿来。这是邢岫烟的一个解释，但这也只是她听说的，曹雪芹写得迷离扑朔。

贾宝玉一想，眼前站了一个最了解妙玉的人，那就别找林妹妹了，就把这个帖子给邢岫烟看了。邢岫烟看了怎么评价妙玉？她一看拜帖，便说她这脾气竟不能改，竟是生成这等放诞诡僻了，从来没见拜帖上下别号的。你给人写一个拜寿的帖子，按说应该是写上自己的名字的，就说妙玉你出家了，没有真实姓名，你也可以写上妙玉，写法号也很好，但是她写了一个别号，写了"槛外人"，于是邢岫烟就脱口而出，说了对妙玉实际上很刻薄的话。邢岫烟应该是一个很温柔的女子，但是一看拜帖太古怪了，不合时宜，所以就说出了一句尖锐的批评的话：这可是俗语说的僧不僧，俗不俗，女不女，男不男的，成个什么道理！这在那个社会是很尖锐、很严厉的一种批评，是不是？僧不僧，俗不俗，女不女，男不男的，不成道理了是吧？但是邢岫烟后来冷静一下想了想，也跟宝玉探讨了这个问题，说，我能跟你解释，为什么她自称是槛外人。因为妙玉曾经给邢岫烟说过，而且常说，说过不止一次，她说古人中，自汉晋五代唐宋以来，都没有好诗，只有两句诗好。这两句诗很古怪，到现在为止，我个人也没觉得这两句诗好，但是妙玉觉得这两句诗，是经历过那么多朝代，古人留下的诗句里惟独算得上好的。这两句诗现在年轻人可能不太懂了，叫做"纵有千年铁门槛，终须一个土馒头"，是宋朝一个叫范成大的诗人写的。这是只有在那个社会才有的两样东西，"铁门槛"和"土馒头"。过去封建贵族家庭或者是富豪人家会被称作门槛高，这个门槛高不光是一个形容词，是真高，体现住宅的气派。而且最有钱和最有势的人，他的门槛要包铁皮，有的家希望自己的铁门槛可以存在一千年。但是范成大这个诗人就指出来了，就算你这个铁门槛能够存在一千年，你能活一千岁吗？到头来你需要一个什么呢？需要一个土馒头！这个现在的年轻人不懂，我跟一个小学生说过，他说人死了不就是装骨灰盒么，要土馒头干什么啊？好吃不好吃？这个他就不懂，因为过去是土葬，土葬的话都是要用土堆一个坟头，而且在古代的时候特别讲究，就是要堆成土馒头。"土馒头"在这句诗里构成一个标志，生命终结的标志，就是说到头来，你无非也是要死掉，徒然留下一个坟头而已。过去地位越高的人，死了以后坟头就做得越大，帝王的"土馒头"甚至会成为一座丘陵，但那"土馒头"再大，你人不存在了，也终究不会有什么乐趣，是不是？

妙玉认为这两句诗好，这意味着什么？意味着她对人生有一种她个人的特殊看法，这种看法正巧和古代范成大的两句诗呼应了。这是一种很悲观的看法，这是一种悲剧性的人生观，就是看破红尘，认为所有荣华富贵都没有什么意义，人生追求长寿也没有多大意思，到最后谁都逃不过死亡，表达的就是这样的意蕴。

邢岫烟介绍了妙玉欣赏这两句诗以后又说，妙玉最爱读庄子的文章，认为文章就只有庄子写得好。那么庄子有的文章里面就讲到畸人，畸零之人——《庄子》里面伪造了一句孔子的话，《庄子》里面引的孔子的话语都不可信，都是为了写文章方便，故意说什么什么事孔子怎么说，其实代表庄子他自己的观点——这个庄子的文章里面就借孔子的口说畸零之人，说这种人是非常个别的古怪的人，他和其他的众人绝对不一样，合不来，但是和谁比较和谐呢？他和天，和亘古永存的自然宇宙是和谐的，这样一种生命叫做畸人。孔子恐怕没有说过这样的话，但是庄子的文章里面，他说孔夫子听到人问，就这么解释这种人。妙玉喜欢庄子的文章，自认为是畸零之人，这意味着她对政治，对权力，没有兴趣；对社会，对俗世，对名利，也都看破；她不合群，自愿在边缘生存，享受孤独。但因为她能与天、与宇宙、与自然达到和谐，她又觉得自己很有尊严，很有价值，不可轻亵，凛然莫犯。我前面讲秦可卿，讲贾元春，讲了书里书外很多的政治，书外是康、雍、乾三朝的政权更迭与明争暗斗，特别是乾隆登基以后，还有弘皙逆案的发生；书里呢，有义忠亲王老千岁，有月喻太子的文字，有北静王府和忠顺王府争夺蒋玉菡，等等。因为是一环环地讲，前面各环里政治斗争的气氛浓浓的，使得一些听讲的人误以为，我就是认定《红楼梦》是一部政治小说，曹雪芹除了政治影射不写别的。但现在我讲到了妙玉，讲到这里，我要诚恳地告诉你，曹雪芹的伟大，就在于他能既关心政治，有自己的政治倾向，却又能超越政治。他所塑造的妙玉这个形象，就体现出他这种超越意识，这是我们应该特别注意的。

　　接着说邢岫烟跟宝玉的对话，听了拜帖的事，得知宝玉为不知怎么回帖子犯愁，邢岫烟就给宝玉出主意了。她说妙玉不是自称槛外人吗？你就要自谦，你别跟她拗着来，你就说自己是槛内人；如果她说自己是畸零之人，你就说自己是世中扰扰之人。就是她怎么说，你就怎么跟她反着说，她就高兴。什么叫扰扰之人？一天到晚奔波忙碌干吗，谋吃谋喝谋享受谋快乐，是不是？俗人，对吧？当然也不是坏人，就是世界上熙熙攘攘的人群当中，一天到晚忙忙碌碌的一个小生命。你这么说她就高兴了。她要说是槛外人，你就说槛内人，你承认自己是铁门槛里面的，这样你就合她的心了。宝玉听了，顿觉醍醐灌顶——这是一句佛教用语，意思是立刻大彻大悟。后来贾宝玉果然就听取邢岫烟的建议，写了一个自称是槛内人的回帖，也没有直接给妙玉，到了栊翠庵，从庵门的门缝塞了进去。这是一个很重要的情节，也是一个侧面介绍。

　　通过前面仆人向王夫人汇报的内容，以及现在我给你详细重复的书里面写到的邢岫烟对妙玉的介绍，妙玉这个人物形象基本上就立起来了，我们了解了她的基本身世，她的生命到十八岁为止的轨迹，她的交往，她喜欢的诗喜欢的文，她怎么看自己怎么看别人，这些就基本清楚了。

　　妙玉的前后两次暗出，已经让读者领略到了她的孤傲和清高。一般来说，《红楼梦》中的重要角色，曹雪芹都要单独为她立传，被作者珍视的妙玉当然也不例外，《红楼梦》第四十一回栊翠庵茶品梅花雪，就是妙玉的正传。在这一回里，刘姥姥二进大观园，贾母带着刘姥姥在大观园里四处参观游玩，当走到栊翠庵时，就歇了脚，喝口茶，这样就引出了妙玉敬茶的故事。妙玉在经过了他人的交代之后，也正面走出来和读者见面。

　　那么第四十一回，栊翠庵茶品梅花雪，曹雪芹郑重其事地为妙玉写照立传，在这一回里面，写妙玉出场，到这场戏结束，贾母她们离开栊翠庵，一共才多少字呢？我查阅了各种古本以及现在的通行本，上下出入字数不到五个，大体上是一千三百五十个字——很少的字数。妙玉在这一场里面只说了十二句话，或者严格来说，某一次开口，断句，分成几句，是十二次开口。曹雪芹在一千三百五十个字里面，就让这个角色开了十二次口，就够了，这个人就站出来了，性格就凸现了。所以我确实佩服曹雪芹，佩服《红楼梦》，甚至他还不光是写这个人的性格，他把很多信息都传达出来了。

那么我们就把她的十二次开口，像品茶一样，细细地品味一番。

书里写道，贾母到了栊翠庵，带着刘姥姥，还有一拨小姐什么的去了。妙玉就给贾母献茶，用了一个什么样的茶具呢？是一个海棠花式的雕漆填金云龙献寿的小茶盘，里面放了一个成窑五彩小盖钟——这是一个非常重要的道具，现在我不细说。然后他一下笔我就非常惊叹，他怎么写的啊？先写贾母说了一句话，贾母这句话很古怪，说我不吃六安茶。怪不怪？曹雪芹多省事啊，他要传达一个什么信息？显然，贾母跟妙玉的家庭，跟她的上一辈，还不仅是父母一辈，可能跟她爷爷奶奶一辈，曾经非常地熟悉。她知道妙玉家的待客习惯，在妙玉长辈在世的时候，妙玉那家人待客，总是要端出六安茶来，这已成待客的惯例。贾母她是贾府的老祖宗，妙玉是晚辈，她用不着客气，所以曹雪芹不多废话，就直接写贾母说，我不吃六安茶。然后妙玉这个角色在第一次出场中也就第一回开口了，妙玉这句话也很简洁，更妙，很厉害，她说，知道，这是老君眉。厉害不厉害？贾家和妙玉背后的那个家庭之间的关系，就点出来了。那家人过去跟贾家交往，老往外端六安茶，不合贾府人的口味，特别不合贾母的口味。而这一年妙玉她已经十八岁了，她父母虽然双亡，家庭记忆还是有的，她老早就有防备，是不是啊？所以她立刻回答了两个字，知道，然后告诉贾母，这是老君眉。妙玉也是软顶，她不能对贾母话多，说你不吃六安茶，但这不是六安茶，不用换，这是老君眉，老君眉你得喝吧，老君眉这名称含有祝寿的意思，你不能拒绝好意吧？贾母接过了茶，但贾母也很厉害，她就问是什么水？懂得喝茶才有这种话，对不对？不懂得喝茶，她会这么问吗？作者把贾母写得也很有性格，很会享受生活，享受到精致入微的地步，这种人真的是品茶，不能叫喝茶，叫品茶。会品的不仅要挑剔茶叶，光说茶叶是老君眉没有用，还要讲究烹茶的用水，所以必须问是什么水，如果水不合格，那么茶叶合格了，也还是不能喝。妙玉就告诉她，是旧年蠲的雨水。过去烹茶时兴把今年雨季那个雨水，拿坛子罐子接了，接了以后让它澄清，清了以后把水滗出来，搁在专门的一种瓷器里面，或者陶器里面，埋在树根底下，过了一年以后，再把它刨出来，然后用那个水烹茶，那才算是合格的水，现汲的井水是不行的。可能现在有人听着觉得，哎哟，那个能喝吗？咱们现在有自来水、矿泉水、太空水，陈旧的雨水怎么能喝啊？但是一个时代一种讲究，当时就认为旧年蠲的雨水是很高级的烹茶用水。贾母一听，茶也对路水也合格，当然也就算了，就品那杯茶，喝去半盏。

　　通过贾母和妙玉短短的两次对话，我觉得，妙玉这个人物固然是一个艺术形象，但她是有生活原型的，否则作者不可能写出这样的文字来。我们不要忘记贾母的原型是康熙朝苏州织造李煦的妹妹，现在书里交代妙玉是苏州人士，她的原型应该就是苏州一个官宦人家的女儿。她父亲的官职可能与茶叶的生产贸易税收有关，所以她家对各种茶叶，以及烹茶用水还有茶具，都非常懂行，非常讲究。管宫廷织品，并且还经常兼管盐政的官员李煦，与同一地方管理茶政的官员之间，关系当然可以是非常密切的，两家的家属也会认识，礼尚往来。因此，前面写仆人跟王夫人介绍妙玉的情况，她不等听完就表了态，以及这里写贾母进了禅堂坐下，没等接待者开口就宣称不吃六安茶，就都不奇怪了。贾母的原型后来常住南京，之后王夫人成为她儿媳妇，一起住，但她们跟苏州的亲友保持着密切联系，与妙玉家是有来往的，用不着别人详细介绍，她们知其根底。我认为，曹雪芹这样写，就是因为在真实的生活里，有那么一个苏州的官宦人家，有那么一个比他大几岁的女性。我还特别注意到，六安茶和老君眉都是好茶，但六安茶——出产地在安徽六安——的特点是很本色，略有苦味。一个非豪门出身的靠科举当上官儿的人，他和他的家人喜好喝六安茶，来了客人也往往敬六安茶，是完全可以理解的，很自然的现象。但是生活中的李家曹家，到了书里化为了史家贾家，他们是公侯的后代，世代簪缨，没有什么寒窗苦读的感受，犯不上喝略带苦味的六安茶来抚慰自己的心灵。他们爱喝的，是几种每年特别要向皇帝进贡的香茶，那么老君眉——产在洞庭湖的君山——形如银针，味甘气醇，当然就很符合他们的心理和舌喉的需求了。妙玉深知这些侯门贵族的讲究，不献六安茶而捧出老君眉，也就顺理成章了。我觉得这样的细节是很难凭空虚构的，应该是从生活的原生态里提炼出来的，难为曹雪芹把这么丰富的内涵，用如此简洁的方式表达了出来。

好，咱们接着往下看曹雪芹怎么写妙玉。妙玉跟贾母说完这么两句话之后，就懒得再去理贾母她们了。她是一个很高傲的人，对贾母不得不敷衍，但也懒得浪费更多的时间。她拉一拉宝钗和黛玉的衣襟，就把她们带到东禅房旁边的耳房，单请她们去喝梯己茶。贾宝玉照例要跟进去——贾宝玉这个人就是凡是女性的美好的活动，他一律要去扎堆，总少不了他，这真是一个很有意思的青春女性崇拜者。

贾宝玉跟进去以后，《红楼梦》里面各古本写法不一样，有的说是黛玉和宝钗两个人跟他说，你又赶来蹭茶吃，这里并没你的；有的说是三个人说的。如果算三个人说话，妙玉就又开了一次口，我把它算进去，算是妙玉第三次开口。这里并没你的，这句话可能就是妙玉说的，因为她是要单请林黛玉和薛宝钗品这个茶。然后正在这个时候，那边贾母就喝得差不多了，而且大家都知道，贾母喝了半盅茶之后，就把剩下的半盅给刘姥姥喝了。当时妙玉也看见了，这个时候妙玉的仆人把这个成窑杯收回来了，妙玉就第四次开口，她命令那个仆人把成窑的茶杯就别收了，搁到外面去吧。这就是写这个人洁癖，太过分地好清洁，而且用今天的观点看，她歧视劳动人民，得被扣上这个帽子。估计她心里说，如果光是贾母喝了，算了，洗干净点，洗仔细点，还能留着，结果让刘姥姥喝了——刘姥姥可能农村生活条件也差，一口黄牙，她看了就别扭——被刘姥姥喝了以后，洗了她都不要了，怎么都不要了，这就是妙玉。我说曹雪芹珍爱妙玉这个人物，但并不等于说他不写这个人物的缺点，实际上曹雪芹笔下的每一钗都是既有优点又有缺点的，还有说不清是优点还是缺点的性格特征，她们都是活生生的生命存在，携带着自己全部复杂的人性，走过自己的人生历程。

然后作者就写道，妙玉招待林黛玉和薛宝钗，拿出非常珍贵的茶具，这个描写非常夸张，有些描写跟书里前面描写秦可卿的卧房真是差不多，太夸张了。她拿出一样东西——这三个字很难写，读音也很怪，读作"班袍甲"——这个东西不是瓷器，大体来说就是在葫芦生长的时候，用一个模具把葫芦套上，等葫芦长大，把那个模具空间充满之后，将模具拆开，葫芦就长成了模具里面要求长成的怪样子；此外，这个东西还要经过另外一些精细的加工。书里面说这个怪东西旁边还有耳，杯上还刻着字，写的是"晋王恺珍玩"，并且更夸张了，后面还有一行小字，内容是"宋元丰五年四月眉山苏轼见于秘府"。大家知道，王恺是晋朝的大富豪，收藏各种名贵东西的人，这个东西还被王恺收藏过，而且还有人作证，有一个宋朝人作证，元丰五年——元丰五年是宋朝的一个年号,宋元丰五年四月眉山苏轼——不是别的苏轼,就是出生于眉山的苏轼,就是苏东坡——还见于秘府。这个很夸张,实际上这个描写是从生活的原型升华为艺术的创造,他夸张得非常过度,因为你要是去问文物专家,他们会告诉你,这种用葫芦做成的饮具,用模具强迫葫芦长成怪样子,这种做法是在康熙年间才有的,是清朝康熙朝以后才流行的,根本很难找到证据证明晋朝或者宋朝有这种东西,但他就愣这么写,这就是他艺术上的发挥了。这个怪器皿妙玉就用来给薛宝钗斟了茶,请薛宝钗品。另外一个饮具也是奇珍,也是三个字的名字,最后一个字,上面一个"乔"下面一个"器皿"的"皿",读作"点西桥"。有的版本第一个字不是"斑点"的"点"而是"桃杏"的"杏",这个东西的名字在版本学上有争议,我现在不细说,总归也是一个非常珍贵的东西,是用犀牛角做的,她用来给林黛玉品茶。

那么这个时候,贾宝玉就看她拿什么给自己品茶,这个也是所有《红楼梦》研究者最感兴趣的一个问题,就是他们发现曹雪芹怎么写的呢?妙玉就把前番自己常日吃茶的那只绿玉斗,拿来给宝玉品茶。什么叫绿玉斗?就是用绿色的玉制作的,形状像过去量米的斗——当然缩小了很多倍,可以拿在手中使用——妙玉就拿这个给他品茶。因为这个是前番妙玉自己常日吃茶用过的,所以引起很多读者的浮想联翩,是吧?我将在下面再去跟你一起详细探讨这个问题。这时妙玉就要第五次开口了,因为贾宝玉首先抗议了,贾宝玉说,常言世法平等,她们就用这样的古玩奇珍,我就用这个俗器了?妙玉就回答他说,这是俗器?不是我说狂话,只怕你家里,未必找得出这么一个俗器来呢!这就是妙玉的性格,"不是我说狂话",她其实就是说狂话,她这个人一句比一句狂,对吧?曹雪芹写到这儿,她说的话,总共一百字都没到,这人物就活了,就是这么一个人,就这么个性格。然后她看大家喝得高兴,就又寻出一个东西,这个太夸张了,很难复原这个东西,叫做九曲十八环一百二十节蟠虬整雕竹根的一个大海(书里的写法是上面一个"台",下面一个"皿")。这个你想想,我不掰开细说,一个湘妃竹竹根整雕的,这是什么东西!然后她就拿着这个东西,笑着对贾宝玉说,就剩下这一个,你可吃得了这一海?贾宝玉有点傻帽儿,说我吃得了。妙玉就笑道——这是妙玉第七次说话——说你虽吃得了,也没这些茶糟蹋,你岂不闻一杯为品,二杯即是解渴的蠢物,三杯便是饮牛饮驴了!这个话好厉害,我每次看到这儿以后,都特别惭愧,因为我喝茶，老是大茶缸子，一缸子一缸子喝，按妙玉的标准，咱们都别喝了，只能喝一杯，小口喝一点，一杯为品，二杯就是解渴的蠢物，三杯的话，不重复了，很难听，但是妙玉就说出来了，而且说你吃这一海更成个什么，因为这一海比三杯还多。这就是妙玉。

然后第八次她开口说话，说你这遭吃茶是托她们两个的福，独你来了，我是不给你吃的。这个话本来你不说大家也明白，你是一个出家人，他是一个男性，你带发修行，是一个尼姑，当然不能随便招待一位公子品茶，但她就要说出口，就这么一个人。

然后第九句，宝玉就说那我谢她们便是，妙玉回复说："这话明白。"她说出的这些个话都很有刚性的，都是"钢铁公司"的那种东西，是不是？然后最突出表现妙玉的孤僻和尖刻的就是底下，她第十次说话。

第十次开口是说林黛玉。林妹妹在书里面真是超凡入圣的一个人物，你记不记得有一次林黛玉离开潇湘馆的时候怎么嘱咐紫鹃的，那段话我背不下来，但是你能回想出大意是什么，是吧？那段话是说怎么把屋子收拾了，把窗户打开让大燕子回来，又怎么放帘子，怎么样烧香炉，等等。那个林黛玉的生活，你想，诗化的生活，雅致得不能再雅致。你批评林黛玉可以用无数的词语，但是你不可以用一个字眼来批评林黛玉，若说林黛玉俗，你忍心吗？你可以吗？但是在底下的描写里，林黛玉跟贾宝玉一样，居然也傻帽儿了，她就问了一句，这也是旧年的雨水？因为前面大家都跟贾母在一起，在东禅堂，贾母问了这是什么水？妙玉说这是旧年蠲的雨水，蠲就是储存的意思。林黛玉就以为自己喝的茶也是去年蠲的雨水，那算是烹茶使用的很高级的水了。结果妙玉冷笑道，你这么个人，竟是个大俗人，连水也尝不出来，这是五年前我在玄墓蟠香寺住着，收的梅花上的雪，共得了那一鬼脸青的花瓮一瓮，总舍不得吃，埋在地下，今年夏天才开了，我只吃过一回，这是第二回了，你尝不出来？旧年蠲的雨水，哪儿有我这样的清醇，如何吃得？——这个妙玉亏曹雪芹写得出来，怎么这么说话，她敢教训林黛玉。薛宝钗后来也教训过林黛玉，但是你看，赔多少小心，话绕来绕去，最后怎么样，只是指点一下林黛玉。妙玉她不这样。而且这段话就透露出很多的信息，说明她给贾母喝旧年的雨水本身也并不意味着看重贾母，知道吧，我还有好水，轮不到给您喝。你张口就说我不吃六安茶，你那臭德行谁不知道，知道，这是老君眉！

这就是妙玉。

　　然后她第十一次说话。宝玉后来就建议，成窑小盖钟你既然不要了，干脆送给刘姥姥得了。妙玉听了，想了一想她才开口说——她就这一次开口有点时间差，不像前面张口就来，别人问完以后，一句就跟上了，这次想一想才说，这也罢了，幸而那杯子是我没吃过的，如果我吃过的我就砸碎了也不能给她，只是我可不亲自给她，你要给她我也不管，我只交给你，你快拿去吧。就这么把杯子打发了，这是她第十一次说话。

　　她第十二次开口是客人要走了，这时贾宝玉就说了，是不是叫几个小幺儿到河里打几桶水洗洗地？其实贾宝玉是一个调侃，开一个玩笑，对吧？结果妙玉就接这个茬，你以为你开玩笑，我还当真了。这更好了，妙玉说，只是你嘱咐他们抬了水只搁在山门外面墙根下，别进门来。这真是把妙玉的性格写绝了，对不对？然后底下就接着写，所有人出了栊翠庵，妙玉并不甚留，送出山门回身便将门关闭了。这就是妙玉。这段文字，现在我告诉你，各种古本和通行本上下相差非常少，就是一千三百五十个字左右。而以蒙古王府本为底本，我用六个本子汇校以后，最后得出的它的精确数字是一千三百四十七个字。其中写到妙玉的性格，写到了她和贾母之间的关系，写到了她对刘姥姥的态度，写到她本身和这个大观园里面最雅的一个女子林黛玉之间的冲突，写到她和薛宝钗、贾宝玉的种种微妙关系，才用了这么点字。

　　说到这儿以后，我想大家最感兴趣的一个问题就浮现出来了，就是究竟妙玉和宝玉之间有没有情爱关系，说白了，她把她那个绿玉斗给宝玉喝，有没有暗中亲嘴的意思？这是一个年轻人直截了当给我提出来的，问我作者究竟有没有这个意思在里面。我将在下一讲里面分析妙玉的情爱之谜。

第二十二讲
妙玉情爱之谜

  在上一讲最后，我提出了一个问题，相信也是大家很感兴趣的，就是妙玉和贾宝玉之间，究竟是个什么关系，他们之间有没有情爱？特别是在第四十一回，大家注意到，妙玉请人品茶的时候，她把她自己用过的一个茶具——绿玉斗——拿来给贾宝玉用。有的人就很敏感，说那么一个爱干净的人，因为刘姥姥喝了一口茶，那么名贵珍稀的成窑茶杯她都可以不要了，她怎么舍得把自己喝过茶的一个绿玉斗拿给贾宝玉去用呢？这是不是意味着妙玉对贾宝玉有一种特殊的情感？说白了，是不是她爱贾宝玉？

  妙玉和贾宝玉之间到底有没有爱情，这实在是一个历来为红学爱好者和研究者热衷探讨和争论的话题。许多人认为，从《红楼梦》中的文字描写来分析，在心性上比林黛玉、薛宝钗更成熟的妙玉，肯定对贾宝玉有爱慕之情；而更多的人则认为，即使两人之间不是爱情关系，也一定有一种说不清、道不明的情愫在其中，否则，妙玉又怎么会将自己用过的绿玉斗给贾宝玉斟茶喝呢？总之，他们之间，让人觉得多少有点暧昧。那么，曹雪芹笔下的妙玉和贾宝玉之间，究竟是一种什么关系？这其中到底有什么玄机呢？

  这是一个很有意思的问题。高鹗续《红楼梦》的时候，他的思路就是认定这个行为意味着妙玉暗恋贾宝玉，所以你看他在续书里面，安排了几次妙玉的戏，写妙玉看见贾宝玉就脸红心跳，回到自己的禅房，坐到蒲团上就心猿意马。他就顺着这样一个思路往下写，而且最后他给妙玉安排的结局，是她对贾宝玉的心猿意马没有结果，却被强盗用闷香给闷晕抢走了，强盗把她抱走以前还对她轻薄了一番，最后她或者就屈从强盗了，或者是不愿意屈从被强盗杀死了，高鹗最后给的也是个模糊信息。高鹗这样来续，他有没有道理呢？妙玉是不是应该是这样一个结局呢？我的答案是否定的。高鹗完全歪曲了曹雪芹对妙玉这个角色的基本构想。我在前面就告诉大家，妙玉是曹雪芹极为珍爱的一个角色，她在曹雪芹心目当中是一个非常美丽的、有才华的，而且散发出一种特殊性格光芒的女性，高鹗那样去写她，把她糟蹋了，是不对的。

关于妙玉和贾宝玉之间的关系，贾宝玉有一些话可以使我们洞彻。贾宝玉过生日，得到妙玉的拜帖之后，想找林黛玉去商量怎么回这个拜帖，结果半路上遇见了邢岫烟。贾宝玉和邢岫烟之间有段对话，这个时候作者也写到了贾宝玉自己的话，他在和邢岫烟的对话当中，一方面听取邢岫烟对妙玉的种种介绍、评价，同时他自己也说了一些话，体现出他对妙玉的评价。贾宝玉说，"她为人孤高，不合时宜，万人不入她目。"因此贾宝玉对她是了解的，他们两个之间心灵上是相通的，互相是懂得对方是怎么回事的。特别注意"不合时宜"这四个字，"不合时宜"这四个字在书里面写妙玉的时候出现了好多次，书里屡次说她"不合时宜"。而且，贾宝玉还说，"她原不在这些人中算。"贾宝玉一天到晚在姊妹当中混，在女儿群当中混，他和大观园这些女儿们不管是主子还是丫头们，都是一天到晚地厮混，在一起过着一种梦一般的生活，诗一般的生活。贾宝玉说，妙玉这个人不在这些人中算，不仅是生活方式不在这些人当中算，包括她的心境、她的精神境界，也不在这些人当中算，她是另外一种人。他说"她原是世人意外之人"，世界上的人可能都不理解她，而且她的某种行为会让人感到非常意外，是世人意外之人。这些话都有很深的含义。贾宝玉他个人理解妙玉给他帖子的原因，他是这么解释的，为什么妙玉对他这么看重，他过生日会给他一个拜帖呢？贾宝玉说："因取我是个些微有知识的，方给我这帖子。""些微有知识"，请你特别注意这句话，"些微"就是稍稍地，有那么一点儿。有一点儿什么呢？妙玉看上贾宝玉什么呢？是贾宝玉还稍微有点"知识"。这个"知识"和我们今天嘴里面常说的那个"知识"不是一个概念，今天我们说的"知识"是在现代的白话语境当中表达的那么一个概念，比如我们经常说学知识、用知识，但在《红楼梦》里它不是那个意思。这个"知识"它是一种佛家的语言、佛教的语言，就是有悟性，指某个人有一种觉悟，对个人和宇宙、生命和自然、自己和别人，有一种比较透彻的醒悟。当然贾宝玉他自己也觉得自己还醒悟得不够，但是稍微有一点，有一点就行了，妙玉就说看得起你，一万个人我都看不上了，但是你贾宝玉现在的表现，我觉得你"些微有知识"，看得上你，所以你槛内人过生日，我槛外人要给你下一个祝寿的拜帖。

贾宝玉确实是一个"些微有知识"的人，你看他对自然，对这些生命花朵，对美丽的青春少女是什么态度？他看见燕子就跟燕子说话，到了河边看见河里鱼儿游动他就和鱼儿去交流，他体贴女儿们，自己被水淋成水鸡儿，却一点感觉也没有，只关心那淋雨的姑娘，提醒人家赶快去躲雨……你说贾宝玉是不是"些微有知识"的人呢？从这个角度看的话，说实在的，即使在我们今天这样一种社会生活当中，能具有这样一种精神境界的人都不多，是吧？他懂得天地万物当中任何生命都是宝贵的。这种人，看见流浪猫，他会很着急，这个生命它晚上在什么地方过夜呀？天气预报说要有雷阵雨，或者甚至要有大雨，它在哪儿避雨呀？它明天吃什么呀？它是个生命啊！他看见一个麻雀钻进自家的空调室外机——现在安装空调机的人家很多——首先他不是想我的室外机是不是会被破坏，而是觉得，哟，多有意思啊！你看这麻雀，钻来钻去的。他热爱生命，他懂得每一个生命都是不容易的。谁创造了生命？生命的尊严是不论大小的。包括我们现在有缘相聚在一起，我在这儿讲你在那儿听，我们都是活泼泼的生命。谁的生存是容易的呀？对不对？生命和生命之间第一要义不是争斗，而是互相给予慰藉。当然我这是把贾宝玉的情怀，挪移到今天来发感慨了，我想表达的意思，想必你能领会。二百多年前，曹雪芹笔下的贾宝玉，他有这些"知识"，这种"知识"，现在的你有没有啊？

通读全书，你应该得出这个结论，就是妙玉她看出来了，贾宝玉跟别人也不一样，贾宝玉其实也是很怪僻的一个人，但是他的怪主要体现在上述那些方面，是个"些微有知识"的人，贾宝玉能懂得她，她也懂得贾宝玉。所以，我个人认为，在曹雪芹的笔下，妙玉和贾宝玉之间不是一种情爱关系，而是一种高级的精神交流，这两个人物之间是互相欣赏的，是互相给予高评价的，他们是这样一种关系。我们一定要懂得，人与人之间，男女之间，老少之间，不同的种族之间，不同信仰的人之间，是可以建立起这样一种高级的精神关系的。男女之间，除了有性爱，有情爱，也可以有这种惺惺惜惺惺的高级情感关系。曹雪芹写《红楼梦》，确实不是只想写人与人的利害关系，写冯紫英所属的那一个"月派"如何想颠覆"日派"，或者只是去写大家族里大房和二房之间在财产继承权上的摩擦争斗，或者只是写贾宝玉与林黛玉那铭心刻骨的爱情。他和《红楼梦》的伟大之处，就在于他通过这部书，一直在螺旋式地超越、升华，最后他所表达出来的，是非常深刻、非常高级的思想。这种思想内涵能在那样一个时代、那样一种人文环境下被书写出来，真是一个奇迹。它不仅在我们民族的文化史、思想史上达到了一个难以企及和突破的高峰，就是跟同一历史阶段的其他地域里其他民族所产生的文化思想成果相比较，也是绝不逊色，甚至还高过一筹。

听了看了我揭秘《红楼梦》以后，有的听众读者误会了我，以为我是把《红楼梦》当成清史来读，或者只对书里所投射的政治内涵感兴趣。其实，我是要一步步深入，把我对《红楼梦》里更重要的因素、更高级的内涵的感悟，竭诚地汇报给大家，以供参考。

好，我再往下分析妙玉和贾宝玉之间的情感关系。

关于那个绿玉斗，好像成为千古疑案了。为什么妙玉要给贾宝玉这么一个器皿来喝水呢？大家知道这是妙玉自己用过的，但是如果你仔细推敲书里面的原文的话，会发现书里面是这么措辞的，而且各种古本基本都一样，说是妙玉"仍将前番自己常日吃茶的那只绿玉斗来斟与宝玉"。不是当天妙玉自己就曾用这个绿玉斗来喝茶，贾宝玉来了以后，就直接把自己用过的茶杯给他用，这个茶杯只是她"前番"用过的。什么叫前番？前一阵，不是这一阵，有一个比较大的时间差才叫前番。现在咱们不这么说话了，但是过去人们可以这么说话，比如问去没去过黄山啊？回答说前番我去过——前番就不是说昨天或者是上个月，上一回去黄山可能是很久以前了，表达起来就可以说是前番。妙玉把自己常日吃茶的一个绿玉斗给贾宝玉喝了茶，就引出了很多人这样那样的想法，但我觉得，这只说明她对贾宝玉格外亲切，还看得起贾宝玉，万人不入她的眼，但是她觉得贾宝玉是一个"些微有知识"的人，因此才那样招待贾宝玉。所以，虽然这只绿玉斗她以前有一阵每天用它来喝茶，但现在已经很长时间没有用过了，而且你也知道她的洁癖，她的每一个用具在用完以后很显然都经过了非常仔细的清洗。所以我觉得，并不能够得出这样的结论，就是仅通过这么一笔就断定妙玉她内心有一种很奇怪的想法，在潜意识里想通过这个东西来达到一种和贾宝玉接吻的目的，不是这样。

而且通过作者大量的文字描写我们可以知道，贾宝玉他对女子的感情要分几个层次，真正说到爱情的话，他只爱一个人，就是林黛玉，这个再明显不过了。在生命当中的某些片段时刻，他可能觉得这个很美丽，那个很好看，是吧？但他真正从精神上和肉体上全方位钟爱的女子就是林黛玉一人。所以有了一个薛宝钗，已经有点三角关系了，又有一个史湘云，又是一个活泼泼的表妹，有人认为已经构成四角关系了——其实史湘云不掺和这个事，这是一些读者自己的浪漫想象。而如果再凭空添一个妙玉，你想乱不乱乎，是吧？你到底要娶谁做媳妇啊？所以我认为不是这样的，看不出这一点来。

妙玉诚然是《红楼梦》里一个非常特殊的女性，她美丽、纯洁，而又高傲、孤僻，这样一个妙龄少女，为什么会在如花年华选择与青灯古殿、暮鼓晨钟相随相伴？难道在遁入空门之前的她，会有一段难以言表的情感纠葛吗？而在八十回之后，妙玉又会是怎样的经历？她真的会像有的人所揣想的那样，沦落到青楼了吗？说高鹗续书对妙玉的描述是严重歪曲了曹雪芹原意，还有更多的证据吗？

其实，妙玉究竟后来怎么样，在第五回的金陵十二钗正册的册页里面，曹雪芹是有透露的呀！特别是后面《红楼梦》十二支曲，关于妙玉的那一支曲，大家都很清楚，题目叫做《世难容》。在《世难容》曲里面，作者全面地展示了妙玉的性格风采、命运和结局。我们来细读一下。

《世难容》这个曲的名字本身，就意味着妙玉在这个世界上她的生存是非常困难的，这个世界容不了她。曹雪芹是这样写的，说她"气质美如兰，才华阜比仙"，这是两句非常高的评价。所谓"玉精神，兰气息"，是过去古人对女子的一种最高评价，这个妙玉就是"气质美如兰"；"才华阜比仙"——什么叫阜？就是丰富、多，多得都溢出来了——她的才华到了这个程度，可以和仙人相比。

她的性格当然是比较古怪，叫做"天生成孤僻人皆罕"。人间很少见这种人，万人不入她的眼，能被她看得上是很困难的。她很高傲，但是妙玉的那种高傲、孤僻，它不具有破坏性，不具有攻击性，她不妨碍他人和群体的生存，她只是个人的率性，由着自己的性子生活，是这么种状况。

往下看，曲里面有一句是这么说的，"你道是：啖肉食腥膻，视绮罗俗厌。"这是以唱曲人的口吻来对妙玉说，说你这个人，认为吃肉，吃那些腥的、膻的东西，穿那些绮罗绸缎，是恶俗不堪，你看不起那些人。这个曲里的"你道是"跟下面那个"却不知"，它是两口气，是衔接的，说完"你道是"，然后说"却不知：

太高人愈妒，过洁世同嫌"，这个话很好懂，不展开分析了。

底下的话值得注意，"可叹这，青灯古殿人将老；辜负了，红粉朱楼春色阑。""青灯古殿人将老"——栊翠庵是一个古建筑吗？栊翠庵的禅堂是一个古殿吗？不是的。大家很清楚，书里写得非常明白，整个大观园它是一个新造的园子，虽然里面使用了一些原来荣国府、宁国府旧有的山石、树木、小的亭台楼阁，将它们加以组合、运用，但是栊翠庵应该和稻香村这些建筑群一样，是新造的，是在元妃省亲之前新造出来的。因此栊翠庵不能说是一个古殿，所以"青灯古殿人将老"这句话说的空间位置，应该不是指大观园的栊翠庵，它指的应该是像邢岫烟所交代的，妙玉当年在江南所住的那个寺庙。这个寺庙妙玉自己有所透露，在品茶的时候她自己说了。她请薛宝钗他们吃梯己茶，用的什么水啊？是旧年蠲的雨水吗？她把旧年蠲的雨水给贾母她们吃，而给薛宝钗、林黛玉和贾宝玉烹茶用的水，是收的梅花上的雪，是什么时候收的呢？是五年前。地点呢？地点是在江南，她说那个时候，"我在玄墓蟠香寺住着"。玄墓是一个地名，有这么一个地名，蟠香寺那就应该是一个古寺，所以这一句应该是告诉大家，妙玉在蟠香寺曾经有过这样的处境，叫做"青灯古殿人将老"。也可能有人要跟我讨论，说老吗？妙玉到大观园里面的时候是十八岁，五年前，她应该是十三岁，当然不老，但是"人将老"，什么意思？因为在那个社会，十三岁的女孩，如果你家里背景够格的话，就要准备参加选秀女了；如果是一个一般人家的话，这时候也要谈婚论嫁了，那个时代就是这样的。妙玉在蟠香寺住的时候，她的青春岁月匆匆地在流逝。在那个时候，一个女子满了十三岁是一件大事，意味着她离开了少女时期，开始进入更广阔的人生世界。

那么在那个时候，发生了什么事情呢？下面有一句，就说她"辜负了，红粉朱楼春色阑"，这是什么意思？这是怎么回事？这"红粉朱楼"显然指的不是大观园里面的那些园林建筑，因为这一句和"青灯古殿"那一句是联属的，就说明在她的青春期、少女期，虽然她带发修行，但是有可能，她所居住的那个寺庙、那个古庙，是有红粉朱楼的，有美丽的园林建筑。她有时候也会登到楼上去眺望春色。"春色阑"，"阑"就是快结束了，春天会匆匆地过去。春逝、春将去、送春、春梦随云散，这些都是中国人乃至全球各民族共同的一种对自然界中生命流逝的喟叹。这一句就说明她本身也是一个活泼泼的生命，她肯定有她的芳心，有她的爱情。我认为这两句实际上是点明了妙玉在来到大观园以前她的情爱境界，她带发修行是被迫的，是无可奈何的，她有她自己的春心萌动，这两句是写得很清楚的。

所有的这些词句当中争论最大和引起误会最多的是下面一句，请注意我的读法，"到头来，依旧是风尘肮脏（kǎng zǎng 两个字都读作第三声）违心愿。"有人说您这是不是读错了，这不是肮脏（āng zāng 两个字都读第一声）吗？应该是"依旧是风尘肮脏（āng zāng 两个字都读第一声）违心愿"吧？高鹗肯定就是这么读，按这么个思路往下写的，不管妙玉她这个人前面怎么样，到头来，这个人，一个是跟"风尘"沾边。"风尘"不就是妓女的意思嘛，风尘女子，那后来是不是入青楼了？另外，你那么喜欢干净，最后你却很肮脏，违背你原来的心愿了，是不是？这么一读一理解的话，高鹗所续的似乎就都合理了。

现在我就要告诉大家，对于"到头来，依旧是风尘肮脏违心愿"这一句的理解，我和高鹗之间，或者说很多的红学研究者和高鹗之间，存在着重大分歧。高鹗把这一句有意无意地加以了曲解，根据他的曲解，他在续后四十回的时候就把妙玉写成了那样一种不堪的样子，他是不对的。

实际上在这一句中，"风尘"并不是那样一种含义，这里的"风尘"就是俗世的意思，就是扰扰人世的意思，是"一路风尘"的那个"风尘"，"风尘仆仆"的那个"风尘"。咱们说一个正常人，不是有时候会说他长途奔波、一路风尘吗？会说他风尘仆仆、不辞辛劳吗？而且，《红楼梦》第一回回目就是"贾雨村风尘怀闺秀"，那当然不是他在妓院之类的环境里怀念闺秀的意思，他那时还很寒酸，他处在风尘仆仆奔前程的人生中途，曹雪芹显然是在很正面地使用"风尘"这个字眼，容不得歪曲、误读。在甲戌本的楔子里，他更明确指出：开卷即云"风尘怀闺秀"，则知作者本意原为记述当日闺友闺情。

至于说"肮脏"这两个字，写法是这样，但是在古汉语里面，肮脏两个字要读kǎng zǎng，是表示不阿不屈的意思，就是形容一个人他很坚强，在很困难的时候也不低头，他能够坚持自己的理念，非常倔犟地生存下去，这叫做肮脏。有没有例子呢？有很多例子，现在仅举一例，比如说文天祥，这个人知道吧？他是宋朝的大官，被建立元朝的人俘虏了，新政权对他劝降很久，用高官厚禄引诱他，但他就是不投降，最后被元朝皇帝处死。文天祥他虽然是一个政治人物，但是他也写诗，他有一首有名的诗叫《得儿女消息》，里面就有两句，叫做"肮脏（kǎng zǎng）到头方是汉，娉婷更欲向何人"。有的今人因为不懂古文，觉得是"肮脏（āng zāng）"，于是就觉得疑惑：怎么能赞美肮脏到头的人呢？其实，古诗里这两个字，就是不屈不阿、不投降、不低头的意思。"肮脏到头方是汉"，这句话还能有别的解释吗？不能有别的解释。而且文天祥来写，你想想，他能认为一个人从头脏到尾才是一条汉子吗？他可能表达这么一个意思吗？表达这个意思还写成诗，而且是文天祥来写，可能吗？不可能。文天祥这句诗从来没有人误解过，一直都很清楚，和他的人格，和他自己在历史上的表现是统一的。因此曹雪芹在这儿用的这两个字，就是文天祥当年所用过的那两个字，就是肮脏，读作 kǎng zǎng，其含义是不屈不阿的意思。

通过上面的层层分析，我的结论是：妙玉和贾宝玉之间，只是一种高级的精神交流，并没有所谓的爱情关系。那么既然如此，为爱而选择终身皈依佛门的妙玉，她所爱的究竟是谁呢？《世难容》曲所描述的"王孙公子叹无缘"中的那个"王孙公子"，到底指的是何许人也？在《红楼梦》的文本当中，会有这个人的身影吗？

我们还要再进行精读。《世难容》曲最后说，"好一似，无瑕美玉遭泥陷；又何须，王孙公子叹无缘。"有人说，读完这个，我就更觉得高鹗写得对了，是吧？最后她就遭泥陷了，是不是？最后，贾宝玉，他当然是王孙公子，荣国公的后代嘛，就叹息自己跟妙玉没缘分。

现在我要跟你说的是，当她作为无瑕美玉遭泥陷之后，"王孙公子叹无缘"，这个"王孙公子"究竟是谁？谁叹无缘？我认为不是贾宝玉。贾宝玉当然也够得上一个王孙公子，但这句话里所说的不是贾宝玉，因为在前八十回里面，你找不到贾宝玉觉得自己跟妙玉之间有姻缘，后来因为姻缘不成就叹息，找不到这样的蛛丝马迹。

在《红楼梦》的文本里面，正儿八百地写出"王孙公子"四个字的地方有没有呢？是有的。在秦可卿办丧事的时候，在第十四回，曹雪芹的行文就非常明确地交代，当时来参加丧葬仪式的有些什么人物呢？当然他写到了很多王侯显贵，但他此处就有这么一句话，你注意到了吗？他前面列举了很多很多其他的人，然后就说"余者锦乡伯公子韩奇，神武将军公子冯紫英，陈也俊、卫若兰等诸王孙公子，不可枚举"。注意到了吗？正文里面有"王孙公子"字样。这里面有冯紫英，大家很熟悉了，我前几讲也不断讲到这个人，冯紫英在前八十回正面出场、暗地出场都是有的，对不对？当然有人可能会问了，说这个可能就是随便这么一写吧？拉名单嘛！谁来参加丧事了，王孙公子有什么人，随便一写而已。冯紫英后面有两个名字，一个是陈也俊，一个是卫若兰，肯定也就是随便一写，你也真是，难道"王孙公子叹无缘"会是这里面的人吗？我认为就会是。为什么？卫若兰这三个字在前八十回的正文里面只出现过这一次，淡淡地出现，对不对？但是卫若兰是一个非常重要的人物，为什么？在脂砚斋的批语里面一再提到这一点，说在八十回后这将是一个非常重要的人物。例如在第二十六回，脂砚斋批语说，"惜卫若兰射圃文字迷失无稿，叹叹！"曹雪芹已经写得了，不光是一个构思，八十回后有一回的文字是写卫若兰射圃。什么叫射圃？就是满族他很讲究习武，除了像皇家要打猎，贵族家庭有时候也出外打猎以外，他们有时候还要在自己家里面的花园或者是什么场地练习射箭，叫射圃。第七十五回已经写了贾珍在宁国府天香楼下，邀请世家子弟和富贵亲友来射箭；在八十回后，曹雪芹又写了卫若兰射圃的文字，只可惜迷失无稿了，被借阅者丢失了。有人就好奇了，说这个在第十四回里只出现过一下名字的卫若兰，居然八十回后是个角色，还要射圃，那么这个射圃算个什么情节呢？他和里面其他的人物之间，有没有什么重要关系呢？哎呀，太重要了！因为我们在第三十一回又发现一条脂批，说"后数十回，若兰在射圃所配之麒麟，正此麒麟也。提纲伏于此回中，所谓草蛇灰线，在千里之外"。就这么重要。第三十一回写史湘云在大观园里面走，她的丫头翠缕跟着她，然后就捡到了一个金麒麟。史湘云自己身上就戴着一个金麒麟，这时又捡到了一个金麒麟，而且这一回的回目很奇怪，叫做"因麒麟伏白首双星"。因为麒麟这个东西最后伏下一段事，什么事？就是有一男一女，最后他们白头偕老，共度残年。这个情节在后数十回曹雪芹已经写出来了。那么史湘云所捡到的这个麒麟，是谁佩戴的麒麟呢？就是这个卫若兰。后数十回卫若兰在射圃的时候所佩戴的那个麒麟，就是第三十一回里面的这个麒麟。关于这一对麒麟的事情，我下面还会给你细讲，这里不再枝蔓，但是我要提醒你，绝不能轻视第十四回曹雪芹所开列的这个名单，是不是？

前八十回中卫若兰只在第十四回里面这个名单中出现了一次。有人觉得很无聊，认为作者不知道怎么着，忽然攒出一个名字，就随便一写，并没有什么深意。这样的读者总是觉得，写小说嘛，怎么可能连笔下一个名字都打着那么多埋伏呢，你别总这么眼尖心细了，行不行？可我读《红楼梦》遍数多了，我就懂得，曹雪芹下笔，就有那么厉害，别人写的别的小说另说，曹雪芹写的《红楼梦》就是一部奇书。他似乎不经意地点那么一笔，出现那么一个名字，嘿，到头来，那就是伏笔，就有用意，他的手法就那么高妙，就那么需要细嚼慢咽，才能品出味儿来。他在第十四回写出那么几个王孙公子的名字，真不是废语赘文，都有他的深意。脂砚斋一再指出，曹雪芹的笔法是"草蛇灰线，在千里之外"，如常山之蛇，见头不见尾，见尾不见头，非常地蜿蜒曲折。所以《红楼梦》为什么是部伟大的小说？仅在设置伏笔方面，就非常了不起。

再来细读第十四回里的这句交代。如果说排在最后的这个卫若兰在八十回后都是一个重要人物的话，那么陈也俊这个名字，难道就是一个胡乱写出来的名字吗？又由于我在前面告诉了大家我的思路，从太虚幻境四仙姑和《枉凝眉》曲可以判断，史湘云和妙玉是并列的在贾宝玉一生当中起过重大作用的女性，那么既然卫若兰和史湘云有关系，我觉得我的判断不能说是完全没有道理，这个陈也俊，就应该是一个和妙玉有关系的王孙公子。"又何须，王孙公子叹无缘"，我个人认为，第一，"王孙公子"不是贾宝玉；第二，很可能他就是陈也俊。

有红迷朋友问，你为什么非认定是陈也俊？第十四回那句话里，不是还有韩奇和冯紫英吗？韩、冯二位都写了家庭背景，写出家庭背景就起到点染的作用，可以让读者感觉到秦可卿丧事之隆重，那么，冯紫英在前八十回里暗出明出几次，看不出他和妙玉有什么关系；惟独陈也俊这个名字很怪，和卫若兰一样，没特别写出是谁家的公子，但又排在卫若兰之前，这个名字如果不是一个伏笔，实在没有写的必要，卫既然与湘有瓜葛，那么，陈只能是与妙有关系。

为什么说妙玉"不合时宜"？在那样一个社会，你出家了，带发修行了，你父母又双亡了，你自作主张爱上一个王孙公子，你追求彻底的恋爱自由，那是非常出格的，那就叫不合时宜。这倒也罢了，很可能还有哪个权贵之门，靠着自己的权势，要强娶妙玉，所以妙玉她不是因为政治原因逃避到京城来，投奔到大观园，住进栊翠庵的，她很可能就是为了争取对自己生命的支配自由，要自己决定自己的命运，她率性而为，要由着自己的性子来生活。所以，她确实是让别人觉得太古怪了，你是一个尼姑，又父母双亡，或者她和陈也俊有恋情的时候父母还在，父母也不会同意，你这么样自由恋爱，太出格，太离奇，是不是？但是她坚持自己的情感追求，她是一个"肮脏到头"的奇女子。

当然，很显然，她没有能够和她所爱恋的王孙公子——很可能就是这个陈也俊——结合在一起，所以《世难容》曲最后说，"又何须，王孙公子叹无缘。"发出长太息的王孙公子，不是贾宝玉，而是陈也俊。

那么，妙玉为什么那么样欣赏贾宝玉呢？因为她在大观园待了一段时间以后，可能就会发现贾宝玉和林黛玉的关系不一般，在那个时代，这是很引人注目的。两个人公开地表示心心相印，甚至到了不避嫌疑的地步。她可能不知道详情，但是她看出这一点，她便认为贾宝玉了不起，跟她一样，是"些微有知识"的人，懂得什么叫真正的爱情，懂得一个人应该怎么生活，怎么支配自己。尤其是情感生活，这是绝对神圣不可侵犯的，任何人不能够来勉强的。她和贾宝玉之间就是这样一种互相呼应的关系，所以书里好多文字，都是话里有话的。我认为曹雪芹的文笔真是高妙到极点，真是短短的十几个字，几十个字，就一声而两歌，一手而两牍，真所谓一石三鸟，甚至于一石数鸟。

那么，究竟妙玉最后是怎么一个结局呢？她在贾宝玉的生活当中充当了非常重要的一个角色，如果说她和贾宝玉之间并没有情爱关系，那么她和贾宝玉在八十回后，他们之间会有什么故事？我将在下一讲里面，跟你一起探讨妙玉最后的结局，敬请关注。

第二十三讲
妙玉结局大揭秘

上一讲末尾，我提出来跟大家共同探讨一个问题，就是在八十回以后，作者究竟将会怎样写到妙玉？如果说高鹗的续书对妙玉完全是歪曲，那么不歪曲地去想象一下，曹雪芹会怎样写妙玉？

由于《红楼梦》八十回之后的文稿在流传过程中不幸散失，所以我们对于妙玉在《红楼梦》八十回之后到底会有怎样的结局，确实是不得而知。但是根据前八十回的文本，我们还是可以探究出一些关于妙玉结局的线索。

妙玉在八十回以后，将充分体现出她在贾宝玉一生当中的重要作用，这是我通过对太虚幻境四仙姑命名的分析，以及对那支《世难容》曲的探讨，已经明确了的。那么，她将起什么样的重要作用呢？我觉得我们还是应该再把前八十回里面妙玉的第二次正式出场探究一番。妙玉在前八十回里面是两次正面出场：一次就是在第四十一回，品茶那回；第二次就是第七十六回，她二次亮相。

第七十六回的主要角色还不是妙玉，主要的角色是林黛玉和史湘云。两个人在凹晶馆联诗，联到最后，出现了两句非常有名的句子，大家都记得，一句是"寒塘渡鹤影"，一句是"冷月葬花魂"。当然有人要跟我讨论了，应该是"冷月葬诗魂"吧？在通行本里面都写成是"冷月葬诗魂"，但是在版本学的讨论当中，我个人是站在"冷月葬花魂"这一边的，认为"花魂"才是曹雪芹的原笔。很多古本都很明确地写的是"冷月葬花魂"，而"花魂"这个词汇，在《红楼梦》里面是多次出现过的，比如第二十六回末尾，写林黛玉哭，把宿鸟都忒楞楞惊飞了，于是作者写道：真是花魂默默无情绪，鸟梦痴痴何处惊；林黛玉吟的葬花吟里，一连有好几句使用了"花魂"这个语汇："昨宵庭外悲歌发，知是花魂与鸟魂？花魂鸟魂总难留，鸟自无言花自羞。"请注意，"花魂"和"鸟魂"构成了一组相对应的概念，这也和"寒塘渡鹤影"对榫啊，"鹤影"不也就是"鸟魂"么？关于这个，这里且不再深说，因为我们现在主要是讲妙玉。史湘云和林黛玉这两个句子非常好，想必许多读者读到这两句时，心里都会涌动着难以言说的心绪，心想她们下面该怎么联句啊，这两句出来，真是绝唱，比它们更好，难了！作者下笔很聪明，他也就没再往下写林、史二位联句，他写的是，就在林、史二位停下来，相对感叹的时候，一语未了，只见栏外山石后转出一个人来，妙玉就突然出现了。妙玉出来以后，就说你们联诗联到这个地步，就暂时别联下去了，然后妙玉就把她们带到了栊翠庵里面。妙玉自己兴致很高，就说我现在要把你们这个联诗续完，我一口气要把它续完，最后妙玉果然就把这个诗续完了。

在续诗之前，妙玉说了几句话，这个话很要紧，请注意妙玉的话语。妙玉说，"如今收拾，到底还该归到本来面目上去。"这句话含义很深，表面上是说现在我把这个诗做一个了结，"收拾"就是说你们已经联了二十二韵了，我要把它做一个了结，续成三十五韵，使它完整、清爽。"到底还该归到本来面目上去"，你不是吟月吗？表面上她是说，我要翻回来切题，但是另外一层意思是说什么呢？就是说做人跟做诗是一样的，或者说做诗跟做人是一样的，到头来，人应该保持自己的本来面目。这是妙玉一生的追求，就是我的性格我不遮掩，我的性格的棱角我不磨去，我要生活在自己的本来的性情里面，我要以真面目示人。因此曹雪芹通过这句话，实际上是从深层次启发我们读者，让我们知道妙玉身上有值得学习的东西，那就是她那种要求保持一种本真状态的人生追求，这是很了不起的，在任何时代，任何社会环境下，都很了不起。这话还有另外一个层次的意蕴，也预示着八十回以后，作者的总体追求，就是"到底还该归到本来面目上去""质本洁来还洁去"。我们都知道《石头记》开篇就是有一块大石头，它下界经历一番之后，最后还要回到青埂峰下，还要回到它本来的位置上去，所以曹雪芹的语言确实都是内涵很丰富的，层次很丰富的。然后妙玉还接着说，"若只管丢了真情真景，且去搜奇捡怪"，当然她这是半句话，下面还有半句，但咱们先说这半句。实际上曹雪芹通过妙玉这个话就再一次宣布了他自己的写作原则。在前面那么多讲我一直坚持了一个看法，就是《红楼梦》它是带有自叙性、自传性这种特点的小说，它的人物有生活原型，它的事件有事件原型，甚至于它里面的物件有物件原型，它很多细节有细节原型，它里面很多话语是作者亲耳听见过的，从生活当中撷取来的。在这里他通过妙玉准备续诗，在提笔前说的一番话，再一次宣布了这样一个美学原则，就是不能丢了真情真景，不能够去搜奇捡怪。但是妙玉的后半句话更值得玩味，也有个别的红学家、红学研究者，注意到这后半句话当中的奇怪语气，请注意，后半句怎么说呢？还得接着前半句话，后半句话才说得顺，说"一则失了咱们的闺阁面目，二则也与题目无涉了"。这"二则"咱们先不讨论，咱们说这"一则"。有人就说曹雪芹怎么这么写呢？她是一个尼姑啊！你带发修行，你是在栊翠庵里面，每天坐蒲团，要念经的，要做功课的，对不对？你怎么能够去和林黛玉、史湘云站在一个立场上，说咱们都有闺阁面目，都是闺阁女子呢？你那禅房跟闺阁，是性质完全不同的两种空间啊！你自己以前不也常用槛内、槛外那样的概念，把两种空间区别得清清楚楚吗？怎么现在会这么说话呢？明白为什么有的人提出这个问题了吧？她这句话怪怪的，有人就觉得这话不应该由妙玉说出来，黛玉和湘云这么说可以理解，说咱们是闺阁女子，咱们不能失了咱们闺阁面目，但你妙玉怎么会忽然说出"不能失了咱们闺阁面目"呢？我个人认为，曹雪芹这样写，他是有用意的。他就告诉你妙玉这个人，她确实是"不合时宜"。她人在庵中，却心有情爱，她爱的并不是贾宝玉，她爱某一个王孙公子，她始终认为自己是闺阁中人，她不认为自己因为种种原因成为了这样一个尼姑，就必须去遵守那些佛教的清规戒律。她就认为自己是一个闺阁当中有尊严的女子，她享有俗世的所有女子应该享有的权益，这就是妙玉，她就这么说话。这是值得我们注意的妙玉的语言，言为心声，妙玉的内心世界，由此可见一斑。

另外，更值得注意的是，妙玉她将怎么续？她未动笔前，先向林、史二位宣布她自己会怎么续，她说，"依我必须如此，方翻转过来，虽前头有凄楚之句，亦无甚碍了。"她续诗前续诗后都有话，她续这个诗，你看她不是一般地续，她有她的最高原则，有她的美学宣言，有她对诗句内涵的追求。她说她为什么要这么续时，强调必须如此方能翻转过来，请注意"翻转过来"四个字，在八十回后，妙玉在宝玉一生当中所起到的作用就可以用"翻转过来"四个字概括。一会儿我要讲给你听我的推测。

那么，《红楼梦》第七十六回，以出人意料的笔法让妙玉出场，并让她一气

呵成绩出了中秋联句十三韵，这其中的玄机到底在哪里？妙玉的十三韵究竟说明
了什么？而它与妙玉的最终结局又有什么关系呢？我继续往下分析。

　　妙玉续的这个诗，有些读者读起来，会觉得比较艰涩、难懂，有的人读到这儿，
不知道究竟曹雪芹在表现什么，就跳过去不读了；我觉得阅读当中有些地方跳过去
也是一种办法，不能对每一个阅读者都有一个统一的要求，因为阅读是种审美活动，
审美活动应该是率性而为，怎么读得舒服怎么来。我个人过去对妙玉所续的这十三
韵，也经常跳过去读，但现在我需要探究妙玉究竟是怎么回事，我就要细读了。在
西方文学批评各种体系里，曾经有一种颇为流行，叫做"新批评派"。他们的主张
就是文本细读，认为只有仔细地，甚至探幽发微地去细读细抠细品细评作者写下的
每一个句子，每一个用语字眼，才能洞彻作者的创作心理，并阐述出作者所想表达
的深层意蕴。我对西方的这一文学批评方法，也很愿借鉴。我研究《红楼梦》，基
本的方法也是细读，而细读了妙玉所续的这十三韵以后，就形成了我个人的见解，
现在我就把自己细读的心得告诉你。

　　我个人细读的心得是，妙玉在她所续的这些诗句里面，把贾府，特别是金陵
十二钗正册里除了她以外的这些女子，甚至你也可以把她自己包括在内，所有各
钗的命运结局，做了一个扫描和概括。底下我讲的这些看法都仅供参考，再申明
一次：我从来不认为我自己的想法都是对的，但是，我又从来都非常乐于把自己
形成的一些看法竭诚地告诉别人，与同好形成一种平等讨论的关系。

　　妙玉是怎么写的呢？头两句，"香篆销金鼎，脂冰腻玉盆"。第一句"香篆销
金鼎"，大意就是说很高级的那种香在很贵重的鼎里面，点燃以后在燃烧，但是
它很快就要烧完了，这是预言贾元春。在八十回后，虽然贾元春她身处在"金鼎"
般的皇宫里面，但是她的命运也无非跟香一样，很快就会燃尽，报销掉。那么"脂
冰腻玉盆"呢？这是讲秦可卿，是说秦可卿这个事已经结束了。什么叫"脂冰腻
玉盆"呢？在过去，经常是用玉做的一种盆形的器皿来安放蜡烛，当然是贵族、
有钱人家才这么做，而现在这个蜡不仅已经燃尽，而且是燃尽很久了，流淌出的
蜡油，掩埋了蜡根，那玉盆里就好像堆满了脂肪一样，像冰一样凝结在里面了。
这当然是指秦可卿这个事已经过去了。

　　然后她又写，叫做"箫增嫠妇泣，衾倩侍儿温"。箫就是吹箫、洞箫，箫的
声音总是很悲凉、很凄惨的。嫠妇，就是寡妇、守寡的人，她在那儿哭，但是她

的境遇也还过得去，晚上还有伺候她的侍女给她把被子弄暖了，比如搁个汤婆什么的，这个就是概括薛宝钗的命运。在八十回后，薛宝钗确实嫁给贾宝玉了，但是她和贾宝玉之间没有正常的夫妻生活，贾宝玉还一度出家，她很悲苦地过着一种活寡妇的生活。根据脂砚斋批语的透露，在袭人离开贾府的时候，曾经跟这个府里面的人留话，说"好歹留着麝月"，因此我们可以知道，最后在薛宝钗很悲苦的时候，身边只剩下一个伺候她的人，那人并不是莺儿，莺儿当时究竟还在不在，我们现在找不到什么线索，但是我们有一个很重要的线索，就是后来麝月留在了她身边，所以说"袭情侍儿温"。

那么，后来王熙凤这些人到哪儿去了呢？下面就写了，"空帐悬文凤"，人去屋空，只是在帐子上还有凤凰的图案，成了一种悠远的回忆。这就是暗示王熙凤后来人都没有了，当年的一切繁华富贵的生活，她的那种弄权、那种调笑、那种得意、那种愠怒，都已烟消云散。下一句叫做"闲屏掩彩鸳"，它也是写景，屋子也是空的，但是在屏风上面还画了一些彩色的鸳鸯，这是暗示贾府里面像鸳鸯这样的一些大丫头，最后也都花落水流红，漂泊不知何方，留下的只有一些回忆，一些影像。

下面两句则应该是概括整个八十回后贾府的艰难处境的，叫做"露浓苔更滑，霜重竹难扪"。

再下面两句，我认为是概括了迎春和探春的遭遇。一句叫做"犹步萦纡沼"，就是说走在那个沼泽旁边，随时要掉下去，这就预示着迎春嫁给孙绍祖以后，终究还是掉下去了，被中山狼吞吃了。探春怎么样呢？探春是"还登寂历原"。探春后来的命运似乎稍微好一些，她原来是一个庶出的女子，血统背景不怎么具有优势，可是她后来远嫁了，远嫁以后似乎地位表面上还有所提升，但是这种提升正像诗句所说的，是登上了"寂历原"。什么叫"寂历原"？很寂寞的，离自己的亲人和家乡很远的那样一个高地上，这预示着探春远嫁的命运。

底下两句，过去一般人都认为是在写大观园夜晚的景色，叫做"石奇神鬼搏，木怪虎狼蹲"。如果在一个月夜，尤其是月色朦胧的夜晚，你走到大的园林里面去，就会看到那些山石、太湖石，好像神鬼一样，而且好像在那儿互相搏斗；那些树木都阴森森的，好像很奇怪的一些东西，好像虎，或者狼，在那儿蹲着。它确实也是在写景，传达出一种凶煞的气氛。但是我个人认为，这两句实际上是在概括八十回后贾宝玉和林黛玉的险恶处境。谁是石啊？当然是贾宝玉，是不是？这个石是奇石，还不是大荒山无稽崖青埂峰的那块无材补天的大石头，而是西方灵河岸三生石畔的"赤瑕""神瑛"，是"病玉"，因此也就虽具玉名玉像，"腹内原来草莽"，其实还是一块顽石，这块奇石顽石，他的命运很险恶，神鬼要来害他；木当然是指林黛玉，她是绛珠仙草，木是她的象征，她自己也说过她是"草木人儿"，她跟贾宝玉构成了"木石前盟"，这些书里多次明点暗写，对吧？林黛玉的前途也是很凶险的，有虎、狼在那儿蹲着，等着她，要吞吃她。这两句是概括书中两位大主角他们八十回后的命运。

然后又有两句，叫做"蟲屃朝光透，罘罳晓露屯"。这就是写大背景了，写这些人物命运后面的一个大的背景。"蟲屃"，传说龙生九子，它是其中一子。俗话里所谓"王八驮石碑"，那个"王八"其实不是龟鳖，而是这个龙之子，只不过它的形态跟龟鳖接近罢了。"罘罳"，是宫门城角的多孔的屏障，用来观察敌情往外射箭。那么石碑和城堞这类象征权力威严和进攻防御的东西，都被朝光晓露笼罩，可见鹿死谁手，胜者为王败者寇，已经初现端倪了。也就是说，它预示着书里面的"月派"即将大溃败，贾家忽喇喇似大厦倾的局面，很快也就会无可避免地出现了。

妙玉这个诗很巧妙，她下面又写了两句，叫做"振林千树鸟，啼谷一声猿"，讲的似乎是自然界的现象，实际上她写的是一种反抗的力量。"振林千树鸟"就意味着从冯紫英到柳湘莲到蒋玉菡到倪二等等，他们会在政局的大震荡中反抗到底；"啼谷一声猿"则更是困兽犹斗的意思，虎虽终胜，但兕会顽抗到底。

然后又有两句，一句叫做"歧熟焉忘径"，就是说有的人对斜路，对不正的路很熟悉，有人一开始就不愿意走正路，对偏门邪道他挺熟，所以到了关键时刻他不慌，他焉能忘记了他已选择好的那个路径呢，他很自然就走到那条路上去了。这说的谁啊？我个人认为说的是惜春。惜春出家，她这个念头不是在她家族败落之后才产生的，大家记得吗？第七回送宫花的时候，她们家当时状况还很好啊，是不是？并没有出现什么危机嘛，可是她跟智能儿一块儿玩，开玩笑，她就说她以后要剪了头发当姑子。她一直存有这种念头，是不是可以叫做"歧熟"？一个封建贵族大家庭的小姐居然说这种话，不正经的话，有这种念头，想走歧途。结果到了八十回后，"三春去后诸芳尽"，她本人因为老早就有这个想法，所以很自然地就选择了出家。附带说一下，高鹗写惜春出家，很简单地把她安排在栊翠庵里面，去代替这个妙玉，这当然是不对的。因为根据曹雪芹的设计，最后贾府是落了片白茫茫大地真干净，而且关于惜春的判词里面说得也很清楚，说的是在一个古庙里面，一个女子在那儿独坐、念经，她当然不会是在栊翠庵里面。前面我已经指出过，栊翠庵不是古庙，从建造到贾府被抄一共还不到五年。"泉知不问源"，这说的是谁呢？说的当然是巧姐。巧姐后来的命运比较好。她被刘姥姥搭救，不是偶然的，是她生命的泉水流向了那里。根源是什么？就是她母亲善待过刘姥姥，"偶因济刘氏，巧得遇恩人"。当然，所谓她的命运比较好，也只是相对而言。

然后妙玉就开始写到自己和李纨了，当然写得很含蓄，叫做"钟鸣栊翠寺，鸡唱稻香村"。就是说在整个贾府都败落之后，出现了两个现象，一个就是栊翠庵——庵、寺有时候在中国俗称里面是可以混用的——还一度存在；而且更有趣的是它提示我们，稻香村还单独存在。这是为什么？我下面还会向大家讲到这件事，这是很有意思的。

然后她就做结束，她说，"芳情只自遣，雅趣向谁言"。这两句话比较直白，我想不用我再跟大家分析了，这是一个做总结的句子。

最后一句是整个诗的一个大结束，叫做"彻旦休云倦，烹茶更细论"，就结束了这篇诗。

这就是中秋夜大观园即景联句的三十五韵，你想妙玉重要不重要啊？这三十五韵你算一算，她一个人做了十三韵，而林、史二位合起来才做了多少韵？做了二十二韵，每个人只做了十一韵。所以曹雪芹他早就预设了妙玉这个人"气质美如兰，才华阜比仙"，她很了不起，黛玉湘云读了她的续诗赞赏不已，说道，"可见我们天天是舍近而求远，现有这样诗仙在此，却天天去纸上谈兵！"这当然也是作者想传递给读者的信息，就是妙玉是个诗仙。

再往下读，你就会发现，曹雪芹他有一个对比性的描写。大家记得在第四十一回，他写贾母她们品完了茶，走出栊翠庵，妙玉这时是什么表现啊？妙玉是"送出山门，回身便将门闭了"。但是这一次，她们熬了夜，二位离开的时候天都快亮了，她"送至门外，看她们去远，方掩门进来"。这对妙玉来说是很难得的。一个那么孤傲的人，这样的行为是很罕见的。作者为什么这样下笔？我觉得，他是告诉我们，妙玉是一个收束性的人物，是一个要把事情翻转过来的人。她在某种程度上甚至有点警幻仙姑的那个味道了，她预示到这些人物的命运，她觉得这两个人走了就不知道哪天能够再见了，细读能读出这种味道。这些文笔都是值得我们推敲、品味的。

想必有红迷朋友要问了：既然妙玉是一个收束性的人物，翻转性的人物，那么她在八十回之后到底有哪些作为呢？从前面的几讲可以看出，我把在前八十回中能够查到的线索都查了，该用的也都用到了，包括所有的脂砚斋批语，也没能提供这方面的明了答案。难道对妙玉结局的探索，就只好到这里终结了吗？

妙玉究竟后来在八十回以后有什么重要情节，值得作者在前面这样地铺垫，值得他最后考虑来考虑去，把薛宝琴这个重要人物都排除在金陵十二钗正册之外？尽管现在我们所掌握的线索确实非常少，可是，也还可以再做一些努力。

大家知道，在《红楼梦》版本学的研究领域里面，曾经出现了一件聚讼纷纭的趣事。就是在上个世纪的 60 年代，在南方的扬州，有一个人，姓氏比较怪，姓靖，叫靖应鹍。这个靖先生当时家境已经没落了，大概是 1964 年前后——大家也知道那个时代是一个什么样的时代——他家境没落，自己的生活也很一般，甚至可以说比较困难。但是他们家祖传留下了很多古书、线装书，最后因为住房狭窄，他就把这些书都堆在顶楼上头。大家知道南方那个房屋结构，有时候一层上面的屋顶是木板，有一个梯子可以到上面去，上面的空间一般不用来住人，是用来堆放东西的，南方有的地方把它叫做堆房。这些古旧书籍陆陆续续也失散了不少，但是他们家原来是一个书香门第，留下的也还很多，就堆在上面。有一天，他有一个朋友说想借书看，他说你自己上去挑吧。这个人上去一看就有一部《石头记》，是手抄本，八十回本《石头记》，就拿回家看了。这个人对《红楼梦》感兴趣，对红学研究也有一定兴趣，他就发现这个本子上的脂评——不说正文，只说它的脂砚斋批语——和当时红学界所公布的一些批语不太一样。同一句批语，它上面或者多一些字，或者少一些字，还有一些批语是红学界所公布的其他版本里面都没有的，就是独家的批语。于是这个人就拿一个笔记本给抄下来了，抄下来以后，当时他也不知道红学家都住哪儿，但是知道很多都在北京，也知道他们所属的大概机构，比如说文学研究所啊，某某大学啊，于是他就把自己抄录的靖藏《石头记》的这些脂砚斋批语寄给了这些人，引起了这些红学界专家的重视。当然这个过程在那个时代、那个时期是比较迟缓的，这一点大家都能够理解，年纪大一点的人都能理解，这种事情在那个时候做起来周转速度快不了。最后红学界专家对这件事就很重视，觉得研究《红楼梦》就是要搜集各种《红楼梦》的古本，如今新发现一个手抄本，它上面还有异文——"异"就是不同的、"相异"的那个"异"——特别是批语上有新的脂砚斋批语出现，他们认为这是天大的事。于是，他们就开始跟那个人联系，说能不能够把你们这个《石头记》送到北京来，由我们专家来看一下。这个朋友得到这个信以后很高兴，就去找这个靖先生，靖先生也很高兴。在这之前，借书的人看完以后，就把这个书又还给靖先生了，靖先生就让他自己把书放到那个堆房上头去，他就把它放上去了。等到北京要调这部书的时候，他们上楼翻，却怎么都没有，怎么都找不到了。他们家人最后说了，说前些天有人来收废品，他的夫人——他夫人没参与这个事，不知道——就把楼上的很大一堆书，说老堆在那儿特讨厌，就把一批这样的废旧图书论斤约了，所以就怎么也找不到了。这就是红学版本史上有名的一个靖本谜案。在那个时代，那个情况下，那家的人就是把它当废纸卖了也算不得什么，是不是？但是后来就引起红学界的争议，说究竟有没有这个东西，有没有这本书，对不对？会不会是寄信的人他编造出来的一个事情？但是靖先生和那个人也很着急，楼上所有的书他们说都不能再动，一本本地保存，一本本地检查，最后却发现楼上剩下的这些书都不是什么独特的书，都是别人那儿也有的不稀奇的东西。不过他们在有一本书里面就发现了一张纸，这张纸是从靖本《石头记》上说落下来的，这张纸现在还存在，因此就证明这部书是存在过的。他们不可能最后再去假造这么一张纸吧，这张纸上还写了一些字，而且还有一条独特的批语，我在这儿就不细说了。

我为什么说这个靖本《石头记》呢？因为靖本《石头记》在那位靖先生的朋友所抄录下来的独家批语中，有一条批语涉及到妙玉在八十回后的故事。这是我们在其他版本中都没见过的，惟独在最后当废品卖掉的那部珍贵的手抄本里面才有的。

这个批语，抄录者记录下的文字，错乱不堪，后来经过红学专家仔细校正，才可以读通。批语是这样的，是在第四十一回，说"它日瓜州渡口，各示劝惩"。"它日"就是以后了，这是在介绍八十回后，脂砚斋她所看到的，曹雪芹已经写出来的，关于妙玉的情节。"瓜州"我们都知道，是长江边上的一个渡口，古代就是一个很有名的渡口，"两三星火是瓜州"，古人有这样的诗句，意思是晚上离它还远，就能看到它岸上的灯光。"各示劝惩",究竟劝惩什么? 怎么样地"各示劝惩"?
这比较难懂,但模模糊糊可以知道,这段发生在瓜州的情节里,有"劝告"和"惩罚"
的内容。后面又有一句,"红颜固不能不屈从枯骨,岂不哀哉?""红颜",这应
该是指妙玉,"固不能不屈从枯骨","固"是固然的"固","红颜固不能不屈从"
什么呢? "枯骨",一把老骨头。"岂不哀哉?"这个就好懂了,整个儿是个悲剧。
这条独特的批语,就暗示了妙玉在八十回以后的命运,以及她对别人命运所起的
作用。

当然这个依据应该说不是一个很坚实的依据:第一,这部靖先生所藏的靖本
《石头记》现在找不到,迷失了。收废品的人是不是就一定把它毁掉了? 也难说,
也可能碰见一个热爱《红楼梦》的人,留下来读了,秘藏起来了。究竟这部书
在现在的中国,在这个世界上还有没有? 很难说,无从查证。第二,是不是真有
这样一条批语? 他们所找到的,留下的那页纸上的批语,可不是这个批语,就连
那页纸和那条现在看得见的批语的真伪,现在红学界也看法不一。所以,我只能
说我个人相信关于妙玉的这条批语是真实的,如果说是故意作假,单就这条批语
而言,我想不出假造它的作案动机。而根据这条批语,我觉得就可以推测出来在
八十回后关于妙玉的情节。

前面曹雪芹是有铺垫的,当仆人向王夫人讲述妙玉的来历的时候,曾经说过,
说她的师父圆寂的时候跟她怎么说啊? 说她"不宜还乡"。记不记得啊? 是吧?
如果她留在京城的话,她没事儿;她如果还乡的话,对她不利。曹雪芹写林黛玉,
也说她三岁时来了个癞头和尚,因为她有病总不见好,那和尚要化她出家,这就
跟妙玉幼时的情况很相近。当然她没有出家,但是和尚就说了,她如果想要病好,
一生不能听见哭声,而且除了父母之外,外姓亲友一概不能见。结果呢,她还是
违背了和尚的警告,见了外姓亲友,寄人篱下,天天以泪洗面,那么,这就不能
不是一个悲剧的结局。你可能会觉得,曹雪芹这样写,是在宣扬宿命论,但这也
是他的一种艺术手法,就是一个人被警告不能怎么样,生活的逻辑、性格的逻辑
却偏偏造成了她逆警告而动,林黛玉是这样,妙玉也是这样。他前面写下师父警
告妙玉"不宜还乡",显然不是废文赘语,又是草蛇灰线,伏延千里。

八十回后,他就有意识地写到,由于某种原因,妙玉选择了往南走,往她家乡
那个方向走,也就是所谓"风尘仆仆"。她一路风尘往南走,就到了哪儿? 到了瓜

州渡口。怎么叫"各示劝惩"？这个分析起来比较艰难。但是结合下一句，我们可以设想一下，什么又叫"红颜固不能不屈从枯骨"？"枯骨"显然是对恶势力，而且是上了年龄的恶势力的一种形容。我在上一讲里面分析这个妙玉,关于她那支《世难容》里面所讲到的，她也有过美好的青春。甚至我还预测，她有过大胆的、独立自择的爱情，我甚至还联想到，既然卫若兰跟史湘云在八十回后有戏，陈也俊这个名字的出现就不是偶然的,很可能就和妙玉有关。但是妙玉这种不为世俗所容的、不合时宜的对爱情婚姻自由的追求，不但遭到了一般性的反对，你请注意，邢岫烟跟贾宝玉说，她不仅是不合时宜，还权势不容。那"权势"很可能就是"枯骨"，可能有类似贾赦那样的老色鬼看上了她，强迫她嫁过去，她则选择了坚决抗争。就是鸳鸯那样的平时很随和的女性，尚且可以在关键时刻抗婚，何况她那样的身份，那样的性格了，对不对？因此，她才离开了江南，到了北京，而且躲在寺庙里面，最后更躲进了大观园的一个尼姑庵里面，离政治中心、离社会的繁华地区就很远了。

妙玉在八十回后，为什么没有听从她师父的劝告？师父说她"不宜还乡"，在佛教界，一个师父圆寂的时候跟你说的话，那是绝对要遵守的；而且书里交代了，她那个师父会演先天神数，是会算命的。但是妙玉义无反顾，坚决南下。据我推测，她就是去解救贾宝玉的，并且在那样一个复杂的情况下，她还解救了史湘云。而解救这两人的条件就是必须要屈从"枯骨"，"枯骨"就很残酷地提出来，如果你牺牲自己,我就可以放这两个人一马。这"枯骨"想必是一个权贵，比如忠顺王那样的人，最终她"红颜不能不屈从枯骨"。虽然她有如美玉陷入泥淖，但她是一个很高尚的人，她最后牺牲自己，所谓"欲洁何曾洁，云空未必空"，并不是她在那儿假出家、假惺惺、假正经，不是那样的。这是说她最后自愿牺牲，陷落在污泥里面。那么她是一块碎掉的玉吗？她是一块有污点的玉吗？曹雪芹在第五回的判词和《世难容》曲里写得很清楚，她是"美玉无瑕"，她是一块美玉陷在了污泥里面，她没有"玉碎"也就是并没有成为"碎玉"；她以屈从"枯骨"的代价，使贾宝玉和史湘云历经艰难困苦以后重新遇合，得以最后共度残生。你说这样一个女性，多高尚啊！这样一个女性在贾宝玉一生当中占据一个重要地位，还有什么可怀疑的吗？这样一个女性，你如果看了八十回后的内容，如果真有这样的文字，你就会觉得，她被列为金陵十二钗正册的一个成员当然够格，甚至她排在第六，也是顺理成章的。

当然以上这些，都是我个人的一些推测，仅供大家思索时参考。我通过秦可卿入手来研究《红楼梦》，又因为我前面很多讲都是讲秦可卿，所以有的人就误会了，以为我就是研究秦可卿那么一个人物，其实不是的。《红楼梦》是一个艺术宝库，一个思想宝库，一个文化宝库，一座巍峨的宫殿，我从哪个窗口往里望更好呢？我迈过哪一道门槛走进去更好呢？我个人先选择了秦可卿做原型研究。到这一讲时，大家已经很清楚了，我不仅是研究秦可卿，我的原型研究延伸到了贾元春，现在又延伸到了妙玉。当然我的研究还要延伸到更多的领域，比如说金陵十二钗的其他各钗，我都有研究心得。不过，由于贾宝玉是大家公认的《红楼梦》第一号人物，大主角，我既然说自己的研究覆盖到《红楼梦》的各个方面，那么，我在对贾宝玉的探究方面究竟有什么心得，现在该向红迷朋友们汇报了。

《红楼梦》一开头就写到女娲补天炼石，弃下一块没用，有读者说，那块石头下凡，就是贾宝玉吧？可是曹雪芹又写了关于神瑛侍者和绛珠仙草的神话故事，神瑛侍者下凡也是贾宝玉呀，那么究竟女娲补天剩余石、神瑛侍者，还有第八回薛宝钗托于掌上细看的通灵宝玉，以及贾宝玉本人，他们之间是怎么个对应关系啊？我的下一讲，就先来探究这个问题。

玉石之谜

　　贾宝玉无疑是《红楼梦》的第一号角色，探讨《红楼梦》不能不涉及到他。我的秦学，并不是只研究秦可卿，我只是从秦可卿入手，先弄清楚曹雪芹写作这部书的时代背景，他的家族和他的个人命运，他的创作心理，他提笔时所面临的巨大的外部压力和内心痛苦。我已经在前面几讲告诉大家，我认为曹雪芹他心里是有政治的，不可能没有，他是有政治倾向的，具体来说，他和他的家族都对康熙皇帝充满感情，但对雍正就不一样了。他们家本来以为接替康熙当皇帝的应该是康熙两次立起来的太子胤礽，他们家跟这位差一点就成为清朝历史上的第五位皇帝的太子关系密切得不得了，但是后来的事态，却是雍正当了皇帝。雍正对他家很不好，给治了罪，他对雍正皇帝心怀不满，是很自然的事。后来雍正暴亡，乾隆继位，乾隆努力平复雍正时期留下的政治伤痕，曹家从这种怀柔政策里获益，所以曹雪芹他对乾隆应该又是比较能接受的。他不想干涉时世，也就是说他并不想在乾隆朝充当一个持不同政见者，写一部表达反乾隆统治的书。他不想搞政治，但政治这东西，它却轻易饶不过曹家。废太子的残余势力，特别是胤礽（雍正时这个名字已经改成了允礽）的嫡长子弘皙，自以为是康熙的嫡长孙，想谋夺皇位，为此当然也要广搜可以利用的社会资源，曹家不消说是首选之一。于是曹雪芹的父辈又卷进了弘皙逆案，由此他家遭到毁灭性打击。乾隆处理完弘皙逆案后，销毁了相关档案，以致曹雪芹他家到了他那一代，简直就没留下什么官方的正式文字记载了。但我们根据同时代的一些非官方资料，可以知道曹雪芹确实是曹寅的孙子，而且他撰写了《红楼梦》这部巨著。

《红楼梦》里有政治，有政治倾向，甚至有"赖藩郡馀祯"那样的政治黑话，还通过书中林黛玉这个角色，骂皇帝是"臭男人"，这些我前面已经讲过了。但是我也一再地告诉大家，曹雪芹写这部书，他最终的目的是要超越政治，达到更高的精神境界。前面几讲我分析妙玉，就指出妙玉形象的塑造，已经体现出作者的思想超越了一般的政治情绪，他告诉我们，有比关注权力属于谁更重要的人生关怀，那就是不管在怎样的政治社会情势下，都要保持个体生命的尊严，要自主决定自己的感情、生活方式与生命归宿。

但是更能体现曹雪芹对政治的超越，体现他那超前的，甚至可以说具有永恒性的，在全人类中都普遍适用的人文情怀的艺术形象，那还是贾宝玉。

贾宝玉这个艺术形象，曹雪芹真是呕心沥血地来塑造他。他给他设计了一种来自天界的身份。

不过，有位红迷朋友跟我讨论，他说他读《红楼梦》，读得有点糊涂。《红楼梦》第一回开头，就写到女娲炼出了三万五千六百零一块石头，三万五千六百块都用去补天了，单留下一块没用，这块石头便被弃掷在大荒山无稽崖青埂峰下。它因为自己无材补天，自怨自叹，日夜悲号惭愧。后来来了一僧一道，在他面前谈起人间的情况，它就乞求他们把它携入红尘，去经历一番人间的悲欢离合、生死歌哭。于是那仙僧就大施魔法，让它可大可小，最后变成扇坠般大小，还给镌上了字，就把它带到人间，让它下凡到昌明隆盛之邦、诗礼簪缨之族、花柳繁华地、温柔富贵乡了。那么，这块下凡的石头，是不是就是书里的贾宝玉呢？

我告诉那位红迷朋友，石头不是贾宝玉。他不服气，他说，第五回《终身误》曲，头一句就以贾宝玉的口气说："都道是金玉良缘，俺只念木石前盟。""木石前盟"不就指的是贾宝玉跟林黛玉的自由恋爱并发愿要结为夫妇的誓言吗？第三十六回，贾宝玉午睡，薛宝钗就坐在他的卧榻边绣鸳鸯，他忽然梦中喊骂："和尚道士的话如何信得？什么是金玉姻缘，我偏说是木石姻缘！"贾宝玉自比为"石"，那不就说明，他是那块女娲补天剩余石，下凡到了人间吗？

我提醒那位红迷朋友，贾宝玉在天界是谁，书里可是有明确交代的。也是在第一回，你往下看，就写到甄士隐这个人，他做梦，梦见一僧一道，说要去找警幻仙姑，把一些有待下凡的"风流冤家"交给她做具体的安排，并且说要把一件"蠢物"夹带其中，让它一起下凡经历经历，记得吧？后来甄士隐上前搭话，还请求把那"蠢物"拿给他看看，人家也就让他看了，但并没有暗示那"蠢物"就是以后的贾宝玉。反倒是在看"蠢物"之前，甄士隐听见仙僧讲到一个天界故事，就是在西方灵河岸三生石畔，注意啊，那可是一处跟大荒山无稽崖青埂峰完全不同的空间，在那里，有一座赤瑕宫，里面住着个神瑛侍者，他现在也要下凡去。因为他每天用雨露浇灌一株绛珠仙草，那仙草修成女身，也要下凡，所以说到了人间，那女子就要把一生的眼泪，用来报答这位神瑛侍者的灌溉之恩。而这才是贾宝玉和林黛玉的天界身份啊。

红迷朋友就扳上手指头了，说这下子有了有多少个概念，出现了多少个问题啊：

大荒山无稽崖青埂峰的那块女娲补天剩余石，从仙界到人间，究竟化为了什么啊？

贾宝玉既然是天界赤瑕宫的神瑛侍者下凡，赤瑕、神瑛都指的是玉，他在凡间的名字本身也说明他如宝似玉，他怎么又自称是石，笃信"木石前盟""木石姻缘"呢？

甄士隐在梦里和第八回薛宝钗在梨香院所看到的那块通灵宝玉，应该是女娲补天剩余石变化成的吧？那么，作为"侍者"的贾宝玉，他所侍奉的"神瑛"又是什么名堂呢？

这位红迷朋友注意到，通行本的《红楼梦》可能为了省事，修改简化了古本《石头记》的有关文字，把女娲补天剩余石跟通灵宝玉跟神瑛侍者全画了等号，意思是它们三位一体，到头来都是贾宝玉。这样一来，一些古本里头用女娲补天剩余石口气写下的叙述文字，当然也就被通通删掉了。比如古本里写元妃省亲，有段文字就是用石头的口气写的，说只见园中说不尽的太平气象，富贵风流，此时回想当初在大荒山青埂峰下，那等凄凉寂寞，若不亏癞僧、跛道二人携来到此，又安能得见这般世面……还说本欲作《灯月赋》《省亲颂》，以志今日之事，但又恐入了别书的俗套什么的。这位红迷朋友说，他读到古本里这样一些文字，一度认为曹雪芹是把贾元春的来历，设计成女娲补天剩下的那块石头，因为想写《灯月赋》《省亲颂》的，应该是贾元春啊。

我觉得，这些概念之间的关系，仔细阅读古本《石头记》，是完全可以捋清楚的。

大荒山无稽崖青埂峰下的那块女娲补天剩余石，缩成扇坠般大小，镌上了字，本是没有修成人身的一件东西，所以仙僧称它为"蠢物"。它单独是无法下凡到人间的，只能是在警幻仙姑将一干风流冤家布散人间，安排投胎入世的时候，顺便夹带于中，因此它其实就是贾宝玉落生时，嘴里所衔的那块通灵宝玉。第八回薛宝钗托在掌上细看，它大如雀卵，虽然用了一个"大"字，其实是说它很小，因为雀儿下的蛋，体积是很小的，一个胖大的婴儿落生时衔在嘴里——不是完全包含在闭合的口腔里——是完全说得通的。所以说，贾宝玉是贾宝玉，通灵宝玉是通灵宝玉，只不过他们同时来到人间，而且贾宝玉后来天天佩戴着它，共生存，他们之间有一种神秘的关系，贾宝玉一旦丢失了它，生理上精神上就会出现严重危机，曹雪芹是这样来设计的。

按曹雪芹的构思，青埂峰的石头被夹带着下凡，后来被贾宝玉时时佩戴在脖子上，成为了一个见证者；它有灵性，在王熙凤和贾宝玉双双被赵姨娘暗算——通过马道婆把他们魇了——几乎死去的情况下，由于仙僧到来，把它拿在手中持诵，结果像它上面镌刻的文字所宣称的那样，除邪祟，疗冤疾，叔嫂二人康复如初。由于它有灵性，不是一般的佩带物、吉祥物，因此，贾宝玉到了何处它固然也就见闻到了何处，但是，贾宝玉没把它带到的地方，它也能全知全晓。作为人间悲欢离合的见证者，它最后回到了青埂峰，空空道人发现了它，那时候它已经恢复了巨石的形态，并且上面写满了字，什么字？就是《石头记》，就应该是我们现在看到的这些文字，它们正是空空道人抄录下来，传布到人间的。

因为书里空空道人称呼那块女娲补天剩余石"石兄"，二者讨论了石头上的文字，因此有的论者认为，《石头记》，也就是《红楼梦》，它的作者也就应该是"石兄"，这个"石兄"在生活里真实地存在着。那么曹雪芹是什么人呢？他于悼红轩中披阅十载、增删五次、纂成目录、分出章回，虽然做了这么多工作，但他只是一个编辑，他整理编辑了"石兄"的原始文稿；也有的人只承认《红楼梦》里的诗词歌赋是曹雪芹的手笔，是他填入别人的文稿里的；更有人说曹雪芹是"抄写勤"的谐音，此人的工作主要是抄写人家已经写出的文稿。有的人因为以前没接触过红学，看到我这样介绍一些人的观点，可能会大吃一惊，并且仅仅因为立论新奇，就很乐于认同，甚至去跟亲朋好友频频道及。其实，《石头记》也就是《红楼梦》的作者究竟是谁，红学界从过去到现在，是一直存在歧见的，除了认为原作者是"石兄"的，还有认为是曹𬤝，或者认为是曹顺，或者认为是曹寅另外的侄子的，更有人仅仅因为第一回正文和批语里先后连续出现过"吴玉峰""孔梅溪""棠村"的名字，就认为其作者是吴梅村（因为三个名字里各有这个人姓名里的一个字）……我觉得，关于《红楼梦》的作者究竟是谁，以上这些观点，以及另外提出的见解，都是应该允许存在的，都可以作为读者的一种参考。但是，经过红学界多年的研究讨论，《红楼梦》是曹雪芹的独创作品，这个论断是被绝大多数人肯定、认同的。我个人也坚信《红楼梦》的作者是曹雪芹，提出作者是其他人的论者，完全是猜测与推想。比如关于作者是吴梅村的猜测，吴梅村（1609—1671）是明末清初的一位文人，死在康熙十一年，他所生活的时间段和他个人的经历以及他印行的诗文，跟《红楼梦》并不对榫，因此《红楼梦》不可能是他写的。

曹雪芹拥有《红楼梦》的独家著作权，有不少文献都可以证明。比如富察明义写了十二首《题红楼梦》组诗，他在前面小序里就直截了当地说：曹子雪芹，出所撰《红楼梦》一部，备记风月繁华之胜。"撰"就是著述的意思，没有编辑整理的意思在里头，某某人撰就是指某某人著。富察明义生于乾隆初年，曹雪芹大约在他二十七八岁的时候才去世，他们是同时代人。尽管曹雪芹在世时他们不认识，但富察明义得到的信息应该是准确的。曹雪芹去世五六年后，另一位贵族，永忠——他是谁的孙子，或者说他爷爷是谁呢？就是前面我多次提到的康熙的第十四阿哥胤祯（"赖藩郡徐祯"的那个"祯"就是他名字里的一个字，雍正当皇帝以后把他名字的两个字全改了，胤字改为允，祯字改成很怪的一个字，示字边加一个是，再把是字最后一捺拖长，放进一个页字，读作"提"）。这当然是血统很高贵的一个皇家后代——他从一个叫墨香的人那里，得到了一部《红楼梦》，读完后非常激动，一口气写了三首诗，第一首是这么写的：'传神文字足千秋，不是情人不泪流。可恨同时不相识，几回掩卷哭曹侯！"第二首里又赞："三村柔毫能写尽，欲呼才鬼一中之。"他是曹雪芹的同代人，他知道《红楼梦》是曹雪芹写的，如果他认为曹雪芹只是一个编辑者、抄写者，他会这么写诗，称曹雪芹为"曹侯"，赞扬他的文笔吗？好，不多罗列材料了，其他各种关于《红楼梦》是这个那个写的主张，都拿不出一条如此过硬的佐证来。

其实关于出现在楔子（这部分文字在甲戌本《红楼梦》里才有）里的"石兄"，他不可能是《石头记》的作者，而且曹雪芹也不可能只是披阅增删的编辑者，脂砚斋在批语里有非常明确的申述："若云雪芹披阅增删，然（则）开卷至此一篇楔子又系谁撰？足见作者之笔，狡狯已甚。后文如此妙处不少，这正是作者用画家烟云模糊处，观者万不可被作者瞒（蔽）了去，方是巨眼。"（括弧里的字是原抄形误，经红学专家校正的，为避免琐碎，以后不再加这样的说明。）

我说《红楼梦》具有自叙性、自传性，但是它的文本并不是用一个人讲述自己的经历那样的口气来写的。我们现在写白话文，讲究叙述人称，一般用第一人称和第三人称，用第二人称的比较少，也有两种或三种人称混用的。曹雪芹写《红楼梦》的时候，还没有关于叙述人称的这些个文学理论，但他的叙述文本却非常高妙。我认为，他设定一个天界的石头，说它到人间经历一番以后，又回到天界，回去后石头上出现了洋洋大文，这样一来，既避免了一般以"我"的口气讲述的主观局限性，又避免了一般以"他"的口气讲述的客观局限性，使得整个文本呈现出梦境般的诗意。

那么，既然贾宝玉并非石头下凡，他怎么又自称跟林黛玉的缘分是"木石前盟"呢？贾宝玉在天界——跟大荒山无稽崖青埂峰不同的一处空间，西方灵河岸三生石畔——住在赤瑕宫里。赤瑕，我在讲妙玉的时候其实已经顺便讲到了，你还记得吗？就是有红色疵斑的玉石。脂砚斋批注指出，这是病玉。贾宝玉在天上就不是什么无瑕美玉，曹雪芹这样设计，是有深刻意蕴的，跟后来贾雨村说贾宝玉也属于正邪二气搏击掀发后形成的那种秉性是相通的。贾宝玉在天界是神瑛侍者——瑛，你去查词典吧，什么意思呢？不是无瑕美玉的意思，瑛是"似玉的美石"，本质是石头，只不过像玉罢了。所以，虽然家长们认为贾宝玉他如宝似玉，他自己却知道自己更接近石头，就算是玉也是块病玉，所以他把自己跟绛珠仙草的姻缘，说成"木石姻缘"，这是非常合理的。当然，女娲补天剩余石是夹带在贾宝玉嘴里一起来到人间的，这说明早在天界，他就注定要侍奉"神瑛"，也就是这块特别的石头。神瑛侍者的名称应该也可以做这样的理解。

周汝昌先生最近写出一系列文章，提出他的独特见解，认为"木石前盟""木石姻缘"里面的"木"都是指史湘云，连"金玉姻缘"里的"金"也是指史湘云，因为史湘云佩戴着金麒麟。他认为贾宝玉对林黛玉是怜多于爱，林黛玉向贾宝玉还泪，是认错了人，其实神瑛侍者是甄宝玉，贾宝玉才是青埂峰下的那块大石头……周先生是我秦学研究始终如一的最强有力的支持者，我是他的私淑弟子，我对他的钦佩感激难用语言表达。而且不少听我讲座看我红学论著的人指出，我的总体思路，许多观点，是追随周先生之后的。当然，有的是不谋而合，有的是我先提出来得到他肯定的，比如对太虚幻境四仙姑的诠释，月喻太子，认为贾珍是贾氏家族最具阳刚气的男子，为他说"好话"，等等。因为与周先生观点重合处甚多，以致有的听众读者怀疑我是否剽窃了周先生的学术成果。在这里我顺便说明一下，凡我讲述行文中与周先生观点重合处，其使用宣扬，都是得到周先生允许的。说实在的，我的这个讲座，从自我动机上说，就有替周先生弘扬他的观点，使之更加普及流布的意思，只是我不便一再点明，这样的观点是周汝昌前辈最早提出，并曾予以强有力论证的罢了。但是，毕竟我的研究心得，也有与周先生不同甚至抵牾之处——吾爱吾师，吾更爱真理——那么说到这里，我就要跟大家说明，我是不同意周老关于石头、神瑛侍者、木石前盟、金玉姻缘（他认为薛宝钗的金锁是"假金"，史湘云的金麒麟才是"真金"）、贾宝玉对林黛玉并不存在爱情、林黛玉错把贾宝玉当甄宝玉爱了，以及史湘云才是《红楼梦》第一女主角等观点的。我的观点，上面已经讲了不少，下面我接着来阐述。

我进行的是原型研究，前面已经指出过，我认为贾宝玉的原型就是曹雪芹本人，所以我认为《红楼梦》具有自叙性、自传性、家族史的特点。但说书里艺术形象有原型，并不是说二者就画了等号，也不是说作为艺术形象的原型一定是一对一的，有的就是两个人合并成的。比如我前面就给你很详尽地分析过，北静王的原型就是生活里的祖孙两辈，是两个人，曹雪芹经过综合想象，把他们合并为了一个青年郡王的飘逸形象。

曹雪芹究竟生于哪一年？红学界有很多种说法，我个人是膺服周汝昌先生的考证。他指出，《红楼梦》文本里写贾宝玉生日，没有明点是几月几日，但曹雪芹第二十七回写四月二十六日交芒种节，大观园女儿们饯花神，探春还特别跟宝玉讲到为他做鞋的事，那其实就是为哥哥准备的生日礼物；紧接着又写冯紫英请宝玉赴宴，跟去的小厮里忽然出现双瑞双寿，这两个名字之前没有之后也再没出现；又写清虚观张道士在四月二十六日为"遮天大王"的圣诞做法事，宝玉本是应该去的；他还在宝玉住进大观园后，点出外面人们都知道荣国府里这位十二三岁的公子诗写得好书法也不错；又写在宝玉和凤姐被魇得生命垂危时，仙僧忽然出现，拿着通灵宝玉持诵，对那通灵宝玉说：青埂峰一别，展眼已过十三载矣！通灵宝玉并不是贾宝玉，但那"蠢物"却是夹带在贾宝玉嘴里，跟他一起来到

人间的，他们在人间的岁数当然相同，可见书里所写的那一年，主人公贾宝玉
十三岁。查万年历，雍正二年，即公元 1724 年，这一年闰四月，二十六日恰是
芒种，从那一年算到书里所写的乾隆元年——我在前面已经详细论证了上面那些
情节的真实历史背景是乾隆元年，这里不再重复——恰是十三年，生活真实与艺
术描写是对榫的。曹雪芹确是以他本人为基础，作为原型的核心，来塑造贾宝玉
这个艺术形象的。

有人可能要问了，那曹雪芹为什么不在书里明说贾宝玉的生日呢？他写别的
很多人物的生日，都很明确地写出日期，比如贾元春是正月初一，薛宝钗是正月
二十一，林黛玉是二月十二，探春是三月初三，巧姐是七月七，贾母是八月初三，
王熙凤是九月初二，等等。既然笔下都写出四月二十六了，怎么就不肯明说那天
就是宝玉的生日呢？我认为，第一，他以自己为原型来塑造贾宝玉的形象，但他
的生日是在一个闰月里，闰月不是每年都有的，如实交代很麻烦，另去虚构一个
日子又不愿意，而这样含蓄地写，也很有味道。第二，这是最主要的原因，他实
际把贾宝玉从外貌到精神都理想化了，已经很难说是他自己的自画像；他固然是
原型，但贾宝玉这个艺术形象里，也吸收了真实生活中一些他所熟悉的人物的因
素，他笔下的贾宝玉，最后已经成为一个谁也无法取代的独立的生命，这也正是
他艺术上的绝大成功。

裕瑞，这个人我一开讲就提到过，他大约出生在曹雪芹去世八年以后，不是
一个时代上离曹雪芹很远的人。他的长辈，跟曹雪芹同时代，有的是认识曹雪芹，
与之有过交往的。他在《枣窗闲笔》里有这样的记载：“闻前辈姻戚有与之交好者。
其人身胖头广而色黑。善谈吐，风雅游戏，触景生春。闻其奇谈，娓娓然令人终
日不倦，是以其书绝妙尽致。又闻其尝作戏语云：若有人欲快睹我书不难，惟日
以南酒烧鸭享我，我即为之作书云。”这记载应该是可靠的。

有的红迷朋友见我引出这么一条资料，对其中所说的关于曹雪芹的性格、才
能、生活与创作状况的说法，可能会全盘接受，但是对其中有关曹雪芹外貌的描
述——虽然裕瑞是根据亲身与曹雪芹交往过的前辈姻戚对曹雪芹外貌的形容所写
的——就可能难以接受。大家可能会问，怎么会是这样的呀？生活原型居然是这
么一种模样，跟书里贾宝玉的面貌，简直是完全相反啊！

我却觉得，事实可能恰恰就是这样的。曹雪芹著书时，本人就是“身胖头广

而色黑",他撰《石头记》,对与之交往的一些朋友也是不保密的。他的好友敦诚寄怀他的诗里有"残杯冷炙有德色,不如著书黄叶村"的句子,他去世后另一好友张宜泉伤悼他的诗里也有"北风图冷魂难返,白雪歌残梦正长"的说法,可见他们都知道曹雪芹是在村居写书,而写的就是《红楼梦》;八十回后虽然也写了,但还来不及修理毛刺,统理全稿,后面的就迷失了,可惜不完整,本应是一个长梦,却残了。

从生活的真实到艺术的创造,作者有非常宏阔的想象空间。曹雪芹少年时代可能不胖,头也不显得过大,皮肤也不是黝黑的,但也未必有书里贾宝玉的那种容貌风度。第三回里通过写林黛玉初见贾宝玉,形容他是面若中秋之月,色如春晓之花,鬓若刀裁,眉如墨画,面如桃瓣,目若秋波;第二十三回写贾政一举目,看见宝玉神彩飘逸,秀色夺人,再看贾环呢,人物委琐,举止荒疏;特别有意思的是,曹雪芹他还让赵姨娘说出这样的话,她说贾宝玉长得得人意儿,贾母、王夫人等偏疼他些也还罢了——连赵姨娘也承认他形象好;到了第七十八回,那时候已经抄检过大观园,晴雯已经夭亡了,宝玉身心都遭受了重大打击,但是曹雪芹还写了那么一笔,你有印象吗?秋纹拉了麝月一把,指着宝玉赞美,说那血红点般大红裤子,配着松花色袄儿,石青靴子,越显出这靛青的头、雪白的脸来了。曹雪芹就是这样来描写贾宝玉的外貌风度的,这应该是一种对原型生命的二度创造,结果塑造出了一个独特的艺术形象,比生活本身的那个存在更真实,更鲜明,更富诗意,具有了不朽的生命力。

正像我上面一再强调的,曹雪芹写《红楼梦》,目的并不是要写一部政治书。他有政治倾向,他把大的政治格局作为全书的背景,但他写作的终极目的,是要超越政治,写出更高层次的东西,表达出比政见更具永恒性的思想。他塑造贾宝玉这么一个形象,就是奔这个更高的层次去的。

书里面的贾宝玉,跟书里那些"双悬日月照乾坤"的政治,也就是最高权力之争,是有纠葛的。他跟冯紫英这些政治性很强的人物过从甚密,甚至由于跟蒋玉菡交好,还被卷入了忠顺王和北静王之间的蒋玉菡争夺战,为此被父亲贾政打了个皮开肉绽,而且之后他也并没有悔改。他也经常表达一些政治性的观点——凡读书上进的人,他就给人家起个名字叫"禄蠹";又毁僧谤道——在那个时代,皇权是和神权结合在一起的,僧道都是皇帝所笃信的,雍正在这方面尤其重视,他登基前，他那个雍王府就已经整个儿是座喇嘛庙的气象了，现在给我们留下了一处北京的名胜雍和宫；贾宝玉还有过对"文死谏，武死战"的讥讽性抨击；他对当时政治的理论基础孔孟之道大放厥词，说除"明明德"外无书；与对现实政治的厌恶相匹配，他在行为方式上则懒与士大夫诸男人接谈，又最厌峨冠礼服贺吊往还等事；甚至于仅仅因为薛宝钗劝了他两句读书上进的话，他就愤愤地说："好好的一个清净洁白的女儿，也学的沽名钓誉，入了国贼禄鬼之流！"……这些，大家都是熟悉的，过去红学界分析贾宝玉，必定要提到，而且会据之得出他具有反封建的进步思想的结论，说他是那个时代里的新人形象，有的还更具体地论证出，贾宝玉是当时新兴市民阶层的典型形象。

从贾宝玉这个艺术形象里提炼出上述因素，加上他跟林黛玉如痴如醉地偷读《西厢记》，大胆相爱，愿结连理，向往婚姻自主，由此做出他具有反封建、争取个性解放的思想的正面评价，我是赞同的。但是，我觉得这样理解贾宝玉，还是比较皮毛的。其实，曹雪芹塑造这个人物，并不是着重去表现他对不好的政治的反对，以及他身上如何具有好的政治思想的苗头。我个人的理解，曹雪芹想通过贾宝玉表现的，是对政治功利的超越。

曹雪芹写《红楼梦》，他的创作心理中是有政治因素的，写这样一部具有自叙性、自传性、家族史性质的小说，他无法绕开他的家族在康、雍、乾三朝里所经历的政治风暴，无法绕开政治风暴中他的家族的浮沉毁灭，他无法不写秦可卿、贾元春那样的与政治直接挂钩的人物，特别是秦可卿，这个角色的所谓神秘之处，就是政治的隐秘面、狰狞面被掩盖上一层美丽的纱绫。但是现在我要告诉你，曹雪芹在写这部书时，他有一个自我控制，这一点从古本《石头记》里可以找到蛛丝马迹。他原来曾经想把关于秦可卿的故事写得更多，"家住江南姓本秦"，大概想把秦可卿的家庭背景虚构到江南去。当然，究竟他原来设计的，是哪条江的南边——也不一定是长江的南边——现在无从测定。我上几讲讲妙玉，说在第十七、十八回里，有个仆人向王夫人汇报妙玉的情况，有的红迷朋友听了就来问我，你为什么不说那个仆人是谁呢？不就是荣国府大管家林之孝吗？——我是故意不说林之孝这个名字，因为讲妙玉的时候我不能伸出这个枝杈来。现在，终于到了必须枝杈出去的时候了。那么，我告诉你，在几个主要的古本《石头记》里，第十七、十八回向王夫人汇报情况的那个仆人，写的并不是林之孝，而是秦之孝！

这是怎么一回事呢？几个古本的文字状态完全一样，显然不是抄写者抄错了，而是曹雪芹最初就是那么设计的，他设计荣国府的大管家跟秦可卿一个姓！一般来说，跟女主人汇报，应该是由女管家出面，应该是秦之孝家的，而不是秦之孝，除非这个姓秦的仆人身份十分特殊，而所要汇报的事情又实在机密，但几个古本也写得完全一样，就是秦之孝，而不是秦之孝家的。这部书在流传的过程里，由于后面写到荣国府管家时，都写的是林之孝夫妇，他们还有一个女儿林红玉，也就是小红，因此，后来的抄写印行者就把前面的秦之孝先改成了林之孝，又改成了林之孝家的，当然，这样就前后一致了，由女仆向女主人汇报，也顺理成章了。

我的判断，就是曹雪芹最早写第十七、十八回（两回还没有分开）的时候，他根据生活原型构思人物和情节时，还想糅进更多的政治内容。

那个时代，在真实的生活里，贵族家庭的仆人是其动产，跟房屋等不动产一样，可以被主人随意支配，比如赠与亲朋好友什么的。曹寅在世时，与两立两废的太子胤礽关系非常密切，双方礼尚往来，互赠仆人是完全可能的。到了小说里，曹雪芹把来自胤礽家的女儿设计为姓秦，也让她养父姓秦，很可能，他还设计了几个属于同一系统的角色，全设计成秦姓。那么，秦之孝，在真实的生活里，可能就是从胤礽家来的，到小说里，他就跟秦可卿同姓。我推敲，秦之孝夫妇这对仆人，也是有生活原型的，本来曹雪芹想通过这样的角色，熔铸进更多一些的政治性色彩，但他后来进行了自我控制，觉得不能让小说文本那么率泻下去，他要超越政治，写更高层面的东西。于是，后来他就不去让秦之孝夫妇这样的角色承担那样的使命，他把秦之孝的名字改成了林之孝，这样这个角色就和"家住江南姓本秦"的那条政治线索彻底地脱了钩。

尽管如此，小说里关于林之孝夫妇的文字，还是留下了一些曹雪芹早期构思的痕迹，他本来打算把他们写成秦姓一支，把他们和秦可卿勾连起来。也许在真实的生活中，这对来自胤礽家的仆人，在胤礽被彻底废掉后，在曹家采取了低调生存的姿态。这种情形被写入小说里以后，王熙凤说他们一个天聋，一个地哑，也是很低调，尽量不去显山露水。而且，林之孝家的应该已经是个中年妇女了，她却拜年轻的主子王熙凤为干妈，想必那人物的原型也是采取这样的办法，来尽量转移他人视线，隐去自己那"不洁"的来历。小说里林之孝两口子身为荣国府的大管家，却并不仗势把自己女儿小红安排为一、二等丫头，小红在故事开始时，只是怡红院里一个管浇花、喂雀、给茶炉子拢火的杂使丫头。第二十六回，写小丫头佳蕙去找小红，小红却说出了两句惊心动魄的话："千里搭长棚，没有个不散的筵席，谁守谁一辈子呢？不过三年五载，各人干各人的去了，那时谁还管谁呢？"我一度不大理解，这话怎么让小红来说呢？她哪来的超过贾府诸人的见识呢？竟大有秦可卿的口气！后来我琢磨出来，如果林之孝这个人物曹雪芹原来是写做秦之孝的，这个人物的原型就可能是跟秦可卿原型一样，来自同一大背景。那么，他的女儿在家里，听那其实并不天聋地哑的父母私语，听他们感叹原来的主子好景不常，特别是太子一废和二废之间也就是三五年的事儿，听得多了，自然也就比其他的丫头们能够看破。她不寄希望于在府里长期发展，攀个高枝也只为学些眉眼高低，出入上下，大小的事情也得见识见识；自己发现府外的廊下芸二爷还不错，就换帕定情，早为出府嫁人之计。顺这样的思路琢磨下去，曹雪芹尽管下笔十分狡狯，我觉得自己也没有被他瞒蔽了去。又想到第六十一回，大观园里丫头们为争夺内厨房的控制权，一时扳倒了柳家的，于是林之孝家的赶紧安排了秦显家的去取代柳家的——曹雪芹原来是想在书里设计出上、中、下几种秦姓的人物啊，由秦之孝提拔本来在园里南角子上夜的秦显家的，太自然不过，本是同根生嘛！但曹雪芹最后却放弃了将秦可卿带来的政治投影扩大化的计划，他把秦之孝改成了林之孝，尽管留下了我上面钩稽出的这些蛛丝马迹，但林之孝夫妇在小说里终于成为了跟政治无关的角色。他一定为自己的这个改动得意，因为写到"慧紫鹃情辞试忙玉"时，写林之孝家的来看望贾宝玉，宝玉一听立刻急了，认为是林黛玉家派人来接她了，叫把林家的人打出去，贾母也就命令打出去——把秦改为林，还可以派上这样的用场，当然还是改了好。

曹雪芹在从生活原型到艺术形象的创造性劳动中，不断调整他的总体设计与局部设计，而且因为他虽然大体写完，却来不及统稿，剔掉毛刺，因此，我们现在看到的文本中，出现了一些明显的笔误和矛盾之处。比如第四十八回写林黛玉教香菱写诗，她跟香菱讲做诗的 ABC，说，什么难事，也值得去学，不过是起承转合，当中承转是两副对子，平声对仄声，虚的对实的，实的对虚的……曹雪芹笔下的林黛玉说错了，这是不应该的，也是曹雪芹不该写错。中国古诗词，对对子，应该是虚的对虚的，实的对实的，说成虚对实实对虚是一个低级错误。有趣的是所有古本，这个地方全这么错着，高鹗、程伟元也没改，一直到现在的通行本，也没人去改，就那么印。我想，这是因为没什么人会因为曹雪芹这么一个笔误，就去讥笑他，就去否定他的整本书，或者去否定林黛玉这个形象。这种不改动，并不影响我们对《红楼梦》的阅读。

但是，书里的有些交代，形成前后矛盾，让读者纳闷，还是应该深究一下的。比如第二回冷子兴演说荣国府，说贾赦有两个儿子，长子叫贾琏。后来书里也写到贾赦另一个儿子贾琮，黑眉乌嘴的，年龄似乎比贾环还小。但奇怪的是，书里人们都称贾琏二爷，他的妻子王熙凤也就连带被称为二奶奶，这是怎么一回事呢？有人说，这是按宁荣二府的大排行叫的，贾珍是大爷，所以比他略小的贾琏是二爷。但是既然讲究大排行，那贾宝玉就应该跟着往下排，他应该被叫做三爷，贾环则是四爷才对，可是，书里宝玉也被叫做二爷，贾环则被称作老三。况且，如果是论大排行，那该把贾珠也排进去，那宝玉应该是四爷，贾环则是五爷了。显然，贾政的儿子是单排的，大爷是贾珠，所以二爷、三爷是玉、环。这究竟是怎么回事？我认为，这是因为在真实的生活里，贾琏的原型是有个哥哥的，只是曹雪芹想来想去，觉得把这个人写进来没多大意思，也太枝蔓，因此，就把他省略掉了。但是，生活里头，王熙凤的原型，这个二奶奶实在太鲜活生猛了，白描出来就是个脂粉英雄，而且二奶奶这个符码称谓，像嵌入了这个人物的身体一样，若改口去叙述她的故事，倒别扭了。因此，曹雪芹就保留了二奶奶这个家族中的口头语，也就连带保留了对贾琏原型称二爷的口头语，最后便形成了现在这么一个文本。

其实，曹雪芹可能一度也想交代出贾赦有个比贾珍、贾琏年龄都大的儿子，他甚至都设计好了一个名字。第五十三回写贾氏祭宗祠，有一个古本，就是现在还藏于俄罗斯圣彼得堡的那个古本《石头记》，其中写祭祀场面，有一句是"当时凡从文字傍之名者，贾敬为首；下则从玉傍者，贾玫为首"。"贾玫"两个字清清楚楚，应该是曹雪芹一度根据生活真实设计出的名字，以完满贾琏是各房单排的二爷的身份，但他并不想再去写这个老大的故事，所以谐音为"假设没有"的意思。

尽管我们现在看到的《红楼梦》有这么一些没有剔除尽打磨完的毛刺，但曹雪芹对贾宝玉这个艺术形象的刻画，仅就八十回而言，已经是非常完整丰满、光彩照人了。

我们可以算一算，贾宝玉在书里，他自己和别人给他取了一些什么名号？

王夫人初见林黛玉，告诉她说，我有一个孽根祸胎、混世魔王。这两个称谓虽然没有流布开，却也着实说明，以那个时代那个社会那种制度的正统价值标准来衡量，贾宝玉确实具有叛逆性、颠覆性、危险性。再说清虚观的事儿，还记得吗？在四月二十六，张道士做了个什么法事？为谁的圣诞做法事？书里写的，是为遮天大王的圣诞做法事。遮天大王，这是个什么样的符码啊！和尚打伞，无法无天，谁的象征？前面讲的还记得吗？四月二十六，其实也就是生活中的曹雪芹和书里贾宝玉的生日啊，这一笔还不够惊心动魄吗？

大观园里，探春发起诗社，大家都要取别号，薛宝钗对宝玉说，你的号早有了，"无事忙"三字恰当得很。后来又说，天下难得的是富贵，又难得的是闲散，这两样再不能兼有了，就叫你"富贵闲人"也罢了。"无事忙"和"富贵闲人"的符码说明了宝玉的另外一面，就是他并不一定是要去颠覆现在的政治，他是要超越现实政治，去忙活他自己选定的事情，他有另样的追求。什么样的追求？他更小的时候，就给自己取过一个别号:绛洞花王。他还把自己的住处题为"绛芸轩"。他认为自己是红色洞天里的一位护花王子，他觉得他的生存意义，就是要去体贴青春女儿们花朵般的生命，保护她们不被污染，不被摧残。

根据我的理解，第一回里的女娲补天剩余石，下凡后是通灵宝玉，并不是贾宝玉，贾宝玉则是神瑛侍者下凡。但是通灵宝玉后来回到了青埂峰，恢复了巨石的形状，上面写满了字，那些文字里有这样一些脍炙人口的句子:忽念及当日所有之女子，一一细考较去，觉其行止见识，皆出于我之上，何我堂堂须眉，诚不若彼钗裙哉？闺阁中本自历历有人，万不可因我之不肖，自护其短，一并使其泯灭也……其实这都是作者曹雪芹的话语，既不必胶柱鼓瑟地非说是"石兄"写的，更不能说是贾宝玉的独白，这是曹雪芹高妙的艺术想象。正如第一回里写到石头口吐人言时，脂砚斋批语说的，"竟有人问口生何处，其无心肝，可恨可笑之极！"

关于贾宝玉，要进入他的精神世界，了解他的人格构成，我们必须弄清楚两个概念，一个是仙人提出来的，一个是凡人论证的。那么，究竟是哪位仙人与哪位凡人，分别提出、论证了哪两个概念呢？下一讲，我会同大家一起探讨。

贾宝玉人格之谜（上）

　　上一讲我已经点明，曹雪芹塑造贾宝玉这个艺术形象，是大体以自身为原型的，那他当然不能挥去他的家族及他自身与那个朝代的政治，也就是权力斗争，或者说权力摆平以后的权力运作相关联的那些可以说是刻骨铭心的记忆，那些生命感受。他在写《红楼梦》时，是把这些生命感受熔铸进去了的。但是，他的了不起之处，就是他在并不否定自己的政治倾向、政治情绪的前提下，意识到了人类精神活动有高于政治关怀的更高境界，那就是生命关怀。他笔下的贾宝玉，有着特殊的人格，而正是在对贾宝玉人格的刻画中，曹雪芹把我们引入了一个比政治更高的层次，一个更具有永恒性的心灵宇宙。

　　还记得上一讲末尾我提出的问题吧？我说有一个仙人和一个凡人，分别对贾宝玉的人格构成提出和论证了两个概念。他们是谁？是两个什么概念？

　　先说那个凡人。他就是贾雨村。贾雨村这个人物有点奇怪，在小说一开始，他就和甄士隐一起出现。他们两个的名字，谐音分别是"真的事情隐去了"和"用假语村言来讲给你听了"，是这样的一组对应的意思。"假语"好懂，"村言"是什么意思呢？就是村野之谈，在野者的话语，跟主流话语不一样的讲述。读过《红楼梦》的人，对甄士隐的印象都比较好，对贾雨村就难有什么好印象了。"葫芦僧乱判葫芦案"时他已经昧了良心，特别是后头，作者写他为了讨好贾赦，更主动制造冤案，把民间收藏家石呆子所藏的古扇抄来没收后献给贾赦。连浪荡公子贾琏都觉得他这样做太缺德，并因为跟贾赦说出了这类的意思，还遭到贾赦毒打，以致平儿骂他是"半路途中那里来的饿不死的野杂种"。这个角色在曹雪芹的八十回后应该还有戏，高鹗写他在贾家倒霉时不但不救援，还背后狠狠端了几脚，应该是大体符合曹雪芹的构思的。在第一回甄士隐念出的《好了歌注》"因嫌纱帽小，致使锁枷扛"一句旁，脂砚斋有个批注，说这句指的是"贾赦、雨村一干人"，说明贾雨村这个政治投机分子，最后也没落个好下场。

按说曹雪芹设计出贾雨村这个人物，以他"风尘怀闺秀"开篇，他的名字的谐音又意味着是进入了在野的话语，而且又把他设置成林黛玉的开蒙老师，就算是要塑造出一个性格复杂的人物，又何必越往后越把他写得那么坏，那么不堪？这是我一直在思索的问题。这里也把问题交给大家，希望听到有见地的解释。

不管书里后来把贾雨村写成一个多么糟糕的"奸雄"，在第二回他和冷子兴在乡村野店的一番谈话的情节，在那段描写里，曹雪芹却是通过他，论证了一个很重要的概念。这个概念不仅诠释了贾宝玉的人格，也是一把使我们理解书中诸多人物，包括妙玉、秦钟、柳湘莲、蒋玉菡等的钥匙。其实，就连书外的一些生命存在，比如胤礽，也都可以在这个概念下获得应有的理解。

贾雨村在第二回里那一番关于天地正邪二气搏击掀发赋予一些特殊人物，使他们成为异样存在的论说，我小的时候总也读不下去，看到那里一定会跳过去，觉得既深奥，又沉闷，简直不理解作者写那么多"废话"干什么。现在一些读者也是读那一段的时候没耐心。但现在我懂得了，那段文字很重要，与其说是书里的贾雨村想说那段话，不如说是作者曹雪芹想宣泄自己积郁已久的观点心音。我劝真正想读懂《红楼梦》的朋友们，还是把那段话细读几遍的好。当然，我还是前面一再申明的那种立场，就是我从来不觉得自己的理解就一定对，从来不认为读《红楼梦》都得照我建议的那么读，我只不过是自己有了领悟，想竭诚地报告出来，与红迷朋友们分享罢了。

贾雨村在乡村酒店告诉冷子兴，其实也就是曹雪芹想告诉读者，不要把喜欢在女儿群里厮混的贾宝玉错判为淫魔色鬼。他指出，清明灵秀，是天地之正气；残忍乖僻，是天地之邪气。世上有的人，一身正气，有的则一身邪气，但是还有另一种人，是正邪二气搏击掀发后，注入其灵魂，结果就一身秉正邪二气。这种秉正邪二气而生的人，在上则不能成仁人君子，下亦不能成大凶大恶；置于万万人之中，其聪俊灵秀之气，则在万万人之上，其乖僻邪谬不近人情之态，又在万万人之下；若生于公侯富贵之家，则为情痴情种；若生于诗书清贫之族，则为逸士高人；纵再偶生于薄祚寒门，断不能为走卒健仆，甘遭人驱制驾驭，必为奇优名倡。贾雨村还列举出一个长长的名单，绝大多数是历史人物，来作为这番话的例证。这份名单的人数有人统计过，但数目难以确定，因为其中一个例子是"王谢二族"，这是东晋的两个家族，王导是一家，谢安是一家，王家最有名的是书法家王羲之，谢家我想出一位女诗人谢道韫，但这两家里一共有几位是秉正邪二气的呢？算不清。

这里我不细说贾雨村所举出的例子。我读他拉的名单，最惊讶的是里面有几位皇帝：陈后主、唐明皇、宋徽宗。这些皇帝在政治上全是失败的，从政治学的角度上看，全是反面教员。唐明皇我前面讲"双悬日月照乾坤"的时候讲到了，这个人给人印象最深的不是他政治上的作为，而是他跟杨贵妃的爱情故事。本来他作为皇帝，拥有三宫六院，大群美女供他享受，似乎犯不上对宫里女子动真感情，可是他却对杨贵妃动了真情。他和杨贵妃的爱情故事成了后来文学艺术的一大资源——洪昇创作的传奇《长生殿》，一直演出到今天，还有无数的诗歌、小说、戏剧、舞蹈、绘画、雕塑……到了现代，又加上电影、电视连续剧……相信以后还会产生出更多的文学艺术作品。而且这个故事还渗透进工艺美术，进入中国普通人的生活。现在人们旅游，到了西安，很多人绝不会放过华清池，这传说是唐明皇和杨贵妃洗浴的地方。这个皇帝在政治上一塌糊涂，但是他却通过感情生活，成为情痴情种的典型，创造出了比政绩更吸引人、更流传久远、更普及，以至闹得家喻户晓的，在人类中具有普适性的另一种价值，想想也真令人惊异。一个平头百姓，他不清楚唐太宗——那是一个政治上很有成绩的皇帝——周围的人未必嘲笑他，但是如果他不知道梅兰芳那出《贵妃醉酒》里的女主角是杨贵妃，不知道戏里那天杨贵妃是因为哪个皇帝没来找她而郁闷，而醉酒，那就太可能被周围的人嘲笑了。细想想，这种事挺奇怪的，而曹雪芹就是通过贾雨村解释了这个现象，论证出，有一种人就算当了皇帝，他也可以超越政治，不去创造皇帝本来应该去创造的那个价值，却去创造出了另外的价值。

陈后主，陈叔宝，这是一个时代上比唐明皇大约早一百年的皇帝，南北朝时期南陈的最后一个皇帝，一个亡国之君，一个非常荒唐——所谓又向荒唐演大荒——的一个皇帝。说他荒淫无度，绝不冤枉他。他喜欢歌舞，整天听歌观舞，饮酒作乐。这本来没什么好说的，这样的家伙，应该是个彻头彻尾的反面角色吧，但是曹雪芹却通过贾雨村的话，也把他列为了秉正邪二气的异人。也就是说，此人政治上只有负面价值，但在其他方面却有可取之处。他的爱歌舞，并不是光让别人给他创作歌曲舞蹈，他只是白白地欣赏，不是的；他本人不但欣赏歌舞，而且参与创作，甚至可以说是热衷于创作。我们都熟悉唐朝杜牧的两句诗，"商女不知亡国恨，隔江犹唱后庭花。"诗里所说的那首《玉树后庭花》，就是陈后主自己作词，并参与编曲、演唱的，歌唱时还配以舞蹈，他简直就是一个醉心于这种歌舞的总策划、总导演，他亡了国，却创造出了精美的艺术作品，因此曹雪芹通过贾雨村，就肯定了他这方面的价值，认为他也算是一个情痴情种。另外，唐明皇也热衷艺术创造，陈后主的那个《玉树后庭花》失传了，唐明皇编导的《霓裳羽衣》大歌舞，现在还有人在努力地复原。

宋徽宗，是个更著名的亡国之君，但他的艺术才能、艺术成就，那陈后主和唐明皇就没法子比了。你到文艺类词典里去查，陈后主和唐明皇是查不到的，但一定能查到赵佶，就是宋徽宗的名字。他是中华民族历史上最杰出的书法家之一，他创造了一种独特的书法体，被称为"瘦金体"，一直流传到现在；他的工笔花鸟画达到了超级水平，甚至拿到全世界的绘画宝库里去，跟其他民族的顶尖级画家的画作相比，也毫不逊色。《红楼梦》里写鸳鸯抗婚，她嫂子跑到大观园里，想说服鸳鸯当贾赦的小老婆，招呼鸳鸯说有好话要说，鸳鸯就大骂她嫂子，用了一个歇后语："宋徽宗的鹰，赵子昂的马——都是好画（话）儿！"你看，宋徽宗的鹰画得那么好，都成民间歇后语里的话头了。这样的人真奇怪，不好好地去当皇帝，不在政治上、在统治术上去下工夫，却全身心扑向了艺术。曹雪芹竟也通过贾雨村之口，指出他也是个情痴情种，这种人身秉正邪二气，关心的不是权力，却是审美。

我不知道其他红迷朋友怎么想，反正，我把贾雨村的论证细读了以后，开始，我真有点难以接受，特别是他对这三位皇帝的一定程度上的肯定，这算什么样的价值观啊？去认同这样的价值观，那我们在当下的社会生活里，岂不就会变成了脱离政治，失却社会关怀，放弃社会责任，为艺术而艺术，或者为学术而学术，钻进象牙塔里变成一统，管他民间疾苦民族振兴，那么样的一种人了么？

我们读《红楼梦》，目的不能是"活学活用"，我们不必到《红楼梦》里去找可以直接用于现实的思想观点、行为模式，《红楼梦》主要是给我们提供了很高的认识价值和审美价值。但是，这也不等于说，《红楼梦》对于我们今天的人没有思想上的启迪，没有可借鉴于我们现实生活的因素。

三个政治上糟糕的皇帝，只是在曹雪芹通过贾雨村就秉正邪二气的异人的论点举出的历史人物里，占有很少的比例。我觉得，那是极而言之，极端的例子，我们没有必要胶着在上面，钻牛角尖。

曹雪芹主要是想通过贾雨村的论证来说明贾宝玉，指出贾宝玉的人格价值所在。因为按封建正统的标准，贾宝玉完全是个反面形象。大家都很熟悉第三回里直接概括贾宝玉"反面价值"的两阕《西江月》，历来人们引用滥了，我不再引。当然，那些词句表面上是在否定，其实却是赞扬。贾宝玉没有按封建正统创造出价值，但他却从另外的方面，创造出了正面价值，其中最突出的一点，就是他对社会边缘人的喜爱与关怀。

一些论者分析贾宝玉，强调的只是两点：一是通过他和林黛玉偷读《西厢记》以及其他的行为，认为这些表现了他们在共同的思想基础上自由恋爱，争取婚姻自主；一是他痛恨仕途经济，反孔孟之道，因此给他一个反封建的总概括。恋爱自由，婚姻自主，这是贾宝玉所追求的，对此我没有怀疑。但是笼统地说贾宝玉反封建，我就有所怀疑。我读《红楼梦》的心得是，贾宝玉厌恶、对抗的只是那个社会的政治。他最怕逼他读书，去准备科举考试，去为官做宰，去官场揖让，去成为一个"国贼""禄蠹"。但是，对非政治的封建社会的价值观，比如伦理方面的观念，他是不但不厌恶、不反抗，反倒是膺服，身体力行，甚至乐在其中的。

比如他对母亲王夫人，第二十三回写到，他从外面回来，进门见了王夫人，不过规规矩矩说了几句，便命人除去抹额，脱了袍服，拉了靴子，便一头滚在了王夫人怀里，王夫人也就用手满身满脸摩挲抚弄他，宝玉也搬着王夫人的脖子说长道短的……这是一幅多么温馨的母子依偎图。当然紧接着就写到贾环故意推倒油灯，想烫瞎宝玉眼睛的情节。贾环下这个毒手，除了别的远因近由，其中一个因素就是贾环患有皮肤饥渴症，王夫人是不会去爱抚他的，他的生母赵姨娘虽然把他当做争夺家产的一大本钱，对他把得很紧，却并不懂得对他进行爱抚。书里写到贾环在薛宝钗那边跟香菱、莺儿等赶围棋作耍，输了，哭了，回到赵姨娘那里——那是赵姨娘第一回出场——她见了贾环，是怎么个表现，记得吗？她不但没有去爱抚、摩挲自己的儿子，反而劈头劈脸就是一句："又是哪里垫了踹窝来了？"所以，从未得到过父母爱抚的孩子，就会患一种皮肤饥渴症，羡慕、嫉妒那些被父母爱抚的孩子，贾环品行很差，他就把那嫉妒化为了下毒手的行为。书里写贾宝玉即使在那种情况下，也还是为贾环掩盖恶行，说如果贾母问起，就告诉是他自己不小心烫着的。在第二十回，书里还干脆直接写出，说贾宝玉心里有个准则：父亲叔伯兄弟中，因孔子亘古第一人说下的，不可忤慢，只得要听他这句话。可见宝玉反对的只是读书科举、当官搞政治，至于构成封建思想体系里非常重要的一个组成部分的伦理观念，他是认同的，照办的。

贾宝玉怕他的父亲，特别害怕贾政逼他读书，逼他见贾雨村那样的政治官僚，不愿意走贾政逼他去履行的科举当官的"正道"，但是，这并不是说他就恨他父亲，就全面地反对父亲。他遭父亲毒打，并不是一次反抗行为造成的，前面已经分析过，那件事有很具体的触发因素，有某种偶然性在里头；要说必然性，也不是宝玉反封建的那个必然性，而是"双悬日月照乾坤"的那个必然性。第五十二回，写宝玉出门，去他舅舅王子腾家。他骑上马，有大小十个仆人围随护送。当时出府有两条路径，一条要经过贾政书房，那时候贾政出差外地并不在家，但宝玉却坚持认为路过贾政书房必须下马。仆人周瑞说，老爷不在家，书房天天锁着的，爷可以不用下来吧，但宝玉却说，虽然锁着，也要下来的。后来他们走了另一条路径，不经过贾政书房，宝玉才没下马。这样的过场戏说明什么？曹雪芹写它干吗？我认为，他就是要很准确地刻画贾宝玉这个形象，宝玉并不像今天一些论者所概括的那样，可以简单笼统地贴上一个反封建的标签。

第五十四回，写荣国府元宵开宴，贾珍贾琏联袂给贾母敬酒，屈膝跪在贾母榻前，在场的众兄弟一见他们跪下，都赶忙一溜跪下，这时曹雪芹就写宝玉也忙跪下了，你记得这样的细节吗？曹雪芹还写到，史湘云当时就嘲笑他，意思是你凑个什么热闹？因为我们都知道，宝玉成天在贾母面前，最受宠爱，在礼数上，他是可以例外的。但是曹雪芹就很清楚地写出来，宝玉不反封建大家庭的这种礼仪，不但不反，还主动严格要求自己，哥哥们既然跪下了，自己作为弟弟一定要跟着跪下。

不举更多的例子了。我想根据这些例子说明什么？说明要把握贾宝玉的人格，贴个反封建的标签是说不通的。他最突出的人格特点，其实需要从另外的角度加以说明。

　　他确实是贾雨村所论证的那样一种秉正邪二气的怪人。他对当时社会主流价值观念的反叛，不是体现在反家长、反封建伦常秩序上，而是体现在他对非主流的社会边缘人的兴趣和关爱上。

　　秦钟这个人物，我总觉得，他的生活原型，可能与秦可卿、秦业的原型并没多大关系。在真实的生活里，这个人或许只是一个别家的穷亲戚，一度到曹家私塾借读，到了小说里，曹雪芹把他设计成秦业的亲儿子，秦可卿名分上的弟弟。无论在生活里还是小说里，这都是一个社会边缘人，以那个社会的正统价值标准去判断，应该说是一个无聊的人，一个荒唐的人。但是宝玉第一次接触秦钟，你看曹雪芹怎么写的？他写宝玉痴了半日，心里想，天下竟有这等人物！如今看来，我竟成了泥猪癞狗了，可恨我为什么生在这侯门公府之家，若也生在寒门薄宦之家，早得和他交结，也不枉生一世；我虽如此比他尊贵，可知锦绣纱罗，也不过裹了我这根死木头，美酒羊羔，也不过填了我这粪窟泥沟，"富贵"二字，不料遭我荼毒了！——千万不要把这些话草草地读过去，我以为很重要，这才是真正揭示贾宝玉人格的内心独白。在社会边缘人面前，他，一个位居社会中心地位的侯门公子，居然产生了这样的思想，这不但在那个时代是惊人的，就是挪移到今天，又有几个高官富豪的子女，面对着底层平民的子弟，能够这么想，涌动出这样的情绪来呢？这不是什么政见，但这样的思想情绪，不是比某些政见更具有正面价值吗？如果更多的人能具有这种向下看，然后自我批判，主动亲和下层的情怀，社会还怕不能趋于和谐吗？不用为这种思想行为贴标签，也很难找到一个现成的标签，曹雪芹通过贾宝玉所宣示的这种思想情愫，实在是很伟大，具有穿透时代的力量，放射出永恒的光辉。

　　秦钟在第十六回——我觉得是相当草率地——被曹雪芹写死了。秦钟临死前，还说了后悔以往看不起一般俗人，劝宝玉回到求功名的路上去那样的让我们败兴的话。但整体来说，秦钟在世时是个率性而为的人，他为情而生，为情而死，他与智能儿那股子争取恋爱自由的勇气，是宝玉和黛玉望尘莫及的；临终前的悔语，可以理解成被社会压抑、摧残而扭曲了的心音。这个人物的名字，谐的就是"情种"的音，这个多情种子，应该是有原型的。但十六回以后，这个人似乎也就被作者，被贾宝玉，被看小说的读者，逐渐地遗忘了。但是，到第四十四回，书中出现了一个更加属于社会边缘人的柳湘莲，贾宝玉跟他的关系，也和跟蒋玉菡一样。蒋

玉菡虽然被忠顺王和北静王都视为香饽饽，双方死磕，谁也不放弃，互相争夺这
个人，但蒋玉菡是个戏子，实际上也是社会边缘人，王爷们是把他当做一个心爱
的物件争夺；贾宝玉却是跟他平等交往。而柳湘莲更是一个异数，更加奇怪，他
会串戏，又非戏子，世家出身，却已破落，耍枪舞剑，赌博吃酒，眠花卧柳，吹
笛弹筝，无所不为，宝玉跟他竟又投缘。忽然，这一回写到宝玉跟柳湘莲在赖大
家见了面，一见面，头一句话是什么？你记得吗？注意了吗？宝玉问柳湘莲这几
日可到秦钟的坟上去了？柳湘莲就告诉他，去过，发现有点走形，还花钱给修好
了。作者没有忘记秦钟，宝玉没有忘记秦钟，我们能随便就把秦钟忘了吗？作者
写这些是在传递什么样的信息？我认为，我们一定要懂得，宝玉的人格构成，其
中很重要的一个因素，就是他喜欢一些这样的社会边缘人，而这些社会边缘人也
喜欢他。他觉得像秦钟、蒋玉菡、柳湘莲这些人，灵魂没被现实政治污染，跟这
些性情中人交往，可谓这里有泉水，这里有真金。这些人看重他的，也正在于此，
惺惺惜惺惺，边缘共乐。宝玉身在社会中心，一个侯门里面，身为贵公子，他却
从心里头把自己边缘化了，这真是乖僻之至！

　　宝玉为蒋玉菡的事挨了父亲痛打。贾政打他，只是恨他给家里惹祸，是从政
治上考虑，贾政是一个政治动物。当然贾政打宝玉也是因为贾环"手足眈眈小动
唇舌"，密告他淫逼母婢未遂——那当然是夸大了事实，是贾政把宝玉往死里打
的火上浇油的因素——但是贾政就是把宝玉打死了，他也还是并不懂得贾宝玉。
宝玉挨打后，薛宝钗托着治疗棒疮的丸药来看望宝玉，第一回忍不住流露出无限
的爱意，说了句"早听人一句话，也不至今日"。她还是不大理解宝玉，宝玉挨打，
其实跟她平日劝说宝玉读书上进什么的并无直接关系。林黛玉毕竟最知宝玉之心，
她对宝玉抽抽噎噎地说道，你从此可都改了罢！她知道宝玉喜欢跟那些社会边缘
人交往，这时宝玉就长叹一声，说你放心，别说这样的话，就便为这些人死了，
也是愿意的！这句话我以为非常非常重要。

　　在说到贾宝玉关爱青春女性之前，我花了这么多力气来分析他对男性中的社
会边缘人的特殊感情，我以为是必要的。这也是许多读者往往忽略掉的一部分内
容。有些读者对这样的问题感兴趣，就是贾宝玉跟秦钟、蒋玉菡、柳湘莲这些人，
有没有同性恋关系？从同性恋角度来分析贾宝玉跟这些人，特别是跟秦钟的密切
关系，也不失为一种可采用的学术角度，我不反对，而且，我的阅读感受是他们

之间确实有一些同性恋的味道。但我主要是从社会边缘人这样的角度来理解他们的，他们都属于正邪二气搏击掀发后赋予禀性的那一类人。曹雪芹通过对贾宝玉和这些人物的描写，提醒我们注意人类中的这一批异类，他号召我们理解、谅解、容纳甚至肯定他们的独特存在价值，这是非常高层次的思想。这种思想在二百多年前就如此鲜明地被提出来，构成了我们中华文化、中华文明当中的一个耀眼的光斑。

当然，贾宝玉给读者最深刻的印象，还是他对待青春女性的那种特殊情怀，他所发表的那个宣言：女儿是水作的骨肉，男人是泥作的骨肉，我见了女儿，我便清爽，见了男子，便觉浊臭逼人！这种情怀，跟上面所分析出的他对社会边缘人的看重，是相通的。因为当时那样的封建社会，是一个男权社会，妇女整个儿是被压抑，处在男权社会边缘的。但是，贾宝玉的"女儿水为骨肉"的观念，是把那个社会里的女性，又加以细致划分的。例如第五十九回，怡红院的二等丫头春燕跟莺儿说，宝玉说过那样的话，他说女孩儿未出嫁，是颗无价之珠宝，出了嫁，不知怎么就变出许多不好的毛病来，虽是颗珠子，却没有光彩宝色，是颗老珠子了，再老了，更变得不是珠子，竟是鱼眼睛了。分明一个人，怎么变出三样来？有的读者很皮毛地理解，说宝玉是嫌女人越老越没有姿色。也许有这样的因素在里头，但宝玉的这一观点的核心，是他痛恨那个男权社会的主流观念。青春女性在那个时代，处在社会最边缘，她们被禁锢在深闺里，轻易不许迈出二门、大门，但也正因为如此，她们相对来说较少受到政治污染，灵魂也就如水清爽。曹雪芹在全书楔子里更是直接写出了他的观点，他说，忽念及当日所有之女子，一一细考较去，觉其行止见识，皆出于我之上，又说，闺阁中历历有人，万不可因我之不肖，自护其短，一并使其泯灭也。他刻画出一个贾宝玉，通过宝玉对闺阁中青春女性的欣赏、呵护，来体现他这样一种情怀。

闺中女儿，青春易逝，而且到了一定年龄，父母就要包办婚姻，安排她们出嫁。一嫁了人，就难免被热衷仕途经济的丈夫同化，即使是那些丫头出身的嫁了人的仆妇，参与了贵族府第的管理，也就开始变质。在第七十七回，宝玉目睹周瑞家的往外带司棋，凶神恶煞，说如今可以动手打司棋了，宝玉恨得只瞪着她们，看已远去，才指着周瑞家的背影愤恨地说："奇怪，奇怪，怎么这些人只一嫁了汉子，染了男人的气味，就这样混账起来，比男人更可杀了！"他说奇怪，其实他心里还是明白的，并不奇怪。这时书里又紧接着写，守园门的婆子听了好笑，就问他，这样说，凡女儿个个是好的了，女人个个是坏的了？宝玉点头道，不错！不错！婆子们就想再问他，说还有一句话我们糊涂不解，倒要请问请问——有意思的是，写到这里，曹雪芹并没有接着写她们究竟问的是什么，以及宝玉怎么回答，反而是用另一个更具紧张气氛的情节，将之截断了。不知道红迷朋友们琢磨过没有，婆子们是觉得还有一句宝玉说的什么话糊涂不解，想再问个明白？

其实，守园门的婆子想问的话，可以从第七十一回里得到消息。在那一回里，贾母过生日，亲戚里来了四姐儿和喜鸾，这是两个小姑娘，她们听见尤氏说宝玉：谁都像你，真是一心无挂碍，只知道和姊妹们玩笑，饿了吃，困了睡，再过几年，不过还是这样，一点后事也不虑；宝玉怎么回答的呢，他说，我能够和姊妹们过一日是一日，死了就完了，什么后事不后事！于是大家就笑宝玉呆傻，李纨笑说，就算你是个没出息的，终老在这里，难道姊妹们都不出门的？这里"出门"就是出嫁的意思。喜鸾后来就很天真地搭话，说二哥哥，等这里的姐姐们都出了阁，我来跟你做伴。李纨她们又笑她，说难道你将来就不出门？而上面说的那些守园的婆子想问宝玉的，应该就是这样的问题：难道闺中女儿永不出嫁？

闺中的女儿，到头来要出门，出阁，出嫁，嫁了男人，就会沾染男人浊气。怎么个浊气？官场上争权夺利，商场上争钱夺利，名利场上争名夺利。于是这些女儿就变质了，变成死珠子、鱼眼睛了。贾宝玉希望女儿们青春永驻，永不嫁人，永不被污染，永远清爽，这实际上是办不到的，但他就那么固执地追求，追求永开不败的花朵，永远新鲜芬芳的花朵。

这种追求，最后的结果肯定是破灭。但是在破灭之前，宝玉就抓紧一切机会，来欣赏、呵护青春花朵，来为她们服务、效劳，甘愿为她们牺牲、化灰、化烟也在所不惜。贾宝玉对青春女性的膜拜，其实也就是曹雪芹对青春女性的膜拜，在那个时代、那种社会里，这实在是惊世骇俗的。就是搁到今天，放在全球视野，从整个人类的角度来说，这种特别看重青春女性生命价值的观点，也是很新颖的，对不对？

有红迷朋友跟我讨论，说王熙凤和李纨也都是嫁了人的，宝玉不是也跟她们很好吗？不是把她们和黛、钗、湘、迎、探、惜一视同仁吗？——她们在宝玉眼里，跟别的"嫁了汉子"的妇人相比，可能确属例外。但是，你仔细读，就会发现，他是写出了王熙凤嫁了人当了家，手中有了权力，就失去纯洁变得污浊的一面的，他赞赏她的才能，却揭露、批判了她的恃才胡为。李纨，有红学家认为是曹雪芹笔下一个没有缺点的人物，其实大不然，关于她的缺点问题，我将在后面揭示。

其实，贾宝玉跟黛、钗、湘等主子姊妹们那么好，即使从最世俗的角度去看，也不难解释，而他的令人纳闷之处，在第七十八回里，被贾母点出来了。记得贾母怎么说的吗？她说，我深知宝玉，将来也是个不听妻妾劝的，我也解不过来，也从未见过这样的孩子，别的淘气都是应该的，只他这种和丫头们好却是难懂！我为此也担心，每每地冷眼查看他，只和丫头们闹，必是人大心大，知道男女的事情了，所以爱亲近她们，既细细查试，究竟不是为此，岂不奇怪？想必是个丫头错投了胎不成？

宝玉跟丫头们好，贾母难懂，你懂不懂？

曹雪芹通过一个仙人，解释了贾宝玉的这种情怀。那仙人是谁？就是太虚幻境的警幻仙姑，她提出了一个概念，解释了宝玉的特殊人格心性。

这个概念，就是"意淫"。

"意淫"这个曹雪芹创造的语汇，因为里面有一个"淫"字，历来被人误读误解。现在有的人写文章，把它当成一个绝对贬义的词汇，理解成"在意识里猥亵"，甚至"在意识里跟看中的人性交"那样的含义，说谁"意淫"，就是批评谁心思不正，下流堕落。这样理解"意淫"，绝对歪曲了曹雪芹的原意。这个概念是曹雪芹通过警幻仙姑，在第五回快结束时，很郑重地提出来的。建议大家再细读相关的那些文字。

警幻仙姑跟贾宝玉说："吾所爱汝者，乃天下古今第一淫人也。"这当然把贾宝玉吓一大跳，宝玉就忙道饶，说自己因为不爱读书，已经被家长责备，岂敢再冒"淫"字，自己年纪小，不知道"淫"字为何物。这时警幻仙姑就给"意淫"下了定义，她说，淫虽一理，意则有别，如世之好淫者，不过悦容貌，喜歌舞，调笑无厌，云雨无时，恨不能尽天下之美女供我片时之趣兴，此皆皮肤滥淫之蠢物耳；那么贾宝玉呢，她认为他不是这样的，而是脱俗的，是超越皮肤滥淫的，她说，如尔则天分中生成一段痴情，吾辈——也就是仙界众仙姑们——把这种痴情，谁之为意淫。"推之"就是推崇为，充分地肯定为，可见"意淫"在这里被确定为一个正面的概念，一个不是一般俗人所能具有的品质，是贾宝玉天分里、人格里，一个非常值得推崇的优点。那么，对青春女性不存皮肤滥淫之想，没有轻薄猥亵的心理，究竟是个什么样的态度呢？警幻仙姑进一步说，意淫二字，惟心会而不可口传，可神通而不可语达，汝今独得此二字，在闺阁中，固可为良友，然于世道中未免迂阔怪诡，百口嘲谤，万目睚眦。确实，这两个字眼，我在这里引用，都有心理障碍，毕竟有些听我讲座，读我文章的，还是些少男少女啊，现在我却告诉大家，这两个字眼，竟然是个正面的概念，在曹雪芹笔下，它是个褒义词，我也担心会有人认为我心术不正，误人子弟，嘲谤睚眦。但是，毕竟曹雪芹就是这么个意思。你看他后面写贾瑞，癞蛤蟆想吃天鹅肉，两次被王熙凤耍弄，还不死心，后来得到风月宝鉴，人家跟他说一定要反照，他非要正照，跑到镜子里去皮肤滥淫，最后死掉——他那个正照风月宝鉴的意识行为，曹雪芹使用了"意淫"的字眼吗？你去细翻翻，细查查，各种版本都查查，没有。曹雪芹的"意淫"不是那样的意思，你怎么能误读误引，非用这两个字来表达类似贾瑞那样的意识行为呢？

尽管"意淫"这两个字有一定的敏感性，但是要把曹雪芹塑造的贾宝玉这个艺术形象读懂读通，这个字眼是绕不过去的。

第五回最后，就在警幻仙姑提出了"意淫"这个概念后，她就把乳名兼美字可卿的妹妹介绍给了贾宝玉，使他初尝男欢女爱的滋味。有的年轻读者对这一笔很不理解，说这不是流氓教唆吗？我个人认为，曹雪芹安排这样一笔，是有其用意的，他通过这样的梦中经历，传达给读者一个明确的信息，就是贾宝玉这个男子，在故事发展到那个阶段的时候，他的心性都成熟了。这一笔非常重要。否则，会有人对以后他在女儿群里厮混产生另样的理解，比如贾母因为参不透他为什么跟丫头们那样好，就一度怀疑他是不是男儿身、女儿性，用今天的术语来说，就是他是否是个双性人？有位红迷朋友就跟我说，因为是私下里讨论，他很坦率，不避讳，他就说，也许是被某些绘画、戏曲、影视里头的贾宝玉造型影响，特别是不少戏剧影视，总让女演员来扮演贾宝玉，这就让他总觉得贾宝玉不像个男人，有些女里女气。或者说他也许是个中性人，要么是双性人，他跟那些小姐、丫头们在一起，似乎没有什么性别意识。因此，说贾宝玉对待女性的观念态度如何具有进步性、超前性，他不大赞同。他认为，可能贾宝玉自己在性别认同上有偏差，所以跟青春女性混在一起时，误以为大家是一回事儿。

曹雪芹可能是生怕读者误会，他还特意写了宝玉梦遗，紧跟着又写他和袭人偷试云雨情，就是要告诉读者，尽管宝玉还小，但他是个正牌男人，生理上健康，发育正常。这个前提是非常要紧的。否则，意淫可能要被误解为他性无能，因此只能在意识里去淫乱。

脂砚斋在批语里把警幻仙姑提出的概念进一步简化，她说，按宝玉一生心性，只不过"体贴"二字，故为"意淫"。也就是说，宝玉的这个人格特点，其实就是对青春女性格外体贴，全身心地体贴。

小说里写宝玉对青春女性的全身心体贴，例子太多，最突出的，是第四十四回中的"喜出望外平儿理妆"和第六十二回的"呆香菱情解石榴裙"。这两段故事大家很熟悉，我不必再讲述一遍。我只是提醒大家，要注意曹雪芹除了写贾宝玉亲自为平儿拈取玉簪花棒等化妆品，剪鲜花为她簪在鬓上，又为她熨衣、洗帕等等行为，还特别写到他的心理活动，说他因自来从未在平儿前尽过心，而平儿是个极聪明极清俊的上等女孩儿，比不得那些俗蠢拙物，深为恨怨，没想到一场风波以后，竟能在平儿前稍尽片心，这让他心内怡然自得，至在床上，越想越欣慰。这些想法，也许还比较肤浅，下面他接着想，就想到贾琏惟知以淫乐悦己，并不知作养脂粉——作养在这里是像培养花儿般那么去呵护的意思；又想到平儿并无父母兄弟，独自一人，供应贾琏夫妇二人，贾琏之俗，凤姐之威，她竟能周全妥帖，也真不容易，想到这里，不觉洒然泪下，趁别人不注意，他索性尽力落了几点痛泪。这就是宝玉的"意淫"，也就是脂砚斋换的那个我们更能接受的说法，"体贴"。这种情怀的具体呈现，里面哪有丝毫皮肤滥淫的邪意，哪有正照风月宝鉴的下流心思，这是一个生命对另一个生命的极度尊重与关怀。尤其是，贾宝玉是一个正常的男人，他不是不懂得性，不是性无能，可是面对平儿这样一个聪明清俊的美丽姑娘，他所思所想所叹所伤，却是这样一些内容，这样的人格品质，难道不是纯洁高尚的吗？

香菱换裙那段情节，你也应该特别注意曹雪芹对宝玉的心理描写。他写宝玉低头心下暗想，可惜这么一个人，没父母，连自己本姓都忘了，被人拐出来，偏又卖了这个霸王。又想，上日平儿的事也是意外想不到的，今日更是意外之意外的事了。所谓意外，就是他平日一直存有对这两位青春女性的爱惜之心，只是没有机会充分表达出来罢了，而两个偶然的情况，竟然使他能像完成行为艺术的创作一样，使他的这种心情在两位女儿面前，有了一次充分而圆满的宣泄。

当然，曹雪芹笔下的贾宝玉，是一个具有复杂性的、血肉丰满鲜活的艺术形象。书中有一回集中展现了贾宝玉人格的五个层面，而且写得那么自然流畅而又跌宕起伏，我个人对此佩服得五体投地。那么，你无妨猜猜，我说的是哪一回？

但愿我们不谋而合。下一讲见分晓。

贾宝玉人格之谜（下）

　　上一讲最后我问，如果从《红楼梦》八十回书里，找出最集中地展现贾宝玉人格复杂性的一回，选哪一回最合适呢？这其实是一个可以有很多种答案的问题，因为仁者见仁，智者见智，每个读者的感受不尽一样，选择也就不尽相同。我现在就要告诉大家我的感受，我认为第三十回是最集中地展现了贾宝玉人格的各个层面的一回，下面请听我给你讲讲我的阅读心得。

　　这一回的回目是"宝钗借扇机带双敲　龄官划蔷痴及局外"，当然有的古本这回的回目跟这个不太一样，但差别不是很大。其中值得一提的是，有的古本不说龄官，而写作椿龄。为什么是椿龄？书里没交代她的名字是椿龄，只说她跟别的买来唱戏的小姑娘一样，都给取了个带官字的艺名。但我认为，这个回目里的椿龄二字，不会是写错了，不会是偶然的，而应该是一个伏笔。后面写因为朝廷里薨了老太妃，贵族家里不让唱戏了，元妃也不再省亲，因此贾家就把所养的梨香院的小戏子们遣散了。其中有一个死掉，不去算了，剩下的有八个愿意留下来当丫头，就分到各房去了。书里也开列了那八官的名单和去向，里头没有龄官、宝官和玉官。龄官哪里去了？是否嫁给了贾蔷，或是又有别的什么命运？八十回里就没写了，但估计八十回后，曹雪芹笔下还会有她，她为什么又可以叫做椿龄，那时一定能让我们明白。

　　附带说一下，《红楼梦》的回目都是八个字两句话，但各回八个字的诵读节奏是不一样的。比如"甄士隐—梦幻—识通灵　贾雨村—风尘—怀闺秀"，是 AAA—BB—CCC 的节奏。这种节奏的回目最多，但也有别样节奏的。比如"村姥姥—是—

信口开合 情哥哥—偏—寻根究底",则是 AAA—B—CCCC 的节奏;"手足眈眈—小动唇舌 不肖种种—大承笞挞"则又是"AAAA—BBBB"的节奏;"宝钗借扇机带双敲 龄官划蔷痴及局外"呢?我认为这两句的读法,节奏并不是对称的,前一句是 AA—BBB—CCC 的节奏,读作"宝钗—借扇机—带双敲",后一句则读作"龄官—划蔷—痴及局外",是 AA—BB—CCCC 的节奏了。这样过细地读《红楼梦》,也许有的人不以为然,但是我个人认为,这也是很有意义的,可以从中体会到我们母语,方块字,它的声韵美,节奏美。例如像"情切切良宵花解语 意绵绵静日玉生香"这样的回目,实际上就是优美的诗句。诵读并体会回目的意境,对理解《红楼梦》各回的内容,是非常重要的。我的一位朋友,就常跟我讨论《红楼梦》的回目,比如"不肖种种大承笞挞",他认为应该读作"不肖种—种大承笞挞"。"不肖种"当然是指贾宝玉,"种大承笞挞",就是一打起地,被算总账地痛打了一顿。您认为他的见解如何?可能您觉得这么去读是钻牛角尖,那您就还按自己的读法去欣赏《红楼梦》吧。

不管怎么个读法,第三十回总是不会跳过去不读的吧?这一回,从时间上来说,是一个夏日的午前到午后,总的时间流程大约也就三个钟头,地点场景呢,虽然有几次转换,但也无非是荣国府大观园那么个空间里头,故事情节是不间断的。我觉得,这回所描写的,基本上可以分为五幕。

第一幕,时间是午前,众人去贾母那边吃午饭前。故事发展到这一回的时候,虽然有了大观园,但大观园里还没设厨房,住在里面的宝玉和黛、钗等要吃饭的话,还是要出园子去上房。地点呢,是在潇湘馆。

这一幕的故事,紧接上一回。上一回中因为到清虚观打醮,张道士给贾宝玉提亲,宝玉又从那里得到了一个金麒麟。本来薛宝钗的金锁所带来的"金玉姻缘"的阴影,已经让林黛玉堵心,一金未除,又出一金,于是黛玉就跟宝玉闹别扭,而且这回可闹大发了,应该说是八十回里闹得最凶的一回,最后更惊动了贾母,贾母说他们是"不是冤家不聚头",急得流眼泪。这一幕里,宝、黛就是在那样一个前提下见面的,是宝玉主动找上门来,想跟黛玉讲和。黛玉那个性格,心里明明活动了,感受到了宝玉对她的一片真情,嘴里却还偏要说些刺激宝玉的话,先说要回家去,宝玉说跟了去,又说要死,宝玉就说你死了,我做和尚——这当然既是表现宝玉情急之下口不择言,同时也是一个伏笔。因为按曹雪芹的构思,八十回后宝玉应该是两度出家，而第一回出家，就是因为黛玉之死。这回里还有一些两个人的对话，以及对他们肢体语言的细腻描写，其中就写到，黛玉见宝玉用簇新的纱衫的袖子擦眼泪，就把自己搭在枕上的一方绡帕子，拿起来摔到宝玉怀里。宝玉擦过眼泪，就挨近前些，于是，应该说就出现了八十回书里，一个惊心动魄的镜头——宝玉就伸手拉了黛玉一只手，两个人就各有一句话。那说的话你可能记得，不记得可以去查书，这里我主要是想跟你强调，这是宝玉在八十回书里，主动地跟黛玉亲热所出现的惟一的一次身体接触。而且，从后面的情节可以知道，黛玉对他这次主动的身体接触，嘴里怎么说是另一回事，实际上并没有拒绝，并没有马上甩开宝玉或抽出自己的手来。

有人可能会说，那个时代，那个社会，男女授受不亲，公子小姐讲恋爱，眉目可以传情，肢体怎敢接触，这是一种常规，没什么可分析的。但贵族公子，也如俗话所说，龙生九子，子子有别，做事风格并不完全一样的。比如我在前面已经讲到的贾蓉，他辈分比宝玉小，年龄却比宝玉大，是宁国府里三世单传的贵公子。第六回刘姥姥一进荣国府，曹雪芹通过刘姥姥的眼光，描述他是面目清秀，身材俊俏，轻裘宝带，美服华冠。这位公子恪守男女授受不亲的行为规范吗？在第六十三回写他爷爷去世，他回家奔丧，见了两位姨妈，打情骂俏，甚至滚到尤二姐怀里去，丫头们看不过，提醒他热孝在身，那两位又毕竟是姨娘家，他竟撇下两个姨娘就抱着丫头亲嘴，说我的心肝，你说的是，咱们馋她两个，情形不堪入目。当然，这不是讲恋爱，但就是讲恋爱——如果贾蓉也真能有点像样的爱情的话，估计他也不会斯斯文文，他一定也是会有大幅度的肢体语言的。贾宝玉享有更多的贵公子特权，他如果真想怎么样，也未必不能一试。他跟袭人，早就试过嘛，而且后来这也不是什么秘密。晴雯早在住进大观园前就说过，你们那瞒神弄鬼的，我都知道。这话虽然不是冲着袭人说的，但宝玉听见，只有无言以对的份儿。后来在怡红院，晴雯更干脆对袭人说，别教我替你们害臊了，便是你们鬼鬼祟祟干的那事儿，也瞒不过我去，顿时气得袭人满脸紫涨起来，但也无可奈何。

我说这个干什么呢？我其实是想强调，曹雪芹写宝玉和黛玉的恋情，他写出了一种圣洁之爱。"意绵绵静日玉生香"那一回，两个人在同一张床上，你看他们相处的情形，既亲密，又纯洁。当然，读者们都知道，作者有一个神话式的预设，就是他们是两个从天上下凡的生命。但是，神瑛侍者和绛珠仙草一旦下凡，除偶尔的梦游，生魂回到天上那样的情况不算外，他们在荣国府里，在大观园，在人间，自己是并不知道自己来历的。因此，他们的相爱，主要还是因为精神上的共鸣和异性间的一种相互吸引。他们两个的精神共鸣，已经有许多人指出，读者们自己也可以做出判断，我不再在这里细说。我现在是要破除一些误解和理解偏差，比如有人认为二玉之间只有精神共鸣，没有肉体吸引，那样的话，与其说他们是恋人，不如说是战友了。宝玉爱林妹妹，当然是灵肉一起爱。前一讲讲过，贾宝玉是一个生理上和心理上都成熟了的男子，不是没有"性趣"，不是性懵懂、性无能，也不是在性取向上拒女求男的同性恋者，他对女性的身体美是有感受有冲动的。例如第二十八回中，他请求薛宝钗把腕上戴的红麝串褪下来给他细看看，宝钗少不得褪下，这时曹雪芹就写到，宝玉见宝钗生得肌肤丰泽，看着她那雪白一段酥臂，不觉动了羡慕之心，暗暗想道，这个膀子要长在林妹妹身上，或者还得摸一摸，偏生长在了宝姐姐身上。这是写宝玉的性心理，写得非常准确。

　　贾宝玉爱林黛玉，爱到铭心刻骨的地步。"诉肺腑心迷活宝玉"那一回，宝玉说，好妹妹，我的这个心事，从来也不敢说，今儿我大胆说出来，死也甘心！什么心事呢？他说，我为你也弄了一身的病在这里，又不敢告诉人，只好掩着！我睡里梦里也忘不了你！——这是多么惊心动魄的话！这说明他对林妹妹绝不仅仅是思想上的志同道合，曹雪芹写宝玉爱黛玉是灵肉一起爱，都写到了这个份儿上了，我们要是再不理解，可真辜负了作者的一片苦心了！当然，宝玉说出这几句电闪雷鸣般的话时，黛玉已经走开了，他是在发呆的情况下，也就是说这个时候，他这个情种已经达到情痴的程度，他都没搞清楚对面站的已经不是黛玉而是袭人了，就把心底里最深处的隐私公布了出来。结果当然把袭人吓得魄消魂散。袭人不由得叫出了什么话来？记得吗？也如电光急火般啊，袭人叫道，神天菩萨，坑死我了！所以，曹雪芹他写宝哥哥爱林妹妹，是全方位的，是有性心理描写的。袭人后来忍不住跟王夫人说那些话，不少论家都说她是告密，有的还特别分析出，她是宝钗的影子，她们都是在思想意识上站在维护封建礼教一边的。这样分析我不反对，但是，我个人的感受是曹雪芹其实是在写人性的复杂。袭人听到了宝玉那本来绝对不想让她听到的话语，感到可惊可畏，十分不安——原来宝玉跟她做爱，其中有拿她当替代品的因素，这真是坑死她了啊！所以袭人的所谓告密，除了思想观念上的原因，恐怕也有另外的、容不得宝玉再那么发展下去的更隐秘的原因。

　　把宝玉对黛玉的爱情中精神以外的因素发掘到这个地步，我想说明什么呢？我想说的是，纵观八十回大文，宝玉对黛玉的爱，那么深刻，那么浓酽，但是对黛玉，在未正式结为夫妻前，他对她绝无苟合之想，他自我控制，甚至可以说是抑制，连肢体接触，都非常谨慎。这种爱，那么圣洁，那么高尚，令人感动，令人钦佩。宝玉对黛玉的爱，有一个非常明确的目标，就是娶她为妻，为正妻。他对黛玉、紫鹃引用《西厢记》里的话，"我就是个多愁多病身，你就是那倾国倾城貌"，"若共多情小姐共鸳帐，怎舍得你叠被铺床"，把他的态度宣示得非常明白。后来紫鹃还非要"情辞试忙玉"，他除了发一些措辞非常古怪的誓言，还对紫鹃说，我只告诉你一句煞话，活着，咱们一处活着，不活着，咱们一处化灰化烟，如何？

　　在第三十回的第一幕里，曹雪芹再次描写了二玉之间爱得死去活来，出现了宝玉对黛玉的一次主动的肢体接触，而黛玉心里头其实是对之容忍、接受，甚至享受的。这个肢体接触滞留的时间应该是比较久的，因为底下就跳出了一个人物，又是人未到声先到，先听到一声喊，好了！原来是王熙凤来了。她奉贾母之命而来，把两个聚头的冤家带出潇湘馆去，带出大观园，带到贾母那边的上房。她向贾母汇报说，她在潇湘馆看见二玉互相赔不是，倒像黄鹰抓住了鹞子的脚，两个都扣了环了！

　　这一幕，写宝、黛之恋，突出写了宝玉对黛玉的爱是灵肉俱爱，却又圣洁高尚，比后来对理妆的平儿、换裙的香菱的那种体贴，更高一个甚至几个层次，突出写了他的这个人格特征。若认为宝玉对黛玉的感情是怜惜多于爱情，是与书中大量的描写不符的。认为林黛玉够不上《红楼梦》的第一号女主角，也是不能服人的。脂砚斋，被认为是史湘云的原型，她有条批语怎么写的呢？她说，余不及一人者，盖全部之主惟二玉二人者。脂砚斋的这个话，我完全膺服。

　　接下来的第二幕，时间跟上一幕紧接着，地点是在贾母的屋里。这个时间应该一起吃饭，但曹雪芹省略了吃饭的过程，直接写了宝、黛、钗的又一次心理冲突，内容就是回目前一句所概括的，大家都熟悉，我不必再复述那些情节。我只是要提醒大家，注意这里所出现的那个小丫头靛儿，有的版本又写成靓儿，我个人比较倾向于曹雪芹的原笔是靛儿，是谐"垫背"的那个"垫"的音。这个丫头在前八十回里只出现一次，但我估计八十回后她是要再出现的。就像小红怀疑黛玉偷听了她的机密，会疑忌黛玉，并会因此派生出一点情节一样，这个靛儿不过是问了句扇子的事，宝钗就对她那样声色俱厉，她哪知道宝钗是借她问扇的这个机会，用话敲打二玉呢？她人微身贱，当时也只好忍气吞声，但以后她的情况有了变化，再遇到宝钗，她会怎么说怎么做呢？大家可以揣想。我认为，曹雪芹他特别善于写人性的复杂，命运的诡谲，他并不是从概念出发来写人物的，他笔下的宝钗给我们的总体印象是温柔蕴藉，但偶尔也会金刚怒目，甚至伤及靛儿那样的无辜。

这一幕里，因为环境的转换，宝玉也只好尽快调整自己的情绪，以适应那样的人际应对。有人认为贾宝玉既爱黛玉也爱宝钗，这个说法是不准确的。如果说他作为绛洞花王，一个护花的王子，对所有的青春女性都有一种爱意，那么，宝钗是最华贵的牡丹花，他焉有不爱之理？他爱得只会更多。书里多次写到他对宝钗的美貌、风度、博学、诗才的激赏，甚至在上面我所引的那个例子中，他对她的身体也产生过"摸一摸该多惬意"的想法。但是，那不是严格意义上的爱情，他娶妻，娶正妻，还是要娶林黛玉。哪怕有所谓"金玉姻缘"的说法，娶宝钗困难少甚至无困难，而娶黛玉困难大甚至有难以逾越的困难，他也坚决要娶黛玉，笃信"木石姻缘"。为什么？就是因为从严格意义上的男女情爱角度来说，他对黛玉灵肉俱爱，连缺点也爱，连病态也爱，虽然他对宝钗那丰满的美臂有一种欲望，但那既然是宝钗的，他就从心理上放弃。对林妹妹的身体，他也绝不轻亵，必须是在婚后，在林妹妹心甘情愿并且觉得舒服的情况下，他才会去享受那热望中的东西。这种情怀，在那个时代，在他那种身份的贵族公子里，是非常难能可贵的；就是在今天，他的这种爱情观和婚姻观，也是可取的。

但第二幕所写的，不再是二玉的爱情，而是宝玉的人生困境。他希望在爱黛玉的前提下，也跟宝钗保持一种亲密的闺友闺情关系。但宝钗那冰雪般的身体里，其实也有努力压抑的青春火焰，那是吞进多少冷香丸也扑不灭的，看到二玉公开地因情而闹，又因情而和，她心里能好受吗？宝玉一句把她喻为杨贵妃的失言，她竟那般支撑不住，甚至说出"我倒象杨妃，只是没一个好哥哥好兄弟可以作得杨国忠的"这样古怪的话来。这句话，有人认为是骂宝玉不中用，不能在仕途经济上发达，其实，其中另有重大原因，我将在下面的讲座里加以揭秘，这里且按下不表。

这一幕里的宝玉是悲苦的。他生活在一个温柔富贵乡里，除了赵姨娘、贾环，几乎人人都对他好，捧凤凰似的，但即使如此，他和黛玉的爱情不仅仍然具有非法性、危险性，而且，他不能只是跟黛玉讲恋爱，他还要应付各方面的人际，不能让家长发现他那越轨的心思，也不能让宝钗对他看得太透因而心里头太难过。他希望有一种人际间的平衡，希望家长们能容忍甚至接受他和黛玉的爱情，并顺势导出一个遂心如意的婚姻，又希望自己能继续和其他姊妹，特别是宝钗和湘云，保持最亲密的闺友闺情关系。用今天的话语来说，就是希望"双赢"，他高兴，大家都高兴。这种情怀，也是宝玉人格组成里的重要因素，但生活、人性，都终于不能给予他这样一种平衡。而这一幕所表现的，就是他在失衡后产生出的大苦闷。

于是就有了第三幕。稍微写了点过场，和前面对荣国府的空间布局的描写吻合，可见是有庭院原型，并且很可能在提笔前画出了平面图的，所以写得一丝不乱。第三幕应该是在第一幕结束两小时左右之后，紧接第二幕，场景最后定格在王夫人的上房。

一个苦闷的、暂时陷于抑郁状态的男子，他解除苦闷摆脱抑郁的方法，就是不怎么高明的情感发泄。当然，解决这个问题有上策，比如去读优美的诗歌，听优美的音乐，或者去思考形而上的哲学问题。但往往在急切里，在混沌中，人就会不由自主地采取了中下策，那就是放任自己形而下的情感宣泄，不是以高尚的东西而是以粗鄙的东西来慰藉自己，麻醉自己。曹雪芹就这样来写贾宝玉，他没有把贾宝玉的人格内涵一味地拔高，他生动地写出，贾宝玉的情愫里，也有形而下的东西。其实早在前面的一些章回里，他已经写出了宝玉的"下流痴病"，他爱红，爱吃丫头嘴上的胭脂——这其实是一种含蓄的说法，谁是傻子？当然知道那其实是在干吗。在今天看来，这也是一种不文明的行为，起码是不雅的。

第二十四回里，鸳鸯奉贾母之命来怡红院传话，说贾赦病了，宝玉应该去看望、问候，并且要他代表贾母去表示关切。这时趁袭人进里面去收拾出门的衣服，宝玉就把脸凑在鸳鸯脖颈上，闻那香油气，还不住用手摩挲，觉得鸳鸯皮肤的白腻不在袭人之下，便爽性猴上身去涎皮笑道，好姐姐，把你嘴上的胭脂赏我吃了吧，一面说，一面扭股糖似的粘在了鸳鸯身上。你想想这是什么样的情景儿？按现在的说法，这就是对鸳鸯进行性骚扰，而且鸳鸯还不是父母辈的丫头，是祖母的丫头，你说宝玉像不像话？

曹雪芹刻画宝玉的形象，不是树立一个榜样，让读者去学习。后人有的肯定宝玉，说他反封建，但反封建有这么反的吗？他的这种行为，搁在什么时代什么制度下，都不可取。曹雪芹他就是要写出一个活人，他使我们相信，那个时候那个空间里，就有那样一个生命存在，他挟带着其人性中的全部复杂因素，就那样地度过了他的人生。他笔下的贾宝玉，给我们提供了丰富的认识价值，让我们见识到真实的人性。他在第二回已经通过贾雨村告诉了我们，宝玉属于那种秉正邪二气的人，他的人格因素里，有圣洁的形而上，也有粗鄙的形而下。

在第二十四回，鸳鸯是坚决地拒绝了宝玉的性骚扰，她高声唤出了袭人，宝玉不得不中止了他的下流行为。当然，袭人虽然责备了他，鸳鸯虽然拒绝了他，但也都并没有全盘否定他，因为她们也都感受到过宝玉那像护花般的对青春女儿的细心体贴。

丫头里面，也有比较轻佻，不但不拒绝宝玉的骚扰，而且还主动招惹他的，王夫人身边的大丫头金钏就是一个。在第二十三回，宝玉等人住进大观园前，贾政夫妇召见众子女，宝玉自然也赶到。在门外，金钏就上前赶着跟宝玉说，我这嘴上是才擦的香浸胭脂，你这会子可吃不吃？这一笔，是三十回这幕的伏笔。曹雪芹的这种几乎每一笔，甚至每一个字眼都草蛇灰线、伏延千里的写法，有的人他就总觉得，不可能吧？这么写累不累啊，这么读累不累啊？当然可以不这么去读，读时不去推敲这些细节里的名堂，但是我认为，曹雪芹他就是这么写的，这是他独有的写法，是把方块字的叙述技巧发挥到极致的表现。这是我们本民族，我们的母语里所产生出来的高妙文本，即使我们今天写小说不再这么写，至少我们欣赏《红楼梦》的时候，还可以这么来欣赏，对吧？

三十回第三幕，是风云乍变的一幕，那非常戏剧化的场景，那些细节，我也不在这里细重复了，大家一定记得。金钏乜斜着眼乱晃，在宝玉说要把她讨到怡红院去后，说，你忙什么，金簪子掉在井里头，有你的只是有你的。那么这一句作为伏笔，所伏的情节并不在千里以外，只隔一回，就是"含耻辱情烈死金钏"了。这再次说明，曹雪芹他就是那样的笔法，细节描写，人物说话，往往既符合当时的情景，又是一个伏笔，所伏的结局只在早晚之间。

宝玉对金钏的调笑，后来被贾环夸张地描述为"淫逼母婢未遂"，这固然属于别有用心，但宝玉在这幕里所展现的人格缺陷，也很难用什么理由来加以遮掩。一两个小时前，在黛玉面前还是那样心中充溢着圣洁的情怀，连接近拉个手都仿佛是在做一件冒昧已极的事，却仅仅在大约两个小时以后，就非常自然地转换了一副形而下的粗鄙心态，无论是口中言辞还是肢体语言都令人齿冷，你相信这是同一个人吗？我跟不止一位红迷朋友讨论过，他们对宝玉和金钏的评议各不相同，甚至互相抵牾，可是，没有一个人觉得曹雪芹写得牵强，都说情节的流动非常自然，宝玉这个人物显得真实可信。

第三幕的高潮，是原来似乎是僵尸形态的王夫人忽然翻身起来，照金钏脸上狠打嘴巴子，指着她大骂，宝玉则一溜烟逃走。宝玉逃跑以后，这一幕还继续了一段，就是王夫人叫人来，把金钏撵了出去。

宝玉这个生命，挟带着他人格中的全部因素，一溜烟从王夫人的正房跑出，回到了大观园里，之后又怎么样了呢？于是，出现了第四幕。

在前面，大观园盖好了以后，贾政领着一群清客，带着宝玉，各处浏览题匾额的时候，书里就写到，他们过了荼蘼架，再入木香棚，越牡丹亭，度芍药圃，入蔷薇院，出芭蕉坞……没想到这个似乎只是点染性的过渡句里，也有伏笔。到了第三十回，蔷薇院的花架，就成了第四幕的布景。

按说在第三幕里，宝玉惹了祸，他应该心里头很乱，不可能再把注意力转移到别处去。但是，一来他还不知道王夫人不仅是打骂了金钏，还在一怒之下，立刻唤人来把金钏撵了出去；二来，为了使下面的情节发展合理，曹雪芹特别写到当时的大观园里，赤日当空，树阴合地，满耳蝉声，静无人语，这样的客观环境，能够使人慌乱的主观意识平静下来。结果，他就写宝玉听到哽咽之声，被那声音吸引到蔷薇花架的这边，朝花架那边寻声觅人，于是就发现了龄官画蔷。当然，到这一幕完结时，宝玉只模模糊糊觉得那画蔷的女孩是十二官之一，并不能确定究竟是哪一官，而且也没参透她画蔷究竟何意，只是这一幕把他人格中的那个体贴青春女性的情怀又高扬了起来。他心里想，这个女孩，外面的情形已经到了这么个忘我痴迷的地步，心里正不知怎么受熬煎呢，她又那么单薄，心里哪里还搁得住这么熬煎，可恨自己不能替她分些过来……龄官画蔷的谜底，是到三十六回才揭开的，宝玉亦从中悟出人生情缘，各有分定，那是后话。在这一幕，曹雪芹再次去写宝玉对青春女性的泛爱泛怜，一扫大约顶多半小时前，他在金钏面前的那种形而下的轻薄姿态。那也是贾宝玉？这才是贾宝玉？究竟哪个是真，哪个是假？让读者看得眼花缭乱，吃惊不小。但我也相信，绝大多数读者读这回文字，不会因为作者写他在那么短的时间里，其表现是那么样地 跌宕起伏，转换多样，就觉得宝玉人格分裂，或者觉得作者文笔牵强。

曹雪芹就那么厉害，他写这一回，也好比做诗，起承转合，竟是那么天衣无缝，写到第四幕，已算写绝了，没想到，他还有让读者心里更难平静的第五幕。

第五幕的时间，紧接第四幕。实际上这一回的叙事，在时间上最为紧凑，没有丝毫间断。而这最后一幕的地点，是怡红院。舞台效果呢，应该是雨渐来、渐大。

第四幕末尾，已经开始下起阵雨。龄官发现花架外有人提醒她避雨，以为是个丫头，道了谢后就问，姐姐在外头，难道有什么遮雨的？后来龄官一定是弄清楚了那是宝玉，她便跟贾蔷说了，贾蔷眼皮儿杂，见人多，就把这事当笑话说了出去。到得第三十五回，就出现了两个婆子跑来看望宝玉。宝玉素习最厌愚男蠢女，死鱼眼珠般的蠢婆子本来应该是决计不见的，但是那天他却破例接待了那两个婆子。为什么？那两个婆子来自通判傅试家，从这名字就可知道，这个通判是个趋炎附势之徒。但是傅试虽然不怎样，宝玉却听说——注意，仅仅是听说——傅试的妹妹，叫傅秋芳，已经二十四岁了，仍待字闺中，据说也是个琼闺秀玉，才貌双全。宝玉居然就对这位几乎比他大十岁的女子——书里是怎么说的？叫做——遐思遥爱之心，十分诚敬！这又是怎么回事？贾雨村说不能把宝玉看成淫魔色鬼，那么，宝玉这是什么心理？

好在曹雪芹在那一段情节里，很快就安排那两个婆子有一段对谈。她们见过宝玉后，非常惊讶，一个说——那是她们亲眼看见的——玉钏，金钏的妹妹，因为给宝玉递汤的时候，不小心把汤打翻在宝玉手上，宝玉挨了烫，不顾自己，反倒急着问玉钏烫了哪里，疼不疼。那婆子对此评论说，怪道有人说他是外像好里头糊涂，这可不是个呆子？另一个婆子就跟上去说，说宝玉自己被大雨淋得水鸡似的，反告诉别人下雨了，快避雨去。她怎么知道的？想必是龄官告诉贾蔷，贾蔷告诉傅试，傅试学舌给妹子，经过那么个途径，她们知道的。她们当然都觉得这很可笑，但曹雪芹一定有信心，就是他相信读者们会自己对宝玉的这种行为表现做出自己的，并不觉得可笑，而是觉得可羡可敬、可喜可佩、可歌可泣、可赞可叹的反应。而这个婆子底下的话，我觉得就是曹雪芹本人，爽性借她的口，来对宝玉做深度描绘了。我希望现在的读者们，一定不要忽略这些句子。那么曹雪芹写下的是些怎样的句子？他是这样写的，说贾宝玉时常没人在眼前，就自哭自笑的，看见燕子，就和燕子说话，河里看见了鱼，就和鱼说话，见了星星月亮，不是长吁短叹，就是咕咕哝哝的，且是连一点刚性也没有，连那些毛丫头的气都受的……这位傅家婆子的话，真是比贾雨村那长篇大套的议论，听起来还深刻，通俗地勾勒出了宝玉的人格。

宝玉当然不是淫魔色鬼，他对傅秋芳遐思遥爱，我觉得，也许还有另外一个因素，就是在那个时代，傅秋芳那样的一个姑娘，从十四岁起家里就可能开始给她找婆家，她哥哥可能更妄图以她为本钱，跟豪门贵族攀亲。总未有那样的人家接受，固然是一个原因，傅秋芳自己坚决不肯轻易嫁人，肯定是更重要的原因。这应该也是一个秉正邪二气的乖僻之人，竟到了二十四岁还没有出阁，还在等待一个符合自己心愿的姻缘，想起来，怎不令人肃然起敬？这个傅秋芳，八十回后肯定有戏，未必遂了她自己心愿，但她与宝玉，应该有些纠葛，也许她也是宝玉落难时，伸出援手的角色之一。

宝玉的泛爱，也不仅是爱青春女性，他爱天上的燕子，爱水里的鱼儿，他跟星星月亮对话，他能把自己跟宇宙融为一体。脂砚斋在批语里透露，全书最后的《情榜》，宝玉的考语是"情不情"，就是他对天地间一切无情的事物，也能赋予真挚的感情。这是多么了不起的情怀啊，他的人格的最高层次，真是达到了"侔于天"。按说，我们给他一句赞颂："大哉，宝玉！"似乎也不过分。

但是在第三十回第五幕，曹雪芹竟写出了更出于我们意表的戏剧性场面，对那一幕大家印象一定很深刻。那就是，大雨中他敲怡红院的门，里面没人料到是他回去，迟迟没有人理他，最后是袭人去开门，宝玉一肚子没好气，门刚开，就一边骂一边伸脚猛踢，把袭人踢得晚上吐血，不觉将素日想着后来争荣夸耀之心，皆尽灰了。这是宝玉第二遭对丫头发威，第一遭是在第八回，大家还记得吧？我曾经讲得很多，就是枫露茶事件，他酒醉后跟茜雪发火，导致茜雪被撵了出去。

大约半个多小时前，在第四幕里，宝玉还是个护花天使，但回到怡红院，这第五幕中，他却陡然又成了摧花纨绔。

这一回，大约也就六千多字，每一幕，也就用了一千多字，而宝玉人格的五个层面，就都写到了，而且写得那么流畅，那么自然，天衣无缝，真实可信。

什么叫大手笔？不知您对此怎么个感想，我是服了。多好看的《红楼梦》，多了不起的曹雪芹，多耐人琢磨的贾宝玉。

我这样地总结了贾宝玉人格的五个层次，从低到高：

第一个层次：纨袴公子本色，以我为主，有发怒施威的特权。

第二个层次：戒不掉形而下，爱吃胭脂，以轻薄调笑解郁闷。

第三个层次：享受闺友闺情，渴望平衡，在细微体贴中快乐。

第四个层次：笃信木石姻缘，圣洁之爱，绝对尊重绝对专一。

第五个层次：追求诗意生活，融进宇宙，能以真情对待无情。

关于贾宝玉，可以讨论的问题还很多，但是下面我必须要快点讲讲林黛玉和薛宝钗了。我想大家最关心的应该是，为什么曹雪芹总把黛、钗并列？如果说高鹗所写的林黛玉焚稿断痴情、魂归离恨天并不符合曹雪芹原来的构思，那么，林黛玉应该是怎么死的呢？下一讲，我就要涉及这个话题，且听下回分解。

第二十七讲
黛、钗合一之谜

　　上一讲末尾，我提出了关于林黛玉和薛宝钗的问题。其实，关于这两个角色的问题还很多，比如就有红迷朋友问我，林如海的大笔遗产，林黛玉怎么没有继承到？又有红迷朋友问，薛宝钗后来的命运似乎跟贾雨村还有关系，是真的吗？面对这么多的问题，我觉得还是要先讨论大问题，这大问题就是，总体而言，对黛、钗这两个人物，我们应该有怎么样一个评价？曹雪芹塑造她们，明明有鲜明对比的用意，那怎么又会有黛、钗合一的艺术设计？

　　从思想上说，林黛玉对封建社会的主流价值观念不以为然，她从不劝贾宝玉读圣贤书谋取功名，对自己的个性不但不收敛，还相当地率性张扬；而薛宝钗呢，确实是一味地迎合封建社会的主流价值观念，在封建家长面前尤其懂得收敛个性，处处乖觉讨好，总是劝说贾宝玉走"仕途经济"的"正道"。从上世纪 50 年代中期以来，这样认识黛、钗，算是抓住了本质，已经成为人们的共识。这方面的论述非常之多，我不再重复举例说明。

　　上世纪 50 年代以前，有的红学家完全从自我审美感悟出发，觉得黛、钗如两山并立，二水分流，各现其美，各尽其妙，提出黛、钗合一的观点。有的读者，当然，主要是男性读者，则黛、钗同赏，认为如果娶妻如钗、交友如黛，那可是人生有大福。这实际上也是在意识里形成了一个黛、钗合一的格局。更有一些读者，男读者、女读者都有，他们更喜欢宝钗一些，觉得那才是理想的女性；黛玉嘛，身体不好，有病，而且很可能是肺结核，传染性很强的一种病。这且不去管它吧，那个性格啊，小心眼儿，说话尖酸刻薄，刀子嘴，还未必是豆腐心。比如她形容刘姥姥是"母蝗虫",虽然不是当着刘姥姥说的,但是这样背后嘀咕,尤其所丑化贬低的是一位农民,心地实在是不厚道。这个表现,无论如何也归纳不到"反封建"里头吧,可以说是流露出了十足的贵族小姐的优越感,很要不得!这些观点、读后感,在上世纪 50 年代后期,要么是受到批判的,要么是处在非主流的状态。

把黛、钗之间的思想差异以现代的观点加以揭示,当然是对《红楼梦》的一种很好的读法,这样读,也就是把《红楼梦》当做一部具有反封建正统观念的进步的书,从中获得巨大的认识价值。通过贾宝玉和林黛玉这两个艺术形象,还可以分析出来,曹雪芹是在他们身上力图展现出社会新人的某些特性,从而也就可以给予曹雪芹本人很高的评价。就是说,这个作者很了不起,他塑造出了具有进步性的典型形象,在那样一个黑暗的时代,居然能画出一道闪电,照亮历史前进的路径。

到了今天,人们阅读《红楼梦》,似乎已经没有了什么框框条条,对黛、钗这两个形象,持什么观点、抱什么态度的都有。我个人觉得,以现代意识为坐标,把黛、钗的思想差异揭示出来,指出黛玉这个形象的主流是反封建的,具有进步意义的;同时指出宝钗这个形象是顺应封建的,带有消极性,还是站得住脚的。这对我们阅读、理解《红楼梦》,还是非常有好处。

我读《红楼梦》,觉得黛、钗的思想差异,曹雪芹不是无意中写成那样的。认为黛、钗只有性格差异,没有思想差异,那不符合《红楼梦》文本的实际情况。但是,黛、钗合一,又确实是曹雪芹写这两个人物的一个总体设计,这不是因为我要反对以现代观点分析黛、钗这两个艺术形象,而非要来纠缠的。

上面已经详细讲过,第五回写金陵十二钗正册,第一页是一幅画、一首诗,分明是黛、钗合一。《红楼梦十二支曲》中的《终身误》一曲,是用宝玉的口气咏叹,但也分明是把黛、钗合在一起说。后来警幻仙姑把其妹介绍给宝玉,明写那女子是,鲜艳妩媚,有似乎宝钗,风流袅娜,则又如黛玉,而且,那美女的乳名,偏叫兼美,表字是可卿。你看,明明后面要写到很多黛、钗两个人的不同思想意识,不同的表现,可是曹雪芹他在文本里,对这两个人物的总设计却是这样的,他就是合一,就是兼美。这个谜,难道不应该也给它解开吗?

脂砚斋,我认为是曹雪芹的合作者,也认同其生活原型是曹雪芹的一位姓李的表妹,在书里面,她则被塑造成史湘云那样一个艺术形象。她批书,是明确指出了的，说，钗、玉名虽二个，人却一身，此幻笔也。当然，即使脂砚斋确实是曹雪芹的亲密合作者，她也未必完全领悟曹雪芹的思想高度，她对八十回后情节的透露，对曹雪芹艺术手法的分析，参考价值是大于她对作品思想性分析的。我坚持认为，曹雪芹写黛、钗这两个艺术形象，是刻意要写出她们的思想和行为差异的。当然，他不是把一个一味地往正面写，一个一味地往负面写，他写出了每一位性格的复杂，人性的诡谲，他写出的不是肯定或否定的概念，而是活鲜鲜的生命存在。但不管怎么说，他对薛宝钗规劝贾宝玉读书"上进"，是持明确的否定态度的；对林黛玉的不以功名利禄为意，是旗帜鲜明地加以肯定褒扬的。特别是在第三十六回，他借贾宝玉之口批判薛宝钗，下笔是不留情面的，还记得他是怎么写的吧："好好的一个清净洁白女儿，也学的沽名钓誉，入了国贼禄鬼之流！这总是前人无故生事，立言竖辞，原为导后世的须眉浊物，不想我生不幸，亦且琼闺绣阁中亦染此风，真真有负天地钟灵毓秀之德！"好家伙，简直要把薛宝钗从水作骨肉的系列开除出去，归到泥作骨肉的须眉浊物系列里头去了！而且更直接写出，独有林黛玉自幼不曾劝他去立身扬名，所以深敬黛玉。

　　如果脂砚斋的原型真是史湘云，不知道她对曹雪芹在第三十二回里那样写湘、宝对话，究竟作何感想？那段情节还记得吧？贾雨村跑来拜见贾政，又要会见宝玉，宝玉不得不去。史湘云见他满心不高兴，就劝说他，你就不愿读书去考举人进士的，也该常常地会会这些为官做宰的人们，谈谈讲讲那些仕途经济的学问，也好将来应酬事务，日后也有个朋友，没见你成年家只在我们队里搅些什么！请大家注意，其实，前八十回书里并没怎么明写薛宝钗劝谏贾宝玉，倒是非常具体地写了史湘云如此这般地来劝谏贾宝玉。而贾宝玉呢，就老实不客气地让史湘云走人，说，我这里仔细污了你知经济学问的。当袭人告诉史湘云，说薛宝钗为此也碰过钉子，极为难堪，幸而是宝姑娘碰的钉子，要是林姑娘，不知道会怎么哭闹呢。宝玉就说，林姑娘从来不说这些混帐话，若她也说这些混帐话，我早和他生分了！生分，就是活着的时候就分手，断绝关系。这些文字，很难做别的解释，比如说宝玉并不真爱黛玉，他对黛玉主要是怜惜，同情黛玉寄人篱下、体弱多病而已；也很难从这样的描写里得出在前八十回里，宝玉实际上爱的是史湘云的结论。脂砚斋在第三十二回，写到宝玉说那些话是"混帐话"后，有一条脂批，说是：写足憨宝玉，殊可发一大笑！她竟然只觉得那是写宝玉的性格而已，似乎并没有认识到，这是在写宝玉这个人物的思想，非常重要的思想！

但是，在上面我所引用过的第三十六回的那段文字，就是宝玉愤恨立身扬名那一套居然污染了闺阁。那段文字下面接着就写，宝玉不但有言论，而且有行动，他祸延古人，除四书外，竟将别的书焚了。在这个地方，出现了一条脂批，说，宝玉何等心思，作者何等意见，此文何等笔墨！简直是赞赏有加。我觉得，这就说明，脂砚斋对曹雪芹在《红楼梦》里所表达的思想，还是有一定理解的。她懂得，曹雪芹写一个贾宝玉，一个林黛玉，两个人不在"混帐话"的指导下生存，是离经叛道的，非同小可的。她也容忍曹雪芹以她为原型，在前八十回里，写出一个其实完全不懂仕途经济的史湘云，只跟着薛宝钗原型那样的人学舌所遭遇到的情况。

说黛、钗这两个艺术形象，思想行为都有明显差异；而且从本质上说，一个是封建礼教的叛逆，一个是封建礼教的忠臣，是尖锐对立的，这样的立论，我大体是认同的。但我的读后印象是，在前八十回里，这两个人的思想差异或者说本质上的对立，都是折射式的，两个人并没有在这样的大是大非上形成哪怕是一次的正面冲突。她们的正面冲突，都表现在因对宝玉的感情而引发的短兵相接之中。林黛玉是刻薄大师，不知您认为书里头，黛玉对宝钗最刻薄的一句话是什么？我认为，那是在第三十四回，宝玉挨打以后，黛玉自己因为心疼宝玉，两眼哭肿，像桃儿一般，可是，后来她立在花阴下，看见宝钗走过，发现人家眼睛上有哭泣的痕迹，就嘲笑说，姐姐也自保重些儿，就是哭出两缸眼泪来，也医不好棒疮！你听听，这叫什么话？只许自己眼睛哭成红桃一般，不许人家眼有泪痕，说这样尖酸的怪话，这样的冲撞，恐怕不能说是以反封建的思想，去向忠于封建的思想开炮吧？就算你黛玉追求恋爱婚姻自由，怕宝玉被"金玉姻缘"的邪说拐走了，"卧榻之侧，岂容他人酣睡"，那也犯不上这么出语伤人啊！

宝钗在关键时刻也绝不吃素。书里宝钗对黛玉最厉害的一次回话是哪次？您的看法不知道跟我会不会不谋而合？我认为是在第三十回里，黛玉问宝钗在她哥哥的生日宴席上看了几出什么戏，薛宝钗就故意说，我看的是李逵骂了宋江，后来又赔不是。宝玉一旁就说，这出戏叫《负荆请罪》呀——宝钗就干脆把炮口对准黛玉、宝玉两个人，气呼呼地说，原来这叫做负荆请罪，你们通今博古，才知道什么是负荆请罪，我不知道什么是负荆请罪！几句话说得二玉脸红无语，所以说宝钗也不是一味地装愚守拙，温柔敦厚，她一金刚怒目，也够尖酸刻薄的。但是，这场正面冲突也只能说是三角恋爱的情感冲突，很难说她那就是用坚持封建礼教的一套，来抨击二玉的离经叛道。就这个情节而言，我觉得确实分析不出那样的内涵来。

到了第四十二回，这一回写到，因为黛玉在前面玩牙牌的时候所说的牙牌令里，用了《西厢记》《牡丹亭》里的句子，宝钗就要审问她。玩牙牌，说出那样的令词，是犯大忌的。其他人听出来没有，不得而知，可能是没听出来，或许以为不过是两句戏词儿。那个时代封建贵族家庭的青年男女，看《西厢记》《牡丹亭》的戏不算越轨，读那样的书，却要被视为下流行为。薛宝琴作的十首怀古题材的灯谜诗，最后两首牵扯到《会真记》和《牡丹亭》，薛宝钗就"随处装愚"，说："前八首都是史鉴上有据的，后二首却无考，不如另作两首为是。"黛玉辩解说，戏里有的，李纨也说，说书唱戏，里头都有，甚至算命求的签上的注批里也提到，意思就是可以从读书以外的途径得到那样的信息。李纨最后更明确地说，况且又不是看了《西厢记》《牡丹亭》的词曲，没关系，留着吧，两首诗不用另作。宝琴作诗的情节，已经是第五十一回，但对我们理解那个时代的一种多少有点古怪的封建礼教规范，即可以从戏曲曲艺里头知道，却不许直接去阅读那样的书籍词曲，有加深一步理解的作用。

记得我最初读第四十二回，读到宝钗把黛玉叫到蘅芜院，让黛玉跪下，说要审问黛玉，我就想，啊，封建卫道者和封建叛逆者，这回肯定要正面冲突、决一雌雄了！但是，往下一读，不对，竟是写黛、钗两个人的和好。这一回的回目，不但毫无火药味，倒充满温馨的氛围，叫做"蘅芜君兰言解疑癖"，不是"谰言"而是"兰言"，"兰言"就是知心话；不是引出激烈的辩论，而是解除了对方的怀疑癖病，黛、钗从此和平相处，直到八十回最后。这不是黛、钗合一是什么？

这一回脂砚斋特别批道，今书至三十八回时已过三分之一有余，故写是回，使二人合一。这条批语很重要，她说《红楼梦》这书到第三十八回就已经过了全书的三分之一，可见曹雪芹已经写成的，或已大体拟好回目，计划要完成的《红楼梦》不是一百二十回，实际比这个数目要少。如果是一百二十回，那么到第三十八回就不是过三分之一，而是不足三分之一。估计曹雪芹的书稿至多是一百一十回，很可能是一百零八回。脂砚斋认为，曹雪芹并不打算把黛、钗的矛盾冲突贯穿全书，在全书过三分之一以后，就有意结束她们之间的摩擦冲撞。她那个话，就是说钗、玉名虽二个，人却一身，此幻笔也，也是在这一回的批语里说的。她还说，请看黛玉逝后，宝钗之文字，便知余言不谬也。她已经看到了八十回后黛玉死去后的情节，她那时以为我们这样的后人，这样的读者，早晚也能看到，而且会获得跟她一样的感受。但是，曹雪芹所写的八十回后的文字，后来却被所谓借阅者迷失了，我们哪里看得到，我们只好去想象，但想像黛、钗名虽二人却一身，不知您的想象力是否能达到那个程度，反正，我得坦白地说，困难。

我个人阅读《红楼梦》的感受，首先是黛、钗名不同，人也明明白白地是两个。但是，到第四十二回，她们竟和好了。这也确实是曹雪芹的原笔原意，两个对立面本来可以比喻为两张牌，到这一回以后，却合为了一张牌，一个是这边牌面，一个是那边牌面，密不可分了。曹雪芹为什么要这么写？

更值得推敲的是，曹雪芹让笔下的贾宝玉也对黛、钗合一感到惊讶。第四十九回写到贾母深喜宝琴，连宝钗都醋意大发。宝玉一向深知黛玉有些小性儿，他正怕黛玉因此心中不自在，可是，展现在他眼前的情景，所听到的话语，却是黛也不嫉妒琴，钗也不讥讽黛，大大地出乎宝玉的意外。这时候曹雪芹就写人性了，他怎么写的呢？宝玉看到黛、钗合一，心中闷闷不乐！按说，黛玉对宝钗放心了，也就不会再跟他宝玉就什么"金玉姻缘"使小性子闹闷气了；宝钗不再逮机会嘲讽他和黛玉了，天下从此太平，他耳根也可以大大地清净，应该是高兴还高兴不过来呢，怎么反倒会闷闷不乐呢？这就是人性的奥秘了。爱情的甜蜜，其实其中有一个不可或缺的部分，就是恋人对情敌的防备，以及必要时的主动出击。当然，这个部分过分膨胀，闹得沸反盈天，是会恶化爱情的；但这个部分完全消失，面对情敌，甚至在增加潜在的情敌的情况下，居然完全无所谓起来，那么，爱情也就有了缺陷，就显得淡而无味。宝玉面对黛玉真诚地把宝钗当姐姐把宝琴当妹妹待，他就若有所失，就闷闷不乐了。

黛、钗合一，当然不是两个人完全合并为一个人，只是她们不再冲突，从相互防备到相互慰藉，这究竟是怎么一回事？曹雪芹通过宝玉私下里去问黛玉，给了一个解释。宝玉借《西厢记》里一句话，就是："是几时孟光接了梁鸿案？"他这是问黛玉，是几时她跟宝钗尽弃前嫌，和好到如此地步的？黛玉就告诉宝玉是怎么一回事儿：她说错了酒令，宝钗不是去向家长告发，而是私下里给她提醒，实际上进行保护，后来更怜惜她寄人篱下，派人给她送来上好的燕窝和洁粉梅片雪花洋糖，从那时候起，她就改变了对宝钗的看法。她对宝玉说，谁知宝钗竟真是个好人，我素日只当她藏奸！宝玉这才明白。

宝玉明白了，作为读者，我们也跟着就明白了吗？我开头，说实话，还是不怎么明白，后来，多读了几遍，又细想一番，才算明白过来。

在那个时代，如果宝钗背靠背地不让黛玉知道，也不摆出正式告密的架势，只是趁一个机会，在她母亲或王夫人，或干脆在贾母面前，聊闲篇地淡淡说起，黛玉不知道从哪里得到了《西厢记》《牡丹亭》的邪书词曲，读得入了迷，以致那天玩牙牌，说牙牌令，竟然连续说出了两句。那么，纵使这些家长不至于去追查、去责备黛玉，黛玉在她们心目当中，也会立刻就成为不轨之女。薛姨妈、王夫人本来就防着黛玉，如果不是有贾母在，也用不着黛玉犯错误，她们早就包办二宝的婚姻了；那么如果贾母知道黛玉竟然偷读邪书，喜欢"淫词浪曲"，她在为宝玉选择媳妇的时候，天平就一定会向宝钗倾斜。但宝钗在这样一种情势下，竟然没有藏奸告密，而是把黛玉引到蘅芜院私室，诚恳谈心，不仅劝诫黛玉要小心谨慎，更向黛玉坦白，你还记得那段话吗？宝钗怎么说的？她说，你当我是谁？我也是个淘气的，从小七八岁上也够人缠的。那时候，她家大人藏书里，诸如《西厢记》《琵琶记》，以及《元人百种》，无所不有，家里弟兄们背着她看，她也背着弟兄们看，当然，全都背着大人一一看过。这么说，其实宝钗在看所谓"邪书"，读所谓"淫词浪曲"方面，时间比宝玉、黛玉早，种类比他们也多，算得上是个先行者。我们都该记得，早在第二十二回，宝钗就跟他们介绍过《鲁智深醉闹五台山》那出戏里的一阕《寄生草》，如果不是读过那词曲，光凭看戏，她怎么背得下来，而且还能分析出那么多道道？宝钗告诉黛玉，自己其实是个过来人，后来被家长发现，打的打，骂的骂，烧的烧，这才丢开了。当然，宝钗毕竟是宝钗，她免不了对黛玉一顿训诫，说女儿们只该做些针黹纺织的事才是，黛玉虽然感谢宝钗对她的真诚与保护，却也未必就从此按"女子无才便是德"的规范去想去做。实际上在四十二回以后，这两个人大体上还是各行其道，但是双方成了朋友，不再猜忌冲突，合好为一，这是事实。黛、钗合一，不是人的合一，而是人际上的合一。

曹雪芹为什么要这样安排，设计出黛、钗合一的情节？这才第四十二回啊，按全书一百零八回计算，一半都不到，两个本质上对立的艺术形象，就不互相冲突了。这说明，尽管我们后人有的按照现代意识，比较强调黛的反封建和钗的顺封建，喜欢看她们两个一再地冲突。可是，曹雪芹没有满足这种心理需求，他虽然在下面也还是写到黛、钗的重大差异，比如第七十回她们二人所填的柳絮词，仍然各唱各调，大相径庭，但是，起码从写黛玉不再尖酸刻薄，尤其不再对宝钗摩擦冲撞这一点上说，岂不是磨去了她的棱角，减弱了这一艺术形象的抗争性？

我的看法是，曹雪芹他这样设计，是因为在他心目里，黛、钗尽管思想有别，追求不同，但她们同是闺阁囚徒，同样受到封建礼教的压抑，都属红颜薄命，都应给予理解、同情，为之惋惜、哀悼。

第七回，就是周瑞家的送宫花那一回，就写道，薛宝钗胎里带来一股热毒，这是什么意思呢？就是暗示，她其实和其他贵族家庭的青春女性一样，从先天说，她身腔里也是一副渴望自由、向往爱情的，热烘烘甚至可以说是热辣辣的灵魂。在这个生命的本原上，她跟黛玉并没有什么不同，但是，到了后天，她在封建家长的教训下，就自觉地以自由恋爱、流露真情、张扬个性、独来独往为错，为耻，为罪，为孽，她就以最大的努力来压抑自己，给自己的灵魂降温，一直降到冷冰冰的程度。书里写道——当然，那是一种艺术手法——一个秃头和尚，给介绍了一个奇怪的海上方。那药丸需要怎么配制？我不在这里重复，你应该有印象，就是说，简直难于上青天，几乎牵扯到每一个重要的节气，要求非常地苛刻。那段文字，其实是一个隐喻，就是说她那个生命，年年月月，日日夜夜，都必须战战兢兢，规规矩矩，才能压住先天的热毒，达到所谓端庄贤淑。她的美，书里多次写到，但也一再地点出，那种美，属于"任是无情也动人"的冷艳。

黛玉一旦听到宝钗口吐心曲，达到理解，当然也就谅解了宝钗以往的种种，得出宝姐姐"竟真是个好人"的结论，也就不奇怪了。

黛玉明爱宝玉，宝钗暗恋宝玉，宝玉却只爱黛玉，但他们都不能获得恋爱与婚姻的自由。那个时代，尤其是那样的家庭，婚姻是由父母来包办的。曹雪芹在第四十二回让黛、钗合一，不再以她们之间的思想行为差异和摩擦冲撞为情节的推动力，那么，他改换了什么样的情节推动力？我以为，一是他从纵深开拓读者视野，像从第五十五回到第六十一回，除了其中第五十七回去写慧紫鹃试忙玉，他用了六回书，把笔触延伸到大观园内外的中下层人物，让读者领略到更多种生命的更多样的生死歌哭，他让我们知道矛盾无处不在，而种种利益的、性格的、情感的冲突，必将导致一个大悲剧的发生。贾府先是内乱，然后将会外患与内乱交织，他要腾出手去写山雨欲来风满楼，最后是忽喇喇大厦倾，这是他要充分展开去写的。

另外，他就要写宝玉究竟娶谁当了媳妇，这个结局，主要是由荣国府的家长来决定，但荣国府的家庭权力结构有一定的特殊性，那就是，只要贾母活着，贾政和王夫人在宝玉娶亲的问题上，就不能不尊重贾母的意向、贾母的决定。

一位红迷朋友跟我说，他反对宝玉跟黛玉结婚，因为黛玉母亲姓贾，是宝玉姑妈，二者为姑表亲，血缘太近，从优生学角度考虑，他们如果近亲繁殖，会生下呆傻孩子。相对而言，宝钗虽然也是表妹，但其父母均系外姓，他们是姨表亲，血缘稍微要远一些，但要是搁在现代社会，也不该结婚，因为埋伏着下一代的隐患。总之，宝玉尤其不能娶黛玉。这位红迷朋友说，据他所知，就是在旧时代，一般也不让亲姑表兄妹结为夫妻。他说，真不懂曹雪芹为什么要这样来设定宝玉、黛玉这两个恋人的身份。

在旧时代，确实，一般也不提倡亲姑表兄妹婚配，但如果是堂姑表兄妹呢，那就没关系了。父母之命，媒妁之言，如果加以撮合，谁都会认为不成问题。

我跟那位红迷朋友说，书里虽然把贾政设计成贾母的亲二儿子，但其原型其实是曹頫，本是贾母原型李氏丈夫曹寅的一个侄子，在曹寅和其亲生子曹颙相继死去后，才过继到曹寅名下，成为奉养李氏的儿子。在真实的生活里，这母子二人并无直接的血缘关系。我在前面的讲座里已经讲过，书里的贾赦，虽然被说成是贾母的大儿子，其实在真实的生活里，根本只是曹頫的一个哥哥，并没有一起过继到李氏名下。因为曹雪芹是写一部带有自叙性、自传性、家族史的小说，他就没有彻底地去虚构，没有写贾母的大儿子贾赦住在荣国府的正院正房，尽袭了爵的长子奉养亲母亲的孝道，他还是按真实的生活来写，写过继来的儿子跟母亲住在一起，这是《红楼梦》文本的一大特点：当生活真实与艺术假设发生冲突时，他往往会牺牲艺术假设的合理性，去求得描写的真实性。

那么，我们也就可以知道，在真实的生活里，李氏的儿子死光了，女儿本来还有一个，嫁了人，生了她的外孙女，但是不久也死了。于是，她把那外孙女从江南接到北京，转化到小说里，就是林黛玉。贾母那样珍爱宝玉，可以理解，因为按那个时代的思维，过继来的儿子是个成年人，礼数上是母子，感情上很难达到交融。但是，孙子是看着生下的，一天天捧凤凰似的养大，那就跟亲儿子生的无异，可以建立起深厚的感情关系。这种生活中的真实情况，在书里被描写得细致入微，大家都熟悉，我就不再举例说明。那么，林黛玉来了，而且，后来她父亲也死了，就常住荣国府了，贾母对她为什么那么疼爱，在住进大观园以前，一直把她留在身边，跟宝玉一个待遇，对黛玉的个性张扬，她看在眼中，听在耳里，却放任自流，不加约束，那究竟是为什么？大家想想贾母的生活原型，李氏她每天睁开眼，虽说名分上有儿子，有儿媳妇，有儿媳妇内侄女来她跟前逗趣，把她奉养得不错，但真正跟她有血缘关系的究竟是哪个？说老实话，就只有一个，她亲女儿的亲女儿，她的外孙女，也就是林黛玉的原型。

这么一捋，你就该明白了，在真实的生活里，宝玉的原型和黛玉的原型，在血缘上，并不是亲姑表兄妹，再拿来跟宝钗的原型一比，啊，那宝玉原型跟宝钗原型的血缘，反而离得近多了！要从优生的角度考虑，反而是宝玉原型跟黛玉原型结婚，更合适。

由于在真实的生活里，贾政原型是过继到贾母原型门下的，因此，转化到书里，你就可以感觉到，只要贾母在，在家庭的大事情上，尤其是宝玉娶媳妇的事，贾政夫妇就是有主意，也不敢轻易表露，是必须看贾母眼色，听从贾母安排的。贾母呢，她知道自己跟贾政、贾赦的关系都是极为微妙的，因此，也就轻易不露峥嵘。第七十九回，写到贾赦做主，将迎春许配给孙绍祖，贾母是什么态度呢？她虽然心里不乐意，最关键的一条，却是想到这是人家亲父亲的主张，何必多事出头？因此只说"知道了"三个字。可见真实的生活里，迎春的父亲跟贾母只是同族晚辈与族中老祖宗的那么一种很隔膜的关系，迎春只是另院别房寄养来的一个堂孙女儿，所以贾母不便表示意见，否则，不会这样行文。

附带说一下，我在前面讲贾府婚配时，分析出邢夫人是贾赦的续弦填房，有红迷朋友来信跟我讨论，说你光说邢夫人没有生育，就断定她是后娶的，逻辑上不完满，因为也可以解释为她虽然是头娶的正妻，但不生育啊。那么这里我做一点补充，就是关于迎春的出身：在古本《红楼梦》上，有许多不同的写法，但在甲戌本上，写的是赦老爹前妻所出。甲戌本是目前我们所能看到的，相对而言最早的一个抄本，它关于迎春出身的设定，应该是可信的，那么邢夫人是续娶的，也就可以明确了。曹雪芹在对迎春出身设计上的犹豫，看来主要是出于这样的考虑：他要把这个角色，跟探春、惜春更严格地区别开来，以展现不同出身的贵族女性在大家族中不同的处境和心理，如果迎春也写成庶出，那么就容易跟探春的故事重复。

　　贾母可以对迎春的出嫁采取不干预的消极态度,那么,对黛玉,她能消极吗?在真实的生活里,那个时期的李氏,她举目一望,眼前人头不少,但谁是她真正的亲人?当然,是黛玉的原型,她嫡亲的外孙女儿,还有她从小养大的凤凰——宝玉,如果这两个人结合在一起,成为夫妻,那不是最美满的安排吗?

　　当然,还有一个人,跟贾母血缘很近,就是湘云。小说里写得很清楚,她是贾母的娘家人,是贾母侄子的女儿,这个侄子和他的夫人都亡故了,是她另外两个侄子——保龄侯史鼐和忠靖侯史鼎夫妇——轮流在收养、照顾湘云。当然,湘云在血缘上,比黛玉离得远一点,但毕竟血管里流着她娘家的血,因此书里写着,在大观园盖起来之前,湘云到了荣国府,也是跟贾母在一个大屋子里住。在真实的生活里,李氏和她的李姓的侄孙女——史湘云的原型——应该就是这样一种血浓于水的感情。

　　书里面所写,我们应该是看得明白的:王夫人、薛姨妈两姐妹,是一心想让宝玉娶宝钗的。对于黛玉,她们首先是绝对看不上其个性的张扬。王夫人讨厌晴雯,后来她明白地说出来,一是她眉眼像黛玉,二是轻狂,虽然没说那狂样也像黛玉,其实就是那么一个意思,黛玉在她眼中心里,也分明是个勾引宝玉的“狐媚子”。撵晴雯、四儿等,不过是扫外围,最终的目的,是将宝玉从黛玉的所谓“勾引”中解救出来,去迎娶宝钗。所谓“金玉姻缘”,不过是她们散布出的一种舆论,实际目的,是通过这个婚姻把贾家的财富地位更牢靠地掌握到王家手里。薛姨妈呢,在慧紫鹃试忙玉以后,更感觉到黛玉对她们姐妹的计划是个大障碍,于是爽性趁机住进潇湘馆,把黛玉控制起来,使宝玉和黛玉的感情交流更加地不方便。所以,虽然书里写的尽是些太太小姐们说说笑笑吃吃喝喝的似乎祥和温馨的场面,其实,那也是没有硝烟的战场,进行着暗地里的较劲儿,那是一场夺宝之战。

　　贾政那个时候,还没有去考虑宝玉的婚事,小说里后来让他出差在外,更管不了许多。那么,夺宝战是在谁跟谁之间展开呢?难道是在王氏姐妹和贾母之间展开吗?书里不是有很多处写到贾母对宝钗的夸赞么?高鹗续书,他设计了一个“调包计”,计策虽然是王熙凤首创,贾母也是赞同支持的,还写到贾母最后厌烦了黛玉,任她孤独悲惨地焚稿断痴情。那么,究竟在宝玉娶亲的问题上,按曹雪芹的构思,贾母是怎么想的?在黛、钗之间,她这架至关重要的天平究竟朝哪边倾斜?黛、钗的结局,究竟是怎样的?我在下一讲里,继续跟您讨论。

第二十八讲
黛、钗婚配之谜

　　在上一讲开始，我提到一个问题，就是黛玉的父亲林如海死后留下的遗产，她好像没有得到，为什么？由于上一讲主要是讨论黛、钗合一的大问题，这个问题就没来得及探讨，现在，我们先来研究一下这件事情。

　　书里对林黛玉的母亲贾敏，从贾家嫁到林家，那个林家的情况，交代得是很清楚的。林黛玉的父亲林如海，祖上也曾袭过列侯，贾代善和史太君夫妇将贾敏嫁进这么一个门第，应该说还是门当户对的。林家封袭过三世，到林如海父亲，又袭了一代，到了林如海，就从科第出身，这样，林家就既有钟鼎之家的底子，又有书香门第的特色，这是一个很不错的家庭。书里故事开始的时候，林如海是前科探花，升至了兰台寺大夫，正管理鹾政。"鹾"这个字读作"搓"，就是我们日常生活里离不了的咸盐。林如海被皇帝钦点为巡盐御使，这是不小的官，而且是美差、肥差，过去有所谓"三年清知府，十万雪花银"的说法，连所谓清官——知府也算不得什么大官——不着意去贪污受贿，尚且可以获得那么多的财富，巡盐御使比知府大多了，你想想，油水肯定不会少。当然，《红楼梦》里的官职，基本上都是把现实中存在的，参考更古的时候的一些官名，加以变化来设定的，并不是清代官职的照搬。这当然是因为，曹雪芹下笔时必须非常小心，在那样一个文字狱盛行的历史时期，他有不怕，该吐的气一定要吐出，所向往的一定要弘扬，非常有勇气的一面；也有不必作无谓的牺牲，以艺术想象跟现实政治、现实社会拉开距离的，非常睿智的一面，这是我们理解《红楼梦》文本特色不可或缺的一把总钥匙。

　　林如海官不小，他再清廉，财产也少不了。书里又交代，他在黛玉之前，生过一个儿子，但养到三岁就夭折了，林家人丁寥落，只有些堂族亲戚，没什么亲支嫡派的，林黛玉母亲贾敏去世后，林如海明确表示过不再续正妻，后来林如海自己又病死了，大约还剩下几个小老婆，都没给他生育过子女。那么，林如海死后的财产，归了谁呢？难道都让他的那几个小老婆分去了吗？

　　首先要讨论的问题是，林如海的遗产，林黛玉有没有继承权？如果林黛玉是个儿子，那么，不用讨论，当然有；如果林黛玉在父亲去世前已经出嫁，那么，父母应该在她出嫁时，已经用嫁妆的形式，分配给了她应得的家产。嫁出去的闺女泼出的水，当了别人家媳妇，经济上就脱离了父母，跟婆家一起算另一个独立的经济实体了。但是，微妙的是，林黛玉虽然寄养在外祖母家里，却又还没有出嫁，因此，按那个时代的财产分割规则，她父亲的那些小老婆不能将她排除在外，应该分给她一部分家产，作为她今后的嫁妆。

　　那么，如果是这样的话，林黛玉所分到的那部分财产，究竟在哪里呢？首先，不在她自己手里，这是我们看故事情节可以搞得很清楚的，林黛玉在贾府，完全是寄人篱下的状态：第四十五回，她对薛宝钗说，我是一无所有，吃穿用度，一草一纸，皆是和他们家姑娘一样，那起小人岂有不多嫌的！这就说明，虽然她跟贾母血缘上最近，有贾母这把大保护伞，待遇还是高规格的，可是，人心险恶，府里还是有些小人对她歧视；当然，这也主要是因为她这人自尊心超强，她父母双亡后，一点家产没有继承到，也就是说，从经济上看，她没有根基了。

　　贾母，她那么疼爱黛玉——身边跟她血缘最亲近的骨肉——难道在林如海死后，她就不能过问一下她的宝贝外孙女儿应得的那份遗产吗？从书里描写上，看不出来她有所过问。因为，以那个时代的道德与行为规范而言，她不便于过问。林氏是另外一个家族，虽然是儿女亲家，但经济上各自独立．各有族长，各有经济隐私，她一个外姓人，就算辈分高，也不能随便插嘴。再说，她可能也不那么在乎，她的私房是相当充实的，一个宝玉，一个黛玉，一娶一嫁，她是乐于全包的。第五十五回王熙凤和平儿议论起家里的婚丧嫁娶，你还记得吧？就提到，二玉的婚事，使不着官中的钱。官中的钱，请你一定要注意这个概念，书里多次出现，就说明，整个荣国府，它有一个总账房，经济上有总预算，许多钱是要从总账房支取报销的，比如府里各个等级人口的月银，又叫月例，是按身份确定数额，定期发放的。这笔钱，都从王熙凤手里过，她每次从总账房一打躉领出来，先不往下发，私下拿到外头放高利贷，等有了利钱，再取回来，发到各房各处去，于是一再形成不按时、拖欠的情况，有一次连袭人都忍不住抱怨。这是书里一个贯穿性的情节，引发出许多的矛盾冲突。八十回后，王熙凤的这种非法取利的行为，给她带来了报应，这里不细说了。总之，一般的婚丧嫁娶，是要动用官中，就是荣国府总账房的钱的，但二玉例外，贾母自有梯己钱拿出来——而且一定不会少——用在他们的婚事上。贾母知道，林如海去世后，黛玉没得到财产，但是，她特别疼爱她，只要她健在，黛玉就会从官中那里得到高标准供应；而且，一旦出嫁，就连官中也不依赖，她会让她的这个外孙女儿得到很多嫁妆。

林如海生病去世，是贾琏带着黛玉去扬州先探视，后留下参与丧事的。林氏宗族处理林如海遗产，贾琏肯定是介入了，他代表黛玉出面表态，或谦让，或力争，都是说得通的，黛玉自己怎好问他？贾琏回到都中荣国府，肯定要向贾政汇报，如果他说并没分到多少，贾政也未必深究，不管是多是少，黛玉未成年，又不马上出阁，贾琏就说所有分到黛玉名下的财产，动产不动产全折成银子拿回来交到了官中，以备黛玉出阁时作为嫁妆，贾政可能也就以"知道了"三个字了结此事。真实的生活里，贾政原型只不过是贾敏原型的堂兄弟罢了，他成年后才过继到贾母原型跟前，对黛玉原型的事情不可能那么关切，大面上过得去而已。

那么，在黛玉所得的父亲遗产这件事情上，贾琏做手脚是非常便当的，他可以略微往总账房——也就是官中——交出一部分，其余的绝大部分就贪污归己了。当然，王熙凤是不会放松他的，那么一个厉害的老婆，他绕不过去，不可能逃脱王熙凤的监察。因此，应该是他们两口子，联手鲸吞了黛玉应得的绝大部分遗产。

有人可能要说了，你这全是猜测、推理吧？从书里能找到根据吗？能找到。第七十二回，写到贾琏王熙凤夫妇对来自宫里的太监问他们借银子——所谓借，其实差不多就是白送，还回来的可能性非常之小，那些太监其实就是敲诈勒索——不胜其烦，可又只能是想方设法地应付。就在这种情况下，他们先后说了一些关于钱财的话。王熙凤甚至说，把我们王家的地缝扫一扫，就够你们贾家过一辈子，还提到自己和王夫人从王家带了丰盛的嫁妆嫁到贾家，说了那样的丑话，弄得贾琏很难堪，于是，贾琏就说了这样的话，你记得吗，不能忘记啊，曹雪芹绝不是随便那么一写，他是在给我们传达一个很重要的信息，什么信息？贾琏有一句话是这样的，他说，这会子再发个三二百万的财就好了！可见他发过这样的财，以前发过这样的横财，还想再来一次，但似乎那机会是再难得到了。从书里往前头捋一捋，他怎么会发过这么一笔横财？找不到别的线索，惟一的可能，就是他护送黛玉回扬州，先说是去探视生病的林如海，去了，林如海就死了，成了奔丧。那么上面我已经分析得很清楚了，林如海遗产一定不少，又没有续娶正室，又没有别的子女，剩下的那几个小老婆，身份都不如黛玉这个未出阁的亲闺女，竞争力有限得很，再加上贾琏以黛玉的代理人身份拼命力争，黛玉名下获得三二百万银子甚至更多的财产，是完全可能的。

在有的古本上，三二百万写作三二万，可能是抄书的人觉得三二百万这个数字未免太多，就给改了，但缩水一百倍，似乎又显得过少。不管怎么说，贾琏发过一笔横财，曹雪芹在这里写下一笔，肯定是有用意的。后来读书的人推敲出，那就是他贪污的林如海家分给黛玉的遗产，这个判断，应该是八九不离十。

但是，不管那笔遗产的具体数目是多少，林黛玉自己，一点也没有得到，成了一个荣国府里的寄食者，一个没有经济根基的闺女。虽然人们表面上不敢跟她流露出什么，但是黛玉心里清楚，她还是会因为这一点遭人歧视的。特别是，她到荣国府没多久，就来了个薛宝钗，脖子上每天总戴着个金锁，又从薛姨妈和王夫人那里放出风来，说宝钗命中要嫁给有玉的公子，那不是指贾宝玉是哪个？"金玉姻缘"之说，甚嚣尘上，给林黛玉带来深重的精神压力。当然，薛家那时候也开始衰落了，薛宝钗没有了父亲，哥哥又是那么一个颟顸的家伙，但是，毕竟还能从皇家那里支取到大笔的银子，继续为宫廷当采办，自己家也还有别的买卖——例如，鼓楼当铺恒舒号，就是他们家的——从所谓经济根基上说，薛宝钗还算得是个富家的女子，这一点，林黛玉是没办法跟她比的。在黛、钗合一之后，两个人说知心话，双方都承认，她们在经济状况上，存在非同小可的差距。因此，钗就在经济上支援黛，送燕窝洋糖什么的，黛也就接受这份经济馈赠。

上一讲里，我已经分析过，在贾母还在世的时候，宝玉的婚事，娶谁为媳妇，不管王夫人心里头有什么算盘，也只能暗地里拨动算盘珠，到头来，还得贾母说了算。那么，贾母心里头究竟怎么想呢？一度考虑过薛宝琴，这个先不谈。眼前的两位闺秀，黛玉和宝钗，她究竟想让宝玉娶哪一个？她心里头的那架天平，究竟朝哪边倾斜？

上一讲提到，上世纪 50 年代中期，人们基本上形成一个共识，就是黛是反封建的，薛是拥封建的，而贾母呢，她是封建家庭宝塔尖上的人物，是个老封建，因此，她自然是更喜欢钗，为宝玉娶媳妇，从她那里，就很可能是弃黛而取钗。又因为那时候，绝大多数论者都把高鹗续的后四十回跟前八十回混在一起分析，高续写了"调包计"，写了贾母的喜钗厌黛，这些情节又成为戏曲改编的重头戏，因此，取钗弃黛似乎已成颠扑不破的真理。

当然，我觉得，人们对《红楼梦》，对具体到贾母在宝玉娶媳妇的问题上对黛、钗二人的取舍，天平究竟朝哪位倾斜，完全可以做出不同的分析，各自保留不同的看法，像上面所说的那样一种看法，我也很尊重。但是，现在我要把自己的看法讲出来，供大家参考。

宝玉的婚事问题，形成情节波澜，最早是在第二十八回。临近端午节，贾元春派夏太监出来给贾府的老太太、老爷太太、公子小姐们，送颁赐的节礼，本来这也没什么稀奇，但是，这回的颁赐，宝钗那份跟宝玉完全一样，品种多而且高级；黛玉呢，则跟迎、探、惜等一样，比如宝玉认为最能衬托出女性腕臂之美的红麝串，她就没有。这是什么意思？历代的论家几乎都认为，这是元春在指婚。当然，元春可以更明确地指婚，可能是她考虑到宝玉年纪还小，就先这样比较含蓄地来表达她的一个意向，就是她觉得，将来她这个弟弟，应该娶宝钗为妻。

我不是从根本上反对元春指婚说，但是，我觉得大家要注意到，接下去的情节里，我们并没有看到本应是紧接而来的反应，王夫人和薛姨妈首先应该感到高兴，对不对？贾母似乎也应该有个态度出来啊，毕竟这是元妃的意思呀，可是，看不到相关的文字，反而是写了些别的事情。这又是怎么一回事？

大家千万别忘了，就薛姨妈而言，她那宝贝女儿的前途，首选，并不是嫁给宝玉。他们家为什么来都城？其中一个很大的目的，是要让宝钗参加选秀，以成为陪侍、才人、赞善。书里以宝玉为本位，叫宝钗姐姐，叫黛玉妹妹，前面我分析过，故事进展到那个阶段，宝玉是十三岁，那么，宝钗大体应该是十四岁，黛玉应该是十二岁。细心的读者一定会发现，第四十五回，应该也是宝玉十三岁那一年，黛玉有句话，说，我长了今年十五岁，这与前后文都不对榫，而且各个古本，一直到通行本，这句全一样，这是怎么回事？我想，是个笔误，而且也不一定是曹雪芹本人造成的，有可能是后来抄书的人抄到这里，觉得十二太小，把二描改为了五，而这个抄本成了后来各种转抄本的底本，于是就都成了黛玉十五岁。这里不细讨论黛玉的岁数问题，还是来说宝钗，宝钗肯定比宝玉大，宝玉十三她就十四了，十四正是参加选秀女的年龄，她家带她到都城，为的就是能像元春一样，先选进宫里做女史，然后一步步升上去嘛。那么，究竟宝钗参没参加选秀女呢？我觉得，她参加了，而且应该就是在第二十八回那个时候去参加的。但是，她却没有被选中，只是曹雪芹写得很含蓄，没有明写，是暗写。而元春的端午节颁赐，给她的一份格外优渥，第一层意思，应该是安慰她，安慰这位美丽而聪慧的表妹；其次，才可能是，表达了那样一个意向，就是既然进不了宫，那么，将来可以嫁给宝玉，成为她的亲弟媳妇。

确立了这样一个思路，我就觉得，从那以后的一连串情节都容易解释了。不信你再细读读，那后面的情节里，宝钗显得非常烦躁，心情似乎总是很抑郁，频频失态，出人意表。还记得那几句对话吗？宝玉不过是因为百无聊赖，问了句宝钗为什么不去她哥哥的生日宴上看戏，她表示了一下嫌热，宝玉随口把她比喻为杨贵妃，她就那样地恼怒，仿佛被揭了伤疤一样，甚至于恨恨地说，我倒像杨妃，只是没一个好哥哥好兄弟可以作得杨国忠的！原来我百思不得一解，她说什么不行，怎么会说出这样的怪话来？现在我懂了，她选秀失利，不是因为她模样差，风度次，而是因为她没有过硬的后台，朝中无人，虽有一位表姐封了贤德妃住在凤藻宫，但贵妃是不能干涉朝政的，不能插手宫廷选秀事宜的，除非有皇帝本人的特许，而元妃显然也并没有被授予那样的特权。因此，宝钗本来就对宫廷选秀的不公平满腹牢骚，而宝玉又偏拿那样的话来灌她的耳朵，难怪她脱口而出，说了那样的话。摸清了她的内心活动，怪话也就不怪了。

按说，元春通过端午节颁赐，表达出了让二宝结合的意向，贾母如果也心存这个意思的话，她是一定要呼应的。可是，从书里往下的描写来看，她却毫无回应，是她头脑迟钝？不可能，我认为，她是装傻，你元春不是并没有明确指示，只是个暗示吗？那么，对不起，我就不接你这个茬儿。贾母不接茬，王夫人、薛姨妈即使心中暗喜，也就只好暂时不动声色。

接下去，就写到清虚观打醮，嘿，波澜陡起，元春的指婚，只是个暗示，那张道士给宝玉提亲，却是明明白白的。于是，贾母就发话了。那段话非常重要啊，你要读懂，不要误会。

　　我在前面，讲贾府的婚配之谜，得出的结论是，贾府在娶媳妇的问题上，向来是不含糊的，对门第出身、根基家业，那是非常讲究的。那一讲出来以后，马上就有若干个红迷朋友，以各种形式向我提出了同样的问题，他们就说，第二十九回，清虚观打醮，张道士给宝玉提亲，贾母回答他的话里，有一句非常明确，叫做不管他根基富贵，就凭这一句，你那贾府婚配原则里，讲究根基富贵这一条，就站不住脚了。他们问：怎么解释贾母这句话？她为什么要这么说？

　　现在我就来回答这个问题。

　　请注意，贾母说那段话，不是光跟张道士说，她是说给在场的所有人听的，而在场的人里面，有一位，她是特别要她听清楚的，那不是别人，就是薛姨妈，而薛姨妈听见了，也就等于告诉王夫人了。

　　贾母的话，是这样说的，她说，上回有个和尚说了，宝玉命里不该早娶，要等再大一点以后再定。这不但是一口回绝了张道士，也等于是间接地否定了元春的指婚，她宣布，这个时候，谁都别来张罗宝玉定亲的事。接着她就说，表面上只针对张道士，其实，是敲山震虎，她话里有话，她说的什么？她说，张道士你可如今打听着，打听好了来告诉我。其实这些话是虚的，她何尝真要张道士插手宝玉娶媳妇这件只能由她独裁的事，她拿着这些话做幌子，她就说了，不管她根基富贵，只要模样好，配得上就好，便是那家穷，不过给他几两银子罢了，只要模样性格儿难得好的。贾母知道，在这个关键时刻，必须让王夫人、薛姨妈知道，黛玉虽然没得到什么遗产，根基不富贵了，但是模样好，配得上宝玉，你们心里头笑她穷吗，那很好办，我有的是银子，还拿得出来，到时候不过是给她一副丰盛的嫁妆罢了，这有什么了不起的？当然，贾母不是不知道黛玉性格上有缺点，就性格而言，她也确实喜欢宝钗，曾经几次夸奖过，但在究竟宝玉将来娶黛还是娶钗这个问题上，她心里的天平是稳定地朝黛倾斜的。所以，她开头都没提性格，最后，可能是考虑应该把话说得圆通一点，才补充说，只是模样性格儿难得好的。贾母的话，王夫人、薛姨妈不可能听不懂，这很杀风景。元春的指婚效果等于零，把宝钗嫁给宝玉的可能性在锐减。当然，她们也不会死心，因为生活里充满变数，她们还会在以后设法争取，期盼贾母心里的天平改变那倾斜的方向。

　　所以说，贾母是在极其特定的情况下，说不管根基富贵这句话的。第五十回，贾母一度对薛宝琴动了念，其实对宝琴家的大致情况，她应该还是有所了解的，但既然是要考虑婚配，那么，书里就写得很清楚，贾母不但向薛姨妈细问宝琴的年庚八字，还细问她家内景况，可见，哪里会在给宝玉娶媳妇这样的事情上，真的放弃根基富贵这一条原则。其实，说黛玉穷，那也只是说给王夫人、薛姨妈听，以针砭她们自以为宝钗阔的优越感，黛玉其实还是有根基的，而且是富贵根基，那根基就是贾母本人，泰山石敢当，谁可小觑？

因此，我还是坚持前面讲过的观点，贾府，以及四大家族别的家庭，在娶媳妇上，对根基家业，那是绝对不马虎的。第七十回有一笔交代，不知你注意到没有，说偏近日王子腾之女许与保龄侯之子为妻，凤姐又忙着张罗，看看，这就是他们那种家庭标准的婚配模式。

宝玉和黛玉，虽然听见了贾母对张道士的表态，但是他们完全不懂。回到家里，宝玉只是生张道士的气，黛玉呢，本来宝钗的金锁就让她堵心，忽然宝玉又得到一只金麒麟，收起来留着要给史湘云，史湘云自己早就佩戴着一只金麒麟，一金未除，再添一金，"金玉姻缘"的阴影更加浓重，压得她喘不过气来，就跟宝玉恽气。这一回，两个人可闹大发了，真可以说是闹得沸反盈天，最后闹得惊动了贾母，贾母是怎么个反应呢，她说二玉"不是冤家不聚头"，说她没有一天不为他们两个操心，说她咽了气，就眼不见心不烦了，可又偏不哑这口气，自己抱怨着，也哭了。这样的描写，难道还能做出别的解释吗？我觉得，只能解释为，贾母一直在对二玉最后的结合保驾护航，但是这两位孽障，却全然不懂得她的一片苦心，非要胡闹。但即便这样，只要贾母一息尚存，她就还是要尽力地让二玉这两个冤家聚头。

贾母如此纵容二玉，她那想最后让二玉婚配的意图，已到了不避嫌疑，府里众人皆知的程度。书里一再地点明：第二十五回，王熙凤跟黛玉说，你既吃了我们家茶，怎么还不给我们家做媳妇？当黛玉说她贫嘴贱舌讨人厌后，她又说，你给我们家做媳妇，少什么？你瞧瞧，人物儿门第配不上？根基配不上？家私配不上？哪一点还玷辱了谁呢？按说，王熙凤在利益关系上，是王夫人一头的，但凭着她的乖觉，她已经看得很清楚，有贾母做主，黛玉是会嫁给宝玉的，这是一桩早晚会出现的事实，与其对抗，不如早点接受下来，因此，放胆开这样的玩笑。

第六十五回，贾琏的仆人兴儿跟尤二姐、尤三姐介绍府里的情况，说宝玉已有了，只未露形，将来准是林姑娘定了的，因林姑娘多病，二则都还小，故尚未及此，再过三二年，老太太便一开言，那是再无不准的了。

就是薛姨妈——一位心里头最不希望二玉婚配的人——住进潇湘馆以后，一次宝钗在场，这样跟宝钗说，你宝兄弟老太太那样疼他，他又生的那样，若要外头说去，断不中意，不如竟把你林妹妹定与他，岂不四角周全？薛姨妈说这个话，可能是想观察黛玉的反应，是一次火力侦察，但也从另一个角度说明，贾母心里那架天平的倾斜方向，人人清楚，脱口可出。当然啦，曹雪芹他就写了那样一笔，就是紫鹃听见了，忙跑过来笑道，姨太太既有这主意，为什么不和太太说去？紫鹃这话很厉害，你注意到她是怎么说的吗？她不是说，为什么不和老太太说去？而是说，为什么不和太太说去？紫鹃确实聪慧，她知道，二玉婚姻的障碍，实际上就在王夫人那里。贾政作为父亲，虽然有最大的发言权，但他是不会忤逆贾母的意向的；王夫人呢，如果贾母非常明确地表达出她的决定，她当然也只能硬着头皮服从。但是，贾母也轻易不会那么做，那么，你贾母既然可以对元春的指婚意向装糊涂，我也可以对你这个婆婆成就二玉婚姻的意向一样地装糊涂，双方还很有得一斗。当然，那一定会是微笑战斗，是一种软磨硬泡的长期较量，看谁能笑到最后。

贾母心中的天平倾斜表现得最淋漓尽致的一次，是在第四十回。她领着刘姥姥到大观园各处去逛，先到了潇湘馆，因为前面对潇湘馆的室内陈设情调已有若干描写，到这一回就不再细写，只说窗下案上设着笔砚，书架上磊着满满的书，刘姥姥以为是公子的书房呢，贾母就笑着告诉她这是自己外孙女儿的屋子。显然，贾母对黛玉的生活方式和审美情趣都是满意的，后来提出窗纱颜色不对头的问题，但那并不是黛玉自己造成的一个缺点。吃完午饭，就写贾母领着刘姥姥到了蘅芜院，宝钗住的地方，贾母是头一回进去，原来书里只写到院中景色，屋里情况没写，情节流动到这个地方，才细写，说进了屋子，雪洞一般，一色玩器全无，案上只有一个土定瓶中供着数枝菊花，并两部书，茶奁茶杯而已，床上只吊着青纱帐幔，衾褥也十分朴素。贾母一看，是怎么个反应呢？她的反应非常强烈，说，使不得，虽然她省事，倘或来一个亲戚，看着不像！不像，就是不像样子，有失体统，那么一个意思的简缩语。贾母底下的话，一句比一句厉害，说，二则年轻姑娘们，房里这样素净，也忌讳，我们这些老婆子，越发该往马圈去了！这是非常生气的话，是非常严厉的批评。全书里，贾母对儿媳妇孙媳妇众女儿，从来没有过如此尖锐的批评，对黛玉就更没有过这样的指责。很显然，宝钗为了迎合封建家长，为了从居处的室内布置上体现出自己的内敛，自己的无才便是德和温良恭俭让，她把事情做过了头。也许，那真是她多年形成的生活方式和审美趣味，并非刻意造作，不是因为那天估计到贾母要来，再特意调整过一番的景象。但不管怎么说，她天天吞食冷香丸，把身体和灵魂里面应有的热度，也当做毒性给排除掉了，以致外化为居室布置以后，就让贾母觉得触目惊心，甚至感到那是一种反讽，似乎在无言地表达，我们年轻姑娘要这样生活才算符合圣贤规定的礼数，年纪再大，那就还得再做减法，灭绝人欲，以增女德，啊，贾母受刺激了，她看了就脱口而出，说我们老婆子，越发该往马圈去了！大家想想，经受过这样的刺激以后，贾母还可能让这么个矫情的女子，这么个让她觉得自己只配去住马圈才能维系住女德的年轻姑娘，成为她的孙子媳妇，跟她的心肝宝贝活凤凰宝玉，聚在一起过日子吗？我认为，这以后，贾母心里那架天平，就更不可能朝宝钗倾斜了。

但是，到头来，二玉还是没能结合。宝钗呢，她得到了人，却没能得到心，人家心里吟唱的是：叹人间，美中不足今方信，纵然是举案齐眉，到底意难平！

脂砚斋在批语里指出，二玉事在贾府上下诸人，即看书批书人，皆信定一段好夫妻，书中常常每每道及，岂其不然，叹叹！她很早就把八十回后的结果透露了出来，那就是二玉的婚事到头来还是不行，令人扼腕叹息。

那么，究竟为什么二玉这两位有情人，终于还是成不了眷属呢？

我认为，那是因为，有比儿女婚配更紧迫的事情接连袭击贾府：八十回后，节奏加快了，写到贾家的败落。而在这个过程中，当第一波打击来临时，贾母就因惊吓加重了原有的病情，死去了。贾母一死，黛玉就完全失去了依靠，宝玉的婚事，王夫人就可以一手操纵了。贾政在政治旋涡中，本来就惶惶不可终日，哪有很多心思来考虑宝玉娶媳妇的事，王夫人跟他说宝钗很好，他本来对宝钗也有好感，至少没有什么恶感，又是亲上加亲，双方知根知底，没有反对的必要，当然同意。薛姨妈不消说遂心如意，宝钗自己呢？应该是一种复杂的心情。真想看到曹雪芹八十回后的文字，看他如何写宝钗在那样一种情况下，由家长包办，嫁给了宝玉的心情。那是很难写的，但我们有理由相信，曹雪芹又会写得入情入理，令读者掩卷喟叹不已。

高鹗续书，一般人都认为，最精彩的部分是林黛玉焚稿断痴情和魂归离恨天，在他笔下，黛玉是那样死去的。但是，经过对曹雪芹前八十回文本的分析，参考脂砚斋的批语，有的红学家指出，曹雪芹笔下的黛玉之死，不是那样的。

在高鹗的续书中，直到宝玉出家以后，宝钗还活着，而且她还给宝玉，给贾家，生下一个后代。这个跟贾蓉、贾兰同辈的人，如果真有，按曹雪芹的设计，应该取一个草字头的名字。请大家注意，现在我们写贾兰的"兰"字，因为是用简化字，显示不出繁体字的兰花那个"兰"字上面的草字头了。曹雪芹他设计贾家各辈分的男人，是严格地按偏旁取名的：贾敬那一辈是文字辈，连女性也跟着那么取名进入排行，如黛玉的母亲叫贾敏；贾珍那一辈是玉字辈，前面我提到过，祭宗祠的时候，有个古本里写的是，玉字辈由贾玫打头，那应该是贾琏的哥哥，他只出场一次；底下，就是草字头的一辈，高鹗续书，应该给宝玉的儿子取一个草字头的名儿才靠谱，可是，他却取了个名字叫贾桂，木字边，这很奇怪。他写后来贾兰和贾桂都参加科举考中，因此贾家兰桂齐芳，重新走向繁荣富贵，这肯定是跟曹雪芹的构思满拧的，跟第五回的一系列预言背道而驰。

那么，跟着问题就来了，如果说高鹗笔下的黛玉之死，并不符合曹雪芹的原意，那么，八十回后，曹雪芹写黛玉之死，是怎么设计的呢？有红学家认为，黛玉是沉湖而死的，这可能吗？宝钗嫁宝玉后，生孩子了吗？宝玉出家后，她是依然活着，还是死去了呢？下一讲里，我们再一起讨论。

黛、钗结局之谜

前面我引用过一条脂砚斋批语，说到三十八回，全书就超过了三分之一的篇幅，可见她所看到的曹雪芹的原稿，全书不到一百二十回，可能是一百零八回或一百一十回。八十回后，要用二三十回来收束全书，可见，情节的流动一定会加快。我估计，首先，会写到元春的惨死，那对贾府当然是非常沉重的打击，彻底地伤了元气。紧跟着，就应该是贾府的第一次被追究，可能就被抄了家，大家应该都还记得，第七十五回，写到了荣国府为江南甄家藏匿财物，甄家被皇帝查抄，他们居然跑到都城贾家寄顿罪产，这是严重违反王法的，而贾家也就替他们藏匿这些本来应该交给皇家的东西，当然属于胆大妄为。元春死后，这事被皇帝发觉，就重点针对荣国府先进行了一次惩治——那是顺理成章的，应该出现这样的情节——荣国府就先乱起来了。贾母在这种情况下，可能本来就有了病，加上惊恐，就死了。再后来，皇帝会发现，贾家的问题不仅是替甄家藏匿财物，他们家根本就属于"月派"政治集团，原来他们家藏匿秦可卿的事情，已经给予过宽恕，让那女子自尽了结，对外还允许说是正常死亡，允许大办丧事，后来因为元妃的关系，对待他们家一直很好，万没想到，三个年头过去，发现这家人竟然还跟义忠亲王老千岁的残余势力勾结在一起，参与谋反，那还了得！于是，新账旧账一起算，宁国府藏匿秦可卿的事情，旧事重提，原来的宽免作废，诸罪并究，当然，藏匿皇族罪家子女的罪过最大，因此前面第五回写下预言——"造衅开端实在宁"，"家事消亡首罪宁。"荣、宁两府，在第二波打击中，就忽喇喇大厦倾，昏惨惨灯焰尽，秦可卿的预言也就化为了活生生的现实，贾府的人是各自须寻各自门，树倒猢狲散,家亡人散各奔腾。那么,在大厦倾倒的前后,有不少的人,是被迫寻到了死亡之门,前面第八回里还有两句诗,记得吗?很恐怖,叫做"白骨如山忘姓氏,无非公子与红妆",而黛玉和宝钗就是在狂风暴雨中先后陨落的两位红妆。

黛玉这朵凄美的芙蓉花,应该是陨落在宝钗那朵冷艳的牡丹花之前。

上一讲末尾,我已经分析到,贾母一死,黛玉顿失靠山,她跟宝玉的结合彻底无望,她活着已无盼头,没有了生趣,只能是以死了结。

曹雪芹在前八十回里,写下很多伏笔,预告八十回后,她的死亡原因,以及死亡的方式。

根据第一回里面所写到的,二玉的一种命定的关系,作为天界的绛珠仙草,黛玉下凡,是为了向先她一步下凡的,在天界于她有雨露灌溉之恩的神瑛侍者,也就是荣国府的宝玉,来还泪的。那么到了黛、钗合一以后,到第四十九回,曹雪芹就写到,宝玉说,大概意思是,你这人,每天总要哭一会子,才算完了一天的事。黛玉就说,近来我只觉心酸,眼泪却像比旧年少了些的,心里只管酸痛,眼泪却不多。当时宝玉还说,这是你哭惯了心里疑的,岂有眼泪会少的!曹雪芹写得很巧妙,他等于是告诉读者,下了凡的二玉,并不自知他们在天界的身份和关系。但是,根据命运的设定,下凡后的黛玉,她那个眼泪,跟别的凡人不一样,却是有一定的总量的,那个总量,应该也就是在天界被灌溉的雨露的那个量。因此,黛玉那个话,你还记得吗?其实就是告诉读者,绛珠仙草对神瑛侍者的还泪,剩余量是越来越少了,那么,一旦泪尽,当然也就是完成了偿还灌溉之恩的任务,就要再回到天界去了,也就是说,人间的黛玉,她的生命就结束了。尽管这以后,书里还写了几次黛玉哭泣流泪,但她将泪尽而逝,这是文本的神话式预先设定,后面一定会这样来写的。

从人间凡人的角度来看,黛玉体弱多病,第三回她一出场,就是那么一种身体面貌怯弱不胜的状态,她的不足之症,是一望而知的。当然,曹雪芹塑造的这个形象,虽然病态,却极有美感,叫做有一段自然的风流态度,虽非健康美女,却又胜似健康美女,宝玉爱她,固然首先是心灵相通,但对她的外貌风姿,也确实是为之倾倒。第二十五回,写宝玉、凤姐被魔病重,薛蟠也来探视,古本里有一句,说他忽然一眼瞥见了林黛玉风流婉转,已酥倒在那里。后来的通行本全把这句话删去了,可能是觉得通过薛蟠的眼光来写黛玉的美,不恰当,似乎是玷辱了黛玉，其实，我觉得这一笔很重要，否则，会有读者觉得宝玉对黛玉外貌风度的欣赏，不过是情人眼里出西施罢了。有了这一笔，就可以知道从纯客观的角度看去，黛玉之美，也是足能令人惊魂的。但是，黛玉多愁多病，毕竟是个问题，第三回黛玉说自己打小从会吃饭时起，就吃药，从未间断过，眼下还在每天吃人参养荣丸，于是，贾母听了就说，这正好，我这里正配丸药呢，叫他们多配一料就是了。贾母所说的"他们"是谁呢？就在这个地方，有一条脂砚斋批语："为后菖菱伏脉。"菖菱应该是两个人，贾菖和贾菱，这是贾氏家族里跟贾蓉、贾兰一辈，草字头辈里面的两个人，他们虽然不是荣国府或宁国府的正式成员，但是，他们被安排在荣国府里办事，后来不是贾芹、贾芸等贾氏宗族的府外人士，也都到贾琏、王熙凤麾下谋到了差事吗？贾菖、贾菱也属于这种人，他们入府办事应该比贾芸早，第二十三回一开头就提到他们，说元妃省亲后，匾额对联题咏都确定下来，要磨石镌字，这事贾珍负责，因为人手不够，又把菖、菱两个叫来监工。当然，那只是临时的任务，平日这两个人负责什么呢，应该就是负责配药的，荣国府里的总管理机构下面，有一个专门的药房，管配药等事宜。脂砚斋看到过八十回后有关菖、菱配药的情节，而且那情节应该跟黛玉有关，所以，才会在第三回这个地方特别注明，这里是个伏笔，伏延千里。而所谓"千里"以外的那段情节，会是怎样的呢？有红学专家推测，是菖、菱配错了药，导致黛玉服用后，恶化了病情，使她痛苦难熬，本来精神上就受熬煎，再加上错药加剧病情，黛玉也就断绝了活下去的念头。这应该是黛玉死亡的第二个原因，作为凡人，在人间，在荣国府里，活不下去的一个具体原因。

贾菖、贾菱配错药，是无意的，还是有意的？应该是有意的。可是，他们为什么要那样做？他们两个人，应该跟黛玉无冤无仇，没有利害冲突，从自身利益出发，犯不上那样去害黛玉，那么，他们应该是受人指使，谁指使了他们？有的红迷朋友可能会怀疑王夫人和薛姨妈，会不会是她们，在贾母还在的时候，就故意让菖、菱配些不但不对症，还起反面作用的药，给黛玉服用，以造成她慢性中毒，从而最终失去与宝钗在嫁给宝玉方面的竞争力呢？我的看法是，那不大可能，从八十回书里对王夫人和薛姨妈的总体描写上看，她们都没有那么歹毒。那么，不是她们，又会是谁呢？古话说，螳螂捕蝉，黄雀在后，如果把王夫人、薛姨妈比喻成螳螂，她们竭力想得到一个将宝钗嫁给宝玉，以形成王氏家族全面控制荣国府的局面，那样一个"蝉"；那么，别忘了，有比她们更焦急，而且什么歹毒的事情都做得出来的另外的存在，那就是赵姨娘和贾环。贾环曾推倒蜡烛台想烫瞎宝玉的眼睛，赵姨娘曾用贿赂的方式，让马道婆去魇宝玉和凤姐，使姐弟二人几乎堕进鬼门关；那么贿赂府里药房的配药人，让他们配出慢性毒药，去给黛玉服用，以加快黛玉的死亡，那样的事情，他们做起来当然不会有任何心理障碍。事实上，赵姨娘和贾环，就是更可怕的黄雀，他们是不但要获得那"蝉"，"螳螂"也想照单全收。有红迷朋友会问，赵姨娘、贾环为什么要这么干呢？下什么慢性毒药，下服猛药不就结了吗？但那样太露形迹，搞不好就自我暴露了。下慢性毒药，那意思也不是说在药里明显地加入有毒的成分，也就是故意不对症，查药方测药质，全没明显问题，但是服用以后，只有反作用。菖、菱二人长期管配药，一定很精，他们见钱开眼，昧良心做这样的事是完全可能的。有红迷朋友又会问，赵姨娘、贾环害死黛玉，那不是为宝钗嫁给宝玉开路吗？二宝婚配，王夫人势力扩张，那不是对他们更不利吗？但是，赵姨娘、贾环，他们旁观者清，深知宝玉爱的是黛而不是钗，黛如死亡，宝一定悲痛欲绝，很可能殉情死去，宝玉死了，王夫人、薛姨妈的美梦也就彻底破产了，那时贾环作为贾政惟一的儿子，继承荣国府全部家业，也就水到渠成了，是不是？所以，第三回的短短一条脂砚斋批语，可以让我们推测出这么多八十回以后的内容。当然，你也可以有不同的看法，不过，我觉得这样去分析，还是符合逻辑的。

贾母死去后，失去靠山而又病重泪尽的黛玉，就决定自己结束在人间的生命，她选择了什么样的死法呢？我认同周汝昌先生的考证，那就是，八十回后，曹雪芹的原笔，是写黛玉沉湖而死。

我们都记得，前面已经说得不少，第七十六回，黛玉、湘云联诗，她们联出的最后两句，湘云那句是"寒塘渡鹤影"，林黛玉那句是"冷月葬花魂"，这两句诗，实际是把她们两个最后的命运，勾勒出来了。

"冷月葬花魂"，有的本子上写的是"冷月葬诗魂"，通行本也选择了"诗魂"，其实，曹雪芹的原笔就该是"花魂"。"花魂"是一个《红楼梦》里出现过多次的语汇，比如第二十六回末尾，写黛玉哭声感动了花鸟，就有两句形容："花魂默默无情绪，鸟梦痴痴何处惊。"再如黛玉的《葬花吟》里："昨宵庭外悲歌发，知是花魂与鸟魂？""花魂鸟魂总难留，鸟自无言花自羞。"细考究各种古本，有的先把"花魂"抄错成"死魂",再辗转地抄,有时候可能是一个人读,另外几个人笔录,南方口音又 s 、sh 不分,就进一步把"死"听成了"诗","诗魂"流传下来,很可能就是这么一个过程。

"冷月葬花魂",就是湖心倒映着寒月,而如花美眷,就沉入湖中,魂消魄散。

有的人一定会说,黛玉葬花,她看见宝玉用衣服兜着桃花瓣,将那些花瓣抖落到水里,不是发了话吗?她说,撂在水里不好,你看这里的水干净,只一流出去,有人家的地方脏的臭的混倒,依旧把花糟蹋了,那畸角上有我一个花冢,如今把它扫了,装在这绢袋里,拿土埋上,日久不过随土化了,岂不干净?可见黛玉如果自比为花,她是希望土葬的,是不愿意水葬的。你现在说八十回后,在曹雪芹笔下,她是沉湖而死,难道曹雪芹他会前后自我矛盾吗?

这个问题问得很好。我们再来读《葬花吟》,下面这些句子,大家是耳熟能详的:"质本洁来还洁去,强于污淖陷渠沟;尔今死去侬收葬,未卜侬身何日丧?侬今葬花人笑痴,他年葬侬知是谁?一朝春尽红颜老,花落人亡两不知!"细品这些诗句的意蕴,我们就感觉到,黛玉在这些悲词里,实际上表达着强烈的向往,那就是,希望自己能被人爱,与爱人结合,并且过一种正常的生活,有一个正常的生命结局,不被玷污,不被抛弃,也不自我抛弃,最后能正常地安眠在"香丘"里。但是,她的这个理想,却总在被现实践踏、碾碎,《葬花吟》里另外一些诗句,也表达得很清楚:"一年三百六十日,风刀霜剑严相逼;明媚鲜艳能几时,一朝漂泊难寻觅。"那么,怎么办呢?她"愿奴胁下生双翼,随花飞到天尽头",去找一个更干净的归宿,但是,"天尽头,何处有香丘?"她没有找到,她现在如此体贴落花,但当她自己有一天也成为落花时,却不会有人为她准备香丘——"一朝春尽红颜老,花落人亡两不知!"

所以说,如果一方面曹雪芹写出黛玉强烈地追求幸福和生命的正常结局,一方面又写她最终事与愿违,花落水流红,沉湖而亡,那并不能说是自我矛盾,他是在写,一个美丽的生命在那样一种社会环境里,无法根据自己的意愿安排自己的生与死,但是,那又是一个倔犟的生命,她生时抗争,死,也由自己来安排,包括那具体的形式。

花落水流红,是《西厢记》里的名句,第二十三回,写黛玉隔墙听曲,就特别引入了这个句子,又特意让黛玉联想到其他类似的句子,比如唐诗里的"水流花谢两无情"，李煜词里的"流水落花春去也"，很显然，这就都是在暗示黛玉生命的结局，都有花魂入水的意思在里头。

黛玉在书里，被称作"潇湘妃子"，她写诗就属这个别号。传说中的潇湘妃子，指舜的两位妃子娥皇与女英，舜出巡时死于苍梧，她们两个就奔赴九嶷山，先是啼哭，染竹成斑，后来就泪尽入水，死在江湖之间。黛玉的这个别号，既点出她爱哭，是泪尽而亡，也预言着她的结局是入水殒命。

第七十回黛玉填一阕《唐多令》咏柳絮，第一句就是"粉堕百花洲"，百花洲是水域，花粉堕水，这应该也是暗示。

第四十四回，大家看戏，正演《荆钗记》里的《男祭》一折，贾宝玉刚偷偷出去私祭金钏回来，他掩饰得很好，这时候偏黛玉跟他说，这王十朋——王十朋是戏里的男主角——也不通得很，不管在那里祭一祭罢了，必定跑到江边上来作什么？俗语说睹物思人，天下的水总归一源，不拘哪里的水，舀一碗看着哭去，也就尽情了。我觉得，这是一石三鸟的文字：首先，暗示别人都猜不出来宝玉去哪里了，但是黛玉猜出来了，意思是你就在大观园舀碗井水，也就祭奠了金钏了，何必跑到外面远地方去？再一层意思，是暗示将来黛玉也会入水而死，这是一句所谓的谶语；第三层，就是预告八十回后，有宝玉舀水祭黛玉的细节。总之，这不会是一句可有可无的废话。

第六十三回，寿怡红群芳开夜宴，众女儿抽花签为戏，每支签都暗示着人物的性格命运，黛玉抽到的是芙蓉花，签上写着"风露清愁"，有句诗是"莫怨东风当自嗟"。我们都知道芙蓉花有两种，一种陆生的，一种水生的，水生的也就是荷花，那么黛玉是哪种芙蓉呢？到第七十八回，写到小丫头告诉宝玉，晴雯死后成了芙蓉花神，于是宝玉就写了《芙蓉诔》来祭奠晴雯。书里写得明白，那小丫头本是胡诌，因为看见池中芙蓉盛开，就随口那么一说，但宝玉很认真地写出了《芙蓉诔》，还拿到水边去读，读完以后，黛玉忽然出现，两个人就讨论那诔词，改来改去，最后改出两句是："茜纱窗下，我本无缘；黄土垄中，卿何薄命。"成了祭奠黛玉的诔文了。可见黛玉若以花为喻，那么她就是水芙蓉，就是荷花，她后来沉于湖而未被污染，作为一个凡间女子，她再弱小，沉湖后的尸体也还不至于像那些花瓣一样流出大观园去，最后势必也还是会被埋于黄土垄中；而作为仙界的绛珠仙子，沉湖后，她就又升华到太空，回到仙界，回到西方灵河岸三生石畔。

她的生与死，都如诗，如歌，如梦，如幻，异常美丽，异常动人。

第七十九回，写迎春出嫁后，宝玉天天到紫菱洲一带徘徊。脂砚斋在这个地方批道，先为对景悼颦儿做引。很可能，黛玉沉湖的具体位置，就是大观园里的紫菱洲。

元春省亲那一段，写到演了四出戏，第四出是《牡丹亭》里的《离魂》，其实就是第二十出《闹殇》，脂砚斋批语说，这是伏黛玉之死。那么你去细读这出折子戏里的唱词，就会发现有两句是："人到中秋不自由，奴命不中孤月照，残生今夜雨中休！""恨匆匆，萍踪浪影，风剪了玉芙蓉。"可见黛玉这朵玉芙蓉的确是陨落在浪影中，而时间呢，是在中秋节，应该就是"三春去后"，那第四个年头的中秋节，在她和湘云凹晶馆联诗的整一年后。

请大家注意，我一再地使用着一个概念，就是沉湖，我没说投湖，投湖是站在岸上，朝湖里跳，一个抛物线，咕咚，掉下去，动作急促，非常惨烈。黛玉不会是那样的，她是沉湖，就是慢慢地从湖边朝湖心方向一步步走去，让湖水渐渐地淹没自己。黛玉她活着时，是诗意地生活，她死去时，也整个是在写一首诗，一首凄婉的诗。这是一个把生死都作为行为艺术来处理的诗性女子。

像黛玉葬花，那绝对是行为艺术，不像宝钗扑蝶，宝钗扑蝶是一次偶然的，甚至对宝钗本人来说，是一次失态的行为，是她虽然吞了许多的冷香丸，想压抑下青春女性的烂漫天性，却没能压抑好，所形成的一次春光泄露。黛玉葬花，她是有整体构思，准备得非常充分的，是蓄意而为，自我沉醉的。你看曹雪芹的描写，她去葬花，肩上担着花锄，锄上挂着花囊，手里还拿着花帚，她那么个病弱的人，能使用市卖的锄头笤帚吗？一定是她自己精心设计，小巧轻盈，造型美观，让紫鹃、雪雁、春纤等丫头，按她的指导，包括那个花囊，一起制作出来的。她还事先选好了葬花的地点，也就是香丘，那么也就一定设计好了路线，更事先就写好了《葬花吟》，在葬花的过程里逐句吟唱。黛玉葬花，堪称是近乎完美的行为艺术，放之四海，与今天各种五花八门的行为艺术相比，无论是其内涵还是其外在的形式，水平都绝对一流。这当然是曹雪芹的艺术想象、艺术创造，是他通过书面文字所完成的一次行为艺术。想想真令人惊叹，二百多年前，我们的老祖宗，就有这样瑰丽的行为艺术设计，那个时间段上，别的民族，别的文化里头能达到如此水平的行为艺术，究竟有几许？希望能有人做出比较研究，那是很有意义的。

黛玉的诗意生存，是宝玉的榜样，宝玉也是尽其毕生力量，追求在大地上诗意地、率性地烂漫生存，但宝玉跟黛玉比，就未免稍逊风骚。可以再随便举点例子，第二十七回，那还是在跟宝玉生气的情况下，黛玉从潇湘馆往外走，她边走边嘱咐紫鹃，说你把屋子收拾了，撂下一扇纱屉，看那大燕子回来，把帘子放下来，拿狮子倚住，烧了香，就把炉罩上。你细想想，这是一般地命令丫头打扫屋子吗？这实际是一个艺术家，在指导助手帮她完成一套行为艺术，或者叫做装置艺术的创作啊！第三十五回，写她听见所养的鹦鹉念诗，她就命令丫头把鹦鹉站的那个架子摘下来，另挂在月洞窗外的钩子上。于是进了屋，自己坐在月洞窗内，隔着纱窗，那纱窗应该用的是霞影纱，银红的纱窗外，是凤尾森森、龙吟细细、翠绿润泽的庭院。窗外的鹦鹉架上，站着美丽的彩色鹦鹉，黛玉就隔窗调逗鹦鹉作戏，又把素日自己喜欢的诗词教那鹦鹉念……你想想，那是怎样的生活。王熙凤的生活方式，书里也有详细的描写，比比看，王熙凤的那种生活里有权势有富贵却没有诗意，所以说，如果宝玉和黛玉能够结为夫妻，那不仅是爱的结合，也是诗的结合啊。

但是，在那个时代那种社会那样的家庭里，曹雪芹很忠实地写出了现实的严酷，二玉没能结合，黛玉泪尽，失去了外祖母这惟一的靠山，又病情加重，她就选择了沉湖，来诗意地告别人间。黛玉沉湖的具体景象，大家可以自由想象，那应该如同一首凄美哀婉的长歌。

有人激赏高鹗所写的黛玉之死，我也认为那是他续书里写得最好的部分。但有人说如果曹雪芹真写了黛玉之死，恐怕也未必能写得有高鹗好，这个判断我就不敢苟同了，曹雪芹"冷月葬花魂"的总体设计，实在是如诗如画，如梦如幻，长歌当哭，动人心魄的。

第五回里金陵十二钗正册首页，黛、钗诗画合一，画的是两株枯木上悬着一围玉带，又有一堆雪，雪下一股金簪，那旁边的判词是四句诗："可叹停机德，堪怜咏絮才；玉带林中挂，金簪雪里埋。"画与诗都象征着黛、钗二人的名字，这不消细说，有的红迷朋友提出这样的问题，就是枯木悬玉带的画和"玉带林中挂"这句诗，是不是在暗示黛玉是在树上上吊而亡呢？我认为不是，上面我已经举了很多证据，告诉你曹雪芹多次暗示，黛玉之死与水有关，就是沉湖。我猜想，他写黛玉沉湖的步骤，很可能是先解下腰上的玉带，悬在湖边树上，而且，很可能她的披肩，长长的纱巾，也让风吹到树林里，挂在那里。我已经分析过，黛玉在日常生活里，例如她葬花，都是作为行为艺术来精心处理每一个细节的。那么，她沉湖而死，这是她在人间最后的一次行为，她一定会尤其地艺术化、诗化，她是从容不迫，问心无愧，那样地结束她人间的生命，回到仙界里去的。

那么，宝钗呢？她在八十回后的命运，前辈红学家有许多揭示，对有的关键情节的推测，我都认同，比如在家长包办下，她嫁给了宝玉，她有所谓"停机之德"——东汉有个乐羊子，他外出求学，中途辍学而归，他妻子本来在织布，见他回来就停止织布，停下来不是表示高兴，不是说，啊，你可回来了，而是非常不满意，并且就当着他的面割断了布上的经线，那布匹就"嘎嘣"裂为两半，什么意思呢，就是责备丈夫，说他不该中断学业，应该继续去谋求功名，如不继续去读书上进，就跟那断裂的布匹一样，不成材，没有用了！宝钗在嫁给宝玉以后，非常地遵守妇道，举案齐眉，对宝玉照顾得非常周到，跟乐羊子妻一样，德行很高，但是宝玉觉得很不幸福。"可叹停机德"，她这种德行令人叹息却并不令人高兴，"纵然是齐眉举案，到底意难平！"宝玉内心里不爱她，弄得婚后的宝玉没有爱情，没有诗意，只有痛苦，只有郁闷。

脂砚斋透露，八十回后有一回的回目是"薛宝钗借词含讽谏 王熙凤知命强英雄"。可见到了家族败落、自己处境也很糟糕的情况下，宝钗和凤姐这两个人还是不改其思想性格，宝钗不知道是抓住了宝玉一句什么话，又对他实行讽谏，无非还是要他读书上进，参加科举，谋一个所谓的前程。你想宝玉烦不烦啊！二宝婚配，应该是在黛玉沉湖不久，宝玉曾经跟黛玉说过，还记得吗？第三十回，他说黛玉死了他就做和尚，在婚后，甚至是新婚的当天，他就跟宝钗说清楚，他不会跟她圆房，他要像和尚那样，起码，要成为一个居士。也许他真自己跑出了府去，在哪个庙里待了一阵，后来大约迫于家族和社会的压力，又一度回到家里，在风雨飘摇的家里没待多久，遭逢巨变，他也被逮入狱。在那以后，又经过一些波折，他应该有第二度出家，这回一定是真成了和尚。宝玉两度出家当和尚，前面是有暗示的，曹雪芹他那《红楼梦》的文本，信不信由你，就是那么个特点，似乎是无意随手写下那么一笔，结果，后面的文字就会显现出来，全有埋伏，这是精心设计的伏笔。有的人总是说，那么写累不累啊，这么读累不累啊，但我们面对的就是这样的文本，怕累，可以不这么读，或干脆不读，但真细细读进去，就会体会到，曹雪芹他字字看来皆是血，十年辛苦不寻常，不是那种仅凭一点灵气，一挥而就的轻松写法。他自己说他写得辛苦，爱尔兰的那位乔伊斯，他那部《尤利西斯》，就写得很累，读起来绝不轻松，大比喻套小比喻，话里有话，有无数层意思在里头，不仅是爱尔兰人，不仅是英语世界，包括我们——改革开放后的中国，多少人佩服啊，出了两种全译本，不少人买到后精读，一唱三叹，说你看多了不起啊！是了不起。那么，对我们老祖宗传下来的——曹雪芹的《红楼梦》，这可是远比乔伊斯的《尤利西斯》出现得早的文学创作啊——我们有什么理由怀疑里头也是充满玄机的呢？好，还是来说《红楼梦》里关于宝玉两次出家的伏笔，就在第三十一回，黛玉、宝玉跟袭人一起说话，袭人说到一口气不来死了倒也罢了，黛玉就笑说，你死了，别人不知怎么样，我先就哭死了，这时候宝玉就说，你死了，我做和尚去！于是黛玉将两个指头一伸，抿嘴笑道，做了两个和尚了，我从今以后都记着你做和尚的遭数儿！这难道又是废文赘语？不是，这就是伏笔，伏后文，宝玉在八十回后，是两次出家。

早在第二十一回，脂砚斋就在批语里说："宝玉之情古今无人可比，固矣；然宝玉有情极之毒，亦世人莫忍为者。看至后半部，则洞明矣！"我在前些讲里多次告诉你，曹雪芹在全书最后的《情榜》里，给宝玉的考语是"情不情"，就是他对甚至是完全无情的事物，都能去赋予感情，那么，对婚后的宝钗，他怎么又会那么无情呢？脂砚斋告诉我们，那是一种"情极之毒"，就是因为他对黛玉太有感情了，在那个时候他不能接受另外的妻子，尤其不能接受所谓以"金玉姻缘"为舆论前导的包办婚姻，而且，从极度尊重宝钗出发，他觉得不应该跟宝钗过虚伪的生活，于是，他采取了极端行为，就是出家当和尚。脂砚斋接着批道，宝玉有三大病：一是恶劝，厌恶宝钗、袭人等劝他走仕途经济之路；一是重情不重礼；还有就是情极之毒。脂砚斋说，正因为宝玉有情极之毒，所以后文里宝玉才能悬崖撒手，若他人得宝钗之妻、麝月之婢，岂能弃而为僧哉！她说，这是宝玉一生偏僻处。

也是根据脂砚斋批语，我们可以知道，八十回后，大约是在贾府因藏匿甄家罪产而遭受第一波打击后，不得不遣散大批丫头奴仆，袭人也被点名索走，多半是让忠顺王府要走了，后来嫁给了戏子蒋玉菡。袭人被迫离府时，嘱咐宝玉说，好歹留着麝月，麝月在照顾宝玉方面——八十回里几次写到——很有袭人的作风，而且她这人性格平和，不招人注意，所以只要还允许宝玉夫妇留下丫头，哪怕只让留一个，他们就一定留下麝月。在贾府遭遇第二波打击前，那段岁月里，宝玉不管怎么说，他有宝钗那么美貌，而且那么有德行的妻子，又有麝月那么忠心，模样也很不错的侍婢，又有蒋玉菡袭人夫妇暗中供奉他们。按一般俗人的想法，也算幸运，应该珍惜了，可是，宝玉却因为有情极之毒，居然忍心离开钗、麝去当和尚，悬崖撒手！

宝玉婚后，究竟跟宝钗有没有正常的夫妻生活呢？高鹗的写法，是他们还生下了儿子贾桂——后来贾家"兰桂齐芳"嘛；有的红学家则推测出来，宝钗是难产而死，二宝虽然没有后代，但是他们有正常的夫妻生活，宝钗是怀过孕的。曹雪芹在八十回后，会是怎么写的呢？这是一个值得探讨的问题。

曹雪芹去世七八年以后，有位富察明义，在他的一本《绿烟琐窗集》里，有《题红楼梦》的二十首绝句。前面的讲座里我提到过，红学界有所谓"四条不解之谜"的说法，那第四条谜指的就是明义的这二十首绝句。其实明义的这些绝句，从诗歌创作的角度来说，思想内涵不怎么高明，艺术性甚至可以说相当地差，那么，为什么红学界重视它，而且纷纷去破解，聚讼纷纭，以致使它成了不解之谜呢？那就是因为，明义说，"曹雪芹出所撰《红楼梦》一部"，固然使曹雪芹的著作权得到了肯定，但是，我们现在所能看到的古抄本，书名几乎都是《石头记》，明义看到的，却已经叫做《红楼梦》了，他说："惜其书未传，世鲜知者，余见其抄本焉。""未传"就是没有流传开，社会上一般人根本不知道，看不到，而他却看到了抄本，他看到的那个抄本怎么不叫《石头记》而叫《红楼梦》呢？他看到的那个抄本，究竟是只有八十回，还是一个不止八十回的全本？从他写的第十七到二十首来看，似乎他看到的是一个故事完整的本子，第十八首写到黛玉，"伤心一首葬花吟，似谶成真自不知；安得返魂香一缕，起卿沉痼续红丝。"说明他看到了黛玉之死，他同情黛玉，甚至想去改变小说的结局。第十九、二十首写到"石归山下""王孙瘦损骨嶙峋"，还意味深长地感叹："青娥红粉归何处？惭愧当年石季伦！"这都说明他看到的全本应该不是别人续的，而是曹雪芹的原笔。

明义的诗，对应该是前八十回里的故事，概括得也有些奇怪，红学界争议很大。这里不去参与关于明义二十首绝句的全面探讨，只挑出一首来细说说，那就是第十七首，它的四句是这样的："锦衣公子茁兰芽，红粉佳人未破瓜；少小不妨同室榻，梦魂多个帐儿纱。""锦衣公子"当然是说贾宝玉,"拙兰芽"是指他不善性行为;"红粉佳人",我觉得说的是宝钗,"破瓜",有的人觉得这样的字眼非常刺眼,粗鄙,甚至下流,但在那个时代,却是一个可以入诗的词汇,"未破瓜"的意思就是还是处女。这就是告诉我们,他所看到的那部手抄本里,后面的故事,就是锦衣公子宝玉和红粉佳人宝钗虽然结婚了,却并没有过正常的夫妻生活。当然,也有研究者认为,这四句都是写宝玉和黛玉,说的是第十九回,宝玉和黛玉同榻聊天,意绵绵静日玉生香,那段故事,这里不展开辩论,不过分歧如此之大,可见说这些诗是"不解之谜"绝非偶然。我的看法是,后两句可能是说十九回的情节,但头两句,不可能是说二玉,明义不至于有那样的心思,就是觉得二玉既然同榻聊天,就可能发生性关系,只是他们由于种种原因,没那样做而已。我认为他不至于写出那么一种感慨,他叹息的,应该还是二宝虽结为了夫妻,却并没有过正常的夫妻生活。

在八十回后,究竟宝钗死没死呢?应该是死了,但根据这个人的一贯性格,她不会自杀。第七十回,大家写咏絮词,根据我前面分析,她已经参加过选秀,已经被淘汰掉了,但是,她仍然固执地认为,不能悲观,她写的那阕《临江仙》,反驳了黛玉那阕《唐多令》里的"粉堕百花洲"的悲叹,"几曾随逝水?岂必委芳尘!"她仍然向往着:"好风频借力,送我上青云!"她嫁给宝玉后,当然就希望宝玉能回归"正道",凭借"好风",在科举考试中金榜题名,她会把这样的人生目标坚持到底。但是,严酷的现实最后彻底碾碎了她的向往,贾家在接踵而至的打击中瓦解崩溃,四大家族,包括她娘家,一枯俱枯,她应该是在抑郁中、焦虑中因病而亡。"金簪雪里埋",她可能是死在严寒的冬季,她彻底地冷了,僵了,再不用吞食冷香丸,也失却了香气,悲惨地化为了白骨。宝钗的命运,尤其值得我们深深地喟叹,她从思想立场上来说,是忠于那个社会的主流价值观,是拼命压抑自己的人欲,去迎合那个社会的规范的。但是,那个社会里的政治,那种虎兕恶斗的权力之争,对个体生命的价值是毫不顾忌的。你就是忠于我的价值观,你所属的那个家族如果被宣判为罪方,而且遭到了失败,那么,对不起,也就会把你像蚂蚁一样,一脚碾死,管你是否曾经努力地劝说过你那个家族的成员,如何地走"正路",你自己又如何地自我收敛,自我灭欲,努力地做到中规中矩,到头来,你就还是个随逝水、委芳尘的下场!曹雪芹他就这样升华着《红楼梦》

的主题，他等于在告诉我们，个人是历史的人质，个体生命无法从时代社会的大框架里逭逃。这样的主题，在全世界，特别是在西方，是到十八、十九世纪，才在文学中冒头的，可是曹雪芹在十八世纪上半叶就写出来了，真是非常地超前；而且，他通过宝玉、黛玉、妙玉这些形象，还表达了冲破这种"人质"身份的努力，那就是，坚定地避开主流，在边缘寻求完整的个人尊严，追求诗意的生与死。

宝钗必死，在第八回，她和宝玉互看佩戴物那段情节里，通过作者咏通灵宝玉的一首诗，把这个意思表达得非常清楚。那诗里说，"好知运败金无彩，堪叹时乖玉不光；白骨如山忘姓氏，无非公子与红妆！"通灵宝玉并不是贾宝玉，是一个见证者，它见证着书里每一个角色的命运，这几句诗就暗示着，宝钗最后变成了白骨。她还不像二玉，书里为二玉设计出了一种非人间的天界身份，无论是死去回到天上，还是继续留在人间，都还不至于成为白骨，但宝钗只有那样一个非常悲惨的结局。

其实所谓"不解之谜"，不止前面总结出的那四条。第一回，写贾雨村中秋节高吟一联云："玉在椟中求善价，钗于奁内待时飞。"表面上，这当然是表现贾雨村这个人的野心，但脂砚斋有非常明确的批语，说"表过黛玉则紧接宝钗"，又说"前用二玉合传，今用二宝合传，自是书中正眼"。可见，也是伏笔。但是，宝玉怎么会在匣子里追求一个高价钱，宝钗又怎么会在妆奁盒子里"待时飞"呢？宝钗固然是向往"好风频借力，送我上青云"，可是，第一回明白交代，贾雨村他姓贾名化，字表时飞，别号雨村。薛宝钗怎么会等待贾雨村呢？一位红迷朋友跟我讨论，他说他就猜测，宝钗在宝玉第二次出家后——那时候贾雨村夫人娇杏死去了——就成为了贾雨村的续弦夫人了。我告诉他，他那个思路不可取。你想宝钗一生是多么尊崇封建礼教，从一而终，这个封建道德规范，她一定实行到底，她不可能再嫁给任何人。但脂砚斋批语说得那么肯定，说这个对联是"二宝合传"，而且是"书中正眼"，我们不能别的地方相信脂砚斋，这个地方就偏不相信。究竟是怎么一回事？这条不解之谜，愿大家都来参与破解。

我的初步理解，现在讲出来，仅供大家参考。我认为是这样的，第一回先讲了天界的事情，告诉读者二玉是从天上下凡来的，那段文字是二玉合传。而那个对联呢，则是预告人间的故事，宝玉是个既有天国之爱，又有俗世之婚的人。那么他和宝钗，就是二宝，在八十回后，会陷于俗世困境，宝玉在贾家第二次被抄被惩治时，锒铛入狱，在狱里被派击柝，就是打更，寒冬噎酸虀，雪夜围破毡，后来，皇家允许外面的人花钱将他赎出，但是监狱非常黑暗，多少钱也喂不饱相关的官员，因此，宝玉一度就总在那黑匣子似的监狱里，盼有一天，有人出了一个相关官吏能接受的大价钱，把他给放出去。宝钗呢，她盼时飞，很可能确实是盼贾雨村，盼这个人出面，来缓解甚至解除她和她家族所面临的窘境，希望能帮助把宝玉赎出来。我特别注意到，第四十八回，平儿讲强夺石呆子扇子的事情，骂贾雨村是"半路途中那里来的饿不死的野杂种"，不是面对别的人，就是跟宝钗一个人私下里说的。宝钗因此深知贾雨村是个奸雄，在混乱的政治局面里，这种毫无操守、惟利是图的奸雄，往往恰可利用其特点特长，来解决一些实际的问题。宝钗虽然是个极为尊崇封建道德规范的人，但又是一个特别善于权变的人，在不牺牲自己的根本利益，比如贞操、尊严等方面的前提下，牺牲些金钱或者不那么重要的人际关系，以求自己的利益得到保障，她是很有灵活性的。比如第二十七回，她扑蝶扑到滴翠亭，偶然听见小红和坠儿说私房话，而小红她们眼看就要推开窗户，在那个紧急时刻，她就不惜使用金蝉脱壳的伎俩，把小红她们的注意力转移到黛玉身上去。这样做，按封建道德标准衡量，也属于嫁祸于人，是很恶劣的，但曹雪芹就写出了人性的复杂，宝钗在特定的情况下，为了自己的利益，她也会采取非常灵活的应变措施。我认为，脂砚斋对那个对联的批语，所透露的，就是二宝在八十回后会有的一种状态。当然，最后贾雨村不但没有帮忙，还落井下石，宝钗在惊恐忧郁中死去，而宝玉却被人以重金赎出，赎他的，可能是傅秋芳。

黛、钗的结局，大体就是这样。下一讲，我们将探讨史湘云，有红学专家根据第三十一回的回目"因麒麟伏白首双星"，判定八十回后将写到宝玉最终和史湘云遇合，最后他们生活在一起，白头偕老。这可能吗？如果真是这样，贾宝玉又怎么谈得到悬崖撒手呢？"石归山下"又怎么解释呢？看来，我的揭秘之旅，真是前路漫漫。但是，我从中获得的快乐，真是难以用语言充分表达，愿您也能随着我的讲述，对《红楼梦》产生更浓厚的兴趣。下一讲见。

第三十讲
因麒麟伏白首双星之谜

　　在《红楼梦》里，金陵十二钗正册各钗，几乎都有一段文字对她们的身份来历加以说明：第一回讲到黛玉的天界身份，第二回、第三回具体写到她的家庭和自身情况；第二回通过冷子兴，交代了元、迎、探、惜和王熙凤，巧姐虽然没有具体介绍，但是说清楚了王熙凤也就等于说明白了她；第四回一开始交代了李纨的家庭背景，后来又交代了宝钗；第八回末尾是关于秦可卿来历的交代；第十七、十八回里，通过仆人向王夫人汇报，把妙玉也介绍得很详细。但是，前十九回里，一直都没有出现过的史湘云，在第二十回里突然出现，作者只用一句话写道，且说宝玉正和宝钗玩笑，忽见人说，史大姑娘来了。这史大姑娘何许人也？之前，之后，都没有一段文字很明确地加以说明，似乎这个人根本用不着介绍。当然，对于书里的人们来说，她还用得着介绍吗？上上下下的人们对她都熟，甚至可以说是滥熟。书里写道，宝玉听说她来了，抬身就走，宝钗就让他等等，说一齐瞧瞧她去，然后就到了贾母那里，就只见史湘云大笑大说的。

　　这个一出场就大笑大说的美丽姑娘，她的身份是需要读者从后面的情节流动里，去自己感受出来的。关于她，居然没有特设一段文字，或用作者的叙述语言，或通过书中某人之口，加以集中说明，而是让她如此突兀地忽然登场，这样的笔法确实令人纳闷。

　　读者后来从种种零碎的细节，从书中人物的片断话语，可以大体弄清楚她的基本生存状态：她是贾母娘家的人，是贾母的一个侄孙女。原来史家人丁旺盛，也有好大的花园，花园里有个枕霞阁，但是对于史湘云来说。那只存在于老辈的怀旧之谈里，她出生后，就没有在那样的亭阁里玩耍过。不过，后来大观园里有了诗社，她参加后，就用了个"枕霞旧友"的别号。她的父母，当她在襁褓中的时候就双亡了，从此，她就只能靠本家亲戚代养。她的两对叔叔婶婶轮流抚养她，一个叔叔是忠靖侯史鼎。第十三回写秦可卿丧事，有一笔写的是，接着，便又听见喝道之声，原来是忠靖侯史鼎的夫人来了。古本《石头记》里，这个地方就出现一条脂砚斋批语："史小姐湘云消息也。"但是正文里并没有她的名字出现，后来通行本才在这句话后面加上"带着侄女儿湘云来了"，算减缓了一点第二十回她大笑大说地出现的突兀。后来第四十九回，又写到她另一个叔叔保龄侯史鼐，说史鼐迁委了外省大员，要带家眷去上任，于是贾母就把史湘云留在荣国府长住。前面讲座里，我讲到贾母原型是苏州织造李煦的妹妹，证据之一，是李煦有两个儿子，大的叫李鼐，二的叫李鼎，说书里虽然把姓李改成了姓史，但贾母的两个侄子仍然写成大的名鼐、小的名鼎。有红迷朋友就问，你怎见得书里的史鼐是老大呢？这可以从第四回"护官符"的附注里分析出来，史家祖上被封的是保龄侯，这个爵位一定要由家族的长子来继承，可见史鼐是老大；史鼎是因为有另外的功劳，皇帝再给封的侯，名称就不是祖上的那个名称，另叫忠靖侯。这两个叔叔抚养史湘云，不过是尽宗族的义务。她的两个婶婶，对她是相当苛刻的，让她每天做很多的针线活，很晚才能睡觉休息，特别累，所以史湘云实际上是很可怜的，她最愿意到她的祖姑贾母这边来，贾母也特别疼爱她。在黛玉进荣国府以前，她是那里的常客，袭人原是伺候贾母的，她那时每回来了，都是袭人服侍她，她们俩还说过一些悄悄话。但是，我以上所总结出来的，全靠文本里分散在各处的零星信息，这么重要的一个角色，很奇怪，竟没有一段文字，集中地交代一下她的身份背景。

黛、钗、湘，有人说是书中三足鼎立的角色，三位美女。但是，我们细想一下，又有点怪，曹雪芹对黛、钗都有很具体的肖像描写，写到她们那各具特色的面容。比如写黛玉，第三回从宝玉眼中看出，是两弯似蹙非蹙罥烟眉，一双似泣非泣含露目，态生两靥之愁，娇袭一身之病，泪光点点，娇喘微微……注意其中那句"一双似泣非泣含露目"，好多古本上，这句乱作一团，用墨笔点改来点改去，有的写作"含情目""一双俊目"，甚至"一对多情杏眼"。通行本上则印成"一双似喜非喜含情目"，那就不但把黛玉眼神改歪了，性格也弄偏了，都是不对的。

周汝昌先生曾亲自去圣彼得堡的图书馆，查验了那里的一个古本，书上明明白白、清清爽爽地写着，是"含露目"。"胃烟"和"含露"恰好对应，应该是曹雪芹的原笔原意。我很佩服他的这个结论，黛玉就是那样的眉眼，非常独特，活灵活现。宝钗呢，第四回就写到她肌骨莹润，举止娴雅，第八回也是通过宝玉的眼睛，去看宝钗的面貌，唇不点而红，眉不画而翠，脸若银盆，眼如水杏，跟黛玉比，是另一种美。后来书里把黛玉比喻成芙蓉花，把宝钗比喻成牡丹花，跟对她们的外貌设计是相配套的。同时，书里用那么多笔墨写史湘云，也曾写到她的身材，例如第四十九回写到她打扮成"小骚达子"模样，越显得蜂腰猿背、鹤势螂形，可见她细腰高身挑，手臂修长；又如第二十一回，曾写到宝玉没等黛、湘起床，就跑到她们的住处，看见湘云的睡相是一把青丝拖于枕畔，被只齐胸，一弯雪白的膀子摞于被外，而与之对比，黛玉却是严严密密裹着被子安稳合目而睡，这就不仅是写睡相，把人物的不同个性也刻画出来了。但是，虽然写到了这些，前八十回文本里，却始终没有像对黛、钗那样，写到湘云的面庞眉眼，她这朵海棠花究竟是什么样的面相，只能靠我们去凭空想象。当然，这也说明了曹雪芹的厉害，不止对湘云，像对妙玉，还有许多的角色，他都并没有去写他们的肖像，但我们闭眼一想，却觉得那人就活现在我们眼前；当然，每个读者所想象的，并不一样，甚至差距很大，但是，却又都坚信，那就是书里的某个角色。

更有意思的是，曹雪芹写史湘云，写她咬舌，口齿不清，把"二哥哥"叫成"爱哥哥"。写一个美女，却写她有这样的缺陷。第五十九回，写湘云晨妆时，两腮作痒，原来是又犯了杏癞癣，就问宝钗要蔷薇硝来擦，宝钗说前儿剩下的都给了宝琴了，又说黛玉配了许多，让丫头莺儿去取。可见她们这些美女，天天耳鬓厮磨，一个人脸上长了癣，就会传染开去，大观园的美女们，脸上有时也会长癣。曹雪芹开卷就说"闺阁中本自历历有人"，他"追踪蹑迹，不敢稍加穿凿，徒为供人之目而反失其真传者"。我认为，他这就是写实，这些人物就是都有生活原型，他当然加进了艺术虚构成分，比如对二玉，还给他们设计出了天界身份，构思出一段灌溉和还泪的神话故事。但是，他的艺术功力，还是主要体现在鲁迅先生所概括的那八个字上，那就是：正因写实，转成新鲜。大家想想，历来书里写美女，可有像他这样写到腮上杏癞癣的？虽然他写了美女们的这个小缺陷，读者不仅不会因此失望，反而更相信这是些有血有肉的，真实的存在。

　　关于史湘云，大家都很熟悉的那些情节，我不细说了，比如她的醉眠芍药裀，跟黛玉葬花、宝钗扑蝶一样，是书里最优美的场面，成为后世无数画家画了又画，赏画人赏了又赏，永觉新鲜动人的可以说是永恒的绘画题材。我的讲座第一讲里就讲到，清朝时候人们就把她醉眠的憨态画出来欣赏，连骡车窗子上都画的是她。如果一群红迷朋友聚在一起，要求每人各举一例，来说明湘云的可爱，那么大家所举出的例子，可能完全不重复，不必一定去说她醉眠芍药裀。比如，就会有人举出她亲自在铁丝蒙子上烧烤鹿肉，当黛玉讥讽她的时候，她还说了句十分有名的话，记得吧？她说，是真名士自风流！那么，也就会有人举出另一个例子，就是荣国府里养的那些唱戏的姑娘，后来被遣散，有的不愿走，就分给各人当丫头。分到湘云名下的，是唱大花面的葵官，她把葵官装扮成男子模样，因为葵官姓韦，她就给她取了个别名，叫韦大英，什么含义？就是，惟大英雄能本色！这两个情节并不连接，但是，你想想，是真名士自风流，惟大英雄能本色，是不是一副很好的对联啊？如果加一个横批，你说加什么？我说加"霁月光风"，估计你能同意，这四个字是从第五回关于她的那支《乐中悲》里挑出来的，很显然，这副对联，把史湘云这个人物的基本性格和思想境界勾勒出来了。她跟黛、钗很不一样，黛悲观尖刻，钗自敛平和，她呢，倜傥潇洒，有男子气概。书里也写到了，她常女扮男装：第三十一回，说她有次穿上宝玉的衣服，贾母望过去，以为就是宝玉，直招呼，说快过来，仔细那上头挂的灯穗子招下灰来迷了眼，她只是笑，不过去。史湘云的生活原型，跟贾母的生活原型相连属，是最容易确定的，她就是曹雪芹祖母家——李家——李煦、李鼎的一个去世得较早的兄弟的女儿，也就是他的一个李姓远房表妹。我认为，书里写的关于湘云的那些情节，包括细节，基本上都是有原型事件、原型细节的，甚至像贾母跟她说的那个话，说别让灯穗子上的灰掉下来迷了眼，都是生活里实际出现过的，如果完全虚构，很难写出这一笔，很难想像到贵族府第里挂的灯，那灯穗子上也难免有积存的灰尘。

　　按说，湘云是一个透明度很高的人物，有回大家一起看戏，唱戏的戏子装扮出来，凤姐说像一个人，像谁？其他人都觉得像，都不说，她却毫不犹豫地说出来，像黛玉，宝玉就给她使了个眼色，后来惹得黛玉跟宝玉怄气，她也很不高兴，宝玉就跟她解释，甚至赌咒发誓——宝玉的赌咒总是奇奇怪怪——这次是说如果没安好心，立刻就化成灰，让万人践踏。湘云绝对快人快语，她听了就说："大正月里，少信口胡说这些没要紧的恶誓、散话、歪话，说给那些小性儿，行动爱恼的人，会辖治你的人听去！"小性儿、行动爱恼、会辖治宝玉，这些对黛玉的评语多么准确呀，她就那么淋漓尽致地一口气说了出来，这是多么憨直爽朗的性格！

我所接触的红迷朋友里，固然有最喜黛玉或最喜宝钗的，但厌烦黛玉，对宝钗摇头的也不少，不过一提到湘云，几乎没有不喜欢的。关于湘云，其实谜团并不少，先讨论两个比较好解答的问题吧。

一个问题是，曹雪芹为什么要写湘云也跟宝钗一样，劝宝玉读书上进，走仕途经济的所谓正路？甚至于为此，差点被宝玉轰到屋子外头去。一位红迷朋友就跟我说，读到那里，他觉得很遗憾，为湘云遗憾，那不就等于说，湘云再美丽，再聪慧，也入了国贼禄鬼一流了吗？比起黛玉，那就简直是一个先进一个落后，甚至不仅是落后，简直是愚昧谬误了。很显然，这位红迷朋友，思维定势，被上世纪五六十年代的某种流行观点束缚住，弄得僵化了。我在关于宝玉的那几讲里，表明了我的看法，就是曹雪芹写那些情节，写宝玉那些言论，那些行为，是认真的，他确实在肯定宝玉和黛玉的那种超越当时主流价值观的、带有叛逆性和进步性的思想情绪。但是，把书里的人物简单地按反封建和顺封建或者叫拥封建来分成对立的阵营，加以褒贬，那绝不是曹雪芹希望于我们的，因为那绝不是他的初衷。他笔下的宝钗，我上一讲已经说到了，实际是那段历史、那种社会环境下的一个悲惨的人质。为了生存，为了不被现实抛弃、碾碎，她拼命压抑自己的合理欲望，包括情欲，试图用内收外敛的办法来达到适者生存。但是，到头来，她也还是逃不脱被无情碾碎的悲惨命运，这哪里是一个所谓的顺封建、拥封建的反面形象？这是又一种美丽被黑暗吞噬的悲剧，是一个值得我们深为惋惜的、很珍贵的生命。但是湘云说那样的话，跟宝钗还不同。宝钗是经过深思熟虑的，宝钗具有某种深刻性，是看透了，但是不去忤逆，还存在幻想，还希望哪怕是像柳絮那样的轻薄无根的东西，也终于还是能"好风频借力，送我上青云"；湘云却是一派天真烂漫，她在仕途经济这类问题上，跟她不认识当票一样，她不懂，没有什么定型的思想意识，她不过是跟着宝钗学舌罢了。虽然话赶话的情况下，遭到宝玉抢白，那段情节确实是表现并肯定二玉的进步性，但并不等于是在表现与批判湘云的落后性甚至反动性，我认为曹雪芹他是在写湘云的性格，她就那么没心没肺，口无遮拦。当然，她也是历史的人质，她虽然说过"双悬日月照乾坤"的牙牌令词，其实那只是作者借她的口暗示书里故事的具体背景，并不是写她有政治意识，她是并不知道悬在他们头顶上的日月之争，将会怎么彻底影响他们的命运的。作者通过第五回，通过秦可卿临终遗言，甚至通过小红那样的角色说出"千里搭长棚，没有不散的筵席"，让读者意会到，金陵十二钗，她们这些美丽的青春女性，头上随时可能坠下利剑，但是她们自己大都浑然不觉，她们吟诗填词，赏菊食蟹，簪花斗草，欢声笑语，这是多么让人心碎的似水流年，如花美眷……

还有一个问题，就是前八十回里，如果说二玉和二宝已经构成了一种三角恋爱的关系，那么，湘云跟宝玉是怎样一种关系？湘云是否爱宝玉？宝玉是否爱湘云？我可以很明快地告诉你我的看法，要说男女间的情爱，他们之间就是没有。要说闺友闺情，互相欣赏，在一起经常是非常地快乐，有时候闹点小矛盾，甚至发生点不算太小的摩擦冲撞，那就仿佛干净的池塘里，水上添了些浮萍，不但不破相，倒更显得多姿多彩，更有韵味。到头来，他们闹过别扭，还是和好如初，从这个角度来说，她们之间有兄妹之爱，而且爱得很深。

其实，在第五回《乐中悲》里，已经点出了这一点："幸生来，英豪阔大宽宏量，从未将儿女私情略萦心上，好一似，霁月光风耀玉堂。"我觉得，在前八十回里，湘云的这个品格展现得非常充分，她那时还不懂得男女间的情爱，她没有从严格的男女情爱角度上爱宝玉，也没有去爱别的任何男性。她鹤势螂形，与其说她爱女扮男装，不如说她爱中性造型。

湘云是贾母娘家的血肉，贾母像疼黛玉那样疼她，那么，怎么不见贾母将她与宝玉婚配的迹象呢？难道你看出来了吗？我是真看不出来。湘云虽然父母双亡，但是她有两位封侯的叔父，两位婶子就算对她比较苛刻，但他们对她的抚养，以及安排她的出嫁，从封建宗法伦理上说，责无旁贷，也是容不得别人插手的，即使是她的祖姑，毕竟还不是亲祖母，也不便于干预。当然，贾母如果真有那个想法，也可以找人去说媒求亲，把她要来嫁给宝玉，但贾母确实觉得宝玉还小点，还不必马上娶亲，何况贾母眼前又有黛玉，黛玉从血缘上比湘云更亲，她已判定二玉"不是冤家不聚头"。在这种情况下，湘云的叔婶可不觉得湘云还小，他们的想法必定是，早一天把她嫁出去，早一天卸下担子。因此，在书里我们就看到这样的描写：第三十一回，她又来到荣国府，大家笑她话多，王夫人就说："只怕如今好了，前日有人来相看，眼见有婆家了……"到第三十二回，又通过袭人说："大姑娘，听见前儿你大喜了！"湘云红了脸，吃茶不答，她没否认，可见是真的订了婚了。接下去，袭人还说了一段话，大意是十年前，她俩在贾母房里西暖阁住着，晚上一起说过悄悄话，那时候湘云并不害臊，但现在却害臊了。十年前，那湘云应该还是很小的一个懵懂小女孩，她说过什么呢？周汝昌先生认为，她说过想嫁给宝哥哥的话，我觉得这不失为一种很犀利的具有穿透力的思路，但是证实起来，就比较困难。我觉得，不必坐得那么实，但她应该是跟袭人说过，想当新娘子——小孩子过家家，女孩子想当新娘子，拿块红布做盖头学着元，是完全可能的，我小时候，就曾和一群小男孩小女孩玩过装新郎新娘的游戏。总之，从书里这些描写看，湘云是订了婆家确定了丈夫的一位姑娘了，尽管她自己似乎还不是很清醒，也不去考虑以后如何，只管叽叽呱呱，笑一阵，说一阵，继续过天真烂漫的优游生活。

但是，既然订了人家，就得嫁到那家去。那么，湘云究竟嫁出去没有呢？嫁给了谁呢？回答这个问题，就不那么容易了。特别是，第三十一回的回目，后半句是"因麒麟伏白首双星"，这是什么意思？读者都知道，湘云一直戴着个比较小的金麒麟，那应该是一只雌麒麟；而宝玉呢，从清虚观张道士那里，得到了一只比较大的、文彩辉煌的金麒麟，应该算是一只雄的，他一直留着要给湘云，却不想粗心丢掉了，而偏巧又被湘云的丫头翠缕捡到。到第三十二回，接着写这件事，湘云就笑宝玉，说幸而是这个，明儿倘或把印也丢了，难道也就罢了不成？宝玉笑道，倒是丢了印平常，若丢了这个，我就该死了！不要一看见这样的对话，就给两个人贴意识形态的标签，看重官印的是封建正统意识，宁丢官印不能丢麒麟的是反封建。这里双方都不过是打比喻，无非说明，宝玉非常重视这只大些的金麒麟，但湘云还给他，他也就伸手拿了，并没送给湘云，让她凑成一对来佩戴或收藏。那么，怎么会"因麒麟伏白首双星"呢？因为这两只一大一小的金麒麟，就埋伏下一对白头发的"双星"。"双星"，过去一般都是指牛郎星和织女星，也常用来代指一对恋人、一对夫妇，那么，这里的"双星"难道就是指宝玉和湘云么？但是，一条脂砚斋批语把问题搞得更加复杂，就在第三十一回最后，这条批语说：后数十回，若兰在射圃所佩之麒麟，正此麒麟也，提纲伏线于此回中，所谓草蛇灰线，在千里之外。那么，这"白首双星"中的一星，也可能是若兰，也就是第十三回，参与秦可卿丧事活动的那个卫若兰。我在讲妙玉的时候讲了，虽然这个名字在前八十回正文里只出现那么一次，"冯紫英、陈也俊、卫若兰等诸王孙公子"，就那么一句话，但是，他却是一个后数十回里有重头戏的角色。湘云是嫁给他了吗？他们白头偕老了吗？前面我已提到过，在第二十六回，还有一条批语说："惜卫若兰射圃文字迷失无稿，叹叹！"使有关卫若兰和金麒麟的这个伏笔，更增加了神秘色彩。

再仔细看，第三十一回前头，还有一条批语说金玉姻缘已定，又写一金麒麟，是间色法也。所谓间色法，是中国画的一种技法，颜色里，比如红色，从色谱上看，正红以外，其左右还有许多与其逐步接近和逐步离开的中间过渡色，比如微红、淡红、浅红、嫩红、粉红、桃红、杏红、洋红、银红、金红、深红、朱红、赤红、火红、紫红、赭红、暗红、黑红等等，先用了一种红做底色，再在上面使用一种跟它有差别的红，这种做画方法就叫使用了间色法。曹雪芹已经设计了一个金玉姻缘，就是二宝一个有通灵宝玉一个有金锁，王夫人、薛姨妈她们一直在造舆论，说有神奇的和尚说了，戴金锁的就是注定要嫁给有玉的，这本来已经给黛玉造成了难以治愈的心病，二玉之间也闹出了许多的纠纷。那么他又再设计出了第二种金玉姻缘，就是戴金麒麟的女子和有玉的公子的姻缘，这就使得情节发展更加地花团锦簇、迷离扑朔，这是一般的俗手绝不敢尝试的。书里就写到黛玉在双金的刺激下，大闹特闹，也写了宝玉的赌咒发誓，他哪个金玉姻缘也不认，固守木石前盟，笃信木石姻缘。但是到了八十回后，黛玉死去之后，是不是宝玉自己也没有想到，他虽然拒绝了金锁，最后却意外地跟金麒麟邂逅，成就了一段好姻缘，并且白头到老，双星永伴呢？

你看，这谜团越滚越大，简直已经是个乱麻团了。究竟曹雪芹他卖的什么关子，埋的什么伏笔，打造的什么闷葫芦？从过去到现在，红学界聚讼纷纭，莫衷一是。

有红迷朋友会说了，急什么，第五回不是有关于湘云的册页诗画和曲子嘛，看看那里头说了些什么，湘云八十回后的结局不就清楚了吗？好，我们就一起来看。金陵十二钗正册，湘云排第五位，涉及她的那一页，画的是几缕飞云，一湾逝水，画面可不喜幸，是悲凉的气氛。那云那水固然是暗示着她的姓名，但云飞水逝，说明她最后是靠山山崩，傍水水枯，结局应该也是非常不幸的。关于她的判词，第一句"富贵又何为，襁褓之间父母违"不必解释了，第二句"展眼吊斜晖，湘江水逝楚云飞"，应该还是表明湘云的性格命运，夕阳欲敛，景况不妙，但是她还沉得住气，面对暗淡的前景，她不是紧闭双眼，而是睁大眼睛，虽然水逝云飞，却仍固执地寻求生存的空间与生存的可能。从这个册页里，我们可以知道湘云后来能够坚强地面对不幸，可是，却并没有"因麒麟伏白首双星"的一丝影子。

那么再来看关于她的曲。那支《枉凝眉》，我认为是合吟她和妙玉，这属于一家之言，且不论，但是，《乐中悲》公认是写她的，在这一点上各方都不会有争议，那么，我们现在就只推敲这支曲。首先要注意，曲名不是《悲中乐》，而是《乐中悲》，就是说，在最后，湘云能够得到快乐，但是在快乐当中也有深深的悲伤。依然把落点定在悲字上，告诉读者，到头来还是悲剧。曹雪芹把《红楼梦》整个儿设计成一个大悲剧，他打破了在他之前的那个文学传统，那种套路窠臼，原来那些作品的写法，不管前面和中间多么悲苦，甚至一直悲苦到结尾之前，但是最后总还是善有善报，恶有恶报，苦尽甘来，破涕为笑，大团圆，大开心，到头来还是喜剧的结局。曹雪芹写《红楼梦》，真是了不起，他在我们民族的文学发展历程上，第一次自觉地、成功地构思出、结撰出一个彻底的大悲剧，在这个总体设计的框架里，他不可能将湘云排除在外。

《乐中悲》的头一句："襁褓中，父母叹双亡，纵居那绮罗丛，谁知娇养？"这句不用讨论。它的第二句："幸生来，英豪阔大宽宏量，从未将儿女私情略萦心上，好一似，霁月光风耀玉堂。"则需略加探讨。前面已经引过，说过我的看法。"霁月"就是雨雪后转晴，雾气消散所露出的特别清朗明亮的月亮。这句里的"英豪"有的古本作"英雄"，有红学家认为是曹雪芹原笔，我也不细说了。接下去，大问题就来了，"厮配得才貌仙郎，博得个地久天长，准折得幼年时坎坷形状。"这句明白地告诉我们，她跟一位才貌仙郎结合了，而且打算白头偕老，这样的幸福婚姻，等于给她的命运来了一次平衡，把她幼年时因为父母早亡所造成的那些坎坷，都给"准折"了，也就是抵消了。那么，才貌仙郎究竟是谁呢？

周汝昌先生提出一种看法，认为才貌仙郎说的就是宝玉，宝玉才貌双全，自不消说，他是天界的神瑛侍者下凡，称他仙郎也很恰当。他们在八十回后遇合，结为夫妻，誓言要博得个地久天长，以抵消湘云幼年的那些坎坷痛苦，所以曲子里这样写，这也很切合第三十一回回目"因麒麟伏白首双星"的暗示。但是，这支曲到这里并没有结束，下面还有，"终久是云散高唐，水涸湘江，这是尘寰中消长数应当，又何必枉悲伤！"如果才貌仙郎说的是宝玉，那么，从这句看，终久还是人去屋空，也就是说，最后的结局依然不可能有什么偕老的"白首双星"。曲子里还说，这既然是命中注定，也就只能是默默地接受，不必枉自悲伤，这也切合了曲子的名称，就是虽然有一段快乐美满的姻缘，但是到头来还是并不能久长，还是一个悲剧的结局。

你看，湘云的结局究竟是怎么回事，仔细一讨论，难度竟如此之大。

许多红迷朋友都知道，红学界里，最早是周汝昌先生考证出，史湘云的原型不仅是曹雪芹的一位李姓表妹，而且，就是跟他合作的脂砚斋。关于脂砚斋，红学界也是争论很大的。你仔细读现在古本里的那些批语，有的有署名，有的没署名，署名也有好几个，有的只出现一两次，比如松斋、梅溪、立松轩，可以不必深究，但是，署得多的除脂砚斋外，还有畸笏叟，这个署名比脂砚斋更怪。那么，脂砚斋与畸笏叟，究竟是一人而前后署了两个名，还是根本就是两个不同的人？看那些批语，肯定是女子口气和很像女子口气的比例很大，但是也有少数批语，不大像女子的口气或者是那个时代女子不会有那种说法的。所以，你得知道，红学这个领域里，几乎在每一个问题上，不仅是大问题，就是小问题，也总是有争论，至今没有形成某论一出众人皆服的局面。这也许恰恰是《红楼梦》能形成一门红学，能让我们大家在这一公众共享的学术空间里撒欢打滚，获得快乐的独特之处吧。好，关于湘云的原型就是脂砚斋的根据，大家可以去看周先生的书，我不在这里细介绍他的有关论证，我要说的是，我是认同周老的这一重要观点的。

虽然我总体上认同周老的观点，但是，在对八十回后史湘云命运结局的推测上，我跟周老的看法有重大的不同。

我认为，《乐中悲》曲里所说的才貌仙郎，不是宝玉，而是卫若兰。脂砚斋批语，不管是署脂砚斋还是畸笏叟，既然就是湘云的原型，那么，她对涉及到金麒麟的那些批语，就一定可信，她会乱批吗？她明确告诉我们，宝玉所得到的那只金麒麟，一度到了卫若兰手中，可见金麒麟是一个中介，使湘云和卫若兰一度发生了关系。再看书里，早在第三十一回，就说湘云订了婚，一直到八十回结束，也没说取消了这个婚约，可见，到八十回后，她一定是出嫁了，应该就是嫁给了卫若兰。卫若兰是一位王孙公子，跟湘云应该是门当户对，而且，从曹雪芹给这个角色取的名字——我们都知道《红楼梦》里角色的名字，往往是一眼能看出妍媸贤愚的，卜世人、詹光、单聘仁等一看就是坏名字，卫若兰一看就是好名字，说他气味如兰草般清雅，可见是一位很不错的丈夫，说湘云嫁给他，是厮配得才貌仙郎，也无不可。像妙玉，曹雪芹并没有给她设定一个仙界的身份，但赞她"才华阜比仙"，那么卫若兰之所以被曹雪芹那么肯定，可能还不仅是才貌特好，他在八十回后射圃一段情节里有重头戏，而且佩戴着那只大金麒麟，可能是他和湘云结婚时，宝玉送给他的。八十回后的射圃情节，不会是像第七十五回里所写的，贾珍搞的那种以练习射箭为幌子所组织的享乐活动，而很可能是"月派"人物以练习骑射而采取的一次政治行动。我这样猜测不能说毫无道理，我在前面讲座里很多次讲到冯紫英，那是个"月派"政治人物吧，那么，在第十三回，卫若兰的名字就跟冯紫英排列在一起，那不会是偶然的。本来，湘云嫁给卫若兰，算是对以往因为父母双亡而形成的早年坎坷有了个补偿，可是，卫若兰所参与的"月派"谋反行动失败了，湘云就不是一般的寡妇了，她作为罪家的一个犯妇，恐怕所经历的那些事情，就超出我们的想象力了。为什么有关卫若兰射圃的文字会"迷失无稿"？如果仅仅是些闺友闺情的内容，也许那些文稿就还不至于"迷失"吧？乾隆一个堂兄弟叫弘旿，他知道《红楼梦》，也能得到抄本，但是他就是不敢看。他的一个侄子，就是康熙的十四阿哥——在二阿哥被废后一度最有希望成为康熙的继承人——他的孙子，叫永忠，永忠看了《红楼梦》而且写了三首诗，弘旿连那诗都读了，却还是在那诗上头写了这样的批语："第《红楼梦》非传世小说，余闻之久矣，而终不欲一见，恐其中有碍语也。"卫若兰射圃一段文字，估计就是严重的"碍语"，借去看的人或因为害怕，或认为将其销毁是保护了曹雪芹，甚至是别有险恶用心，就说是"迷失"了，到今天，我们就再也看不到，弄得在这里讨论，史湘云后来究竟怎么了？我就猜测，卫若兰出了事死了，临死前，总算把那只大金麒麟留给了湘云，让她设法找到宝玉。

那么，"因麒麟伏白首双星"，伏的是谁呢？我的推理是，确实应在了宝、湘二人身上。湘云在卫若兰死后，历经磨难，后来大概是在瓜州渡口，通过妙玉，得以跟宝玉遇合。那时候湘云应该是别的什么都没有了，但还珍藏着那一对金麒麟，宝玉见了，一定百感交集。

这样解释，虽然算得融会贯通，但是，仍然有一个问题存在，必须再做努力，加以破解，那就是如果宝、湘遇合后就白头偕老，那么，也是脂砚斋批语里说的，宝玉最后是悬崖撒手，意思就是大彻大悟，都还不是一般地出家当和尚，应该是彻底地了结了尘缘，回到天界，回到西方灵河岸的三生石附近，回到赤瑕宫里，继续当神仙，当神瑛侍者去了，那么，湘云不就被他撇下了吗？又怎么谈得到是白头偕老呢？

历来的研究者，专业的也好，业余的也罢，不管是怎样的一个思路，到头来都会遇到这个最难啃的难题，特别是如果认为湘云的原型就是脂砚斋，而脂砚斋不仅做编辑和批注的工作，甚至还参与创作出点子，让曹雪芹删什么、补什么，有时候，干脆自己执笔。像前面提到的，她就可能执笔写了凤姐点戏的那段情节，我们现在看到的第六十四回、第六十七回，就可能是她补全的，因此，她怎么会让自己的批语跟三十一回的回目去发生冲突呢？她不可能去做前后自相矛盾的事。那么，不矛盾，前后一致，顺理成章，宝、湘苦难中会合以后，又该是怎么个情况呢？怎么既"因麒麟伏白首双星"，又保持一个大悲剧的结局呢？如果宝、湘后来就那么一直生活在一起，白头偕老，虽然贫穷，不也很幸福吗？又怎么会是个大悲剧呢？那不是跟西洋古典童话，比如《格林童话》的那些公式化的结尾雷同了吗？不管故事里的王子公主、靓男俏女遭遇到什么磨难，故事最后，他们总是结合到一起，于是，故事就以那样的一句话结束："从此，他们过上了幸福的生活……"我认为，曹雪芹是不会那么写的，他就是要写一个属于全人类的，充满哲理意味的彻底的悲剧，他把最有价值的事物，最美丽的一群女性，她们如何被命运撕碎，惊心动魄地写出来，给我们看，令我们惊悚，让我们感悟，让我们产生大悲悯，在祭奠了这些牺牲品以后，立下誓愿，要更尊重生命的花朵，要让大地上出现更合理的生活，要努力让诗意融会进每一个角落，每一个生命，每一种事物……

因此，认为《红楼梦》最后，宝、湘是一个近乎喜剧的白头偕老的结局，显然不符合全书的宗旨，也不符合他艺术上的总设计、总构思。

为了破解"因麒麟伏白首双星"，有的研究者就绞尽脑汁，去另辟蹊径，比如，说白首双星是张道士与贾母，张道士是荣国公的替身，两个人在清虚观见面时，都已白发苍苍，而在这回里，出现了金麒麟，所以说是因为麒麟，写到了这么两个白发老人；而对"双星"的解释，则是说参星与商星，永不能靠近结合。那么，这段情节里，就埋伏着一段他们的"前传"：他们曾暗中相爱，有情人未成眷属，贾母嫁给了贾代善，张公子就愤而出家进了道观，成为张道士，之所以说是荣国公贾代善的替身，也是那么一种暗示。正因为贾母年轻时候也曾浪漫过，所以，当贾琏因为跟鲍二家的偷情，引发出凤姐泼醋大闹的风波以后，她才会对贾琏和大家说："什么要紧的事！小孩子们年轻，馋嘴猫儿似的，那里保得住不这么着，从小儿世人都打这么过的。"你听了这样的解释，怎么个感想？我对做出这样解释的人抱尊重的态度，只是不信服，因为，贾母跟张道士见面，是在第二十九回，"因麒麟伏白首双星"的回目是三十一回的，对不上榫，而且，书里明写湘云有一个小点的金麒麟，宝玉得到过一个大点的金麒麟，解释这个回目，绕开宝、湘二人是不行的。

　　我在前面的讲座里提到过，我认为宝、湘后来应该是在苦难中，因妙玉牺牲自己，成全他们，而遇合，就相濡以沫，共度残年。现在我把思路又捋了一遍，要补充一点，就是，虽然曹雪芹写书时，湘云的原型还在，但在书里，这两个艺术形象终究也还是没能就那么生活到永远，说他们白头是指他们在苦难中，未老先衰，白了少年头。由于来自难以抗拒的追索迫害，湘云很可能彻底地云散水枯，她也成了"白骨如山忘姓氏，无非公子与红妆"里的一位红妆。宝玉看破一切后，悬崖撒手，自己回到天界灵河岸，跟他一起落草的通灵宝玉，就回到了大荒山无稽崖青埂峰，还原为一块巨大的石头，因为已经见证了人间的悲欢离合、生死歌哭，上面就出现了一部《石头记》。在第五回里，《红楼梦》十四支曲的引子里，仙女们唱的最后一句是："因此上，演出这怀金悼玉的《红楼梦》。"怀金悼玉，怀的不仅是宝钗那个金，更是湘云那个金，悼的不仅是黛玉，也是妙玉，而且，其实也是怀念和悼念所有薄命的美丽青春女性。

　　说到这里，我已经把金陵十二钗正册里的六钗进行了一番探究，不知道听众、读者诸君还有没有兴致？在我，可谓兴致方酣，下一讲我将跟大家一起讨论迎、探、惜三春的命运结局，特别是探春远嫁，她究竟嫁给了谁呢？对于她来说，远嫁究竟是福还是祸呢？她后来还有家可回吗？还回得来吗？下一讲见。

迎春、探春、惜春命运之谜

迎春，有红迷朋友跟我说，简直是整出戏里的一个大龙套，在八十回里戏份儿很少，估计八十回后也无非是写一下她嫁给"中山狼"孙绍祖以后，被蹂躏至死，不会有更复杂的情节。前八十回里，"懦小姐不问累金凤"一回，为她立了正传，黛玉说她是"虎狼屯于阶陛尚谈因果"，就是来吃人的野兽都蹲在门外台阶上了，却还在屋里慢条斯理地说些个因果报应的空话，她就是那么一个滥好人。这位红迷朋友问我，你以"揭秘"为总题，但是，迎春的命运书里已经写得很清楚，似乎已无秘可揭，你究竟还有什么好说的呢？

的确，笼罩在迎春身上的迷雾较少，我这个讲座，尽量把握一个原则，就是大家都已经熟知的，或者是别的专业、业余的红学研究者已经写到过讲到过的，就尽量从简。有的稍微说得详细点，或者是因为我个人的研究是在其基础上发展起来的，或者我必须与之有所争鸣驳辩的。我说得最多，展开得比较细的，都是比较独家的，跟别的研究者不同的一些研究心得。

那么，对迎春，我个人比较注意的，首先是第二回，冷子兴演说荣国府，涉及到她的时候，为什么会有那么多种不同的文字？前面我已经提到过这件事，现在再详细讨论一下。

在通行本里，冷子兴说到迎春，是这样交代的：二小姐乃是赦老爹姨娘所出。那么，她的出身，就跟探春完全一样，没有丝毫区别了。但是从小说故事里看，她虽然懦弱，却并没有因为是庶出而遭遇歧视麻烦，她自身心理上，也没有因为是姨娘养的而自羞自惭的丝毫阴影。曹雪芹犯不上非写两个庶出闺女的故事，这应该不是曹雪芹原来为这个角色所设计的出身。要弄清曹雪芹的原笔原意，还是得细查古本。那么，几种主要的古本里，都是怎么写的呢？

甲戌本说的是：二小姐乃赦老爹前妻所出。

俄罗斯圣彼得堡藏本是：二小姐乃赦老爹之妻所生。

庚辰本则是：二小姐乃政老爹前妻所出。

己卯本是：二小姐乃赦老爹之女政老爷养为己女。

戚蓼生序本是：二小姐乃赦老爹之妾所出。

除了戚序本，因为妾跟姨娘概念相同，跟后来的通行本意思一样以外，我举出的另四个古抄本，竟使得迎春的身份又出现了四种不同的说法，加起来，总共有五种之多了。俄藏本的写法，我之所以不取，那是因为，如果迎春是贾赦的妻子生的，那么，邢夫人就该是迎春生母，但是在第七十三回中，邢夫人到迎春住的地方数落她——俄藏本也是这么写的——邢夫人跟她说，况且你又不是我养的，倒是我一生无儿无女的，一生干净，这就前后矛盾了。因此前面说她是赦老爹之妻所出一句，显然有误。庚辰本说她是贾政前妻生的，不但跟第七十三回的情节有很大矛盾，而且，还派生出了新问题，那就是，王夫人不是原配，是续弦，这就跟书里的大量描写都严重错位了。己卯本的说法最耐寻味，那意思就是说贾赦把迎春送给贾政去养了，为什么要这样说呢？这些文字不可能都是抄书中的笔误，把"花魂"错写成"死魂"，又听读为"诗魂"写了下来，还有线索可循，关于迎春出身的写法，有的句子里的字数和用词都差别甚大，不可能是看走眼或听错音或一时马虎的结果，那么，这种版本现象怎么解释？

我在前面有一讲里已经说过，我认同甲戌本的写法，就是明确告诉读者，迎春是贾赦前妻生的。因为这样定位以后，八十回里所有关于迎春的情节，包括五十五回凤姐和平儿谈论府里的婚嫁之事，说"二姑娘是大老爷那边的，也不算"等等，就都前后左右、高低上下完全一致，没有矛盾了。

但是，现存的甲戌本是残缺的，没有第七十三回。而第七十三回里，邢夫人对迎春说的话，现存古本文字有差异，大体而言，是把迎春生母的情况，更加地复杂化了。以庚辰本为例，邢夫人数落迎春时，出现了多层意思：

一层，在责备了琏、凤二人"竟通共这一个妹子，全不在意"后，说"但凡是我身上吊下来的，又有一话说，只好凭他们罢了，况且你又不是我养的"，这话很明确地表明了迎春是别人所生。那么，生迎春的是谁呢？

紧接着，邢夫人道出了第二层意思，她以贾琏为本位说，"你虽然不是同他一娘所生，到底是同出一父"，听那口气，似乎迎春出生时，她还没有来到贾家。

第三层，点明"你是大老爷跟前人养的，这里探丫头也是二老爷跟前人养的，出身一样"，那么，这就跟甲戌本第三回所交代的，迎春"乃赦老爹前妻所出"，冲突了，但正如我前面所引的那样，庚辰本自己前后矛盾更大，因为这个本子第三回说迎春"乃政老爹前妻所出"。

第四层，"如今你娘死了，从前看来你两个的娘，只有你娘比如今赵姨娘强十倍的，你该比探丫头强才是，怎么反不及他一半！谁知竟不然，这可不是异事！"这第四层意思最耐琢磨。如果是完全虚构的小说，把迎春的出身情况写得这么复杂干什么？邢夫人对迎春生母和探春生母的对比，应该不是从其个人品格上去比，而是从其在家族地位上进行对比。迎春生母怎么就比赵姨娘"强十倍"？

把这四层意思捋一遍，我就觉得，应该是这样的一种情况：贾赦先娶一正妻，生下贾琏，后来死去；邢夫人嫁过来之前，其"跟前人"，也就是一个妾，生下了迎春，为什么这个"跟前人""比赵姨娘强十倍"，而且邢夫人认为根据这个"十倍强"的因素，判定迎春应该比探春腰杆硬，否则就成了"异事"？惟一合理的解释，就是这个妾后来被扶正了，但是，不久却又死去了，在这之后，贾赦才又迎娶了邢夫人为填房，而邢夫人却一直没有生育，所以她说"倒是我一生无儿无女的，一生干净"。

形成了这样一个思路以后，我就对第三回曹雪芹在交代迎春的出身时，为什么那么样地思前想后，换了许多个说法，有了理解。因为这个角色是有原型的，这个原型确实是小老婆所生，说"妾出"没有错，但这个妾生她以后被扶了正，又死了，当然也就可以说是"前妻"，因此，迎春原型虽然出身跟探春原型类似，但她的生母又确实比纯粹的小老婆"强十倍"，她虽然懦弱，却也就不一定有探春原型那样的因是庶出而派生的自卑感。

我对《红楼梦》这部著作的总看法，一再地告诉大家，就是它是一部带有自叙性、自传性、家族史特点的小说。有红迷朋友问，你说的这三项，似乎概念重叠，能说说它们之间的区别吗？所谓自叙性，就是从小说叙事学的角度分析它，它虽然总体上是第三人称的叙述方式，但是，又具有第一人称的味道。第一回的写法尤其明显，设定一块女娲补天剩余石，让它化为通灵宝玉，随神瑛侍者一起下凡，经历一番人间的暖冷浮沉，作为可以随时以第一人称说话的见证者。这个文本策略非常高明，其中有些叙述语言，比如第十五回写馒头庵里的故事，有这样的句子："宝玉不知与秦钟算何帐目，未见真切，未曾记得，此系疑案，不敢篡创。"这就是把第三人称和第一人称糅合在一起的句法，极具特色，不是任何一部以第三人称写成的具有自传性的作品，都有这样的叙述策略，这是很难得的，值得特别强调一下。而自传和家族史，概念上也有区别：有的自传只在涉及到自己的经历时顺便写到家族；而《红楼梦》呢，如果说曹雪芹以自己为原型来写贾宝玉，这个角色的戏份儿非常大，但是也并非每回每段都写他的事情，有些情节，有些人与事，和他已经没有直接关系，但却是他所属于的那个大家族里不能不叙述到的，于是加以了展开描写，比如贾珍负暄收租，尤二姐和尤三姐的故事等等。

我之所以说《红楼梦》这部书里的人物差不多都是有原型的，就是基于它的这三个特点。当然，小说里有的艺术形象，比如警幻仙姑，一僧一道，空空道人，是否也有原型？我的看法是，当然不能把话说死，这些角色，就很可能是纯粹虚构的了。但也有红学家就考证出，像跛足道人，暗指八仙里的铁拐李，因此和李煦，就是贾母原型他们家，有关系，依然值得深究。有人一听自己觉得不入耳的见解，就斥为胡说八道、奇谈怪论。不爱听，可以不听，听几句，不中听，发出些批评的声音，也是合理的，但是气急败坏，必欲封其嘴堵其说，那就不对头了。让人说话，天塌不下来，对不对？何况我们所涉及的，不过是红学研究，学术领域里的一些分歧，大家心平气和地平等讨论，好吗？还是牢记蔡元培蔡先贤他那句话吧：多歧为贵，不取苟同。

好，我现在就要告诉你，我研究迎春原型真实出身的心得。迎春肯定是有原型的，是曹雪芹的一位堂姐，是他一位伯父的女儿。既然生活里有那么一个真实的存在，你曹雪芹把她照直写出来，不就结了吗？干吗犹豫来犹豫去，一会儿这么写，一会儿那么写，弄得几种原稿上的写法，因为传抄的途径不同，都流传到了今天，让我们还得讨论一番？这就涉及到从生活到艺术的创作方法问题。我前面说了，当生活的真实跟艺术虚构的总框架之间发生难以协调的大困难时，曹雪芹往往是牺牲虚构的合理性，来忠于生活的原生态。像贾赦这个角色的写法就是如此，前面讲得很清楚了，这里不再重复。有的写法，比如像对朝代背景，他一是故意模糊，二是不惜略有错乱，这就不仅是一种艺术处理，也是一种非艺术性的避惹文字狱的做法了。像秦可卿原型之死，应该是在乾隆登基之后，由于贾元春原型告密，秦可卿原型不得不死，但乾隆大施洪恩，此事内部解决，对外遮掩，就算结案，因为元春原型举罪不避亲，精神行为都堪嘉奖，因此对她在宫中的地位进行了提升，小说里夸张为才选凤藻宫、加封贤德妃。这个内在的逻辑虽然存在，但是具体到分章回，曹雪芹却先用第十三回到第十五回写秦可卿之死，到第十六回才暗写皇帝登基和贾元春提升。有的听众读者就来问我，应该是把十六回劈成两半，把十三回到十五回内容镶嵌进去，写秦可卿之死什么的，才符合生活中真实事件的顺序呀，小说里怎么写成这个样子呢？我想，这就是因为曹雪芹处在非常困难的写作环境里，他既得有艺术性方面的考虑，也得有非艺术方面的考虑。我们今天来研究《红楼梦》文本，也就不得不既有纯文本的研究，又得有关于他的写作环境，也就是康、雍、乾这三朝的政治局面的研究。我想这是《红楼梦》的特殊性所在，也是红学特殊性的所在，希望大家能理解我这样的一种思路。

具体到迎春身份的确定，我觉得，因素倒可能比较单纯，与政治应该没有牵扯。我觉得己卯本里那个说法，说她是赦老爹之女政老爷养为己女，应该是生活真实的记录，迎春原型，就是曹𫖮把她打小从哥哥家里接到自己家养大的那么一个女儿。生活的真实里，可能曹𫖮并没有元春那么样的一个大女儿，元春的原型，是曹氏家族里曹雪芹的一位大堂姐，却并非他的亲姐姐，因为曹𫖮在探春原型出现前，并没有亲女儿，而又喜欢有个女儿，而哥哥那时因为原配亡故，一时尚未续弦，有个女儿，难以照顾，他就从哥哥那里，把迎春原型抱来代养，但是曹𫖮后来在有了曹雪芹之后，又有了个女儿，而哥哥也续娶了，这样，迎春原型虽然还在他和他夫人身边住，但也算是归还他哥哥了。最初曹雪芹写这个姐姐，打算把这些情况都如实地写出来，己卯本上的那个句子，就是留下的痕迹。但是，后来可能考虑到把这样一个过程写出来，意义不大，而且还会搅乱对元春这个角色的定位设计，于是就改来改去，最后，还是写她是贾赦前妻所生，既符合生活的真实，也满足小说的故事需求。

大家一定注意到了，曹雪芹关于迎春的命运，总强调她的不能自主，也放弃自主，她任偶然因素左右自己，无可奈何。第二十二回，她写的灯谜诗，谜底是算盘，但诗里所表达的意蕴并不是精于计算或有条有理，还记得吗？她写的四句是：天运人功理不穷，有功无运也难逢；因何镇日乱纷纷？只因阴阳数不同。贾政虽然猜出来是算盘，但心内沉思道，娘娘所作爆竹，此乃一响而散之物；迎春所作算盘，是打动乱如麻；探春所作风筝，乃飘飘浮动之物；惜春所作海灯，一发清净孤独；今乃上元佳节，如何皆作如此不祥之物为戏耶？贾政是越想越闷。我们现在只说迎春，她的命运，就像打动乱如麻的算盘，全是别人算计她，她自己绝不想算计别人，只求能过点清净日子，但是，没想到最后所面临的，竟是最残酷的，被"中山狼"所蹂躏、吞噬的结局。

第三十七回，探春发起组织海棠诗社，迎春担任副社长，负责限韵，这时候她说了一句话，非常重要，不知你注意到没有？她说："依我说，也不必随一人出题限韵，竟是拈阄公道。"后来她果然采取了拈阄方式，走到书架前，抽出一本诗来，随手一揭，是一首七言律，这就定下来大家都要写七律，她掩了书，向一个小丫头道，你随口说一个字来，那丫头正倚门立着，就说了个"门"字，迎春就宣布，大家的七律都必须用门字韵，十三元，跟着又要了韵牌匣子来，抽出十三元那一个小抽屉，让那小丫头随手拿四块，结果拿出的是"盆""魂""痕""昏"，于是，就规定大家写诗都得用这四个字押韵。这段文字，表面上看起来，不过是写大观园女儿们结社写诗的一些具体过程，其实，曹雪芹他是刻画迎春的性格，像迎春这样的懦小姐，这种同一社会阶层里的弱势存在，他们的惟一向往，只能是在抓阄的过程里抓到个好阄——把自己的命运交给偶然，这是很危险也是很无奈的。

除了算盘诗谜，在前八十回里，迎春还有一首诗，就是元妃省亲时，不得不写的一首"颂圣诗"，她写的那首叫《旷性怡情》："园成景备特精奇，奉命羞题额旷怡；谁信世间有此境，游来宁不畅神思？"她的生活理想，非常单纯，就是希望能在安静中，舒畅一下自己的神思，别无所求；她绝不犯人，只求人莫犯她，能够稍微待她好点，她就心旷神怡了。但是，连这样低的一个要求，命运的大算盘也终于还是没有赐予她。

想到迎春，我就总忘记不了第三十八回，曹雪芹写她的那一个句子：迎春又独在花阴下拿着花针穿茉莉花。历来的《红楼梦》仕女画，似乎都没有来画迎春这个行为的，如今画家们画迎春，多是画一只恶狼扑她。但是，曹雪芹那样认真地写了这一句，你闭眼想想，该是怎样的一个娇弱的生命，在那个时空的那个瞬间，显现出了她全部的尊严，而宇宙因她的这个瞬间行为，不也显现出其存在的深刻理由了吗？最好的文学作品，总是饱含哲思，并且总是把读者的精神境界朝宗教的高度提升。迎春在《红楼梦》里，绝不是一个大龙套。曹雪芹通过她的悲剧，依然是重重地扣击着我们的心扉，他让我们深思，该怎样一点一滴地，从尊重弱势生命做起，来使大地上人们的生活更合理，更具有诗意。那些喜爱《红楼梦》的现代年轻女性们啊，你们当中有谁，会为悼怀那些像迎春一样的，历代的美丽而脆弱的生命，像执行宗教仪式那样，虔诚地，在柔慢的音乐声中，用花针，穿起一串茉莉花来呢？

说完迎春，我先说惜春。书里说惜春是宁国府贾珍的胞妹，他们的父亲贾敬，故事一开始的时候，就已经住到城外道观，基本上不再回家了，连家里人给他过生日，都坚决不回城，只在除夕祭宗祠的时候，短暂地回来一下。书里没有出现贾敬的夫人，估计是已经过世了，也没有贾敬的姨娘出现，或许有，但略去不写，惜春大概是贾敬原配所生，说是贾珍胞妹，应该是他们既同父也同母的意思。书里说贾母爱女孩，把惜春也接到荣国府，放在眼皮下来养，应该是真实生活中，曹寅夫人李氏实有的一种情况。书里前面说惜春身量未足、形容尚小，到八十回结束，她应该也还不大，但是，第七十四回为她立正传，"矢孤介杜绝宁国府"，我们却发现，她思想早熟，出语犀利，看破一切，义无反顾。

惜春的结局是出家为尼，第五回关于她的册页，画上是一座古庙，判词里最后一句是"独卧青灯古佛旁"；高鹗续书，说贾家后来一切恢复如初，她就在栊翠庵里取代妙玉——要是真那么消停，她也不必入太虚幻境的薄命司册页了。我前面已经分析过，栊翠庵是元春省亲时才盖起来的，非古庙，无古佛。八十回后，应该是在贾家第一次被皇帝抄家前夕，惜春先知先觉，出家为尼。后来虽然可以到古尼庵里去投宿，但每天过的是缁衣乞食的生活，缁衣就是黑颜色的衣服，她穿一身黑色尼姑服，沿街化缘乞食，孤独而悲惨。

惜春确实先知先觉。第五回关于她的判词，第一句就是"勘破三春景不长"；《红楼梦》十二支曲里，关于她的那一首《虚花悟》，头一句是："将那三春看破，桃红柳绿待如何？"这跟第十三回秦可卿托梦中的偈语"三春去后诸芳尽，各自须寻各自门"的意思是完全一样的。"三春"就是指三个美好的年头。如果非把"三春"作为人来理解，那么，既然是以惜春为本位，"三春"就该指元、迎、探。元、迎八十回后会相继惨死，可以说是"景不长"，探春是远嫁，虽然别有一种痛苦，却不能说是"景不长"。"将那三春看破"后紧接一句，"桃红柳绿待如何？"更意味着"三春"就是季节时间方面的指称，"桃红柳绿"就是"好景"，"待如何"的答案也就该是"景不长"。

惜春在荣国府自己窝里斗，抄检大观园后，就彻底地心冷如铁。她的丫头入画，被抄出些男人用的物品，其实后来尤氏过目，无非是些入画哥哥从贾珍那里得到的一些可怜的小赏赐，私下托人带到妹妹这里来寄存。尽管私自传送东西有违府规，却也算不得什么严重的罪过，尤氏的意思是责骂一番也就罢了，惜春却决意不要入画，大家要特别注意她的这句话：嫂子来的恰好，快带了她去，或打，或杀，或卖，我一概不管！我初读《红楼梦》时，读到这里就一愣，入画那点错误，说或打，或骂，或罚，我一概不管，也够狠心的了，怎么一个擅长画写意花鸟的美女，撺起丫头来，居然说或打，或杀，或卖，我一概不管！为这么点事情，卖了杀了，你竟然也不管，这是何等冷酷的心肠啊！曹雪芹为什么要这样来刻画惜春？是不是他写这句时，一时随意，未加推敲，下笔过重？

现在的人们，一般都不知道封建社会皇帝抄家的厉害了，我也是看了一些资料以后，才有了一个大概的认识。据乾隆时萧奭写的《永宪录》续编里记载，雍正朝有个学政叫俞鸿图的被抄家，他妻子听说抄家的来了，就立即自尽。这倒也罢了，他有一个孩子，还不懂事，抄家的进来并没有马上对付他，可是，那孩子见到那景象，就当场活活地给吓死了。那时被抄家的官员，自己被逮走，家里的成员，如果皇帝没有特别的恩准，就一律不被当做人，而是当做"动产"看待。打骂不算回事儿，皇帝或将其赏给他喜欢的官员，一般是就便赏给负责去查抄的官员，或者就"充官"，拿到人市上去当商品卖掉，不仅仆人绝对是这样的命运，就是原来的太太姨娘，公子小姐，也会一样地如此处理。那么，比《永宪录》更可靠的史料，就是雍正朝的内务府档案，里面明确记载，贾母原型李氏，她的亲哥哥李煦，在雍正元年就被抄家治罪，他的家属仆人，男女老幼一共二百余口，先在苏州变卖。有的人因为李煦在当地原来官声不错，不忍心买，有的虽然对他无所谓甚至恨他，但是想想也不知以后还会怎么样，就无人愿买，无人敢买。那么，雍正就下令让把这些人像运货一样运到北京来，在路上，死掉一名男子、一名妇人、一名幼女，最后押到北京的一共二百二十七人，其中李煦的妻妾子女十名，仆人一共二百十七名。押解他们的官员，是江南理事同知，叫和升额。这些人员被押送到北京后，先变卖其中二百零九人，那八个人呢，因为李煦当时在狱中，他的案子还没审完，这八个人是活口，需要先过堂，挨打自不消说，然后根据具体情况，或杀，或卖。负责卖这些人的官员，是崇文门监督，也有名有姓，叫五十一——不要对这样的名字感到惊讶，那时候满人里用数字做名字的并不罕见。那时候卖这些朝廷治罪的官员家里的所谓犯男犯妇的地方，就在北京崇文门外。现在人们到了那个地方，会看到很漂亮的商厦，很美丽的花坛绿地，但是在曹雪芹所生活的那个时代，就有五十一那样的官员，在那里负责把皇帝抄家抄来的活人，作价变卖。这里讲的不是小说，是雍正朝甲辰年，也就是雍正二年（公元1724年）十月十六日——当然是阴历的十月十六日——那一天的内务府档案上所记载的内容。

　　知道了曹雪芹所生活的那个时代是怎么个情况，再来读《红楼梦》第五十七回里惜春说的那些话，我们就懂得了，那不仅是刻画一个角色的性格，而且是非常写实的笔墨。因为我们都知道，真实的生活里，李煦在雍正一上台的时候，就被抄家治罪了，但是，对曹頫，雍正是在四年以后才查抄了曹頫家，雍正六年将曹頫逮京问罪，当中是有个时间差的。所以，惜春原型作为贾母原型李煦妹妹的一个堂孙女儿，她是完全可以比其他族中的人感觉更加敏锐，对抄家这类事更感到恐怖的。书里写到那几回，已经写到江南甄家被抄，写到外头还没抄进来，贾家自己就抄检起大观园来了。别的人听见甄家被抄，也许仅仅是不愉快，却还在糊里糊涂地寻欢作乐，惜春却更有悲观的预见性，她说把入画带出去，或打，或杀，或卖，脱口而出，并非夸张矫情，而是这个角色的原型，这位曹家的姑娘，虽然年纪小，却耳闻了李家，也就是她堂祖母家，如上面我所引的那些历史事实。一家老幼奴仆，抄家后被打，被杀，被卖——被杀，之所以可以说在被卖前头，再回想一下，我上面所引的内务府档案，李家不就有三个人在押解赴京的路上死掉了吗？那也是变相的死刑啊，对不对？还有那八个必须过堂的人，他们有的可能就被判死罪杀掉，如果不是死罪，也不收监，那就再拿去卖掉，因此，或打、或杀、或卖的排列顺序，是有道理的。我原来觉得应该按对生命的严重性来排列，被杀应该搁最后，就是因为不懂曹雪芹下笔的历史背景，不知道李煦被抄家治罪后的这些具体情况。当然，惜春的原型不可能看到当时的官方档案，但是，崇文门变卖罪家人口是公开的，皇家不但不予保密，还会用贴出告示一类方式来晓谕天下，让人们感受到皇帝的威严，更小心地来当一个皇权下的顺民。

把这样一个大背景弄明白了，第七十四回里惜春的那些话就更好懂了。惜春说，善恶生死，父子不能有所勖助；又说，我只知道保得住我就够了，不管你们！她公开地断绝了与宁国府的关系，估计八十回后，她应该是在贾府第一次因为藏匿甄家罪产，导致被查抄的前夕，就离开荣国府出家当尼姑了。小说前面就一再地点出，惜春很早就有当尼姑的念头，甚至在贾府局面不错，并无危机的情况下，她就公开说了要剃发为尼的玩笑话，所以，当事态发展到必须选择一种逃避方式的时候，"歧熟焉忘路"，出家当然是首选。她既然在贾府被皇帝抄家前，已经毅然出家，抄家后，官方查不出她有具体参与家长犯罪的事实。那么，就有可能不予追究，不再被逮捕，被打，被杀，被卖。在贾家所经历的三个春天将尽的时候，她将三春勘破，注意，是"勘察"的"勘"，不是"看见"的"看"，她有预见性，她判定到下一年就会出现恐怖局面，她就实行了自救，尽管那以后她青灯古殿独处，缁衣乞食苟活，比被打，被杀，被卖略好，但也非常凄惨。估计惜春的原型，就是那么个情况。曹雪芹写她，又给我们显示出另一种人生悲剧，一种在政治大恐怖下，卑微地惟求自保，以冷漠和隔绝来延续自己生命的艺术典型。

最后，再来说探春。

探春，曹雪芹在第五回设计金陵十二钗册页时，把她安排在第四位，这真是很高的规格待遇。有红迷朋友在听了我前面关于妙玉排序之谜那一讲以后，来问：你既然说曹雪芹他还是有等级观念的，那么，按你的考证，秦可卿是皇家的骨血，比所有其他各钗等级都高，应该排第一位哇，就是不排第一，也不能排在最末位呀！我认为，曹雪芹在排册子名单的时候，他虽然定下了主子身份的入正册或副册，不考虑比如说晴雯那样的他激赏和怜惜的丫头进入正副册，确实有等级观念在里头，但是，这只是一个粗线条的框框，并不是说，他只从血统地位上来排序。比如探春，虽然是主子小姐，但她分明是庶出的，按封建社会的等级观念，庶出的地位比嫡出的低。上面已经跟你说清楚了，迎春是嫡出的，而且，长幼有序，也是那个时代必须遵循的一条等级原则。如果曹雪芹只是死认血统出身的等级，那探春绝对应该排在比她大的迎春姐姐后头。但是，他考虑来考虑去，不仅把她排在了迎春前头，还排在了史湘云和妙玉的前头。这就说明，在主子小姐媳妇这个大的等级框架范围内，他排序就比较灵活，是一种综合性评估，除了世俗价值观所确定的那个地位，还要考虑这个角色本身的素质，在书里戏份儿的多少。当然，还有他对这个角色的珍爱程度，以及如何达到一种大体的平衡，等等。应该说，能进入他设计的正册，哪怕排在最后，都说明是他心中所珍爱，所首先不能割舍的角色，想想薛宝琴那么一个美丽聪慧，几乎没有缺点的女性，到头来没排进正册，就应该懂得，排在正册后面，甚至排在末一名，应该也是很不错的。秦可卿排在最后一位，我想，一个最主要的因素，是她在第十三回就死掉了，是前八十回里惟一死掉而且死得那么早的一个角色。我的研究，是从秦可卿这个角色入手，通过原型研究，来揭示隐藏在《红楼梦》显文本后面的潜文本，去理解曹雪芹创作的苦衷与追求，之所以称秦学，本是一句玩笑话，弄假成真，也只是当做一个符码，以突出我这研究的独创性。那些认为我只研究秦可卿，只对书中的清史背景感兴趣，只重视皇家血统等等的误会，听到这里，读到这里，应该可以基本消除了。

第十三回末尾，古本上有两句话：金紫万千能治国，裙钗一二可齐家。通行本删去了，是不应该的。这两句很重要，当然是具体针对王熙凤协理宁国府而说的。秦可卿给王熙凤托梦，一开头就说，你是个脂粉队里的英雄，连那些束带顶冠的男子也不能过你！曹雪芹写金陵十二钗，绝不是只想写出一些不同的沉溺于个人情感的女性，关于这些女子的故事也绝不能简单地概括为爱情和婚姻悲剧，他其中有一个很重要的动机，就是要写这些女子的才能，而且绝不局限在文才诗才画才等方面，她刻意要塑造出具有管理才能的杰出女性，也就是赛过男人的脂粉英雄。除王熙凤之外，他还花大力气写了探春，探春理家，遇到的情况那比秦可卿丧事要复杂多了，面对各个利益集团各种积蓄已久的矛盾冲突的一次次大爆发，探春克服了自己因是庶出而遇到的特殊困难，其管理才干得到了充分发挥，也取得了相当好的效果。历来的论家已经做过很详尽的分析，我不再重复大家都很熟悉的那些例子和结论。

大家都知道，探春最后是远嫁，不是嫁给了一般的男人，去过一种平庸的生活，而是有其一番独特的作为。第五十五回，赵姨娘为兄弟赵国基死后的丧葬赏银一事来跟探春聒噪，探春急切中有这样的话："我但凡是个男人，可以出得去，我必早走了，立一番事业，那时自有我一番道理！"这当然是很重要的伏笔，她在八十回后，果真就像男人那样地出去了，但那是不一般地出去，那是一去难返的流放式的远嫁。但是，这个美丽、睿智而有管理才干的女性，会在极其困难的情况下，以释放自己的才能来抗衡内心的痛苦。

第五回里关于探春的册页诗画和《分骨肉》曲，大家都熟悉，从"清明涕泣江边送"和"一帆风雨路三千"等词句可知，她出嫁的时间，是在清明节，一个鬼节，一个按说最不适合办喜事的日子里；所嫁往的地方呢，是要坐船，从江边出发；路程呢，在三千里以外。那么，她究竟嫁到了什么地方，嫁给了谁呢？不知道你注意到那册页上所画的内容没有，说是画两个人放风筝，一片大海，一只大船，船中有一女子掩面泣涕之状。关于图画的说明既然说是一片大海，船又是大船，就可见虽然出发的地方不是海边而是江边，但驶出江后，还要漂洋过海，那三千里基本上都是水路，要经过一番起伏颠簸，很长时间才能达到目的地。曹雪芹对太虚幻境薄命司橱柜里册页画面的设计都极简洁，没什么废笔，但是，关于探春的画上，是两个人在放风筝，为什么要画两个人？

曹雪芹在书里提到过一些外国，第十七、十八回，贾政说怡红院的西府海棠又叫"女儿棠"，是从女儿国传过来的种。中国古代一直有关于女儿国的传说，说那国家全是女的，没男人，生育的方式是入水洗浴时受孕，也能生出男孩，但养不到三岁一定死掉；第二十八回提到一个茜香国，国王是女的，她给中国皇帝进贡，有种贡品很奇怪，是系内衣的汗巾子；第五十二回写到真真国，地理位置在西海沿子上，这个国家的女孩子披着黄头发，打着联垂，而且其中一位还能写中国诗；第六十三回提到福朗思牙，专家们有说指法兰西的，有说指西班牙的；此外还提到过爪哇国、波斯国、暹逻等等。

那么，探春远嫁，远到漂洋过海，究竟是到了什么地方呢？八十回里既然出现了以上一些外国的名字，那么八十回后，探春所去的地方会不会就是这当中的一个呢？还是曹雪芹另外再设计出一个地方，一个外国，或者不说外国，说番邦，给取另外一个名字呢？我认为，根据曹雪芹惯用无意随手、伏延千里的手法，他后来写探春远嫁，所去往的地方，就应该在八十回里设下伏笔，那么，在上面所列举的名称里，我觉得最可能的，就是茜香国。

茜香国不清楚是以哪国为原型再加以虚化的国家。它当时的国王是女的，但跟出产"女儿棠"的女儿国应该不一样，不会也是一个没有男人的国家。那么这个国家跟中国的关系，就可能很微妙。女国王居然把系内衣的带子，其实就是内裤的腰带，作为给中国皇帝的贡品，这或者说明那国家还没有像中国那样，出现比较高级的文明，显得有些野蛮愚昧，或者说明两国之间有些纠纷，这样进贡具有某种故意不恭的挑衅性。总之，我觉得曹雪芹设计出这样的国家这样的贡品，不会只是仅仅为了用那腰带——到了中国当时叫汗巾子——来作为蒋玉菡和袭人后来结合的伏笔，可能还有一石数鸟的用意。

我们都注意到，第六十三回，寿怡红群芳开夜宴时，探春抽到的是写着"瑶池仙品"的杏花签，上面的诗句是"日边红杏倚云栽"，签上说得此签者必得贵婿，大家于是就说：我们家已有了个王妃，难道你也是王妃不成？这些情节所传递的信息是很清楚的：探春今后的婚姻是"日"指配的，她嫁出去以后，地位是王妃，而出嫁的季节，就是杏花盛开的清明时节。

如果是茜香国和中国发生纠纷，中国皇帝为了缓和矛盾，答应把中国的公主或郡主远嫁给茜香国的女国王的一个儿子为妻，那是完全可能的，八十回后如有那样的情节，是不足为奇的。而中国皇帝又哪舍得把真正的公主和郡主嫁到那种相对而言还很不开化的蛮荒之地呢？就完全可以用冒牌货，声称是公主或郡主，嫁到那边去，起到像历史上王昭君一样的"和番"的作用。那么，在书里的贾家，首先是荣国府，因为藏匿江南甄家的逆产被严厉追究的关口，贾政献出探春，以供皇帝当做公主或郡主去"和番"，是有可能的。探春的美貌、风度、修养、能力，恐怕是皇家的公主郡主们都难匹敌的。茜香国使臣一看，肯定满意，就是茜香国女王或王子亲自来过目面试，也绝对不会失望。这样，探春远嫁过去，身份当然也就可以说是王妃。

当一个王妃，那还能算薄命吗？一位年轻的红迷朋友跟我讨论，我就对他说，如果是在中国，在北京，那时候的一位贵族家庭的小姐当了一个王妃，那当然不仅对她个人来说算得幸福，她的整个家族，也会为她而骄傲。曹雪芹的姑妈，就嫁给了平郡王，是一位王妃，《红楼梦》里应该是没把她作为原型，塑造成一个艺术形象，但是上面引的那句"我们家已有了个王妃，难道你也是王妃不成"，应该是曹家女儿们开玩笑时说过的一句真话，被曹雪芹很自然地挪用到了书中。探春的原型，未必真是像王昭君那样，以那样高的身份规格送去和番，也许生活中的真实情况，只不过是皇家赏给了某个远域部族的中等首领，当然目的还是政治性的考虑，所谓威猛并施，你那部族叛乱我就坚决镇压，你如果表示投降归顺，那么所赏赐的就不仅有物品，还有活人，探春的原型就应该是那样的一种活人赏赐。因此，这种远嫁，即使真达到王妃的名分，说穿了也还是充当人质，纵使像探春原型那样"才自精明志自高"，去了以后发挥出一些管理方面的才能，也还是要哀叹"生于末世运偏消"，不是什么幸福快乐的事情，依然得算是红颜薄命。

第七十回末尾，写宝玉和众女儿们放风筝，探春放的是一只凤凰，这本来很吉祥，但是，忽然又飘来一个凤凰风筝，似乎更吉祥，更怪的是又来了个门扇那么大的喜字风筝，还发出钟鸣一般的声音，这不更锦上添花了吗？两只凤凰一大喜，多好的象征啊，可是，那三只风筝最后竟是绞在一起，三下齐收乱顿，结果呢，线全断了，三个风筝全都飘飘摇摇远去了，竟是很糟糕的一个局面。我认为，这就喻示着，探春的远嫁，表面上体面，其实，是双方政治较量当中的一个互相妥协的产物，借用第五十三回贾珍说的那个歇后语，叫做"黄柏木作磬槌子——外头体面里头苦"。于是，再想想，第五回册页里关于探春那幅画，为什么一定要画两个人而不是一个人放风筝，船上那个女子为什么掩面泣涕？就是象征着，休战可能是短暂的，两只风筝随时又可能绞成麻花，齐收乱顿，线断无常。第二十三回，探春的灯谜诗，有一句就是"游丝一断浑无力"，她远嫁后，其实也可以说是命若游丝。

高鹗续书，倒是写了探春远嫁，但是嫁出去没多久，就回家探亲来了。这是不符合曹雪芹的悲剧性构思的。她是断线风筝，有去无回。脂砚斋在她的灯谜诗后有条批语说："使此人不远去，将来事败，诸子孙不至流散也，悲哉伤哉！"可见，第一，她的远嫁，不是在贾家遭遇灭顶之灾，彻底败落之后，应该是在荣国府为甄家藏匿罪产的事情刚刚爆发，第一波打击初来的时候；第二，她远嫁没多久，皇帝就把宁荣二府参与"月派"谋反跟当年藏匿秦可卿的罪行新老账一齐算，那时候应该是几乎没有什么再可以回旋的余地了，但是，对她的处世应变能力的激赏，竟使批书人认为在那样一种近乎绝境的情况下，如果她还没远去，竟仍然可以做到使诸子孙不至离散；第三，这条批语的口气，让我们感觉到，"此人"，也就是探春这个角色，在真实生活里是确实存在的，而书里的故事，也是大体都存在的，否则，对一部完全虚构，人物全凭想象捏合的故事书，犯不上去做这样的设想，去哀哉伤哉地悲叹。

我还特别注意到，第七十一回写贾母庆八十大寿，特别写到，有一位粤海将军邬家，送了一件重礼，是一架玻璃围屏。那个时代，玻璃是比较难得、非常贵重的材料，贾母的丫头，有好几个就用贵重的东西命名，琥珀、珍珠、翡翠之外，就还有玻璃。我前面已经举过很多例子，告诉你曹雪芹他常常在似乎无意之间，写到一个人物的名字或一件道具，似乎是可有可无的废话，其实，那都打着埋伏呢。那么，我就隐隐约约感觉到，这位送玻璃围屏的粤海邬将军，从名称上能看出是负责海防的武官，他在八十回后，也许就是负责安排探春远嫁事宜的人物之一。书里说贾母特意叮嘱凤姐，说好生收着那围屏，她要留着送人的，那么，八十回后就应该有这架玻璃围屏出现，不知究竟派了个什么用场，在故事发展中是否起到了一定作用？

那么，讲到这里，我把金陵十二钗里的九钗，都分析到了。下一讲我会跟你一起讨论王熙凤母女和李纨这三钗。关于王熙凤判词里的"一从二令三人木"究竟是什么意思？巧姐为什么要列在正册里？书里还有一个大姐，跟她是一个人吗？我要跟你说，李纨不但不是一个道德上完美的人，而且在贾府事败后，她人性的阴暗面暴露得相当充分，令人寒心，你会相信吗？希望我下一讲的内容，仍然能引起你的兴趣。

第三十二讲
王熙凤、巧姐命运之谜

　　荣国府的建筑布局，在曹雪芹笔下是清清楚楚的，历代都有红学家根据书里描写来画出其平面图，没什么太大差别，争论比较少。大观园盖在荣国府东北边，描写也很细腻，但是复原起来，就没荣国府那么容易，究竟那些具体的建筑景点是怎么个布局，研究者之间一直争论不休。

　　王熙凤呢，她本不是荣国府的人，她是贾赦儿子贾琏的媳妇，他们两口子本该跟贾赦、邢夫人住在一起，在那里就近侍奉父母公婆，以尽孝道，这是那个时代那个社会最普遍的，一般也不应该违反的伦理定位和行为模式。就是搁到今天，父母在，屋宇又宽大，儿子儿媳妇尽赡养责任，也应该是尽量跟他们住在一起，如果父母那边住房宽敞也不住，反而跑到叔叔婶婶家里去住，也会让人觉得怪怪的。

　　但是，曹雪芹笔下，贾琏王熙凤夫妇却住在荣国府里，具体位置是在府里中轴线的西北，贾母住的那个院落后面。贾母那个院落最北边，是坐南朝北的抱厦厅，再北边呢，立着一个粉油大影壁，影壁后面是一个小院落，那就是贾琏、王熙凤的住处，里面的具体情况，第六回作者通过刘姥姥的眼光感受，描写得非常精细，我不重复。

　　荣国府里住着贾氏老祖宗贾母，前面已经讲过了，其实最古怪的，还不是贾琏王熙凤夫妇住进来，而是贾赦作为长子，为什么不带着媳妇住进去，他又袭了爵，应该由他和媳妇住进荣国府中轴线上的正房大院，就近侍奉自己母亲才是。但是，书里不是写得含糊，而是交代得清清楚楚，贾赦夫妇另住在一个黑油大门的院落里头。更古怪的是，那个黑油门的院子紧挨着荣国府，只不过是拿墙隔开。袭爵的大儿子住的院子要跟亲母亲住的地方完全隔开，两边的人互相来往，都必须先出自己院子，另进一个大门，进了大门，还要再进仪门才能相见，何必如此麻烦呢？在那隔墙上开扇门，岂不是两下里都方便了吗？越细加推敲，越让人费解。

有的读者，容易把贾赦住的院子跟宁国府闹混，宁国府虽然也在荣国府东边，但应该是更在贾赦院的东边，贾赦院比较小，北边围墙外面应该还是荣国府的范围，而宁国府可能比荣国府还要大些。在大观园出现以前，就有园林之盛，书里屡有描写：第十一回通过王熙凤的眼睛，以《园中秋景令》形式，表现得最充分。后来为迎接元春省亲，就把贾赦院北墙外荣国府的一些空间，跟宁国府北边一些原有园林，打通连接，盖了个周边三里半大的大观园。书里说，荣、宁二府原来不是一墙之隔，而是一巷之隔，但是那条巷子不是公共使用的官道，而是贾氏自家的私产，所以可以放心地使用。

读《红楼梦》，应该把故事里的这三个基本空间搞清楚。最容易弄错的，就是以为贾赦跟贾珍住在一起。不是的，宁国府在荣国府东边，所以称作"东府"，贾赦那个比较小的院子跟荣国府挨在一起，跟宁国府有一巷之隔，它往北的长度比两个府都短，是那么一个独特的空间，荣国府的人提起时，一般称作"那边"。因为宁国府比较大，它的大门虽然跟荣国府在一条大街上，但未必取齐，可能还要往南一些，所以，像第七十五回，尤氏从荣国府回到宁国府，隔窗听见邢夫人兄弟邢大舅酒后发牢骚，就跟丫头银蝶说：这是北院里大太太的兄弟抱怨她呢！"北院"，指的就是贾赦住的那个黑油大门的院落。

我的研究方法，说了好多次，主要是作原型研究，原型也不仅是人物原型，还涉及事件原型、细节原型、话语原型等等方面，那么空间原型、场景原型、物件原型也都在我的研究范围之内。通过这样的研究，我的基本看法就是，曹雪芹他写这部书不是凭空虚构，这部书具有自叙性、自传性、家族史的性质。那么他这样来设定、描写荣、宁二府和贾赦居处，也是有生活依据的。当然，他又并不是直接地去写自传、家族史，不是写我们现在叫做报告文学那样的作品，因此，他笔下的故事空间布局，也就在原有的真实空间存在的基础上，进行了很多的艺术加工，像大观园就相当地夸张，从生活素材出发，经过他的想象描写，已经升华为一座人间难有的准仙境。

曹雪芹为什么要这样在书里安排贾赦和贾政的住法？前面已经讲过，不再重复。那么,他为什么非要把王熙凤安排到荣国府贾母院子后面的一所小院里住呢?按说,即便贾赦就那么住在隔壁的黑油大门里,她帮荣国府王夫人理家,每天坐车过来不就行了吗?书里一再写到,邢夫人就天天从那边来荣国府这边给婆婆贾母请安,从未间断过,邢夫人都不怕麻烦,王熙凤怎么就不能也天天辛苦点,来来去去呢?尤氏住得比邢夫人远一些,不也常常地来荣国府办事吗?

我想,这是因为王熙凤这个人物的原型当年或许就那么出格,偏来叔婶家住,而且,婶子也就是她姑妈,说是帮她婶子姑妈管家,其实,她先以讨好老祖宗站住脚,然后就逐步达到独揽大权,反宾为主,成了实质上的当家人。这位当家人给曹雪芹留下了非常深刻的印象,成为一个能引起他旺盛创作冲动的人物,因此,虽然生活实际里,贾赦原型既非贾母原型所生,也并没有跟他弟弟贾政原型一起过继过去,但为了把王熙凤原型淋漓尽致地写进书里,他就合并同类项,把贾赦原型也说成是贾母儿子,而且是长子,他为此甚至不惜悖理。有趣的是,他的这种处理方式,并没有引起历代众多读者的质疑,他是成功的,人们都为王熙凤这个血肉丰满的艺术形象折服,这个角色在中国已经成为家喻户晓的不朽典型。

关于王熙凤,历来红学研究者的分析评论可谓汗牛充栋,一般读者对她在茶余饭后的议论也非常之多。美学家王朝闻在上世纪后期出版过厚厚的一册《论凤姐》。在前八十回里,王熙凤这个形象已经被曹雪芹写足,可谓光彩照人,活灵活现。曹雪芹写出她独特的人格,她心灵、行为的复杂性,超过了书中其他任何一个角色。她有的想法令人毛骨悚然,比如第六十一回,因为大观园里出了盗窃官司,那时候她病了,由探春等代理府务,平儿来跟她汇报情况,针对破案,她说:"依我的主意,把太太屋里的丫头都拿来,虽不便擅加拷打,只叫他们垫着磁瓦子跪在太阳地下,茶饭也别给吃,一日不说跪一日……"可是,仍然是她,在王夫人发狠抄检大观园的时候,她却扮演了一个跟王善保家的完全不一样的角色——晴雯绾着头发闯进来,豁一声将箱子掀开,两手捉着底子,朝天往地下尽情一倒,将所有之物尽都倒出——这是非同小可的抗拒行为,而且,应该说首先是针对她的,但是她竟一点也没生气,反倒大有维护之意。就算她知道晴雯曾是老太太身边的,而且老太太对其印象也一贯不错,但是王夫人已经当着她的面斥责晴雯为"妖精",肯定是要被撵出去了,她却还偏能容忍晴雯的放肆,这就说明,她心灵里又有王夫人等绝无的独特的情愫,她对晴雯的纵性率为,竟有欣赏之意。

　　曹雪芹笔下的王熙凤，简直把人性中所有尖锐对立的因素，全都熔为一炉，融会进这个生命里去了，而且，毫不牵强，随时显现。善与恶，正与邪，好与歹，贤与愚，刚与柔，温与猛，苛刻与宽容，贪婪与施舍，狂傲与谦和，胆大与心细，收敛与放肆，诙谐与庄重……她真是全挂子的本事，要哪样有哪样。读者当然都记得，弄权铁槛寺，她果然不信什么阴司报应，恣意妄为，导致两条人命尽失。后来为了逼死尤二姐，又故意打起官司，官司打完，又让仆人旺儿去害死原来跟尤二姐订过婚的张华，以达到灭口的目的，尽管最后旺儿没有下手，也说明她狠毒起来，那是不管不顾的。但是，不知道你注意到没有，总体而言，曹雪芹是欣赏她、肯定她的，所特别欣赏与肯定的，就是她的管理才能。"凡鸟偏从末世来，都知爱慕此生才"，曹雪芹希望我们能对她的罪过一面有所体谅，她这样一个人，如果不是生于"末世"，如果不是在那样的社会环境中生活，固然她人性中还是免不了有阴暗面，但是她性恶的外化，所做的坏事，就可能会少一些；曹雪芹希望读者们都能跟他一样，一起赞叹这位女性出众的组织能力与指挥气魄，他是把王熙凤当做一位脂粉英雄来塑造的。

　　上面我讲到，荣国府的建筑格局，书里写得非常清楚，不知道你注意到没有，就是在府内那些建筑群之间，是有过道，或者叫夹道，这种过渡性空间的。曹雪芹不仅写了很多发生在华屋美榭的主建筑里的故事，而且也绝不忽略这些过渡性的小空间，他设计的很多情节，都有意识利用了穿堂过道，比如王熙凤对付贾瑞，苦设相思局，第一次利用了两边都有门的穿堂，第二次利用了屋后的小过道。书里多次写到角色如何经过这些过道。第七回周瑞家的送宫花，她从梨香院出发，先过王夫人正房后头，在三间小抱厦中逗留后，就穿夹道从李纨后窗过，越西花墙，出西角门，去往凤姐住的小院。第八回写宝玉要去梨香院，怕遇见父亲，绕路而行，路过穿堂，于是碰见了府里的清客相公詹光、单聘仁，后来在过道里又遇见库房总领吴新登、仓上头目戴良等七八个管事的头目，外加一个买办钱华，跟他纠缠了一阵。这样的描写多余吗？一点也不多余，曹雪芹是得空便入，捎带脚就向读者传递了很多的信息，把荣国府这座宏大的贵族府第，那日常生活的运转，以及除了主子和一般丫头男仆外，还有众多种复杂的人员存在点染了出来。而且，他利用谐音，使我们知道府里管库房过秤的，竟是"无星戥"——那个时代的称重量的衡器，依靠戥子和准星来确定具体数额，那么竟由"无星戥"来负责这方面的事务，可见荒唐；而管仓库往外发东西的头目呢，叫"大量"，这里的"大"要读成"戴"，你看贾府用的是些什么管事的人！买办的名字则是"钱花"，花钱如流水，给你去采买东西，贪污了多少且不论，拿着府里的钱绝不心疼，哗啦啦一顿猛花；至于所谓清客相公，就是府里贾政养来供他下班后陪着聊天、吟诗、写字、画画的一些无聊的存在，一个是只知道一味地"沾光"，另一个更可怕，是"善骗人"，特别善于骗人，而贾政那样的迂腐老爷也就由他去骗。作者让这样一些角色在宝玉路过府里穿堂过道出现，一来符合那种人物所被限定的府内活动区域，二来也是有意点明，这是些墙缝里的寄生虫一般的存在。

前面讲宝玉的时候，我提到过第五十二回，宝玉要去舅舅王子腾家，在厅外上马，李、王、张、赵、周、钱六个大男仆，还有四个小厮，簇拥着骑马的宝玉往外走。为避免过贾政书房，从角门就出去了，在过道里，顶头看见府里的大管家赖大，宝玉笼住马，表示要下去，以表尊敬。赖大就忙过去抱住他的腿，不让他下马，他就在马镫上站起来，用这样的肢体语言表示了敬意。书里写这些细节，就是为了让读者领略大家族里的那些礼仪。然后，又写到一个小厮带着二三十个拿扫帚簸箕的人进来，他们见了宝玉，就都顺墙垂手立住，为首的小厮趋前给宝玉打千儿请安。曹雪芹笔触就这样精细地扫描到府里的最底层，比小厮还低微的扫地的杂役。那么再出一个角门，门外还有六个大仆人的六个小厮和几个马夫，最后是一支十来匹马的马队，浩荡而去。

我说了这么多关于荣国府过道穿堂角门之类旮里旯儿的事情，你一定要问我了，不是在探究王熙凤的命运吗？这些过道穿堂、扫过道的小厮，这些扫帚簸箕什么的，跟她有什么关系呢？大有关系啊！

第二十三回，贾政王夫人把众子女找去传达元妃旨意，让府里众小姐和宝玉入住大观园。传达完，让宝玉退出，宝玉慢慢退出，向金钏儿笑着伸伸舌头，然后带着两个嬷嬷一溜烟跑了，往哪儿跑？往所住的地方，贾母的那个院子跑，这就要过夹道，经穿堂。这本是淡淡的一笔，但是，就在这个地方，脂砚斋有一条批语，说：妙！这便是凤姐扫雪拾玉之处，一丝不乱。

脂砚斋读过八十回后曹雪芹写成的文稿。她就告诉我们，荣国府的这么个夹道边的穿堂门前，这么个不起眼的旮儿，会在后面发生一件重要的与凤姐有关的事情，就是她竟沦落到了最底层，成为一个严冬在那里扫雪的杂役，而就在那时，有一次，她竟从雪里拾到了玉！

凤姐扫雪时拾到的玉，是件什么玉器？有专家认为，就是通灵宝玉。但是通灵宝玉怎么会掉在了那个地方呢？很难想象出来。

关于王熙凤的判词和《聪明累》曲，基本上都好懂，难懂的一句就是"一从二令三人木"，我在讲座一开始就说了，这句是概括王熙凤和贾琏双方关系的三个阶段：第一阶段，贾琏是顺从她的，她气势压人，总占上风，贾琏往往不得不忍气吞声，前八十回里的情况，基本上都属于这个阶段。第二阶段，应该是八十回后，故事进展不久，荣国府为江南甄家藏匿罪产，第一次被查抄追究，贾母在这之前或之后死去。贾母不仅是黛玉的靠山，也是凤姐的靠山，凤姐在外违例发放高利贷的事情率先败露，无人再为她辩解对她宽容，再加上贾琏早为尤二姐的事对她厌恶怨恨，结果，就出现了李纨无意中预言的那种情况，你还记得吗？第四十五回，李纨和凤姐少见地拌起嘴来，第四回一开始，被形容为"槁木死灰"，似乎是一贯寡言少语、温柔敦厚的李纨，到这一回被凤姐的话刺激，于是忽然一口气说了一大篇反击凤姐的十分尖酸刻薄的话，最后一句是："给平儿拾鞋也不要，你们两个只该换一个过子才是！"那么"二令"，就说的是这种情况，贾琏虽然还没有彻底地休掉凤姐，但实际上已经宠爱平儿了，事事依靠平儿；对她呢，那就着实地不客气，吆三喝四，她只有听从命令勉强支撑的份儿。脂砚斋批语所透露的，八十回后有"王熙凤知命强英雄"的情节，应该就是在这个阶段。到第三阶段，"人木"，这是拆字法的暗示，就是凤姐彻底地被贾琏休掉了。这时候应该是皇帝追究贾家的第二轮更猛烈的风暴来临了，皇帝新账老账、大账小账一起算。宁国府当年藏匿秦可卿的罪固然最大，但凤姐弄权铁槛寺、追杀张华等事也一并被追究——铁槛寺一案，凤姐是让仆人假借贾琏名义写信去捣的鬼，张华一案，更没贾琏责任，贾琏自然气急败坏，也为脱掉干系，立刻休掉了凤姐。但是，后来贾琏也依然逃不脱皇家追究，因为到头来贾家最大的罪名是参与"月派"的阴谋活动，那就跟我上一讲所引的，历史上李煦家被皇帝惩治的那个情况，内务府档案所记录的那种惨象，完全一样了。凤姐沦为贱役，严冬里被罚扫雪，应该是在贾家彻底败落以后。皇帝第一次派人查抄贾府，那时可能元妃还在，可能主要还是以查抄所藏匿的甄家罪产为主，贾政罢官甚至被逮，大观园被封，荣国府也会被查封一大部分，但还能留下些空间，包括留下一些奴仆，供贾政的家属居住使用。但是，第二次查抄，那就不一样了，元妃应该已经在"月派"逼宫时被缢死，皇帝发现贾家居然参与"月派"谋反——其实贾家那时可能主观上并不想谋反，而是被裹胁进去又无法摆脱——再想起当年秦可卿的事，都那么宽免善待他们了，却一点不知感恩戴德，还如此大胆忤逆，因此，第二次就一定是连锅端了，所有动产不动产一律查没，所有府里的人一律先都就地监管起来，可能就先都集中到原来贾母住的那个院落，白天轮流罚做苦工，晚上打地铺挤着睡，等待下一步的发落，也就是惜春说过的那个话，或打，或杀，或卖，逼近到了"家亡人散各奔腾"的前夜。通过脂砚斋另外的批语，前面引过，也讲到过，这里不多重复，我们可以知道，凤姐和宝玉后来都被移送监狱，在狱神庙里，有关于茜雪、小红等去救助他们的情节出现。

那么凤姐扫雪拾玉，就应该是在那段文字里写到的事情：故事发展到贾府第二次被查抄，主子奴才一起被当做犯人，原来贾母住过的那所院落被当做临时监狱，集中在一起等候下一步发落。某日雪后，凤姐被罚出角门，到夹道扫雪，然后拾玉。

凤姐拾到的，会是通灵宝玉吗？我觉得，不会是。宝玉被拘，他那通灵宝玉只能是三种情况，一是被抄走，而且会作为一个重要的待审查分辨的罪证，那么抄家的人员一定将其慎重保存，不会将其遗落到夹道中；二是官府觉得那既然是他落草时嘴里衔来的，尽人皆知，不是罪产，而且那玉就俗世的标准而言，是块近乎石头的病玉，也不值得贪占，因此，也就还让他戴在脖子上，在那种情况下，宝玉肯定珍爱它，也不会让它遗失在夹道中；三是以神话式的想象，来处理这块玉，比如让一僧一道再度出现，或远施魔法，暂且收回这块玉，那么，通灵宝玉就更不可能出现在凤姐扫雪的那个穿堂门前的夹道里。

那么，凤姐拾到的，究竟是块什么玉呢？细读前八十回，也不是完全没有线索。

我们都熟悉坠儿偷拾平儿虾须镯的情节。第五十二回前半回，就是"俏平儿情掩虾须镯"，平儿把麝月叫到屋外，去说悄悄话，晴雯以为是说对她不利的话，就让宝玉去听窗根，就听见，是坠儿偷了平儿的镯子。平儿的意思是，别把这事声张出来，以后用别的由头，把坠儿打发出去就完了。当然，晴雯知道后就沉不住气，把坠儿连骂带扎，当天就撵了出去。不知道你注意到没有，平儿跟麝月说悄悄话的时候，还特别有这么几句："宝玉是偏在你们身上留心用意，争胜要强的，那一年有一个良儿偷玉，刚冷了一二年间，还有人提起来趁愿，这会子又跑出一个偷金子的来了，而且更偷到街坊家了……"那么，这里就提到了良儿这么一个丫头，如果说坠儿偷金是罪证确凿，所以给她取了个含有"坠落"也就是"堕落"含意的名字，那么，偷玉的丫头，为什么要特意取一个良儿的名字？

有的人可能又要责备我了，哎呀，你成福尔摩斯了，人家是小说，随便那么一写嘛，怎么你总是惊惊怪怪的？人家就管那偷玉的丫头叫良儿，怎么着？

实在不是我这人特多心，曹雪芹给角色取名字，他一再地或用谐音，或以字义来影射人物的品质、命运什么的，除了前面我给你举出来的詹光、单聘仁什么的，你自己也还可以举出一串：卜固修（不顾羞）、卜世人（不是人）、胡斯来（胡乱厮混来去）、程日兴（成日地兴风作浪）……丫头里，像靛儿（宝钗拿她"垫背"）、柳五儿（姿色如五月之柳）、碧痕（有的古本写作碧浪，专门负责给宝玉提水洗澡）等等，总之，他取名大都有所指。当然，有时候他会用反讽的办法命名，比如凤姐派给尤二姐的丫头叫善姐，这善姐不善，读者都有印象；还有第七十三回一开头，跑到怡红院去报信，那个赵姨娘的丫头，她报的是个凶信，明明等于乌鸦叫，却故意给她取名叫小鹊。

那么，良儿，是不是也是反讽的叫法呢？所谓良儿偷玉，坠儿偷金，我认为，作为对称的写法，这不一定是反讽，很可能，一个就是被冤枉了，另一个呢，确实有偷窃行为。

特别引起我注意的，上面其实也讲给你听了，就是曹雪芹把笔触一直延伸到府里夹道，一直写到那些拿着扫帚簸箕的最底层的杂役，那个细节，也在第五十二回，在提到良儿之后。而且，那个宝玉要出门，一群仆人簇拥着他的场景，也就在凤姐扫雪拾玉的那条夹道，只不过凤姐拾玉的位置，是在通向贾母院落的那个穿堂门外。

难道这些笔墨的安排，你又认为是毫无深意，又只不过是那么随便一写，小说嘛！似乎小说里就应该有许多的废话，有许多可有可无的文字。其实不仅是中国的《红楼梦》，外国，比如像爱尔兰的乔伊斯写的《尤利西斯》，也是一段话会有好几层意思，一个词语里埋伏几个所指。当然，《尤利西斯》出现得比《红楼梦》晚，但我举它为例，就是想告诉你，世界上不止一个作家有这种精细的写法，就是所写下的文字，绝对没有废文赘墨。《红楼梦》第五十二回先出现良儿偷玉的信息，后面又出现夹道里扫帚簸箕等细节，我认为是又一次在使用草蛇灰线、伏延千里的手法。

因此，八十回后凤姐扫雪拾玉所拾到的玉，应该就是原来被认为是良儿偷的那个玉。良儿偷玉一案，应该是在大观园建成之前，那时候宝玉还跟着贾母住，因此，这件事的性质，会被看得异常严重。当时凤姐处理此案，一定也颇费周折，估计良儿不认，就采取了非常手段，如让她在大太阳地里，跪在磁瓦子上，不给茶饭吃。良儿终于招认，当然也就撵了出去，一时非常轰动，人们留有记忆，久难忘怀。但是，当凤姐沦落后，她在那穿堂门外扫雪时，却忽然发现了那件玉器，她会细想，不可能是当年良儿丢弃在那里的，夹道天天有人打扫，岂有一直没被扫出的道理，但是，府里被查抄，虽说是一切物品均需登记入册，但像这样小件的东西，就难免被参与查抄的人员攫为已有，后来或因慌乱，或因其他原因，失落在夹道里，竟被她无意中拾到，于是她就意识到，这件玉器既然还在府里，可见当年对良儿是屈打成招！当年自己威风凛凛，审问处治别人绝不手软，现在自己却成了人家审问的对象，处于百口难辩、百罪难卸的状态，思想起来，岂不悚然惨然！

"机关算尽太聪明，反误了卿卿性命；生前心已碎，死后性空灵。"第五回里把她的结局预告得很清楚：她"哭向金陵事更哀"，所有这些女子，都跟金陵有关系，但是她最后的情状，似乎是在往金陵方向移动的过程里，悲惨地殒命。

关于王熙凤，我能贡献给大家的独家见解，主要就是这些。

下面来说巧姐。巧姐凭什么进入金陵十二钗正册？不少读者觉得她前八十回戏份儿特别少，印象很模糊，不理解为什么她跟她母亲两个人都被排进正册里。依我想，曹雪芹的用意，是加入一位辈分明确比其他各钗低的女子，可以使对贾氏家族青春女性的命运展现更有立体化的效果。当然，从表面上看，正十二钗里的秦可卿跟巧姐一辈，巧姐是贾母重孙女，秦可卿是重孙媳妇，但是，前面我已经讲了那么多，秦可卿的表面身份后面，有太多的疑点，太多的秘密，而巧姐是贾琏凤姐的亲女儿，这是没有疑问的。

巧姐最后的命运，第五回的判词和《留余庆》曲交代得很清楚，大家基本上都能看懂，就是因为当年她母亲善待了刘姥姥，种下善缘，因此家族败落后，刘姥姥一家救了她。她最后的归宿，应该是嫁给了刘姥姥的外孙板儿，虽然住在荒村野店，每天还得纺绩谋生，过去那富贵奢华的小姐生活一去不返，也属红颜薄命，但跟惨死的姑妈、母亲等相比，那算幸运多了。她和板儿的姻缘，在第四十一回有非常容易明晓的伏笔，大姐儿——巧姐是后来刘姥姥给她取的名字——原来抱着一个大柚子玩，忽然看见板儿抱着一个佛手，就要那佛手，于是后来大人们就让两个孩子互换了柚子和佛手。脂砚斋有几条批语，说："小儿常情，遂成千里伏线。"又说："柚子，即今香圆之属也，应与缘通；佛手者，正指迷津者也。以小儿之戏，暗透前后通部脉络。"所谓佛手指迷津，也就是《留余庆》里所说的那些意思："劝人生，济困扶穷，休似那爱银钱忘骨肉的狠舅奸兄！正是乘除加减，上有苍穹。"

巧姐这个角色，许多读者都觉得把她写得太小，那么八十回后，故事的时间跨度不可能很大，她到贾家败落时，往多了说也不过六七岁，她能经历那些遭遇，比如被卖入娼门，以及被解救后嫁给板儿等等吗？而且板儿在那时候也应该没有多大，往多了说不过十多岁，曹雪芹这样写，是否属于情节设计不合理？我觉得还是合理的。第一回香菱被拐子拐走，也还只是个四五岁的女孩，那个时代，那种社会，拐子把男孩子拐去，也许很快就能出手卖掉；女孩子呢，他会先养起来，养得稍大，再卖给人家当童养媳或丫头。有的妓院，也会买尚年幼的女孩，先当小丫头使唤，大了再逼着接客。巧姐年纪虽小，被骗被拐被卖的可能性却非常之大，特别是在家族败落的过程里，而刘姥姥及其他人将她解救出来，尽管她和板儿都不大，把她先作为童养媳收养，在那个时代和那种社会里，是一点也不出格，非常普通的做法。

巧姐命运之谜，在于究竟谁是"狠舅奸兄"，狠舅是凤姐兄弟王仁，谐音就是"忘仁"，这应该没有什么疑问，奸兄呢？高鹗续书，把贾芸当做奸兄，这是天大的错误。第二十四回，写到贾芸时，脂砚斋有多条批语，赞他"有志气""有果断""有知识"，说他"孝子可敬，此人后来荣府事败，必有一番作为"——当然是指好的、正面的作为。我在关于妙玉的最后一讲里提到的那个靖藏本，这一回前更有一条独家批语，说"醉金刚一回文字，伏芸哥仗义探庵"。前面已经引过脂砚斋关于小红到狱神庙安慰宝玉的批语。贾芸、小红后来是一对夫妻，他们是大胆自由恋爱而结合的，凤姐对他们两个都有恩，八十回后，作者会写到他们去安慰、救助凤姐、宝玉。至于贾芸探庵，探的哪个庵？栊翠庵？馒头庵？目的何在？效果如何？不得而知，但那是一种仗义的行为，不会是奸诈的行径。

　　那么，奸兄会是谁呢？有人去猜贾蔷，也无道理。贾蔷和龄官的爱情，不说可歌可泣，说可圈可点吧，那也足能和贾芸、小红的爱情媲美；贾蔷跟凤姐的关系一贯很好，替凤姐教训贾瑞，他是一员战将，而且他后来经济自立，荣国府解散戏班子以后，龄官没有留下，应该是被他接去，两人共同生活了。他不可能在八十回后，成为坑害巧姐的奸兄。那么，奸兄究竟是谁？奸在哪里？你别着急，我将在下一讲里，从从容容地告诉你。

　　巧姐的原型，就是贾琏、王熙凤两个原型的独生女儿，这本来没什么好讨论的，但是，在多达六种的古本《石头记》里，第二十九回写荣国府浩浩荡荡地去清虚观打醮，却有一句分明是"奶子抱着大姐儿带着巧姐儿"，这不大可能是抄书人抄错了，应该是曹雪芹某一时期原稿上的句子。这么说，贾琏王熙凤实际上并不是只有一个女儿，而是有两个，大的那个，自己能走路的，是巧姐儿。但是巧姐这个名字，根据书里的情节流动，是直到第四十二回刘姥姥才给她取的，按说去清虚观打醮时，即使有那么个大点的女儿，也应该还没有巧姐这个称呼。我的看法是，生活真实里的贾琏王熙凤原型夫妇就是有两个女儿，因此，王熙凤原型不生男孩的家庭危机才会深重，贾琏原型偷娶二房的决心，才会那么坚定。第二十九回写得早，曹雪芹就按生活的真实写出了他们有两个女儿，后来，他调整文稿，觉得写两个女儿很麻烦，就合并为了一个，就是四十一回里请求刘姥姥给取名字的那个巧姐儿。

　　我坚持认为，曹雪芹基本上把《红楼梦》完成了，但是，却没能将全稿通盘修改好，不但还剩一些"零件"没来得及装上，更有许多"毛刺"没有剔尽。这里顺便再举出一些例子：

　　第七十一回大写贾母八旬大庆，明写正日子是八月初三，季节背景描写跟前后情节流动吻合，但是，第六十二回，探春有段话却是这么说的："倒有些意思，一年十二个月，月月有几个生日。人多了，便这等巧……大年初一也不白过，大姐姐占了去……过了灯节，就是老太太和宝姐姐，他们娘儿两个赶得巧。三月初一是太太……"贾母生日究竟是什么时候？我感觉，探春的话，倒说的是生活真实里李氏的那个真实的生日，被曹雪芹很自然地写了下来。但是，从生活到小说，他又故意把贾母生日安排在秋天，就在那个秋日的八旬庆典之时，爆发出宁、荣两府和黑油大门里邢夫人那家之间的连锁冲突，又导致贾母发狠查赌，滚雪球般地酿成抄检大观园，秋风萧瑟，寒冬逼近……他写得很精彩，但是，没来得及把前面探春的话改得一致起来。

第七十五回，贾母强打精神过中秋节，在凸碧山庄大家围大圆桌坐下，贾母居中，左边是贾赦、贾珍、贾琏、贾蓉，右边是贾政、宝玉、贾环、贾兰，结果还有半桌空着，贾母就叹息人少，后来就把围屏后边的迎、探、惜叫来一桌坐。大家注意到没有，在座的没有贾琮，贾琮是贾赦的儿子，贾琏的弟弟，也就是贾母的一个长房孙子呀。在第二十四回，他正式登场，邢夫人还责备他黑眉乌嘴，后来他还出现过几次，五十三回祭宗祠时，他和贾琏一起献帛，这样一个嫡亲的孙儿，怎么会在中秋团聚时缺席？贾母叹人少，多他一个不就略有安慰么？难道仅仅因为其形象不雅，就连月饼也不允许来一起分吃？这写得很怪。也在这一回，贾赦夸贾环的诗写得好，说出很蹊跷的话，他说："以后就这么做去，方是咱们的口气，将来这世袭的前程定跑不了你袭呢！"书里前面写得很清楚，他本人袭着一等将军，贾政因为是弟弟就都没资格袭爵，他如果死了，应该是贾琏来袭，可能再降一等，贾琏死了，可以轮到贾琮，再怎么也轮不到贾政的儿子来袭呀，何况，就是由贾政儿子袭，前头还有个宝玉呢，贾赦怎么能说出这样的话来呢？

也在这一回，更前面一点，写贾珍在宁国府搞射鹄子活动，贾赦、贾政听说了，下面就有一句，请注意是怎么写的——两处遂也命贾环、贾琮、宝玉、贾兰等四人于饭后过来，跟着贾珍习射一回，方许回去。你不觉得奇怪吗？这四个人里宝玉最大，却排在第三位。再推敲"两处遂也命"的含义，则贾环、贾琮是贾赦那边命令过来的，宝玉和贾兰是贾政命令过来的，甚为明白。贾环算是贾赦那边的，怪吗？但是，如果他真是贾赦那边的，那么，前面引的，贾赦那个说他有资格袭爵的话，却又好懂了。贾琮射鹄子时候在，同一回文字里，中秋大团圆又无踪影，更让人纳闷。前面讲到过，这一回里本应该有三首中秋诗，但一直没有填上，脂砚斋在回前注明"缺中秋诗，俟雪芹"，估计这一回写得比较早，跟第二十二回缺灯谜诗一样，曹雪芹没来得及补上，就去世了。跟这回连续的第七十六回，贾母对尤氏说："可怜你公公已是二年多了。"贾母省去"去世"二字是很符合她说话方式的，但从写贾敬吞丹死去的第六十三回看过来，情节在季节中的流动是连续的，贾敬死了并不到二年，类似这样的前后矛盾的"毛刺"还可以挑出很多，我就不一一罗列了。这也说明，曹雪芹写这部书，不是定稿一回再去写下一回，他是跳着写，跳着定稿的，而全部书稿还没来得及将其前后矛盾的地方完全调整修订妥帖。

虽然曹雪芹没能完成修订《红楼梦》的工作，后来又迷失了八十回后的文稿，但是，这部书却跟现在保存在法国巴黎卢浮宫的古希腊雕塑——米罗的维纳斯一样，具有惊人的残缺之美。

那么，现在我的原型探究，就金陵十二钗正册而言，只剩下一钗，就是李纨了。有人说，李纨是正册十二位女子里惟一没有缺点，作者下笔时也只有褒笔没有贬笔的一位女性，真是这样的吗？我的看法与此大相径庭，而且，我还要告诉你，上面涉及到的那个问题，就是谁是巧姐的那个"奸兄"，也得通过对李纨的探究揭开谜底，对此你感到莫名惊诧吗？那么，好，请您继续听我讲。

李纨命运之谜

　　金陵十二钗正册里的女性，秦可卿在第十三回就死掉了，其余十一位，可以肯定会在八十回后故事里死去的，计有贾元春、贾迎春、王熙凤三位，故事结束时肯定暂时还活着的，则有贾探春、贾惜春、巧姐、李纨四位。其余四位，林黛玉泪尽而亡，薛宝钗婚后死去，虽然从判词和涉及她们的曲文里还看不到非常明确的信息，但是通过对前八十回文本的仔细分析，判定她们在全书故事结束前都已离开人世，从一般读者到红学专家争论不大。只有史湘云和妙玉的结局颇费猜测，意见最难统一。妙玉的结局，我有自己的推断，前面已经讲过，到目前为止，我觉得自己的结论是有道理的，坚持不变。史湘云的结局是最大谜团，我前面讲座里多次提到，我同意脂砚斋就是史湘云原型的观点，对"因麒麟伏白首双星"的解释，也同意最后落实到她和贾宝玉身上，他们两个历尽劫波，终于遇合，得以白头相伴，共度残生。但是，全书的结局应该是贾宝玉悬崖撒手，通灵宝玉也还原为巨石，复归青埂峰下，那么，曹雪芹一定会想出一种逻辑上完满的写法，来处理史湘云的结局。如果她一直活着，宝玉就不应该抛弃她，自己撒手人间，独归天界；如果是她贫病中死去了，宝玉痛感人生无常，大彻大悟，悬崖撒手，那当然说得通，但"白首"两个字又如何解释？我在关于湘云命运的那讲最后，猜测"白首"的含义，是因为颠沛流离、贫困潦倒，导致他们两个"白了少年头"，而不是说他们尽其天年，鹤发童颜。如果那样，宝玉谈不到撒手，全书也就不是个大悲剧的结局。但这样解释，显然不无牵强之处，我之不揣冒昧，大胆说出，意在与红迷朋友们进一步讨论，对湘云结局的判断，我就不像对妙玉结局的判断那么自信。当然，对妙玉结局的观点，我也只是说，对《红楼梦》文本作了精读，动了脑筋，比较自信，也完全没有"惟我正确"的意思，仍愿与大家作深入的讨论。

讨论，是做学问当中最大的乐趣。现在我们讨论到金陵十二钗正册中的李纨。有人说，李纨透明度最高，是一位近乎完美的妇人，曹雪芹对她下笔，也是只有褒没有贬，她的全部不幸，也就是青春丧夫守寡，之所以也收入薄命司册页，就是哀叹她尽管后来儿子当了大官，自己封了诰命夫人，但终究还是无趣。通过她，作者控诉了封建礼教不许寡妇改嫁的罪恶。说作者通过这个形象展现了礼教压抑下青年寡妇的不幸，我是同意的；但说作者对李纨只有褒没有贬，则不敢苟同。

关于李纨的判词，头两句，"桃李春风结子完，到头谁似一盆兰"好懂。贾珠死后，李纨把全副精力都投入到对贾兰的培养上，这是可以理解的。她对贾兰的培养是全方位的，不仅督促他读圣贤书，为科举考试做案头准备，还安排他习武。书里有一笔描写，你不应该忽略，就是在第二十六回，宝玉在大观园里闲逛，顺着沁芳溪看了一回金鱼，应该是跟金鱼说了一回话。前面分析过宝玉，他脑子里绝无什么读书上进、谋取功名一类的杂质，他沉浸在诗意里面，他把生活当成一首纯净的诗在那里吟那里赏。这时候，忽然那边山坡上两只小鹿箭也似的跑了过来，打破了诗意，可爱的小鹿为什么惊慌失措？宝玉不解其意，正自纳闷，只见贾兰在后面拿着一张小弓追了下来，一见宝玉在面前，就站住了，跟宝玉打招呼。宝玉就责备他淘气，问好好的小鹿，射它干什么？贾兰怎么回答的，记得吗？说是这会子不念书，闲着作什么呀？所以演习演习骑射。前面我讲过了，清朝皇帝，特别是康、雍、乾三朝，非常重视保持满族的骑射文化，对阿哥们的培养，就是既要他们读好圣贤书，又要能骑会射，所以贵族家庭也就按这文武双全的标准来培养自己的子弟。李纨望子成龙心切，对贾兰也是进行全方位的培养，要他能文能武。那时候，科举考试也有武科，八十回后贾兰中举，有可能就是中的武举，后来建了武功，"气昂昂头戴簪缨，光灿灿胸悬金印，威赫赫爵禄高登"，母因子贵，李纨也终于扬眉吐气，封了诰命夫人。贾兰放下书笔就来射箭习武，宝玉看了是怎么个反应呢？他非常反感，非常厌恶，讽刺贾兰说："把牙栽了，那时才不演呢！"

第五回里关于李纨判词的后两句，"如冰水好空相妒，枉与他人作笑谈"就不那么好懂了。特别是第一句，有的古本这句写作"为冰为水空相妒"。这句话的大概意思，应该是指水跟冰本来是一种东西，一家子，但是有些水结成了冰，就嫉妒那没结成冰的水，本是一家子，寒流中两种结果，当然互相有看法，甚至有冲突，但是那没结成冰的水呢，到头来也没得到什么真正的好处，白白地让人把他那事情当做笑话来议论。从这判词就可以感觉到，曹雪芹对李纨这个人物哪里是全盘褒奖，她最后虽然表面上比其他十一钗命运都好，但她一生的遭遇，旁人议论起来闲话还是很多的，遭人嘲笑也难以避免。

前面我讲惜春的时候，引用生活真实里李煦被雍正抄家治罪，内务府档案的那些记载，你应该还记得，从那些记载你就可以知道，那个时代，那种皇权统治下，不管你原来是多么威风的贵族官吏，一旦皇帝震怒，对你满门抄检，那么不仅你家的仆人全成了皇帝抄来的"动产"，你的妻妾子女也一样全成了由皇家或打、或杀、或卖的活物件，情形是非常恐怖的。《红楼梦》八十回后，会写到贾家被皇帝抄家治罪，其事件原型，应该就是"弘皙逆案"后曹𫖯一家的遭遇。

雍正朝时期，李煦、曹𫖯的被惩治，现在还可以查到不少档案，但是，乾隆四年平息"弘皙逆案"后，涉及此案的弘皙等重要案犯的档案材料保留下来的很少，现在能查到的也大都十分简略，或语焉不详，甚至轻描淡写，给人一种小风波一桩的感觉。这显然是乾隆从政治上考虑，所采取的一种措施，就是尽量销毁档案，不留痕迹，以维持自己的尊严，并防止引发出另外的麻烦。也就在那以后，原来清清楚楚的曹氏家谱，忽然混乱、中断。曹雪芹究竟是曹颙的遗腹子，还是曹𫖯的亲生子？甚至究竟有没有这么个人，这个人后来究竟是怎么个生活轨迹，全都失去了凿凿有据的档案，后世的研究者不得不从别的角度寻觅资料，艰苦探索，以求真相。有些不知道那个时代这种情况的读者，特别是年轻人不理解，比如说为什么我的这番揭秘不直截了当地公布档案，比如说某某角色的原型已经查出清朝户籍，或者宗人府档案，或者某族古传家谱，那人就在其中第几页，第几行到第几行……如果真能查到，还会等到我来查来公布吗？红学起码有一百年历史了，最有成就的红学专家，从曹寅、曹颙和曹𫖯以后，也都只能是从非直接的档案材料，甚至拐了几个弯的资料里，去探究曹雪芹其人其事，去探究书里所反映的历史内涵与社会内涵，去探究书里角色背后的名堂。乾隆朝"弘皙逆案"后的相关信史与过硬的直接性资料真可谓凤毛麟角，进行艰苦推测，是不得已而为之。

就在我的讲座还在中央电视台《百家讲坛》播出期间，就有一位热心的青蜓先生来信告诉我，他查到两条资料，一条据民国王次通先生在《岱臆》里说，胤礽为太子时，曾为岱庙道院题字，赐给道士黄恒录，后来石刻题的是"纯修"两个字；另据清任弘远《趵突泉志》，胤礽曾为趵突泉题碑，四个字是"涤虑清襟"，他被废后就给清除了。胤礽当太子的时间很长，而且被认为书法出色，跟着康熙南巡，以及自己游玩，到处题字，被刻石以为久远留存，数目一定非常之多，但是，一个政治人物随着他的垮台，他在各处留下的题字，也就会被一一清除。历史既是胜利者所写的，也由胜利者删除修改，发生过的事情，可以让它从记载上基本消失，使事实沉默在悠长的时间里。曹家到了曹頫以后，就是这样的遭遇，还有这么一家人吗？后来都哪里去了？曹頫本人在乾隆四年以后是否还活着？以什么身份活着？如果死了，又是怎么死的？曹雪芹究竟是不是他亲儿子？究竟何时生？何时死？甚至究竟写没写《红楼梦》？也许今后能查到过硬的档案，被公布出来，但是在目前，不是我一个人，所有的研究者，都不得不采取使用旁证进行推测的办法。

我们探讨李纨也只能是这样。至少到目前为止，没有任何人得到了一本可信的曹雪芹创作笔记，上面明确地写着，我是以生活里的谁谁谁，来写成书里的谁谁谁。有的人一直不明白我为什么要做原型研究，误以为我要做的事情，就是来一番历史性的索隐，把书里的这个角色跟历史上的哪个真人画等号，又把哪个历史上的真人跟书里的某个角色画等号。这样的等号是万万不能画的。我说秦可卿的原型是废太子的女儿，我的意思是曹雪芹以这个真人的情况为素材，将其通过艺术想象，塑造成了这样一个艺术形象。我说贾宝玉的原型就是曹雪芹自己，也并不意味着他是在给自己写自传。我说自传性，意思是《红楼梦》是一部具有自传因素的小说，贾宝玉这个小说人物，是曹雪芹根据自己的人生经历和生命体验，加上虚构成分，进行了艺术升华，而形成的一个艺术典型。我对书中所有人物、情节、细节乃至物件的探究，都是这样的意思。自传和具有自传性的小说，是两个不同的概念，我使用时一直将其严格地区分开来。

大家应该都知道，世界上的小说，有的是基本写实的，作者所使用的素材是生活中实际存在的；而有的小说呢，则是非写实的，甚至完全是离开生活真实，凭空去架构出来的。写实的小说很多，不必举例了，完全不写实的小说，比如阿根廷有个小说家博尔赫斯，他是个图书馆管理员，他写的许多小说就不是从他自己的生活经历出发，甚至也根本不是他在现实里的所见所闻，他完全根据看到的书本上的东西，加以想象、升华，最后形成他那种风格独特的小说。例如他的名篇《小径分岔的花园》，就是脱离实际生活的凭空设想。他那样的小说也有人喜欢，也具有其独到的美学价值，但是，研究他那样的小说，显然就没必要搞原型研究。

而我为什么热衷于搞原型研究呢？我写小说，基本上全是走写实的路子。但是小说毕竟不是档案材料，不是新闻报道，不是报告文学，即使以自己为素材，把自己当主角，也不能写成自传，写成回忆录，也必须要从素材出发，有一个升华的过程。写实性的小说，自传性、自叙性、家族史的小说，尤其要重视这个升华的过程。1990 年，我开始构思我的第三部长篇小说《四牌楼》，我想把它写成具有自叙性、自传性、家族史特点的小说，构思过程中，我就来回来去地想怎么升华呢？怎么完成从原型到艺术形象的创造过程呢？很自然地，我就想到了《红楼梦》，对曹雪芹的文本进行一番探究，他那些艺术形象，是怎么从原型演变升华而来的？我要好好借鉴。所以至少对我来说，这种原型研究是非常有意义的，可以学以致用。1992 年我写成了《四牌楼》，后来得了一个上海优秀长篇小说大奖，2005 年法国翻译了里面的一章《蓝夜叉》，为之出了单行本。当然，我的写作不能跟大师们相比，但是，对前辈文学大师的经典文本的探究，应该是我能够做，也可以去做的事情。曹雪芹的《红楼梦》，我笃信鲁迅先生的八字断语："正因写实，转成新鲜。"我就是要钻进去，探究曹雪芹他怎么把生活里的人物，演变升华为小说里的艺术形象。首先，我对他设计的金陵十二钗正册中的十二位女性和贾宝玉进行原型研究，突破口选择了秦可卿，就这样一步步地，现在进行到了李纨。

我说了这么多解释自己研究动机和目的的话，应该不是多余的。我相信跟大家坦露了心迹以后，我下面的探索就更能赢得理解。

我的研究方法，一是探讨原型，一是文本细读。我的细读，已经体现在前面各讲里。大家应该还记得，讲妙玉的时候，我讲到她续诗，在她续出的十三韵里，有两句是"钟鸣栊翠寺，鸡唱稻香村"，这意味着什么？我认为，这是预示在贾府被查抄以后，大观园里其他地方都被勒令腾空，加上封条了，但还剩两处允许暂住，成为例外。

为什么栊翠庵（寺）还可以鸣钟礼佛？因为贾府有罪，所有的主子奴仆一律连坐，但是妙玉和她身边的嬷嬷丫头，并不是贾府的人，她们可以例外。当然，栊翠庵产权不属于妙玉，属于贾府，被抄检一番是难免的，当年王夫人做主，下的那个请妙玉入府的帖子，一定是被查出来了。在妙玉方面，她坦然无畏，人家下帖子请我，我来了，算个什么问题？当时的理由很堂皇嘛，是元春要省亲，必须准备佛事。但在王夫人方面，麻烦就很大，因为那时候元春已经惨死，皇帝厌恶贾家，一经查抄，诸罪并举，甚至还要顺一切线索追究，再加上负责查抄的官员，总要借势施威；那么，对下那个帖子的事情，肯定要穷追不舍，加上别的种种，一时也难结案。在这种情况下，妙玉就是自己要搬出栊翠庵，恐怕也暂不放行，只是不把她算成罪犯罪产，日常生活仍可照旧罢了。

妙玉不是贾府的人，李纨母子却是呀，那为什么稻香村还可以雄鸡唱晨，里头住的人尚能如以往一般迎来新的一天呢？可以推测出，八十回后，写到贾府满门被抄，因为负责查抄的官员报上去，李纨守寡多年，又不理家，贾家各罪，也暂无她参与的证据，而皇帝最提倡所谓贞节妇道，所以就将他们母子除外，不加拘禁，仍住稻香村里。如经查实，他们确实与贾府诸罪无关，结案后就可以允许他们搬出，自去谋生。那么他们母子获得彻底解脱后，就与原来亲友断绝来往，李氏就更加严格地督促儿子苦读，贾兰也不负母亲一片苦心，中举得官，建立功勋，而李纨也就终于成为了诰命夫人。

书里这样写李纨，情节设计是大体合理的。但是，细加推敲，问题又来了。

贾府那样的大家庭，荣国府里，贾政当官，主外，王夫人呢，主内。书里说，她觉得自己精神不济，所以要请下一辈的媳妇来做帮手。那么，她眼前就有一位大儿媳妇——虽然大儿子贾珠死了，其寡妻李氏还好好地活着。而且故事开始的时候，李纨的儿子，也就是贾政王夫人的孙子贾兰已经比较大，可以读书射箭了，李纨完全可以腾出手来帮助王夫人理家主内啊。其实就算是孩子小，那种贵族家庭，有的是丫头仆妇，也用不着母亲自己花许多的时间精力来照顾。书里写王熙凤的女儿巧姐，比贾兰小很多，王熙凤不是仍然可以理家管事吗？那么，王夫人怎么可以公然不让李纨来管家呢？从书里描写可以知道，王熙凤几乎不认字，凡遇到记账写字查书一类的事情，都依靠一个叫彩明的，未弱冠，也就是还没成年的小男孩。有一回还临时抓差，让宝玉给她写了个账单不像账单、礼单不像礼单的东西。可是，李纨是书香门第出身，会作诗，元妃省亲时她也赋诗一首，才华当然平平，但如果由她管家，起码可以减除很多因为自己不识字不能写字的麻烦。而且，从封建社会的伦理秩序角度来说，李纨她作为荣国府的大儿媳妇，也没有放弃理家责任的道理，王夫人即使没有委托她帮忙，她也应该主动上前帮忙。书里第四回介绍她说，"这李纨虽青春丧偶，居家处膏粱锦绣之中，竟如槁木死灰一般，一概无见无闻，惟知侍奉亲子，外则陪侍小姑针黹诵读而已。"这段话原来糊里糊涂地也就那么读过去了，后来一细推敲，蹊跷，以李纨的身份，她竟放弃在荣国府协助王夫人主内，承担管家的责任，并且达到"一概无见无闻"的程度，这在那个社会，是非常严重的不孝行为。第七回有句交代，也值得推敲："原来近日贾母说孙女儿们太多了，一处挤着倒不方便，只留宝玉黛玉二人这边解闷，却将迎、探、惜三人移到王夫人这边房后三间小抱厦内居住，令李纨陪伴照管。"贾母好像也不以李纨放弃府内总管责任为奇，就有如她绝不以贾赦不跟她住在荣国府里为奇一样。贾母只是觉得李纨闲着也是闲着，就只给她派了一个闲差，但这差事按说也应该是王夫人来安排，怎么会由贾母亲自下令？难道，在贾母眼里，李纨和王夫人是一样的身份？

书里就这样写李纨，她是荣国府里的正牌大儿媳，却不由她来管家，而是把贾赦那边的王熙凤请过来管家，而对这一点，她本人以及书里其他人都不以为奇。后来王熙凤病了，才由李纨、探春代理其职，王夫人又请来宝钗帮忙，府里仆人们暗地里抱怨，说"刚刚的倒了一个'巡海夜叉'，又添了三个'镇山太岁'"。但后来的形势，是三位"镇山太岁"里，探春唱主角，是朵大玫瑰，李纨甘愿跟宝钗一样充当绿叶——宝钗毕竟只是个亲戚，是外人，李纨怎么能那样？

这样，我就琢磨，李纨的原型，可能跟贾赦的原型一样，虽然书里写是某种身份，其实真实的生活里却是另一种身份。

书里把李纨设计成宝玉一辈的人，贾政和王夫人的大儿媳妇，贾母的孙子媳妇，那么，李纨的儿子贾兰，当然就是贾政王夫人嫡亲的孙子，也就是贾母嫡亲的重孙子。按这样一个伦常排序，我问你，贾政一家人团聚，特别是元宵节，那也是一个特别看重团圆意义的节日，几代人欢聚，猜灯谜，得彩头，贾兰该不该在场？他该不该自己主动到场？但是，你细看第二十二回，有一笔很怪，就是全家赏灯取乐，济济一堂，忽然贾政发现不见贾兰，便问："怎么不见兰哥？"地下婆娘忙进里间问李纨，李纨起身笑着回道："他说方才老爷并没有去叫他，他不肯来。"婆娘回复贾政以后，大家都笑了，说贾兰"天生的牛心古怪"，在这种情况下，贾政才派贾环和两个婆娘去把贾兰叫来。这是怎么回事？贾兰是一个认真读圣贤书的人，他家元宵灯节团聚，他竟不主动去孝敬祖母父母，非得等人去请才到场，怎么如此离奇？在那个时代，那种家庭，不要说这样的场合，作为晚辈应该主动到长辈跟前去承欢，就是平日也要主动去对长辈晨省、晚省，哪有让长辈派人去请的道理？而且，李纨那么回答贾政也很古怪，她还在笑，按说她把儿子教育成那个样子，爷爷不叫他他就不来团聚，简直成了家族反叛，她自责还来不及呢，流泪忏悔都未必能过关呢，她却心态很轻松，还笑。而且从她那口气上你能感觉到，她也就是觉得，需要专门去叫一下贾兰到场，才更合适。这究竟是怎么回事？曹雪芹他虚构，怎么会虚构成了这个样子？

我认为，第二十二回里的这一笔，恰恰并非虚构，而是生活的真实里确实发生过的事情，这一笔是与全书的总体设计，也就是虚构的框架不协调的。这回后面有署畸笏叟的一条批语——畸笏叟跟脂砚斋究竟是一个人还是两个人，红学界看法很不一样，这里不枝蔓——这样写的："此回未成而芹逝矣，叹叹！"原来我就知道，这回后面还缺灯谜诗，没来得及补上，所以叫"未成"，就是未完成、未定稿。再经过仔细探究，我就发现了关于贾兰原型真实身份的逗漏，这一笔，曹雪芹他还没能抹去，没能达到跟全书总体设计完全符合。这当然也是这一回未定稿的一个例证。

那么，李纨和贾兰的原型，究竟是什么人呢？

我认为，李纨的原型，是曹頫的遗孀马氏；贾兰的原型，则是曹頫的遗腹子。

前面讲到过很多关于曹家的事情，大家应该还能记得：康熙朝，曹寅是康熙的亲信。他死后，康熙让他的儿子曹颙接替他当江宁织造，但是，没过几年，曹颙又病死了。他一死，曹家这一支就成了两代孤孀：第一代，就是曹寅的夫人李氏——康熙另一个亲信，苏州织造李煦的妹妹；第二代，就是曹颙的夫人马氏。这婆媳两个寡妇，可怎么办呢？李氏再没有亲儿子了，马氏尽管怀了孕，一时还生不下来，临盆能否顺利，生的是儿子还是女儿，都是未知数。就在这个关键的时刻，康熙发话了，康熙让李煦从曹寅的侄子里挑出一个好的过继到李氏这边，作为曹寅的继子，并且接着当江宁织造。最后挑选的就是曹頫。曹頫来当李氏的继子时，已经比较大了，有家室了，他和他的夫人过来以后，马氏的地位就非常地尴尬了。当然，她是李氏的媳妇，她对李氏必须继续尽媳妇的孝道，但是，她再也不是织造夫人了，在那个家庭里，她的第一夫人的地位就自动丧失了，她不能再主持家政。曹𫖯过继来了以后，当然就和他自己的夫人住进了本来是曹颙马氏住的那个正院正房里面，马氏当然只得搬到另外的屋子去住，而曹𫖯的夫人，也就理所当然地成了那大宅门里的管家奶奶。马氏呢，当然也就只好槁木死灰一般，一概无见无闻，她如果生下了曹颙的遗腹子，那么当然也就把全部的人生意义都锁定在把儿子培养出来，让他长大后能中举当官，自己再通过儿子去封个诰命夫人。我们可以想见，在那样一种微妙的家庭人际关系里，如果曹𫖯在某年灯节举办家庭聚会，因为李氏在座，马氏作为李氏的媳妇必须到场，但她的儿子却可以认为，我是曹颙的后代，不是你曹𫖯的后代，叔叔家的私宴，你没请我去，我为什么要主动去？于是他就没去。而他的不去，你可以说他"牛心古怪"，也就是死心眼，却不能说他违反了封建礼教；马氏解释他为什么不到场，也可以面带微笑，不用自责。当然，可能曹𫖯对这个侄子还是喜欢的，发觉他没到，就马上派自己一个儿子去找请他，在那种情况下，他也就来了。第二十二回透露出的，就是这样的一种情况。

关于康熙朝曹寅、曹颙、曹𫖯的档案资料很丰富，到雍正和乾隆时期，对康熙朝的这些资料也都没销毁，一直保存了下来。

康熙五十一年七月，曹寅得了疟疾，李煦及时向康熙汇报，康熙立即批复，那朱批现在还在，一口气写了很多话："你奏得很好，今欲赐治疟疾的药，恐迟延，所以赐驿马星夜赶去。但疟疾若未转泄痢，还无妨，若转了病，此药用不得。南方庸医每用补济而伤人者不计其数，须要小心。曹寅元肯吃人参，今得此病，亦是人参中来的。"（"补剂"的"剂"康熙写错了，但是皇帝是可以写错别字，也可以文句不通顺的，他可以不受规范限制。类似的地方还有，我不都加说明了。）下面，康熙还写了满文，是金鸡纳霜的满文译音，然后非常仔细地加以说明："专治疟疾，用二钱末，酒调服。若轻了些再吃一服，必要住的。住后或一钱或八分，连吃二服，可以出根。若不是疟疾，此药用不得。需要认真，万嘱万嘱万嘱！"但是曹寅没有好运气，药送到时，他已经死掉了。要知道这时候康熙跟二立的太子胤礽之间的矛盾白热化，康熙面临许多重大的政治问题，但是他对曹寅这么个江宁织造却关怀备至到了如此程度，可见他们绝不是一般的君臣关系。这年九月，康熙二废太子。

康熙五十四年，继承父亲职位的曹颙病死，死时才二十六岁。在现存的内务府奏折里，引用了康熙对曹頫的评价："曹頫自幼朕看其成长，此子甚可惜！朕在差使内务府包衣之子内，无一人及得他，查其可以办事，亦能执笔编撰，是有文武才的人，在织造上极细心紧慎，朕甚期望。其祖其父，亦曾诚勤。今其业设迁移，则立致分毁。现李煦在此，著内务府大臣等询问李煦，以曹荃之子内必须能养曹頫之母如生母者，才好。"康熙对曹頫的这个评价，到了雍正、乾隆朝当然还有效。虽然后来曹頫的未亡人马氏还跟着李氏，跟曹頫夫妇在一起生活，但曹頫后来获罪，却也不能去株连她，她和她的儿子，也就是曹頫的儿子，当然应予善待，也就逃脱了被打、被杀、被卖的厄运。这情况反映到小说里，就是不但"钟鸣栊翠寺"，而且"鸡唱稻香村"，当贾府"家亡人散各奔腾"的时候，李纨和贾兰却可以没事儿，别的水都冻成冰了，他们还是水，可以自由流动，最后还能爵禄高登。

康熙朝曹家的事，可以查到不少这样过硬的正史材料，请注意，我在这个地方所引的，都是官方正式档案，绝非野史，其中有的还是康熙本人所写的奏折朱批或官方正式记录的他的话语。

关于马氏在曹頫死前已怀孕，康熙五十四年三月初七曹頫在奏折里说："奴才之嫂马氏，因现怀妊孕，已及七月……将来倘幸而生男，则奴才之兄嗣有在矣。"根据这个奏折，如果马氏生下一个男孩，那实际年龄，就可能比曹雪芹还大。

说到这里，当然，你立刻也就明白了，曹雪芹他把马氏和曹頫的遗腹子这两个生活原型在艺术升华的过程里，各自矮了一辈来写。马氏化为李纨，年龄大体没变，但曹頫的遗腹子化为贾兰后，年龄就降到了宝玉之下，与贾环差不多了。而贾珠，全书故事一开始就说他死掉了，徒然只是一个空名，是写小说的一种变通设计，不能胶柱鼓瑟，把他的原型说成是曹頫。

曹雪芹为什么要这样处理？我觉得，从创作心理上说，他不愿意照生活真实情况来写，那样写，书里就得说明贾政是过继给贾母的，宝玉也就不是贾母嫡亲的孙子，他不想把自己家族那层微妙甚至尴尬的人际关系如实挪移到小说里去；从小说文本的需要来说，合并某些同类项，避免某些真实生活里过分特殊的个案，可以使艺术形象之间的关系优化，避免许多烦琐而又派生不出意蕴的交代，有利于情节的自然流动，也有利于集中精力刻画好人物性格。

曹雪芹对李纨从原型到艺术形象的升华，基本上是成功的，他在绝大多数情节和细节里，都按照书里所设定的人物关系，来吻合李纨的场景反映，比如第三十三回写宝玉挨打，王夫人先抱着宝玉哭，"苦命的儿吓！"后来想起贾珠来，又哭道，"若有你活着，便死一百个我也不管了！"接着他就写，听见王夫人哭叫贾珠，别人犹可，惟有李纨禁不住放声大哭起来。这就写得非常准确。原型人物升华为艺术形象以后，就要按艺术想象所设定的身份来表现。

但是，在《红楼梦》前八十回文本里，还是留下了不止一处的痕迹，漏出李纨身上的马氏影子。第四十五回中，李纨带着小姐们找王熙凤去，让她出任诗社监察，王熙凤是个聪明人，立即道破她们的意图："那里是请我作监察御使，分明是叫我作个进钱的铜商！"李纨说她一句"真真你是个水晶心肝玻璃人"，她就不依不饶，且听听她是怎么说的："亏你是个大嫂子呢！……这会子他们起诗社，能用几个钱，你就不管了？老太太、太太罢了，原是老封君，你一个月十两银子的月钱，比我们多两倍银子，老太太、太太还说你寡妇失业的，可怜，不够用，又有个小子，足的又添了十两，和老太太、太太平等……"王熙凤的话还没完，咱们先分析这几句。在那样的封建大家庭里，总账房给每个人发放的月银，是严格按照其在家族中的地位来规定数额的。按书里李纨的地位，无非是荣国府里的一个大儿媳妇，就算她守寡，优待一点，怎么就会到头来跟贾母、王夫人一个等级，月银竟比同辈的王熙凤多出了四倍呢！显然，写到这里时，曹雪芹他是按真实生活里的马氏的待遇来写的，马氏本是家庭第一夫人，后来情况变化，让位于王夫人原型，她的月银数量当然不能降低。好，再听王熙凤接下来怎么说："又给你园子地，各人取租子，年终分年例，你又是上上分儿。你娘儿们，主子奴才总没十个人，吃的穿的仍旧是官中的，一年通共算起来，也有四五百两银子……"这种在封建大家族里，经济上占据"上上分儿"的分配位置，一个儿媳妇再怎么说也是说不通的，但是，如果这写的是马氏在曹家，她守寡后享受上上分儿待遇，那就顺理成章。

马氏一生的悲惨处，还不仅是守寡，因为李氏还在，她得对李氏尽媳妇孝道，留在李氏身边，但是自己失去了夫人地位，眼睁睁看着曹頫的妻子过继来后取代了她女主人的位置，那该是多么难受的滋味！雍正六年曹頫被治罪，抄家时也许能将她除外，没抄走她的私房银子，但是李氏还没死，她也还是不能离开。雍正没有对曹家斩尽杀绝，很可能是顾忌到他父亲对曹寅、曹顒都有非常明确的赞语，对二位的遗孀也就不便因曹頫而不略予善待。康熙对曹頫没留下什么赞语，惩治曹頫雍正不必手软，但鉴于曹頫的家属中有李氏和马氏，他在将曹頫抄家逮京问罪后，还指示在北京少留房屋，以资养赡。后来有人考证出，位于北京蒜市口附近的一所十九间半的小院，就是容纳曹頫一家，包括李氏和马氏在内一度居住的地方。到了乾隆元年，曹頫得到宽免重回内务府任职，他家境况又有好转，应该是又从那里搬到了比较高级的住宅中。

那么真实生活里的马氏，一定积谷防饥，也就是拼命地积攒银钱，以防将来自己老了没有收入。而既然曹頫有赡养她这个寡嫂的义务，她的待遇不变，那么她就尽量不动自己的积蓄，一起过日子时，是只进不出。

关于曹家的史料，康熙朝相当丰富，雍正朝随时间递减，但也还有。到乾隆朝，特别是"弘皙逆案"以后，竟几乎化为了零。有人说，根本查不到档案记载，你说曹家被这个政治事件株连有什么依据？那么，我也要问，他家如果没有那个时候的一次灾难性巨变，怎么连族谱家谱都没有了？哪一个家族会好端端地自己毁掉家族的记载呢？从曹寅到曹雪芹，不过三代而已！

从上面的分析可以做出这样的判断，真实生活里的马氏和她的儿子，对曹頫夫妇及其子女，以及所连带的那些亲戚，比如曹頫妻子的内侄女，内侄女的女儿什么的，肯定没有什么真感情可言。曹頫一再地惹事，虽说雍、乾两朝皇帝对马氏母子还能区别对待，没让他们落到一起被打、被杀、被卖的地步，事过之后，他们对那些曹頫家的人避之不及，又哪里有心去救助？

马氏如果想救助曹頫家的人，她的救助能力，就体现在她还有私房银子这一点上。假若曹頫夫人的内侄女的女儿家破后被其狠毒的亲戚卖到娼门，其他救助的人虽可出力，却缺少银钱去将其赎出，于是求到被赦免的马氏母子跟前，他们母子二人呢，就可能非常地冷漠，一毛不拔。马氏会推托说自己并没什么积蓄，爱莫能助，而她的儿子呢，就很可能是使奸耍猾，用谎言骗局将求助人摆脱。

我估计，这类生活素材，会被曹雪芹运用到《红楼梦》八十回后。他哪里是对李纨一概赞扬，请看《晚韶华》里的这句："虽说是，人生莫受老来贫，也须要阴骘积儿孙。"什么意思？这就是一句相当严厉的批评，翻译过来，就是这样的意思：虽然说，你李纨怕老了以后没有钱用，总是在那里积蓄，尽量地只进不出，有一定的道理，但是到了骨节眼上，用你的一部分钱就可以救人一命，你却吝啬到一毛不拔，死活由人家去，你也太不积德了吧？人在活着的时候，应该为儿孙积点阴德啊！正因为李纨忍心不救巧姐，而且贾兰耍奸使猾摆脱了板儿等来借钱救助的人，李纨虽然后来成了诰命夫人，"也只是空名儿与人钦敬""枉与他人作笑谈"，贾兰也就成了与狠舅王仁并列的奸兄。

李纨的命运，看似结果不错，其实，从守寡起就一直形同槁木死灰，一生无真乐趣可言。后来又因各啬，不去救助亲戚，留下话把儿，被人耻笑，把她也归入红颜薄命的系列，是合理的。

那么，到这里，我对金陵十二钗正册各钗的探究心得，就全部讲完了。在《红楼梦》第五回里，写到贾宝玉翻看册页，还分别看了又副册和副册，但是，又副册他看了两页，副册却只看了一页。那么他看到的，是关于谁的呢？那没直接写出来的，究竟又该有哪些人呢？这一直是《红楼梦》读者和研究者关切的问题。在下一讲里，我将跟大家一起探究金陵十二册副册，这副册第一页究竟说的是谁？另外十一钗又是谁？希望你仍能保持旺盛的兴趣，跟我继续这趟揭秘之旅。

金陵十二钗副册之谜

贾宝玉神游太虚境，随警幻仙姑过牌坊、进宫门、入二门、见配殿，那些配殿的匾额很奇怪，他记得的有痴情司、结怨司、朝啼司、夜怨司、春感司、秋悲司等。请注意，他不记得有诸如幸福司、快乐司、欢笑司一类的名目，而警幻仙姑告诉他，那些司里，贮藏的是普天之下所有女子过去未来的簿册，这当然是曹雪芹的艺术想象，是为体现全书主旨的精心设计。在那样一个由神权、皇权支撑的男权社会里，天下所有的女子，从皇后妃嫔、诰命夫人到平民妇女、丫头娼妓，尽管她们之间还有阶级差异，每一个具体的生命更有善恶美丑贤愚的差别，但是生为女人，就注定了她们的不幸。西方的"女权主义"，是上个世纪后期才出现的思潮，妇女解放，是伴随着新时代曙光才出现的社会进步。但是，早在二百多年前，曹雪芹就通过《红楼梦》提出了妇女问题：他首先强调了普天下女子都属于悲剧性的生命存在。文中写道，贾宝玉来到薄命司前，看到一副对联，写的是：春恨秋悲皆自惹，花容月貌为谁妍。这副对联的情调，是伤感的，无奈的。底下有一句话，我以为非常重要，他写道："宝玉看了，便知感叹。"前面讲过，宝玉是"些微有知识的人"，那么，他果然一点就通，还没走进薄命司，先就感叹了。曹雪芹当然是希望读者也能解味，能在读他的文字后，"便知感叹"。

《红楼梦》里出现的妇女形象非常之多，书里通过怡红院小丫头春燕之口，介绍了宝玉的一个观点，那其实也就是曹雪芹自己的观点，就是认为女孩子本是颗珍珠，无价之宝，出了嫁就会变质，渐渐失去光彩，成为一颗死珠子，再老了，就变成鱼眼睛，令人憎恶了。你可能都能背出原文来，那的确是非常精彩的论点。

把"女儿是水作的骨肉"的命题,在现实社会的格局中加以了细化,告诉我们男权社会是怎样通过婚姻、家庭和社会熏染,败坏着女性的身心。我年轻的时候读《红楼梦》,总有个谁是坏人、谁是好人的框框,比如对王夫人驱逐金钏,导致金钏含羞投井而死,已经让我反感,到后来抄检大观园,她对晴雯那样予以残酷打击,死了以后还催着赶紧送到外头烧掉,真让我气得发抖,恨得牙痒。读到宝玉在《芙蓉诔》里说,"剖悍妇之心,忿犹未释!"我更是非常地共鸣,觉得王夫人很坏,理所当然是个反面形象。那时候读得不细,有的文字跳过去读,有些地方读是读了,但没去细想。后来细读,就发现曹雪芹他在第七十四回里,对王夫人有这样的说法:"王夫人原是天真烂漫之人,喜怒出于胸臆,不比那些饰词掩意之人。"读到这里,我就停下来琢磨,曹雪芹他为什么要这样写?是反讽吗?再读一遍,不像反讽,而是非常认真地在交代王夫人的性格。这是怎么回事?后来,读的遍数多了,我就有所悟。当然,上述我点出的王夫人的作为,其性质确实是阶级压迫,是摧残活泼美丽的青春花朵,这个看法我仍然不变;但是,她也曾有过青春,也曾是颗纯净的珠子,她婚后成为贵族夫人,是那个社会,特别是男权坐标下的虚伪道德价值观,把她浸泡成了腐臭的死鱼眼睛,她所做的坏事,并非是她天性里带来的邪恶造成的。王夫人辱骂驱逐晴雯,是一种超出她们两个生命之间的性格冲突,那么样的一种社会性悲剧,就王夫人本身的性格而言,她确实可以说是"原是天真烂漫之人"。第七十七回写芳官、藕官、蕊官三个姑娘在走投无路的情况下决定削发为尼,水月庵和地藏庵的两个住持姑子趁机花言巧语,说三个姑娘想出家是高尚的意愿,太太倒不要限制了她们的善念,接下去,曹雪芹使用了这样的叙述语言:"王夫人原是个好善的……今听这两个拐子的话大近情理……心绪正烦,那里着意在这些小事上……他三人已是立定主意,遂与两个姑子叩了头,又拜辞了王夫人,王夫人见他们意皆决断,知不可强了,反倒伤心可怜,忙命人取些东西来赏赐了他们……"我后来悟出了曹雪芹这个文本的高明,他不是先验地设定谁是坏人,然后去写他如何做坏事,而是非常真实地写出了具体的人在具体情境里,如何被社会主流价值体系那只无形的手,支配着其行为。个人的性格在这个过程里虽然也起作用,但如果要追究坏事的责任,那么主要的责任是不合理的社会制度,是那个制度赖以支撑的,不正确的价值观。他对王夫人就是这样着笔的,写得非常准确,真实可信,而他想肯定和否定、叹息与讽刺的内涵,全在里头了。

　　我为什么要在这里说一段关于王夫人的话呢？大家知道，曹雪芹他设计金陵十二钗的册子，从第五回直接写到的十四页图画和判词——就是正册十一页，副册一页，又副册两页——可以推知他的方案，应该是不收"鱼眼睛"的，王夫人这样的妇人，以及年龄在她上下的已经出嫁的中老年妇女，一概不入册。册子里收的基本上都是青春女性。当然，也有例外，比如李纨，儿子已经不小了，自己年龄应该已在三十上下；还有王熙凤，也已结婚生了女儿，作为珠子，开始变颜色了，但毕竟还能闪光，他也安排入册。这样处理，跟警幻仙姑说各司里放的是"普天之下所有女子过去未来的簿册"那个话并不自我矛盾，他写这整部书，是献给青春女性的，书里当然也写到"死珠子""鱼眼睛"，但是那些女性都是陪衬，因为"死珠"和"鱼眼睛"已经被男权同化，成为泥作骨肉的，被污染的生命了。虽然他也为这些曾经有过青春的女性叹息，但是，他不安排她们入册，因为她们已经丧失了作为女子的代表性。"死珠"和"鱼眼睛"并不是天生的坏女人，他写王夫人就把握了这个分寸，这是我们读《红楼梦》时应该搞清楚的。

　　那么，贾宝玉看了薄命司门外的对联，便知感叹。下面就写他迈进门里了。他看见十数个大橱，其中一个封条上头标明"金陵十二钗正册"，他很惊讶，他说："常听人说，金陵极大，怎么只十二个女子？"这句话非常要紧，除了字面的意思，还让我们知道，小说里的荣国府、宁国府，还有后来建造的大观园，也就是全书第三回以后，除去第四回前面大半回，故事的背景是在北京而不是在南京，不在金陵那个空间里；而且，宝玉他并没有关于金陵的记忆，关于金陵的信息，他全是从大人那里听来的。警幻仙姑听宝玉这样问，就跟他解释说，贵省女子固然很多，但这橱里的册页只选择要紧的录入，庸常之辈是没资格被录入的。于是宝玉就看见了三个大橱的另外两个上面，写着"金陵十二钗副册"和"金陵十二钗又副册"字样，他就去开橱，拿出册子来翻了。

　　曹雪芹写得非常高妙。他不是写宝玉先看正册，再看副册、又副册。他写宝玉先看的又副册，而且，只看了两页，觉得不理解，就掷下不再看，去另拿副册看，副册他只看了一页就也掷下了，最后才看正册，总算一口气把十一页全看完了。

　　金陵十二钗正册的十二位女性，我已经全都探究完了。现在要探究的，是副册。

　　首先一个问题，就是副册里都是谁？是哪十二位女性？

　　副册，宝玉只看了一页，这页上画着一株桂花，下面有一池沼，其中水涸泥干、莲枯藕败，后面的判词是："根并荷花一茎香，平生遭际实堪伤；自从两地生孤木，致使香魂返故乡。"大家都知道，这说的是甄英莲，也就是香菱。薛蟠娶来夏金桂，"两地生孤木"当然是拆字法，就是"桂"字，金桂一来，香菱就被她折磨死了。高鹗写后来夏金桂死了，香菱被升格为正妻，显然完全违背了这幅画和这个判词显示的预言。

副册里收入了香菱，那么，也就立了一个标杆，身份跟她类似的女子，应该被收在这个副册里。香菱有双重身份，作为甄英莲，她是乡宦甄士隐的女儿，甄士隐在当地，也算得望族，英莲虽然比不了簪缨侯门里面的贵族小姐，毕竟也算是小康之家的正经闺秀，比丫头仆妇的身份高多了；但是她很小就被人偷走，长大后，被薛蟠买去做妾，身份就不如一般小康之家的待嫁小姐了。但是，比起丫头仆妇，却又地位略高，她平时也有小丫头服侍，书里写了，你记得那名字吗？叫做臻儿。以香菱的这两种身份做标杆，我就推想，跟她在一个册子里的女子，应该要么是正经的小姐，要么是给人做妾而又优点突出的女性。那么，副册里除了她，还应该有哪十一位呢？

在探究其他十一位是谁之前，还有一个问题需要先讨论一下，那就是，在副册里，香菱肯定是排在第一位吗？如果你实行文本细读，你就会发现，曹雪芹写宝玉看册页，只在写到他看正册时，非常明确地写道，"只见头一页上"画着什么写着什么，然后一页页地往后看，因此，正册的排序是非常清楚的；但是他写宝玉看又副册和副册，都没明确写出他看到的是第几页，只说他"拿出一本册来，揭开一看"，"揭开看时"，于是看见点什么。宝玉看又副册和副册时，尤其漫不经心，随手揭开，看两眼就扔掉，那么，他所揭开的那一页，肯定就是第一页吗？像他看副册，居然揭开只看了一页就懒得再看了，虽然曹雪芹写出来他看到的是什么，读者也都猜到是香菱，但是，能肯定香菱就在第一页上么？

香菱出场，脂砚斋有多条批语，说她日后会和她母亲一样，表现出"情性贤淑、深明礼义"的品质，她"根源不凡"，也就是"根并荷花一茎香"，是一个超越一般水平的美女。前面讲过，荣国府里的人们见了她，觉得她的模样儿品格儿跟秦可卿相像，那时候她还只是个小丫头，人们不清楚她的来历，她自己也完全失去记忆，但是她浑身上下却散发出高贵的气质。第一回里，写到甄士隐抱着她在街上看热闹，来了一僧一道，那疯和尚就跟他说："你把这有命无运、累及爹娘之物，抱在怀内作甚？”我前面讲过了，“有命无运、累及爹娘”这八个字，也是香菱和秦可卿的共同之处。针对第一回的有这八个字的句子，脂砚斋就写下了一条非常重要的眉批，她是这样写的：“八个字屈死多少英雄？屈死多少忠臣孝子？屈死多少仁人志士？屈死多少词客骚人？今又被作者将此一把眼泪洒与闺阁之中，见得裙钗尚遭此数，况天下之男子乎？”所以，“有命无运、累及爹娘”这八个字，尤其前四个字，不仅是对香菱和秦可卿，也是对书中所有女子，乃至作者本人的一种概括，表达出个体生命与所遭逢的时代、地域、社会、人际之间的复杂关系。那就是，你虽然有了一条命，但是你却很可能没有好的机遇，好的运气，自己难以把握自己的生命走向。“有命无运”四个字，是一种悲观的沉痛的叹息，但我认为曹雪芹这不是在宣扬迷信，不是在宣扬宿命论，他在沉痛之余，通过全书的文本，特别是通过贾宝玉的形象，也在弘扬与命运抗争的精神。他呕心沥血地写这部书，本身就是一种向不幸命运挑战的积极行为。

香菱可以说是全书头一个出场的，又具有照应全书女性命运的很重要的一个象征性角色。贾家四位小姐的名字合起来才构成了“原应叹息”的意思，她一个人的名字就表达出了“真应该怜惜”的感叹。八十回后她的惨死，应该也同样具有象征意义。她被夏金桂害死，正当夏天，本来是最适合莲花菱角生长的季节，却有金桂来克她，来对她进行摧毁。“金桂”谐音“金贵”，金殿里的权贵，也就是来自皇帝方面的威力——当然，这只是一种象征，不是说夏金桂就是皇宫里的人，她的出身和身份书里交代得很清楚——因此，香菱之死不仅是她一个人的悲剧，也是全书众女儿总悲剧的一个预兆。出于这样的考虑，我觉得，在金陵十二钗副册里，香菱应该排在第一，宝玉揭开副册时，看到的就是这一页。可惜宝玉没有继续往下看，这当然是作者曹雪芹的一种艺术技巧，到了小说里，那艺术形象即使有生活原型，也只能是由作者来驱使，曹雪芹他就故意这么写，留给我们一个巨大的悬念，那就是，这金陵十二钗副册里，如果香菱排第一，那么谁排第二？依次下去又该是谁？

下面，我讲讲自己的看法。当然只是一家之言，谁能从天界把曹雪芹找回来，问个清楚呢？除非有人真的发现了一部历经劫波仍侥幸存世的曹雪芹原笔原意的包括八十回后内容的手抄本，然后公诸于世。但到目前为止，这样的事情毕竟还没有出现，因此不是我一个人，所有想探究金陵十二钗副册、又副册的人，都只能是从前八十回的本子里去寻找根据，做出自己的推测。

我的推测是，副册里会有平儿，而且很可能排在第二位。

平儿的正式身份，在前八十回里并不高。她只是一个通房大丫头，还没有达到妾，也就是小老婆那样一种地位。所谓通房大丫头，就是主子夫妇行房事的时候，她不但可以贴身伺候，还可以在主子招呼下，一起行房。第七回周瑞家的送宫花，到了王熙凤他们的那个小院里，大中午的，贾琏王熙凤和平儿就在屋子里行房事，当然，曹雪芹写得很含蓄，只有寥寥几句："只听那边一阵笑声，却有贾琏的声音，接着房门响处，平儿拿着大铜盆出来，叫丰儿舀水进去。"贾琏为什么笑？为什么是平儿从房里出来？为什么叫丰儿舀水进去？读者都能意会到，他就不必多写了。脂砚斋说这种笔法，叫"柳藏鹦鹉语方知"。平儿这样的身份，比一般丫头高，却又还不是正式的妾，处境是很悲苦的。大家都知道，王熙凤是一个醋汁子拧出来的人，即使平儿可以"通房"，但若是平儿单独跟贾琏在一起，她也还是难以容忍，第二十一回有具体描写，大家肯定都记得，我不再细说。

书里交代，平儿和袭人出身相似，不同于鸳鸯等人。贾府丫头的来历，大体有三种：一种是家生家养的，就是父母乃至更上一辈，老早就是府里的仆人，仆人生下儿女，世代为奴，鸳鸯就是这种出身，她父母在南京给贾家看守旧宅，兄嫂在贾母房中一个当买办一个是浆洗方面的头儿，她则很早就被挑选到贾母身边伺候贾母。另一种就是平、袭这样的，本是良家女子，但是因为家里穷，就把她们卖到贵族人家当丫头。袭人被荣国府买来后，先在贾母房里当丫头，那时候叫珍珠，后来服侍宝玉，宝玉才给她改了袭人的名字；平儿原是王家买来的丫头，随王熙凤来到贾琏身边，等于是个活嫁妆。第三种就是别人赠与的，比如晴雯就是赖嬷嬷献给贾母的。当然，书里还写到，为了元春来省亲，还买了十二个女孩子，让她们学会唱戏，来应付省亲活动里的演戏环节。后来朝廷里死了老太妃，禁止民间唱戏娱乐，省亲活动也暂停。她们里头死了一个走了三个，剩下的就都分给不同的主子当了丫头，但那段时间很短，后来又全被遣散了，不是府里丫头来历的常规现象。

平儿虽然跟袭人类似，但是袭人的父母、哥哥就在同一城市里，离得不远，还有回去团聚探视的机会，平儿却已经跟父母等亲人失却联系。跟她一起陪嫁过来的大丫头，在王熙凤淫威下死的死，走的走，到书里故事开始的时候，就剩她

403

刘心武揭秘《红楼梦》1～2部

一个了。前面讲到宝玉对平儿的体贴，说她面对贾琏之俗、凤姐之威，竟能周旋下来，真不容易。曹雪芹通过宝玉对平儿做出的评价是：极聪明极清俊的上等女孩儿。当然，光靠品质，平儿也未必能排入金陵十二钗副册。但是，通过我前面对王熙凤命运的探究，你可以知道，在八十回后，在贾府遭到毁灭性打击之前，很可能有那样的情节安排，就是贾琏把王熙凤休掉了。李纨在第五十五回里的那个预言，就是王熙凤跟平儿"两个只该换一个过子才是"，竟化为了现实，因此，平儿的身份一度提升到了贾琏正妻的地位。这样，平儿入副册就符合条件了。当然，后来贾家彻底被毁灭，贾琏应该是被发配到打牲乌拉、宁古塔一类边远严寒之地，她或者是跟着过去受苦，或者是连跟过去也不许，被官府当做活商品，像我前面讲到的李煦家那些成员的遭遇一样，被卖给了别的人家。

书里关于平儿的描写极多，从各个角度展现了她的人格光彩。我觉得大家应该特别注意到，第六十一回"判冤决狱平儿行权"，曹雪芹通过平儿的作为，以及延伸到第六十二回开头的话语，表达了一种即使拿到今天，仍具有借鉴性的政治智慧，那就是："大事化为小事，小事化为没事，方是兴旺之家，若得不了一点子小事，便扬铃打鼓地乱折腾起来，不成道理。"平儿这个名字的深刻含义，也尽在其中了。世界难得一平啊！

排在副册第三位的，我认为应该是薛宝琴。在讲妙玉的时候我已经说到，有人认为薛宝琴一切方面都圆满，所以，她不会被收入薄命司的册子里，那种看法，我是不认同的。第五十回贾母细问薛宝琴的情况，薛姨妈开口第一句话就是"可惜这孩子没福"，说她父亲前年就没了，母亲又得了痰症，就是说她已经无法依靠父母了，告别了父母之爱，处境跟史湘云接近了。光这一条，不说以后，在那个社会，也算得上红颜薄命了。她被许配给了梅翰林家，之所以到京城来，就是她哥哥薛蝌带着她，准备落实嫁过去的种种事宜。那么，她顺利地嫁到梅翰林家，过上幸福美满的生活了吗？

虽然八十回后，关于薛宝琴的文字我们一无所知，但是，前八十回里，还是可以找到一些暗示的。第七十回大家写柳絮词，薛宝琴写的是一阕《西江月》，里面有一句是"三春事业付东风，明月梅花一梦"。"三春"究竟是什么概念？是指三个人还是三个春天？前面我已经讲得很多，我还是坚持自己的看法，就是"三春"是个时间概念，意思是三个美好的年头，这一句尤其明显。如果非把"三春"

认定为元、迎、探、惜里的三位,那么,挑出哪三位来,也难跟"事业"构成一个词组,贾府的这四位女子哪有什么共同的"事业"?"三春事业"显然是指贾府在三个年头里,被卷入得越来越深的那个"事业",也就是"月派"所苦心经营的那个"事业",结果怎么样呢?"付东风",也就是随风而散,失败了,破产了。那么,在这种大的格局下,我在前面讲惜春命运的时候已经讲得很清楚了,作为四大家族的成员,一损俱损,全都面临被打、被杀、被卖的悲惨命运,薛宝琴也在劫难逃,她嫁给梅翰林之子了吗?"明月梅花一梦","明月"和"梅花"都成为怅惘一梦,可见她没嫁成,那个婚姻成了泡影。她怎么会是个幸福圆满的结局呢?她自己填词,就填成了这个样子。全词的最后一句是"江南江北一般同,偏是离人恨重",意思就更清楚了,从江南的甄家到江北的贾家,哪一家也难逃厄运。甄家被皇帝抄家治罪,八十回里已经写到,山雨欲来风满楼,暴风雨正式席卷时,那就一定会"接二连三、牵五挂四"——这是第一回里写火灾的话——株连到史、王、薛家,乃至更多的府第和人员。薛宝琴实际上已经通过这阕《西江月》告诉我们,她后来也是颠沛流离,"偏是离人恨重"啊!她这阕词,薛宝钗评价说,"终不免过于丧败",曹雪芹会特意让一位不薄命的幸福女性,来发出这种丧败之音吗?

第五十一回,"薛小妹新编怀古诗",怀古诗一共十首,是灯谜诗,很难猜,历来都有读者和研究者费尽心力来猜,也不断公布出自己猜出的谜底,但能让绝大多数人认同服气的答案,至今还没有出现,有待于大家共同努力。如果诗是十二首,大家倒比较容易形成思路了,可以往暗示十二钗的路子上去琢磨,但曹雪芹他却只设计出了十首,这大大增加了猜出谜底的难度。我的基本看法是:这十首诗肯定有灯谜谜底以外的含义,绝不是随便写出来充塞篇幅的可有可无的文字。不要嘲笑有的读者和有的研究者去猜这些诗的谜底;认为读《红楼梦》只能去认识反封建的主题,除此以外的读法通通不对,尤其是猜谜式的读法,粗暴地将其斥责为钻死胡同,必欲将其禁绝而后快,那样的教条主义和武断态度,是我反对的。各人选择自己喜欢的方法去读《红楼梦》,不是很好吗?为什么非要按照你一家的指挥棒去读它呢?你不愿意猜你可以不猜,但你没有阻止别人去猜的权力,是不是?

对薛宝琴写的这十首怀古为题的灯谜诗,我一直在猜,但还没有形成贯通性的解读。现在只挑出一首，就是最后那首，来讨论一下。这首诗题目是《梅花观怀古》，四句是："不在梅边在柳边，个中谁识画婵娟？团圆莫忆春香到，一别西风又一年。"我认为这首诗是薛宝琴在预告自己八十回后的命运。诗的取材是《牡丹亭》，但她是把《牡丹亭》的素材活用。在《牡丹亭》里，"不在梅边在柳边"的意思是，少女杜丽娘她最后的归宿，不在梅边也还在柳边，就是到头来一定跟书生柳梦梅结合。但薛小妹引用这句诗，却是表达她以后"不在姓梅的身边却在姓柳的身边"这样一个意思。在八十回后，她没能嫁到梅翰林家，经历过一番极富戏剧性的波折后，她嫁给了书里的哪一位男子呢？柳湘莲！而她和柳湘莲的结合，跟杜丽娘与柳梦梅的故事有相同之处，就是都跟画儿有关系。第五十回，不是一再地写到有关画儿的事情吗？薛宝琴和抱着梅花瓶子的丫头小螺，不是活生生的画中人吗？贾母屋里有幅《双艳图》，是明代大画家仇十洲的作品，那画上的美人很美了吧？可是贾母就说了，宝琴雪下折梅比画儿上还好；那么又写到惜春作画，贾母命令她一定要把宝琴、小螺和梅花"照模照样，一笔别错，快快添上"。很显然，这些关于薛宝琴和画儿的关系的情节和细节，都是伏笔。在八十回后，贾府被抄，《双艳图》也好，惜春那可能没能画完，但已经画上了宝琴和小螺的画稿也好，一定都被抄去，后来不知怎么又失落，被柳湘莲得到，琴、柳因此遇合，但又经历了离别。而在这个过程里，"春香"，《牡丹亭》里的丫头，后来已经成为"丫头"的普适性的通称，对宝琴和湘莲的团圆起到了关键作用，这个丫头也许是小螺，也许是贾府里别的幸存者。而琴、柳的聚而离，离而合，大约经历了一年的时间。我注意到，在《西江月》词里，薛宝琴说"三春事业付东风"，在这首怀古诗里，说"一别西风又一年"，俗话说"不是东风压倒西风，就是西风压倒东风"，"东风"在薛宝琴的词里是一种摧毁"三春事业"的力量，在怀古诗里呢，与"东风"对立的"西风"，显然就是柳湘莲所参与的一方的代称。当然，薛宝琴就算最后得以跟柳湘莲结合，也只能是以政治失败者的身份低调地艰难生存，以这样的命运人薄命司里的册子，也就不让人奇怪了。

副册的第四、第五位，我认为应该是尤三姐和尤二姐。"红楼二尤"的故事，在前八十回里，六十四回到六十九回，大体贯穿了六回，篇幅很集中、故事完整，多少给人镶嵌进去的感觉。不止一位研究者指出，六十四回和六十七回，可能还不是曹雪芹的原笔。那么，是由谁完成的呢？当然不是高鹗补上的，因为在高鹗续书之前，有的手抄本里已经有这两回了。有研究者认为，这两回可能是曹雪芹去世没多久，由跟他关系很密切的人补写的，脂砚斋就可能是那个补写的人。

我认为，尤三姐要排在尤二姐的前面。这是一个想发挥主观能动性，改变自己的命运轨迹，追求新生活的刚烈女性。她本来和尤二姐一样，有些个水性杨花，说白了，就是比较放荡，是一个自身有缺点，而像贾珍、贾琏、贾蓉等男性，就趁机占她便宜，甚至想霸占她的那样一个女性。曹雪芹把她刻画得活灵活现，特别是六十五回，她一个人应付珍、琏两个，"自己高谈阔论，任意挥霍洒落一阵，拿他兄弟二人嘲笑取乐，竟真是他嫖了男人，并非男人淫了他。一时他的酒足兴尽，也不容他弟兄多坐，撵了出去，自己关门睡去了。"这就表明，她的放荡，其实也是一种反抗，是她那样一个女子，在那种特殊的情况下，非常无奈的很悲壮的一种反抗。

值得注意的是，《红楼梦》全书只对两个女子具体地写到了她们的脚，一个就是尤三姐，一个是后面出现的傻大姐，傻大姐是两只大脚。贾府的女性应该是满汉杂处的，有的是天足，有的裹小脚，但曹雪芹他写的时候下笔很谨慎，尽量不去直接描写，直接写出裹小脚的，就是尤三姐一位。第五十五回写到她的穿着做派，说她"底下绿裤红鞋，一对金莲或翘或并，没半刻斯文"。写尤二姐的脚，那就相当含蓄，以致一些今天的读者读不懂了。第六十九回，凤姐假装贤惠，把尤二姐骗进荣国府，带去见贾母。贾母戴了眼镜，像验货那样地查看她，瞧了皮肉儿，看了手，接下去，曹雪芹写，"鸳鸯又揭起裙子来"——那是干什么？就是让贾母看她的小脚裹得好不好。贾母从头到脚检验完了，才做出"更是个齐全孩子"的评价，甚至说比凤姐还俊些。这就说明，二尤是汉族妇女。她们亲父亲死了，母亲带着她们改嫁，去给尤氏的父亲续弦，她们跟过去，在旧社会被叫做"拖油瓶"，是非常地让人看不起的，那么到了她们名义上的姐姐家，就遭到那边两代男主子的调戏欺凌。

尤三姐在险恶的生活环境里，决心痛改前非，自主择人出嫁，她要委身柳湘莲，没想到最后却是一个急促而惨烈的大悲剧。但是，造成她那大悲剧的一个关键因素，却是贾宝玉的两句话。大家记得吧？第六十六回，柳湘莲向他最信任的好友贾宝玉问起尤三姐，宝玉实话实说："他是珍大嫂子的继母带来的两位小姨，我在他们那里和他们混了一个月，怎么不知？真真一对尤物，他又姓尤。"柳湘莲一听，顿着脚说："这事不好，断乎做不得了！你们东府里除了那两个石头狮子干净，只怕连猫儿狗儿都不干净！我不做这剩王八！"这反应是出乎意料地强烈，宝玉听了，脸立刻就红了。接下去的情节大家都熟悉，我不说了。老早就有人指出：宝玉一语死三姐。那么，曹雪芹为什么要这样写？为什么要把柳湘莲悔掉婚约，尤三姐用鸳鸯剑自刎的导火索，写成是由贾宝玉来点燃？他不是"绛洞花王"吗？不是最能体贴女儿的吗？而且第六十六回，通过尤三姐的话，更具体写出了他对二位小姨也是非常体贴的。贾敬的丧事里，和尚来绕着棺材念经，宝玉就故意挡在她们前头，为的是不让和尚们身上的肮脏气味熏了她们；还有，就是当时人多，老婆子顺手拿个茶杯给尤二姐倒茶，宝玉连忙阻止，说那茶杯我用脏了，你去另洗了再拿来。他在这样一些细小的事情上都能体贴二尤，那他为什么在尤三姐自主择嫁这样的大骨节眼的事情上，却去起那样的可以说是毁灭性的作用？这可比酒醉后对茜雪发怒，导致茜雪被撵，以及雨中怒踢袭人导致吐血要严重多了，这次可是造成了人命案啊！曹雪芹他为什么要这样设计情节？这样来写宝玉这个角色？按照我们后来所熟悉的那些文艺理论，比如典型论，就得说他这样写不对头，你好不容易刻画出了这么一个维护女性的，向封建社会男权挑战的，体现着新兴社会力量正在萌芽的典型形象，你怎么又这么随便地写下一笔，竟使他成为一桩惨剧、一条人命的责任人？

很显然，曹雪芹有他自己的美学原则，他从真人真事取材，"追踪蹑迹，不敢稍加穿凿"，他对素材当然有筛选，有在其基础上的虚构，有夸张渲染，有合并挪移，使用了许多种技巧，伏笔多多，花样翻新，但是，有一条他是坚持到底绝不改变的，那就是写出复杂的人性和诡谲的命运。他为贾宝玉这个形象定了基调，肯定他是个护花王子，但是他也能冷峻下笔，写出他人格中的弱点和缺点，写出他偶然的暴虐、放纵和出言轻率。如果宝玉没那么跟柳湘莲说话，柳湘莲是不是就娶了尤三姐呢？这真是个难以回答的问题。其实讨论这个问题已经没有多大意义，事情的结果就是那样，尤三姐因此迅速地香消玉殒，而宝玉也因此会在心灵深处永远地悔恨不已，忏悔不已。我觉得，曹雪芹真了不起。他这样写，可以使我们对人性的复杂、人的命运的神秘性，产生出悠远而深刻的思绪。

在副册里，第五位是尤二姐。这个形象人们已经分析得很多，我也没有什么独特的看法要说，这里就从略了。

　　第六位，我觉得可能是尤氏。尤氏的年龄应该是三十出头，比李纨略大。第七十六回，贾母带领大家中秋团聚，夜深了，尤氏说："我今日不回去了，定要和老祖宗吃一夜。"贾母就笑道："使不得，使不得，你们小夫妻家，今夜不要团圆团圆，如何为我耽搁了。"尤氏红了脸，笑道："老祖宗说的我们太不堪了，我们虽然年轻，已是十来年的夫妻，也奔四十的人了……"在那个时代，像傅秋芳已经二十四岁还没有出嫁，是很出格的现象，就算尤氏是那么大年龄才成为贾珍填房，到故事发展到这一回，也不过三十三岁左右。贾母说贾珍和她是"小夫妻"，有故意往小了说的意思，尤氏说自己"奔四十"，当然又有故意往大了说之意。总之，我觉得把她收入副册，虽然可能是所有各册里年龄最大的一位女性，而且也嫁了人，早已不是颗"无价的珍珠"，但是，从书里关于她的种种情节来看，她跟李纨、王熙凤可以说是三足鼎立，既然前二位可以入册，那么她当然也有资格入册，她也还不是颗"死珠"，更没有成为"鱼眼睛"。

　　要论人格，尤氏没有李纨的自私，更没有王熙凤的歹毒，她的平和、善良、宽容、忍让都能给读者留下印象。第四十二回，写贾母牵头"凑分子"给王熙凤过生日，派她操办，她发现王熙凤并没有像在贾母跟前承诺的那样，替李纨出一分，就爽性把一些人交来的分子退还给了本人，其中包括周姨娘和赵姨娘。周姨娘在书里只是一个影子，赵姨娘戏比较多，是一个蝎蝎螫螫、人人讨厌的角色，但是尤氏也还能善待她，这一笔很要紧。曹雪芹还特意写道，周姨娘和赵姨娘开头还不敢收，尤氏就说："你们可怜见的，那里有这些闲钱？凤丫头便知道了，有我呢！"两位姨娘才千恩万谢地收了。当然，尤氏是宁国府那边的人，在财产继承权上，跟赵姨娘了无关系，而王熙凤是王夫人的内侄女，又来到荣国府管家，赵姨娘跟王夫人、王熙凤之间的矛盾，具有难以调和的性质；周姨娘没有生育，没有什么竞争资本，赵姨娘却为贾政生了儿子，而且，从书里多处描写可以看出来，贾政晚上睡觉，是赵姨娘来服侍他，她还依然拥有贾政对她的宠爱，因此，王、赵之间的冲突经常白热化，这是荣、宁两府众人皆知的。那么，尤氏如果明哲保身，她实在犯不上找上门把"分子钱"退还给赵姨娘，从这一个细节就可以看出，尤氏的人品，确实在纨、凤之上。尤氏的办事才干也很出色，为凤姐张罗生日，她退了若干分子，剩下的银子全部投进去，"园中人都打听得尤氏办得十分热闹，不但有戏，连耍百戏并说书的女先儿全有，都打点取乐玩耍"，把活动搞得有声有色。

当然，本应是皆大欢喜，却没想到"变生不测凤姐泼醋"，但那是琏、凤夫妇自己的问题，与尤氏无关。

贾府后来倾覆，"造衅开端首罪宁"，贾珍一定被惩治得最惨，尤氏作为首名"犯妇"，其下场可想而知。

然后，排在副册第七位的，我认为应该是邢岫烟。在前面，我已经讲到过她。她后来嫁给了薛蝌，成为四大家族中的一位媳妇，但她嫁过去没多久，贾家就不行了，一损俱损。薛蝌和她夫妇两人即使命运不算最惨，也一定非常艰辛。书里她那首《咏红梅花》诗，最后一句是"浓淡由他冰雪中"，可知后来她也只能是在社会的冰雪中，去寻求心理的平衡和生存的缝隙。

排在副册第八九位的，我认为应该是李纨寡婶的两个女儿，姐姐李纹第八位，妹妹李绮第九位。李纹在第五十回也有一首《咏红梅花》诗，里头有两句是"冻脸有痕皆是血，酸心无恨亦成灰"。可见后来她们也是悲剧性结局。李绮在前八十回里戏更少一些，高鹗安排她后来嫁给了甄宝玉，那真是匪夷所思，曹雪芹绝不会有那样的设计。

排在副册第十位的，我认为是傅秋芳。讲贾宝玉的时候，我就已经讲到了她，猜测在八十回后，她会正式亮相，并在救助宝玉的事情上，会起到作用。很可能是她后来嫁给了达官贵人，并具有一定经济实力，是她用高价赎出了牢狱中的宝玉。她为什么也入薄命司？她哥哥一直想把她嫁给权贵，可是她到二十四岁还没有出嫁，在那个社会里，耗到那么个岁数，莫说嫁给权贵，就是嫁给一般家庭的男子也困难了，最后很可能是去给丧妻的男子填房，她的青春年华都白白流逝了。她自己一定是总想嫁一个如意郎君，但到头来，她哥哥攀附权贵的目的可能是达到了，她自己却绝无幸福可言，因此也属于红颜薄命一例。

排在第十一位的是喜鸾。第十二位的是四姐儿。这两位女子大家还记得吗？前面讲到过，在第七十一回中，贾母八十大寿，族中来了几房孙女儿，大小共有二十来个，其中有贾瑞的母亲带了女儿喜鸾，还有贾琼之母带了女儿四姐儿。贾母觉得这两个女孩出众，模样和说话行事都好，就把她们两个叫到自己榻前来坐，后来又把她们留下来住，嘱咐府里的人不能嫌她们家里穷，要精心照看。其中喜鸾还说了很天真的话，讲宝玉的时候我提到过，这里不重复。她们是贾氏家族的旁支亲戚，出场时虽然穷，后来的命运可能还会有起伏波折，结局呢，你想想，她们在贾府走向衰败的前夕，才被贾母看上，并很可能从此关系密切，这不是福，是祸啊！就在她们出场不久，贾府就窝里斗，荣国府就抄检大观园了，紧跟着，江南甄家被皇帝查抄治罪，派人到荣国府藏匿罪产来了。那么，曹雪芹安排这两位小姐在第七十一回出场，不会是废墨赘笔，在八十回后，一定还会写到她们，也许就是通过她们无辜地被株连，来加重全书的悲剧气氛。

那么，对金陵十二钗副册的十二位女子的猜测，我的想法就是这样。下一讲，我将奉献出自己对金陵十二钗又副册的猜测，我所进行的探究，真是难度越来越大了，但我对此还是兴趣盎然。我希望您仍然愿意听我讲下去。下一讲见。

金陵十二钗又副册之谜

　　大家应该都记得，在鸳鸯抗婚那一段情节里，就是第四十六回，鸳鸯气闷中跑到大观园里，先碰见了平儿，就跟平儿说："这是咱们好，比如袭人、琥珀、素云、紫鹃、彩霞、玉钏儿、麝月、翠墨，跟了史姑娘去的翠缕，死了的可人和金钏，去了的茜雪，连上你我，这十来个人，从小儿什么话儿不说？什么事儿不作？这如今因都大了，各自干各自的去了，然我心里仍是照旧，有话有事，并不瞒你们。这话我且放在你心里，且别和二奶奶说：别说大老爷要我做小老婆，就是太太这会子死了，他三媒六聘的娶我去作大老婆，我也不能去！"

　　鸳鸯在这段话里，包括她和平儿在内，提到了十四个贾府老资格的大丫头，其中贾母把翠缕给了湘云，湘云回叔叔婶婶家把她带过去，算那边的人了；另外死了的金钏、去了的茜雪不用多说了，引人注意的是还有一个死了的可人。有位红迷朋友就跟我讨论，说那说的是不是秦可卿啊？我回答她，不是，秦可卿小名是可儿，不是可人，这个可人和也只在书里出现过一次的那个媚人，应该是名字互相配对的。另外像麝月、檀云；素月、碧云；玻璃、翡翠；同喜、同贵……都是配对的。鸳鸯拉的这个名单，应该是最早都在贾母身边的一群丫头。在这段话旁边，脂砚斋有条比较长的批语，是这么写的："余按此一算，亦是十二钗，真镜中花、水中月、云中豹、林中之鸟、穴中之鼠，无数可考，无人可指，有迹可寻，有形可据，九曲八折，远响近影，迷离烟灼，纵横隐现，千奇百怪，眩目移神，现千手千眼大游戏法也。"她的意思，就是曹雪芹关于金陵十二钗的总体设计，是既具体，又抽象，既难以准确指认，又分明排列有序，有时候可以从这个角度列出十二位，有时候又可以从那种角度排出十二位，这是一种非常高妙的写法。

在太虚幻境，宝玉翻看的金陵十二钗又副册里，排在第一位的是晴雯。鸳鸯列举了那么多丫头名字，里面却并没有晴雯。前面讲过，荣国府丫头的来源主要是两个，一是家生家养的，奴才生出来的孩子还当奴才，鸳鸯属于这一类；二是从外面拿银子买进来的，袭人属于这一类；晴雯呢，按那个时代那种社会的价值标准衡量，出身来历比她们都贱，她是赖嬷嬷送给贾母的。

赖嬷嬷是什么人？绝对不是什么贵妇人，是服侍过贾母那一辈小姐太太的女仆，而且是家生家养一类的，她生的儿子赖大就继续给贾家当仆人。当然，因为世代为仆，受到主子信任，所以赖大在故事开始的时候，就已经成了荣国府的一个大管家，他的媳妇，赖大家的，也成了挺拿事的女管家。这样的仆人，逐渐积累起财富，就自己在外头也盖起很华丽的、带花园的住宅，过起很奢侈的生活来了，赖大就提出来，拿钱赎出自己的孩子，不让他们再给荣国府当奴才了，荣国府也就开恩答应了。赖大的儿子赖尚荣，从小就跟贾宝玉类似，捧凤凰般地养大，二十岁上拿钱捐了个前程，那时候可以不去参加科举考试，拿钱取得候补当官的资格，叫捐前程。赖尚荣到了三十岁，就被朝廷选了为州县官，为了庆贺这件事，连摆几天宴席，有一天专门请贾府的人去。第四十七回，柳湘莲出场，就是在赖尚荣家的宴席上，后来就发生了呆霸王薛蟠调情不成遭痛打的事，大家都记得，我不多说了。后来探春理家，还提到为了管理好大观园，曾在那次赴宴的时候，跟赖大的女儿取过经，那个女儿按说本来应该是到荣国府来，给探春她们当丫头的，但是因为父亲发了财，主子又开恩，自己也成了小姐了。曹雪芹写出这么一个姓赖的老仆家里的事情，意义当然是多方面的，大家可以体会出来，这里不多说。

那么晴雯，她最初就是赖家买的小丫头，是奴才买来的奴才，赖嬷嬷那个大奴才到贾府给贾母请安，常带着晴雯这个小奴才来，贾母见晴雯长得伶俐标致，十分喜爱。老主子一流露出喜欢的意思，赖嬷嬷就把晴雯当做一件小礼品孝敬给贾母了。鸳鸯在扳着手指头计算跟她地位相当的姐妹时，就没把晴雯算上，因为晴雯的出身来历实在是太下贱了，还不能跟鸳鸯她们相提并论。晴雯到了贾府以后，因为根本不知道家乡何处父母是谁，只知道有个姑舅哥哥——所谓姑舅哥哥，是一种含混模糊的说法，姑姑生的表哥和舅舅生的表哥在中国旧习俗里本是应该严格区分的，姑表哥就是姑表哥，舅表哥就是舅表哥，但是晴雯光知道他是一位表哥，会宰牲口做饭，就去求了赖大，赖大就让那表哥到荣国府来打一份工，"吃工食"——"吃工食"是书里的原文，在第七十七回——不知道为什么，读到这三个字的时候，我心里有种说不出来的滋味。晴雯那时候还很小，十岁的样子，游丝一般的生命，还企图从人间寻觅出一点亲情，去为这么一个其实血缘上说不太清的表哥求情，让他离自己比较近，有份相对稳定的工作。我觉得这一笔很重要，可以知道在晴雯爆炭般性格的深处，还有着多么柔软的温情。但是她后来的遭遇我们都很清楚，被王夫人粗暴撵逐后，她被扔在那姑舅哥哥家的冷炕上，宝玉形容："就如同一盆才抽出嫩箭的兰花送到猪窝里去一般。"那因为她的关怀才到荣国府安身的表哥，还有那位对宝玉实行性骚扰的表嫂，竟对她连丝毫的亲情照顾都没有，人一死，赶忙去领烧埋银子，把晴雯匆匆火化了。

曹雪芹钟爱晴雯，把她刻画得从纸上活跳出来，历代不知道有多少读者欣赏晴雯，为她的独特性格鼓掌叫好，为她的不幸夭亡叹息落泪。金陵十二钗又副册收入的应该全是大丫头，但这些大丫头里，晴雯出身是最下贱的，曹雪芹却偏把她列为第一。"心比天高，身为下贱，风流灵巧招人怨。"曹雪芹还专门为她写了一大篇洋洋洒洒的《芙蓉诔》，历来的红学研究者为这个角色写下了许多文字，今后，她仍会是红学研究中的一大题目。

但是，晴雯其实也是一个有争议的人物。最近就有一位年轻的红迷朋友跟我说，他对晴雯很反感，特别是她那样对待坠儿，坠儿不过是偷了平儿的一个虾须镯。这位红迷朋友认为，像平儿那样有权势的大丫头，她那个虾须镯，跟荣国府里其他主子的贵重首饰一样，其实都是底层劳动人民血汗的结晶。坠儿作为一个地位低下的小丫头，拿了那虾须镯，性质不过是把含有自己一份血汗的东西，收归过来罢了，当然，方式方法不对，任何时代也不能肯定偷窃。不过，这么件事情，那晴雯知道以后是怎么个表现啊？连平儿也主张悄悄地找个借口，把坠儿打发出去就行了嘛，嗬，看曹雪芹写的，那晴雯简直是凶神恶煞，自己病着，却把坠儿叫过去，骂还不算，竟然还拿一丈青——那是一种细长的金属簪子，一头是耳挖勺，一头是很尖锐的锥子——晴雯就用那尖锐的一头猛扎坠儿的手，痛得坠儿又哭又喊。晴雯这样做，真是太可恶了！这位年轻的红迷朋友跟我说，每次读到这一段，他都同情坠儿，反感晴雯。曹雪芹那么写，他还能理解，可能生活里晴雯的原型就是那么个德行，但是，让他不理解的是为什么有那么多论红的人，把晴雯说成是一个反抗的女奴隶，别的不说，就她那么样对待坠儿这一件事，她不是比奴隶主还凶恶吗？紧接着，书里就写晴雯补裘，写得当然很生动，写出了宝玉跟她之间有一种超出主奴关系的友情，但是，那么卖命地替主子干活，从性质上说，不就是一种奴隶对奴隶主的忠诚吗？

这位年轻的红迷朋友的看法，现在我介绍给大家，不知道您有何高见？

我个人是不同意给晴雯贴上诸如"具有反抗性的女奴"一类的标签的。晴雯的悲剧，是一个性格悲剧。她个性锋芒太露，太率性而为了。林黛玉身为小姐，性格太露，说话锋芒太厉害，尚且被人侧目，王夫人就对她很不以为然；你一个下贱丫头，竟然也由着自己的性子生活，这还得了！王夫人老早注意到，晴雯骂小丫头，那模样很像林妹妹，其实恐怕更像的，是那种开放式的性格。当然，林黛玉有文化修养，她使性子，全用的文雅的方式，也不跟丫头们冲突，她是在小姐公子的圈子里使性子；晴雯就比较粗俗，显得轻狂，骂起小丫头来，那派头比主子还主子，你注意到了吗？晴雯动不动就说把哪个丫头仆妇撵出去，打发出去，那简直成了她的口头禅了。

晴雯之所以能那么由着性子生活，一是她很得贾母喜爱，直到王夫人都把晴雯撵出去了，贾母还说，"晴雯那丫头我看他甚好"，还不是一般地好，是"甚好"，贾母对她的评价可说是非常之高。我觉得贾母和王夫人虽然是同一个阶级里的人，但是她们的差异很大，贾母是一个能够"破陈腐旧套"，有些新思维，能接受某些新事物，并且比较欣赏开放性的性格的人。她对凤姐和黛玉乃至晴雯的开放式性格都能欣赏，至少是能够容忍，她把晴雯派去服侍宝玉，是觉得"这些丫头的模样爽利言谈针线都不及他，将来只他还可以给宝玉使唤得"。而王夫人却绝对不能容忍晴雯这样的"狐媚子"、"妖精"。当然，到了宝玉身边以后，晴雯深得宝玉宠爱，这就更让她误以为自己可以就那么样地长长久久地生存下去，觉得别的丫头婆子是可以撵出去的，而自己是绝对不存在那种危机的。直到被王夫人叫去当面斥骂之前，她是一点被撵的忧患意识也没有。

对晴雯是贴不得"反抗女奴"的标签的。如果她觉得自己是奴隶，要反抗，那么她就应该把荣国府，把大观园，把怡红院视为牢笼，就应该想方设法逃出去，或者为一旦被驱逐出去早做打算。但是她一贯以留在那个"牢笼"里为荣，为福。"撕扇子作千金一笑"那回，她因为慵懒任性，把宝玉惹急了，就说要去回王夫人，把她打发出去，那么，她是怎么反抗的呢？她说："为什么我出去？要嫌我，变着法儿打发我出去，也不能够！"还说："我一头碰死了也不出这门儿！"她虽然没有跟宝玉发生关系，并且对袭人那种她认为是鬼鬼祟祟的行为不以为然，常常予以讥刺，但她在意识里，显然认定自己早晚是宝玉的人。别人或者会被撵出去，她自己就往外撵坠儿，但就她自己而言，她是不会被撵出去的，就是宝玉生气说要撵她，她就不出去，宝玉也无可奈何。

贾府的这些丫头们，吃的是青春饭，年纪大了，就像李嬷嬷在第二十回说的那样："好不好拉出去配一个小子。"第七十回一开头，就说大管家开了一个人名单子来，共有八个二十五岁的单身小厮应该娶妻成房，也就是应该为奴隶主生产新奴隶，他们正等着从主子各房里拉出到了年纪的丫头，分配给他们去进行那样的生产。鸳鸯、琥珀、彩云本来都应该"拉出去配一个小子"，因为各有具体原因，暂不出去，只有凤姐和李纨房中的粗使丫头拉出去配了小子，得不着府里分配的丫头的小厮，才允许他们外头去自娶媳妇。

晴雯对拉出去配小子这样的前景，浑然不觉，以为自己既是老太太派到宝玉身边来的，宝玉对她又宠如珍宝，便只把大观园怡红院当成个蜜罐子，似乎自己就可以那么舒舒服服地过一辈子。她的浑浑噩噩，跟另外一些丫头，成为了鲜明的对比。

其实，要说反抗性，坠儿比晴雯强多了。坠儿为什么偷平儿的虾须镯？当然不会是偷来自己戴。别忘了谁跟坠儿最好，最知心，能说私房话？在滴翠亭里，跟坠儿说最隐秘的事情的是谁？是林红玉，也就是小红。小红是大观园丫头里觉悟得最早的一个，前面我分析过为什么她能那么早就把世道看破，她说，"千里搭长棚，没有个不散的筵席，谁守谁一辈子呢？不过三年五载，各人干各人的去了，那时谁还管谁呢？"那是第二十六回，她跟比她地位更低的小丫头佳蕙说的。坠儿是小红最可信赖的朋友，这样的意思她也一定跟坠儿说过。因此，坠儿偷镯子，那动机不消说，就是为以后被撵出去也好，被拉出去配小子也好，积攒一点自救的资金。坠儿的偷窃行为不可取，但她的动机里，实在是有合理的成分，她比晴雯清醒，晴雯是一个自以为当稳了奴隶而去欺负小奴隶的丫头，坠儿却是一个打算从奴隶地位上挣扎出去的小丫头。

大观园里的丫头们，基本上分成三类。一类以小红为代表，知道自己并不能在那里头过一辈子，因此早做打算。当然，小红采取的手段比坠儿积极，她后来以自己超常的记忆能力与口才，赢得了凤姐的欣赏、信赖，成为凤姐身边一个得力的丫头，攀上了高枝。但她的目的，只是从凤姐那里学一些眉眼高低，扩大自己的见识面。她早就大胆地爱上了府外西廊下的贾芸，不是把自己的前途锁定在荣国府里，而是选准时机就要冲出樊笼，去建造自己所选择的较为自由的生活。司棋也是这样一种人。鸳鸯在抗婚以后，意识到贾母的死亡也就是自己一贯生活状态的结束，甚至是生命的大限，对未来绝对没有玫瑰色的期望。尽管每个人的情况还有区别，但这是一类，就是知道这样的奴隶生活即使待遇还不错，却是不可能当稳了丫头而没有变化的，因此暗暗地早拿好了主意。第二种就是晴雯、袭人一类——当然晴、袭二人的想法和做法并不相同甚至相反。袭人的路数很像薛宝钗，就是以收敛的方式，温柔的方式，顺应的方式，来应付各方面的人际。对宝玉，她以情切切、娇嗔的方式，伴随以肉体的魅惑，牢牢地把握住，时不时地给些真诚的，确实可以说是为宝玉好的讽谏规劝。她把自己的前途，锁定在了宝玉稳定的二房的位置上。晴雯呢，上面讲了，她觉得自己地位很稳固，当然，她没有去细想，而她那种开放式的、奔放的性格，也不习惯于今天去想明天的事。第五十一回，袭人回家探视母亲，她和麝月代替袭人照顾宝玉，袭人刚走，她就卸了妆，脱了裙袄，往熏笼上一坐——熏笼是当年放在屋里取暖的炭火箱子，铺上褥子，围着被子，坐上去非常舒服——她就懒得再动了。麝月笑她："你今儿别当小姐了，我劝你也动一动儿。"她怎么说呢？她说："等你们都去尽了，我再动不迟。有你们一日，我且受用一日。"她以为她就可以那么天真烂漫、无忧无虑地在宝玉身边过下去。第三种，就是既没有小红、司棋、坠儿那样的早为以后打算的想法和做法，也没有永久留在主子身边的竞争优势和自信心，得过且过，随波逐流，像秋纹，就属于这一类。这样的人既然没什么争强好胜之心，也就不会去管闲事，不会立起眉毛说要把比自己地位低的小丫头和仆妇撵出去，这一类的丫头，应该居大多数。

因此，晴雯的被撵和夭折，确实可以说是奴隶主施威所造成的一个女奴的悲剧，但晴雯这个女奴，却难以说是一个具有对奴隶主自觉反抗的意识，追求自身解放的人物。

如果你仔细读《红楼梦》第七十三回以后的故事，你就会发现，形成抄检大观园大悲剧的起因，不去说那深刻的必然性，只说那表面的偶然性，那么，引发起事端的，不是别人，就是晴雯和芳官，而其中起更重要的主导作用的，就是晴雯。赵姨娘房内的小丫头小鹊，忽然跑到怡红院，说听见赵姨娘在老爷跟前说了什么，让宝玉小心老爷第二天问他话，这就让宝玉紧张起来，连夜温习功课，好对付第二天的盘问。整个怡红院的丫头都陪着宝玉熬夜，芳官从后房门进来，说是有人从墙上跳下来了，晴雯借此大做文章，说宝玉被吓着了，故意闹得王夫人都知道，并且进一步闹到了贾母那里。那么，好吧，你晴雯坚持说夜里有人跳墙，那就严查吧。其实哪有什么人跳墙，但贾母一怒，严查的结果，就查出了夜里聚赌的仆妇，结果她们被严厉处罚。府里辈分最高的主子发怒，那是好玩的吗？各路人马，借势扩大矛盾，都想混水摸鱼，结果就出了"痴丫头误拾绣春囊"的巧事。如果没有前面的风波，邢夫人也许就不至于立刻给王夫人出难题，王夫人如果不是因为"跳墙事件"、宝玉受惊、贾母震怒、查赌获赃等连锁反应，也不至于那么气急败坏，立刻去找凤姐，喝令"平儿出去"，含泪审问凤姐。因为邢夫人把那绣春囊封起来交给她，无疑等于是一纸问责书：看看你们是怎么管理荣国府的？看看你们荣国府乱成了什么样？你们还有什么脸去面对老祖宗？晴雯为解除宝玉读书之苦而无中生有的"跳墙事件"，在很短的时间里就发生了急剧的化学性反应，连锁式的反应中，那来自奴隶主方面的愤怒以几何级数暴增。结果怎么样呢？在决定抄检大观园之先，那火就率先烧到了晴雯自己身上！不是有人跳墙吗？府里不是乱套了吗？本来王夫人也未必会想到以往一些堵心的事，现在，好，王善保家的几句谗言，立刻点燃起王夫人心中熊熊怒火，猛然触动往事，立刻生出灭晴雯之心。大家还记得吗，故事发展到芳官说有人跳墙以后，上夜的人们打着灯笼各处搜寻，并无踪迹，都说一定是看花眼了，晴雯就站出来，振振有词地说："别放诌屁！……才刚并不是一个人见的，宝玉和我们出去有事，大家亲见的。如今宝玉唬的颜色都变了，满身发热，我如今还要到上房里取安魂药去，太太问起来，是要回明白的，难道依你说就罢了不成！"你看，她多厉害，就觉得自己跟太太是一头的，吓得众人都不敢吱声。其实，她要是真依了那些人的主张，不那么扬铃打鼓地乱折腾，也许，就还不至于那么快地把打击招惹到自己身上吧？你说曹雪芹他这样铺排，难道又是随便那么一写吗？我认为，他构思得非常精密，环环相扣，节奏越来越快，就是为了"一石三鸟"，让读者体味出不止一个层次的内涵。

他写出了晴雯悲剧的深刻性，这既是奴隶被奴隶主摧残的悲剧，也是一个完全没有忧患意识的奴隶的性格悲剧。同时，他也让我们想到更多，起码，你就会想到，人的命运竟会是那么诡谲，"搬起石头砸自己的脚"，不但会应验在很糟糕的人身上，有时，也会应验在像晴雯这样的美丽聪慧而又烂漫任性的好姑娘身上。对人性，对人生，对世道，对天道，我们掩卷沉思，实在可以悟出很多很多。

　　排在又副册第二位的，是袭人。对袭人，历来的读者和评论者，都有对她不以为然，撇嘴批判的。她被指出的问题主要是三个：第一，宝玉被贾政笞挞后，她去跟王夫人说那些话，大意就是老爷也该管教管教宝玉，否则，宝玉可能跟小姐丫头们出事情，这多虚伪啊！书里第六回就写了，不是别人，恰恰是她，跟宝玉发生了肉体关系，她却去跟王夫人那么说，似乎宝玉身边别的女性都是需要防范的危险人物，惟独她顶顶圣洁，能够维护住宝玉婚前的童贞。结果呢，王夫人大感动，大赞赏，从那以后，就进一步确定了她准姨娘的地位，获得破例的津贴。第二，获得王夫人特别拨给的特殊津贴以后，她就常常去告密。像抄检大观园以后，王夫人撵了晴雯还不算，又逐一亲自审问怡红院的丫头们，见了四儿，立刻点出来，这四儿说过，同日生日就是夫妻——四儿原来叫蕙香，生日跟宝玉相同，是宝玉给她改叫四儿的——这种怡红院里的玩笑话，王夫人居然知道。王夫人说："打谅我隔得远，都不知道呢，可知我身子虽不大来，我的心耳神意时时都在这里，难道我通共一个宝玉，就白放心凭你们勾引坏了不成！"那么，谁是王夫人在怡红院的心耳神意呢？当然是袭人了。为此，历来都有不少读者和论家鄙视、痛恨袭人。第三，袭人多次表示，她跟定了宝玉，在王夫人面前也是以宝玉一生的守护神自居。第十九回，袭人说宝玉只要依着她，"刀搁在脖子上，我也是不出去的了！"宝玉一贯依着她，可是她怎么样呢？宝玉还活着，她就去嫁蒋玉菡了，高鹗续书，也就把她写得很不堪，用"千古艰难惟一死"的诗句讥讽她。

　　究竟应该怎么看待袭人？我觉得，曹雪芹他写出了这么一个生命存在，在他来说，从叙述的文笔里，看不出作者主观上的批判意味。曹雪芹对有的角色，最明显的是赵姨娘，其次是邢夫人，那是把厌恶、贬讽，都直接流露在文本里的。对袭人不是这样，甚至还恰恰相反，比如"情切切良宵花解语"这样的回目，是把袭人当做宝玉生命中最切近的花朵来描写的。像对待凤姐，曹雪芹写她的胆大妄为、泼辣狠毒，毫不手软，但总体而言，却还是赞赏爱惜居多。对袭人也是一样，曹雪芹客观地写出了她的人性弱点，但总体却还是肯定她的。对袭人，历来读者评家提出过三方面问题。第一个，袭人是否虚伪？你可以形成你觉得她虚伪的判断，但是就曹雪芹写她而言，我觉得恰恰是写她的真诚——她真诚地觉得自己跟宝玉的性关系是合情合理的，真诚地认为宝玉也该由家长严格地管一管，真诚地觉得应该常常向王夫人汇报并有一说一有二说二，她真诚地认为她所做的一切，都是为了宝玉好。那么，她在生活上对宝玉的无微不至的照顾，已达到天衣无缝、滴水不漏的程度，是换成任何一个别的人想尽忠都难以达标的，她已经成了宝玉除精神生活以外的，全部俗世生生活里的依靠，她就是这样一个人物。从我们读者方面来说，我读了书里关于袭人的描写，就懂得了有时候有的人的那份真诚甚至比虚伪还要可怕。第二个问题，就是袭人是否算个告密者？其实回答第一个问题的时候就等于把这个问题回答了，她很真诚，她觉得那是汇报，不是告密，她只是报告事实，没有陷害谁的意思，既没造谣，也没夸大渲染，而且仅供王夫人参考，她心安理得。她也确实没有想到，后来，会出现那样的事态，撵晴雯，逐四儿、芳官，宝玉受大刺激，等等，但那要她负责任吗？后来宝玉在百般无奈的情况下，就把思路转向了宿命，转向了天人感应，引经据典，说怪不得院子里的海棠树死了半边，原来是晴雯不幸的预兆啊！一贯温柔和顺、似桂如兰的袭人一下子火了，她说："真真的这话越发说上我的气来了，那晴雯是个什么东西，就费这样心思，比出这些正经人来！还有一说，他纵好，也灭不过我的次序去，便是这海棠，也该先来比我，也还轮不到他！想是我要死了！"袭人理直气壮，她没有告密人的自我意识，当然也就没有相关的愧疚与忏悔。

　　第三个问题则是，袭人既然发过誓，刀搁在脖子上，她也不会离开宝玉，那怎么她后来却去嫁了蒋玉菡呢？袭人嫁蒋玉菡，是八十回后的情节，高鹗写的，只是他的一种思路，我的探佚心得跟他不同，我的思路是这样的情节：八十回后，很快会写到皇帝追究荣国府为江南甄家藏匿罪产的事，贾府被第一次查抄，贾母在忧患惊吓中死去，荣国府被迫遣散大部分丫头仆人，负责查抄荣国府的就是忠顺王。那时忠顺王早从东郊紫檀堡逮回了蒋玉菡，留在身边当玩物，那么查抄荣国府，一些丫头就可以当成战利品，忠顺王就可以从中拿一些来赏给他府里的人，蒋玉菡听说，就提出来要袭人。大家还记得第二十八回的事情吧，就在那回所写的冯紫英家的宴席上，蒋玉菡知道了袭人是宝玉最重要的一个丫头，那么他在荣国府被抄后提出来要袭人是好意解救。袭人如被点名索要，就不得不去，当然，这有点刀搁在脖子上的味道了，但袭人人性中那软弱苟且的一面占了上风，她就没有以死抗拒，而是含泪而去了。根据脂砚斋一条批语，那时候宝钗已经嫁给宝玉，那一波抄家后还允许他们留下一个丫头——袭人临走时候就说，好歹留着麝月。麝月在照顾宝玉生活方面是一个颇有袭人精细谨慎作风的丫头，书里有多次那样的描写，而且麝月一贯低调，跟各方面都无矛盾，不引人注意，因此被点名索要走的可能性不大。袭人就让宝玉宝钗尽可能留下麝月，这样她走了也放心一点，心里头好过一点。我的思路就是这样，袭人她是在荣国府遭受突然打击的情况下，被迫离去的，你要她怎么办呢？以死对抗？那样会把事情弄糟，会连累到宝玉和整个荣国府。因此，你可以说她软弱，却不好说她是自私、虚伪与忘恩负义。

　　根据脂砚斋批语还可以知道，袭人嫁给蒋玉菡以后，还曾为陷于困境的宝玉宝钗夫妇提供物质资助，也就是供养他们夫妇。即使袭人后来能长久地跟蒋玉菡在一起，在那个时代，戏子是低常人一等的，一个戏子的老婆，是得不到一般世人尊重的。袭人的人生理想，是陪伴宝玉一辈子，这个理想当然是破灭了，她也只能是在回忆里，通过咀嚼往日的甜蜜，来度过以后的岁月。总体而言她也是红颜薄命，是悲剧人生。

　　排在又副册第三位的，我认为应该是鸳鸯。鸳鸯我不多说了。只想特别指出来，鸳鸯无意中撞见了司棋和潘又安。在那个时代那种社会，那样的贵族府邸里，司棋竟然把外面的小伙子约到大观园里，做那样的事，是既违法又悖德，可以用骇人听闻和胆大包天来形容。而鸳鸯呢，她不是一般的丫头，她是贾母身边最信赖的人。书里后来写贾母查赌，好厉害啊，可以知道贾母的价值标准和行为准则。鸳鸯似乎是天然应该跟贾母一个立场，绝不允许府里出现这种乱象，不允许既定的秩序被搅动破坏的，因此面对司棋的行为，她能隐忍不报，就已经算非常地出格了。这一讲一开头，我就引了鸳鸯的话，跟她从小一起长大的丫头里，并没有司棋，司棋应该是贾赦邢夫人那个院子里的丫头，跟着迎春到这边来的，跟鸳鸯没有老交情。可是，书里写到，第七十二回一开头，鸳鸯听说司棋病得很重，要被挪出去，就主动去司棋那里，支出人去，反立身发誓："我告诉一个人，立刻现死现报！你只管放心养病，别白糟蹋了小命儿！"我认为，鸳鸯的人格光辉在这一笔里，放射出了最强的光。在那样一个时代，那样一种社会，那样一种主流价值观的威严下，鸳鸯这么一个家生家养的奴隶，她就懂得任何一个生命，哪怕是比她自己地位还低一些的奴隶，都有追求自己的快乐与幸福的天赋人权，这种意识，是非常了不起的。当然，这其实就是作家曹雪芹的意识，这种意识在二百多年前的中国，是超前的，在现在的中国，也是先进的。鸳鸯的结局，应该是在贾母死亡后，贾赦向她下毒手时，自杀身亡。

那么，又副册再往下排，应该都是谁呢？

我个人的看法，排第四位的应该是小红。前八十回里，小红上了两次回目，八十回后，她还会去救助凤姐和宝玉，应该还会至少上一次回目。这说明在曹雪芹对全书的构思里，小红是一个非常重要的角色，前面讲别的角色的时候，也已经多次涉及到小红，这里不再重复。那么，小红贾芸他们有情人终成眷属，最后还有去救助别人的能力，说明他们在社会上也算站住了脚，难道这也算薄命吗？别忘了小红的父亲是林之孝，这种贵族府邸的大管家，主子得势的时候，即使不仗势欺人，也八面威风，可是一旦大厦倾倒，靠山崩溃，那就非常之惨，皇帝所指派的来抄家的官员，一定会首先将这样的大管家严加拷问。真实的生活里，像李煦家和曹頫家的管家，都被拘押很久，反复提审，下场很惨。小红既然能去救助凤姐宝玉，当然更会去救助自己的父母，但是，那是好解救的吗？自己被株连上的风险也是很大的。我们只能设想，贾芸和小红因为早有预感，早作准备，因此，在贾府倾倒之前他们就结为了夫妻。当皇帝将贾家抄家治罪时，贾芸只是贾府的一个远亲，小红嫁给他后已经不算贾府的人，一时不会被追究，他们还有勉强维生的社会缝隙可以安身。但是，那一定是在惊恐与担忧中过日子，小红就算躲过了被打、被杀、被卖的大劫，也依然还是一个悲情女子。

排在第五位的，我认为是金钏。第六位是紫鹃。第七位的是莺儿。

第八位，估计是麝月。第二十回中涉及麝月的那条脂砚斋批语，可以再引得更详细一点，批语是针对一段会给你留下很深印象的情节的：袭人病了，宝玉房里的丫头们全出去玩耍了，麝月却自觉地留在屋里照看，让宝玉觉得她"公然又是一个袭人"。后来宝玉就给她篦头，被晴雯撞见，遭到讥讽。脂砚斋批语说："闲上一段女儿口舌，却写麝月一人，在袭人出嫁之后，宝玉宝钗身边还有一人，虽不及袭人周到，亦可免微嫌小弊等患，方不负宝钗之为人也，故袭人出嫁后云'好歹留着麝月'一语，宝玉便依从此话，可见袭人出嫁，虽去实未去也。"这条批语透露了八十回后的情节，很珍贵。更有意思的是，也是在这一段稍前头一点，还有一条署名畸笏的批语，不但有这么个署名，还写下了落笔的时间，是丁亥夏。畸笏，应该是畸笏叟的减笔，这个人和脂砚斋究竟是一个人还是两个人，红学界一直有争论。有的认为是一个人，前后用不同的署名写批语，有的则认为是两个人，这个话题讨论起来很麻烦，这里不枝蔓。但是我要告诉你，就是这个丁亥年，据专家考证，应该是乾隆三十二年，也就是 1767 年。曹雪芹去世，是在 1762 年或1763 年，这位畸笏写批语的时候，曹雪芹肯定已经不在了。那这条批语的内容是什么呢？写的是："麝月闲闲无语，令余酸鼻，正所谓对景伤情。"你去看书里的具体描写，麝月说了不少话，并不是"闲闲无语"，那么这条批语是什么意思？它就给人这样的感觉——是书外的麝月，跟批书的人待在一起，批书的人批到这个地方的时候，把书里写的念给她听，而麝月坐在旁边，静静的，什么也没做，什么也没说，可能只是在回忆，在沉思，于是批书的人鼻子就酸了，"对景伤情"，就是把书里的描写，和眼前的景况加以对比、联想，就很伤感，情绪难以控制。那么，这条重要的批语起码传递了三个信息：一个就是麝月实有其人，书里关于她的事情，基本上都是实际有过的；第二个信息，就是在生活的真实里，这个麝月，她最后经过一番离乱，到头来还是跟写书人、批书人又遇上了，就在一起生活了；第三个信息，就是书里第二十回所写的那一段，麝月看守屋子，宝玉跟她说话，她打开头发让宝玉给她篦头，遭遇晴雯讥讽等等，是有场景原型、细节原型的。当然，也许生活的真实里，这个女性并不叫麝月，但麝月写的就是她，性格就很一致。书里的麝月基本上是安静的，喜怒不形于色的，那么，书外的她，经历了大的劫波以后，虽然又遇到了写书的和批书的，但写书的已经死了，她和批书的相依为命，前途茫茫，她欲哭无泪，闲闲无一语。

排第九位的，是司棋。关于她，我只强调一个细节。第二十七回，大观园的女儿们饯花神，满园热闹，小红，那时候还叫红玉，她为凤姐办完事取来小荷包，回到园子里，在凤姐支使她的那个山坡上去找凤姐好复命，可是凤姐已经不在那里了。这时候，就看见司棋从山坡上的山洞里出来，站着系裙子，她就赶上去问："姐姐，不知道琏二奶奶往那里去了？"司棋回答："没理论。"这当然也不是废墨赘文。从这个细节里可以知道，第一，大观园的建筑和园林虽然美丽，但是，卫生设施还相当落后，第五十四回就明确写到宝玉晚上走过山石后头撩起衣服小解，那么这个细节，就意味着司棋她刚在那山洞里方便完；第二，由这个细节，读者也就可以知道司棋在作风上是比较随便的，初步透露出她这个爱把头发蓬松地梳得很高的身材高大丰壮的丫头，有着独特的性格；第三，这也是个伏笔，司棋后来约潘又安进园子里来偷情，她是准备得很充分的，她对园子里的山洞和僻静角落，勘探得非常仔细，本来应该是万无一失的，但是正像我刚才说的，大观园的卫生设施还是很欠缺的，第七十一回末尾，为什么"鸳鸯女无意遇鸳鸯"？并不是鸳鸯她想盘查什么，只不过是因为内急，不得不寻个僻静的角落去方便一下罢了。当然，对司棋，曹雪芹他也是写人性的复杂。第六十一回，她派小丫头小莲花儿，去问管厨房的柳家的要碗炖得嫩嫩的鸡蛋，柳家的抱怨了一番，嗬，听了小莲花儿的学舌，她伺候完迎春吃饭，就带领一群小丫头跑来，对厨房实行了彻底的打砸。司棋如此蛮横，还不止是因为嘴馋，实际上她是要夺取厨房的控制权，把柳家的换成能充分地为她的利益效劳的秦显家的。这场争夺战似乎都已经尘埃落定，秦显家的都进驻厨房半天了，却没想到又风云突变，厨房到头来还让柳家的掌管，司棋气了个仰翻，却也无计挽回，只得罢休。司棋确实也不是个善茬子。她被撵出去以后的结局，高鹗续书的写法，是她和潘又安双双殉情而死，平心而论，还是比较合理的。

排第十位的，我认为是玉钏。她是金钏的妹妹。她和她姐姐，以及前面提到的紫鹃、莺儿一样，在前八十回里都是上了回目的，各有自己的重头戏。关于她们的情节都比较单纯，好懂，我就不多说了。紫鹃、莺儿和玉钏等丫头，在贾府被查抄治罪、四大家族一损俱损后，都会被当做抄来的"动产"处理，或由皇帝赏给负责查抄的官员，或者被公开拍卖，想起来真令人不寒而栗。

排在又副册第十一位的，我觉得可以是茜雪。前面讲别人的时候，我多次讲到她，已经讲过的，就不重复了。我的设想，是她无辜被撵以后，坠落到生活的最底层，嫁给马贩子王短腿了。记得王短腿吗？第二十四回，"醉金刚轻财尚义侠"，醉金刚把银子给了贾芸以后，怎么说的？他说还有点事，不回家了，让贾芸给他家带个信儿，叫家里人早点关门睡觉，倘或有重要的事情，叫他女儿明天一早到马贩子王短腿家去找他。尚义侠的人的朋友，当然也是讲义气的人。王短腿这个角色，我估计不会是随便那么大笔一挥，写了就跟扔了一样，这也应该是八十回后要出场的一个起作用的人物。估计茜雪就嫁给了他，而后来，王短腿不再贩马，就当了狱卒。茜雪之所以能不念旧恶，到狱神庙去安慰宝玉，应该就是因为她的丈夫是看守监狱的，有便利条件。

排在又副册第十二位的，我觉得可以是柳五儿。她是管内厨房的柳嫂子的女儿。书里说她"虽是厨役之女，却生的人物与平、袭、紫、鸳皆类"。她十六岁了，一直想到怡红院里去当丫头，经芳官推动，宝玉也很愿意，这件事几乎就要成功，但是在大观园几个利益集团的争斗中，柳五儿受了许多委屈，最终还是好梦成空。抄检大观园后，王夫人训斥芳官，说她调唆宝玉，芳官敢于辩解，说"并不敢调唆什么"，王夫人恨她犟嘴，就举出她调唆宝玉要柳五儿的例子，说"幸而那丫头短命死了，不然进来了，你们又连伙聚党遭害这园子呢"。可是，在高鹗的续书里，柳五儿竟然还活着，并且成为宝玉的丫头，还被宝玉当做晴雯"承错爱"，这当然是胡写了。

曹雪芹写柳五儿，最出彩的一笔，我个人认为，是她跟芳官说，自己病好了些，有些精神，就偷着到大观园里去逛逛，结果呢，因为害怕被盘查，不敢往里头走，"这后边一带，也没什么意思，不过见些大石头大树和房子后墙，正经好景致也没看见。"这就把咫尺天涯的人生处境，写出来了。大观园啊大观园，在里面的丫头们怕被撵出来，在外头的女孩们想钻营进去，难道那真是个人间乐园吗？曹雪芹用他那支生花妙笔，写出了园里园外这些女子的悲剧人生，令我们扼腕叹息，令我们深思时代、社会、人生、人性、命运，《红楼梦》是多好的一部书啊！

那么，讲到这里，有红迷朋友会问了，第五回里，就点明了金陵十二钗正册、副册、又副册这三个册子，是不是一共也就只有这三个册子？有的研究者认为，就这三册，再没有了。也有的研究者认为，还有两组，也就是还有两个册子，还容纳了二十四位女子，一共是六十钗。那么，周汝昌先生就考证出来，册子一共有九册，收入女子的数量达到一百零八位。在下一讲里，我会告诉你我的看法，和你一起探究这个既重要又有趣的问题。

第三十六讲
情榜之谜

　　古本《石头记》第十七、十八回讲到妙玉的时候，出现了一条署名"畸笏"的很长的批语，内容是这样的："妙卿出现。至此细数十二钗，以贾家四艳再加薛、林二冠有六，添秦可卿有七，再凤有八，李纨有九，今又加妙玉，仅得十人矣。后有史湘云与熙凤之女巧姐儿者共十二人。雪芹题曰金陵十二钗，盖本宗红楼梦十二曲之义。后宝琴、岫烟、李纹、李绮皆陪客也，红楼梦中所谓副十二钗是也。又有又副册三断词，乃晴雯、袭人、香菱三人而已，余未多及。想为金钏、玉钏、鸳鸯、素云、平儿等人无疑矣，观者不待言可知，故不必多费笔墨。"这条批语把副册又副册混说为又副册，但整体意思很清楚。隔了一条专评妙玉的话，又有一条批语说："前处引十二钗，总未的确，皆系漫拟也。至末回《情榜》，方知正副再副及三四副芳讳。壬午季春。"这个壬午年，应该是乾隆二十七年，即1762年，那一年春天，曹雪芹可能还在世，并且完成了最后一回的《情榜》。前面我讲到过，曹雪芹因为在设计金陵十二钗册子的名单上殚精竭虑，来回来去地调整，他甚至一度主张把所写的书就叫做《金陵十二钗》。畸笏虽然跟他关系很密切，但是直到看见他写出的《情榜》，才终于知道他究竟是怎么把书中众多的女子分成几组排列起来的。那么，已经看到了《情榜》的批书人，就说曹雪芹所排出的金陵十二钗除了正册、副册、又副册以外，还有三副、四副。这不是批书人的猜测，是看到了《情榜》以后的一个说法，因此是可信的。

　　虽然对于脂砚斋和畸笏叟究竟是一个人前后使用了不同的署名，还是根本就是两个人，红学界一直有争议，但古本《石头记》里的批语，有一个约定俗成的称呼，就是都叫"脂批"。红学的分支"脂学",就是专门来研究这些古本上的批语的。那么,我们现在就知道,根据脂批,《红楼梦》全书的最后有一个《情榜》,入榜的都是"金钗",就是女子,她们十二人一组,每一组构成一个册子。除了上面我们已经探究过的金陵十二钗正册、副册、又副册以外,很明确还有第四个册子,就是三副,以及第五个册子,叫做四副。

我们现在就先来探究一下,三副册和四副册里,究竟会收入哪些女子?

先说三副册。

贾府的四位小姐,即畸笏所说的"贾家四艳",她们跟前的首席大丫头,名字里各有"琴棋书画"四个字,这当然也是一种象征,意味着贾府的小姐们都很有文化修养。探春是书法家,前面讲到了;惜春会画画儿,构成书里重要的情节;第七回写周瑞家的送宫花,就写到迎春跟探春下棋;元春可能会弹古琴,那可能也是她能获得皇帝宠爱的一个因素,抱琴跟她入了宫,可能就专门从事伺候她弹琴方面的事宜。贾府四艳的四个首席大丫头,抱琴、司棋、待书、入画,司棋因为八十回里作者就着墨颇多,我猜测她已被又副册收入了,那么,在三副册里,抱琴、待书、入画应该是都有的。待书,通行本里印成侍书,查古本,还是应该写作待书。

那么,王夫人跟前的一个丫头,跟贾环要好,贾环却对她三心二意的,到第七十二回,"来旺妇倚势霸成亲",凤姐的亲信仆人来旺让老婆出面来讨这个丫头,要强娶为儿子的媳妇。来旺的这个儿子酗酒赌博,而且容貌丑陋,但是凤姐发了话,没办法,只好嫁过去。赵姨娘在紧急关头,求了贾政,希望留下这个丫头,日后自己也得个臂膀,但是贾政对此十分冷淡,赵姨娘回天无力。那么这个丫头是谁呢?书里出现了两个名字,一个是彩云,一个是彩霞,这两个名字有时候还出现在同一段故事情节里,但如果细读,就会发现跟贾环好的这个丫头,虽然一会儿写成彩云,一会儿写成彩霞,实际上,应该是一个角色。之所以名字不稳定,应该是曹雪芹还来不及对全书进行最后统稿,就像写奶子抱着大姐儿带着巧姐儿一样,属于没有剔尽的毛刺。根据书里交代,这个丫头还有个妹妹叫小霞,那么,应该把她定名为彩霞。彩霞在三副册里,应该占据一席地位。

素云和碧月,是李纨的丫头,素云地位高于碧月。第七十五回,尤氏到了稻香村那里,要洗个脸补补妆,李纨就命令素云去把自己的妆奁取来。李纨是寡妇,不施脂粉的，素云就拿来自己的请尤氏将就着用，李纨就训斥她，说我没有，你就应该到小姐们那里去取些来，怎么公然拿出你的来？但是尤氏说她并不嫌脏，就用了。素云如果不是首席大丫头不会有这样的举动。素云如果在又副册里，那么我上一讲里排出的就需要去掉一个，比如把柳五儿移到三副中来，换上她；但是畸笏的那条批语也还只是猜测，"总未的确"，究竟某人在何册，畸笏也是丁午季春看了《情榜》才终于明了的，因此，如果到头来素云既然入不了又副册，那么三副册里是该有她的了。

翠缕，湘云的丫头，和湘云一起论过阴阳，仆主二人一问一答，非常有趣。论到最后，就拣到一只金麒麟，这是给大家印象很深的一个情节。翠缕本来是贾母的丫头，后来贾母把翠缕给了湘云，湘云回叔叔婶婶家，就把她带过去，算那里的人了，湘云到祖姑家这边来做客，她就再跟过来伺候。翠缕应该在三副册里。

还有就是雪雁，她跟着黛玉从扬州北上，到贾府时，贾母看她年龄太小，一团孩气，才把自己的一个比较成熟的丫头鹦哥给了黛玉。虽然书里没有明文交代，但读者都能意会到，鹦哥后来改了名字，叫紫鹃，成为黛玉的首席大丫头，后来更成为黛玉的知心朋友。不过雪雁毕竟是跟随黛玉一起到贾府里寄人篱下的，她一天天长大，也一天天走向随贾府陨灭的悲剧结局，她应该是在三副册里。

宝玉身边的丫头最多。第六十三回"寿怡红群芳开夜宴"，本来只是宝玉房里的丫头们凑分子给他单另外搞一次庆寿活动。丫头们出分子钱的数额，是按地位来定的，袭人、晴雯、麝月、秋纹四个，算一等大丫头，每人分子是五钱银子；芳官、碧痕、小燕、四儿四个，算二等丫头，每人分子是三钱银子。前面写宝玉的丫头，还有叫媚人的，叫檀云的，檀云这个名字跟麝月是配对的，还有叫绮霰的，绮霰和晴雯的名字又配对——通行本是把绮霰写成绮霞，那是不对的。但媚人、檀云、绮霰有的只出了一次名字，有的虽然出现不止一次，但在八十回里都没什么戏，脂批也没透露出她们在八十回后会有什么故事。在又副册里已经收入了晴雯、袭人和麝月，那么，秋纹、碧痕和小燕、四儿应该收到三副册里，她们在前八十回里都有一些戏。上一讲我提到过秋纹，她虽然也常常以是宝玉房里的丫头而流露出优越感，对比她地位低下的丫头婆子出言不逊，但总体来说，她的性格还是比较平和的，不像晴雯那么桀骜不驯，人生追求也比较肤浅，在与地位差不多的人相处时比较能退让。最体现她这种随遇而安、满足于主子小恩小惠的文字，集中在第三十七回，作者把她的性格与晴雯、麝月、袭人做了鲜明对比，最后导致了晴、麝把袭人那"西洋花点子哈巴狗"的绰号说了出来，袭人当然生气，而秋纹就立即道歉。秋纹作为一个有其独特性格的角色，在三副册中应该榜上有名。碧痕是丫头里分工负责伺候给宝玉洗澡的，有的古本里把她的名字写成碧浪，有的红学专家认为就应该把她的名字定为碧浪。书里通过别的丫头的嘴说出，她伺候宝玉洗澡，有一次竟洗了三个时辰，洗完后水淹了床腿，席子上都汪着水，也不知道是怎么洗的。这个碧痕也应该入三副册。小燕，也就是春燕，第五十九、六十回有她不少戏，宝玉那女孩子从无价宝珠因为出嫁变成死珠再变成鱼眼睛的名言，作者安排由她口中转述，她应该也入三副册。四儿，原来叫蕙香，第二十一回她趁宝玉跟袭人等赌气的机会得以接近宝玉，宝玉嫌她名字俗气，改叫她四儿；因为她跟宝玉生日相同，说了生日相同就是夫妻的戏言，被告密给王夫人，后来被王夫人斥责撵出，她应该也在三副册。那么，芳官在不在三副册呢？我认为不在，下面再讲理由。

这样算起来，入三副册的，还只有十一钗。那么，还有一钗是哪位呢？我认为是小螺，薛宝琴的丫头，她抱着一瓶梅花，站在雪坡上的情景，是书中最美丽的画面之一。

三副满员了，那么，四副，我个人认为，应该是收入了"红楼十二官"，就是为了准备元春省亲，贾蔷到江南去买来的十二个女孩子。她们里头戏最多的是龄官和芳官。前面讲宝玉的时候讲到过龄官画蔷，她和贾蔷之间是有真正的爱情的，他们之间的爱情超越了主奴关系。宝玉到梨香院去耳闻目睹，大为感动，也因此憬悟，那就是人与人之间的感情特别是爱情，有其神秘性，有命中注定的一面。龄官很了不起，元妃省亲，在那么重要的、具有政治性的活动里，主子命令她唱《游园》《惊梦》两出，她自以为这两出戏非本角之戏，执意不演，而且还自己选定了剧目，是风格完全相反的《相约》《相骂》，这样的作为，不知道您是怎么个看法，反正我读到那一段，就对龄官肃然起敬，那真是大艺术家才有的忠于艺术、不畏权贵的气派。后来皇帝因为死了老太妃，禁止娱乐，省亲也暂停，贾府遣散这些唱戏的女孩，除了死了的菂官，有八位留下了，龄官和宝官、玉官三位自愿离开。龄官应该是被贾蔷接走了，但八十回里没有明写，八十回后应有一个对他们结合和结局的交代。

芳官是书里戏份儿集中，而且塑造得极为生动的一个角色。她后来被分配到怡红院当丫头，她的干娘拿着她的银子，却不使在她的身上．不仅不好好给她洗头，还打骂了她，"那芳官只穿着海棠红的小棉袄，底下丝绸撒花袷裤，敞着裤腿，一头乌油似的头发披在脑后，哭的泪人一般。"她跟内厨房的柳嫂子交好，竭力要帮助柳五儿进到怡红院，她跑到厨房去传话，书里是这样写的，"忽见芳官走来，扒着院门"——肢体语言很生动——笑着跟柳家的说话。群芳开夜宴，书里又有专为她的一段白描："当时芳官满口嚷热，只穿着一件玉色红青酡色绒三色缎子斗的水田小夹袄，束着一条柳绿汗巾，底下是水红撒花夹裤，也散着裤腿。头上眉额编着一圈小辫，总归至顶心，结一根鹅卵粗细的总辫，拖在脑后。右耳眼内只塞着米粒大小的一个玉塞子，左耳上单带着一个白果大小的硬红镶金大坠子，越显得面如满月犹白，眼如秋水还清。"真是从纸上活跳了出来。后来宝玉还把她打扮成小土番的模样，而且，芳官还说"咱家现有几家土番"，可见那时候皇帝出征平息了番邦叛乱后，还会把其中的一些俘虏的土番分配到各个贵族家庭当粗使仆役，宝玉因此给她取了一个番名耶律雄奴，后来因为被人错叫成"野驴子"，就又改叫温都里纳，据说是"海西弗朗思牙"的"金星玻璃宝石"的译音。总之，芳官给读者留下的印象是鲜明生动的，这个艺术形象的外延性是很强的，关于她，可以做专题研究，并且能够得出丰富的成果。前面说到了，抄检大观园后，王夫人斥责芳官调唆宝玉，芳官敢于当面笑辩。她后来入了尼庵，但是读者们可以想象出来，她那样一种浪漫不羁的性格，肯定早晚会跟庵主发生冲突。她最终是怎样的一个结局，除了具有悲剧性以外，具体的情况就不得而知了。

其余的七官，文官后来分到贾母处，藕官分给了黛玉，蕊官分给了宝钗，葵官分给了湘云，艾官分给了探春，荳官分给了宝琴，茄官分给了尤氏。这些女孩子相当团结，她们一人有难，群体相帮，而且敢于为群体利益向主子进言，艾官就在探春面前告对手的状。她们作为丫头在大观园内外存在的时间虽然短暂，却显示出了不同于那些"常规丫头"的特殊风采，她们整体作为四副册的"金钗"，是说得过去的。

那么，是不是《情榜》中的女子只有这五组六十名呢？一些专家，如周汝昌先生就提出来，不止这五组，还有四组，一共是九组，共有一百零八个女性。有的人会觉得，一百零八，这不落套了吗？《水浒》最后梁山泊英雄排座次，不就排出了一百单八将吗？这不是落套。从《红楼梦》的文本里，可以鲜明地看出来，曹雪芹他刻意创新，但是他没有割断和在他之前的文化源流之间的关系，他写宝玉和黛玉如何从《西厢记》《牡丹亭》里获取思想滋养，用很多古典戏曲来暗示人物命运和故事走向以及全书的结局，至于对他以前的杰出的文章诗词的融会贯通，那就更渗透在了整个文本当中。他虽然借鉴《水浒》排座次的外在形式，但是，《水浒》的一百零八个英雄豪杰中只有寥寥几个点缀性的女子，基本上是个被男性垄断的群体，而他在全书最后排出的《情榜》，除了册外的贾宝玉，全是女子世界。这在那个时代，那种社会，那样的主流意识形态下，他的做法绝对是惊世骇俗的，是对男权社会的挑战，是别开生面的艺术构思。而他将每组女子的数目定为十二，光这一点就跟《水浒》英雄榜的结构完全不同，具有鲜明的独创性。

从我们读完《红楼梦》前八十回的印象来说，光是五组六十名女子，也容纳不下书里诸多的女儿形象。我对有九组一百零八位"金钗"的看法是认同的。那么，如果我继续往下推测，下面那四个册子里，还会收入书里的哪些女子呢？

五副，实际也就是第六个册子里，我觉得应该有以下这些女子：

二丫头。这是第十五回，写凤姐带着宝玉、秦钟，一起到一处村庄里去略事休息，宝玉见了那里的种种事物都觉得异常新鲜，后来见有一个纺车，就过去搬转作耍，没想到就来了个十七八岁的村庄丫头，跑了来乱嚷："别动坏了！"宝玉就赔笑说，因为从没见过，试他一试，那丫头就说："你们那里会弄这个，站开了，我纺与你瞧！"但是一听那边老婆子叫："二丫头，快来！"二丫头也就去了。按说，这二丫头对宝玉并不礼貌，但是，当凤姐休息完了，带他们离开时，曹雪芹却写下了这样的文字："一时上了车，出来走不多远，只见迎面那二丫头怀里抱着他小兄弟，同着几个小女孩说笑而来。宝玉恨不得下车跟了他去，料是众人不依的，少不得以目相送。"这真是惊心动魄的文字。宝玉怎么会"恨不得下车跟了他去"？按说，写宝玉恋恋不舍，也该算把宝玉的心情写足了，但曹雪芹他偏写成宝玉恨不得抛弃他全部的既有生活，而跟二丫头那样的庄户姑娘去进入另一个世界，这是值得我们认真思考的。在写到二丫头的时候有一条脂批说："处处点情。又伏下一段后文。"估计八十回后，会有宝玉跟二丫头在某种情况下再次相遇的情节，那应该是特别有意味的一种安排，可惜我们现在看不到了。

卍儿。这是第九回里，和宝玉的首席小厮茗烟做爱的一个宁国府的丫头——

茗烟在有的回里又写作焙茗。宝玉因为记得宁国府一所小书房里挂着一轴美人，忽生奇想，说府里这么热闹，那画上美人却很寂寞，应该去看望安慰她一下。这当然是曹雪芹写宝玉的特殊人格，就是他对本是不懂感情的事物，也会充满感情。结果他去了那里，就撞见了茗烟和卍儿，宝玉虽然责备茗烟，却跺脚催促发懵的卍儿"还不快跑"，还赶出去说："你别怕，我是不告诉人的。"这个卍儿后来应该是嫁给茗烟了。

瑞珠和宝珠，这两个在秦可卿淫丧天香楼后相继有怪异表现的丫头。前面讲过她们的事，这里不重复了。

智能儿。这是一个能大胆追求爱情的尼姑，她和秦钟在馒头庵发生关系后，又勇敢地偷跑进城去找秦钟，说明她并不是满足露水姻缘的轻浮女子，对爱情有一份真诚的执著，但是她被秦钟父亲赶了出去，不知所终。

云儿。她在第二十八回出现在冯紫英家的宴会上，还唱了曲。这是前八十回里出场的惟一一位妓女。

青儿。这是刘姥姥的外孙女儿，板儿的妹妹。她在八十回后应该还要出现。

几位荣国府里的丫头应该也在这一册里。她们是：宝玉房中的小丫头佳蕙，在第二十六回她和小红之间有非常重要的对话。绣橘，她在第七十三回"懦小姐不问累金凤"里有出色表现，小姐迎春虽懦弱，她还算是比较厉害的一个丫头。翠墨，探春的丫头。彩屏，惜春的丫头。还有就是坠儿，前面讲晴雯、小红的时候已经讲到过她，不再重复。

以上是五副的十二钗。那么，六副，也就是第七个册子里，或许收入的是这些女子：琥珀，贾母的丫头。春纤，黛玉的丫头。碧月，李纨的丫头。佩凤、偕鸳、文花，她们是贾珍的妾，偕鸳在通行本上被写成偕鸾。第六十三回中，只不过有几句写她们两个一起打秋千玩耍的细节，后来便引出很多的题咏，被画成"绣像"，很有意思。还有一位靛儿，她应该是贾母房中的丫头，"宝钗借扇机带双敲"那段故事发生在贾母住处，她只不过问了一句藏没藏她的扇子，宝钗就声色俱厉地说了她一顿。此外，还有宝玉的丫头媚人、檀云、绮霰、可人、良儿。

七副，也就是第八个册子里，或许会收入的女子是：张金哥，她是"王熙凤弄权铁槛寺"的直接受害者。红衣女子，袭人的姨表妹，第十九回里引出宝玉和袭人的一段重要对话，脂砚斋也有大段批语，估计八十回后，这位红衣女郎或许还会出现，并在宝玉的生活中起到某种救助的作用。周瑞的女儿，冷子兴的媳妇。娇杏，贾雨村的填房夫人，第一回将她的遭遇与甄英莲做对比，说她"命运两济"，但是，贾雨村最后的结局并不妙，在第一回末尾甄士隐的《好了歌注》里，"因嫌纱帽小，致使枷锁扛"一句旁，有脂批明白点出："贾赦、雨村一干人。"可见她开始的"命运两济"只不过是"侥幸"中的假象，到头来她也还是个"犯官之妻"。丰儿，凤姐的丫头。银蝶，尤氏的丫头。莲花儿，迎春处的小丫头，为司棋去向内厨房的柳嫂子要炖鸡蛋，引出一场风波。蝉姐儿，探春处小丫头。炒豆儿，尤氏的小丫头。小鹊，赵姨娘的丫头。臻儿，香菱的丫头。嫣红，贾赦逼娶鸳鸯不成，用八百两银子买来的一个十七岁的姑娘。

八副，也就是第九个、最后一个册子，我觉得其中会有几位令读者厌恶的女子出现。夏金桂和她的陪嫁丫头宝蟾，这是折磨香菱致死的人。秋桐和善姐，这是凤姐迫害尤二姐的不自觉与自觉的帮凶。以上四位女子人性中的邪恶太多，暴露得也很充分，但她们也都没有什么好下场。她们的薄命或许不能引出读者的同情，但是如果仔细想想，也就能够悟出，把她们人性中的邪恶挑动起来，并且纵容其膨胀的，还是那个时代、那个社会的主流势力，论罪恶，是不能只算在她们个人身上的。鲍二家的，多姑娘，两位淫荡的女子，多姑娘又写作灯姑娘，是晴雯的姑舅表嫂。她们的堕落也不仅是她们个人的品质使然，在那个男权社会里，不但男主人，就是男奴仆，也把她们视为玩物，她们也是那个时代的牺牲品。小霞，彩霞的妹妹。小吉祥儿，赵姨娘处的小丫头，为参加丧葬活动向雪雁借衣服被拒绝。小鸠儿，春燕的妹妹。小舍儿，金桂的丫头。倪二的女儿，从醉金刚倪二上回目，可知曹雪芹对这个"跳色"的市井泼皮相当重视，他的女儿，他提到的王短腿，都保不定会在八十回后亮相。傻大姐是最后一钗，她是贾母处的粗使丫头，她拾到绣春囊，惹出一场急风暴雨，清代晚期的评家更有"傻大姐一笑死晴雯"之说，其实她那只是一个傻笑。

当然，如果你仔细梳篦八十回的文字，还有一些小丫头、小姑娘似乎也应该收入册子，比如贾母的丫头还有叫玻璃、翡翠、玛瑙的，如果给了宝玉的珍珠后来改叫了袭人，那么，似乎后来又补了一个叫珍珠的丫头。还有叫鹦鹉的，如果不是后来改叫紫鹃的鹦哥，那么，应该是另一个丫头。此外，宝玉的丫头有叫紫绡的；宝钗的丫头有叫文杏的；王夫人有叫绣鸾、绣凤的丫头；薛姨妈有叫同喜、同贵的丫头；贾赦有个妾叫翠云；邢岫烟的丫头篆儿；第六十二回来给宝玉拜寿的还有个丫头叫彩鸾，也不知是哪一处的；卜世仁的女儿，贾芸的表妹银姐，等等。也许，我上面所列出的某些女子，就应该分别由这里面的某几位置换下来。

曹雪芹在第五回里，给这些女子一系列的悲剧性概括，警幻仙姑唱的歌是："春梦随云散，飞花逐水流；寄言众儿女，何必觅闲愁！"金陵十二钗的册子全存放在薄命司中，给梦游的宝玉喝的茶名叫"千红一窟"（千红一哭），饮的酒名叫"万艳同杯"（万艳同悲）……他为那个时代那种社会那种主流价值观念下，青春女性的被压抑被埋没被吞噬被污染被扭曲而深深叹息，无限掉怀。

在揣摩曹雪芹所设计的《情榜》的过程里，我不由得想起鲁迅先生在《我之节烈观》那篇文章结尾所写下的那些话：

"他们是可怜人；不幸上了历史和数目的无意识的圈套，做了无主名的牺牲。可以开一个追悼大会。

"我们追悼了过去的人，还要发愿：要自己和别人，都纯洁聪明勇猛向上。要除去虚伪的脸谱。要除去世上害人害己的昏迷与强暴。

"我们追悼了过去的人，还要发愿：要除去于人生毫无意义的苦痛。要除去制造并赏玩别人苦痛的昏迷和强暴。

"我们还要发愿：要人类都受正当的幸福。"

鲁迅先生是在 1918 年 7 月写下这些话的。那是上世纪刚刚出现的白话文之一，他写这篇文章的时候，"五四"运动还没有爆发。建议你现在找到《鲁迅全集》里的这篇文章看一下，他写这篇文章的时候还没有女字边的"她"字，他写女性时的第三人称仍然用的"人"字边。我说这个细节干什么？就是想到中国妇女的命运，从曹雪芹写《红楼梦》，到鲁迅先生写《我之节烈观》，基本上没有什么改变。而他们的心是相通的，把鲁迅先生的这段话拿来诠释曹雪芹《红楼梦》最后的《情榜》，我觉得真是严丝合缝。想想金陵钗系列里的女子，反复诵读鲁迅先生这些文章，真不禁悲从中来，心潮难平。

时代发展到今天，社会状况当然有了很大的变化，本来，"五四"运动时期，发明出女字边的"她"字，是为了体现对女性的尊重，但是到了上世纪后期，西方出现了"女权主义运动"，为体现性别上的平等，从语言文字上，女权主义者们反对将女性特殊处理。在中国，随着社会进步，妇女的地位和处境总体而言应该说有了很大的提升和改善。近些年，虽然没有成型的西方式的"女权主义运动"在中国出现，但是新一代女性也开始在反对性别歧视、争取自身权益方面有了勇敢的话语与行为，这都是令人欣慰，足可告慰《红楼梦》里众多的金陵薄命女，告慰曹雪芹的。

但是，曹雪芹透过《红楼梦》所表达出来的，不仅是社会学方面的深刻思考，他还有更高层面的哲学上的终极思考。甲戌本开篇不久就有一首诗：

浮生着甚苦奔忙？盛席华筵终散场。

悲喜千般同幻渺，古今一梦尽荒唐。

漫言红袖啼痕重，更有情痴抱恨长。

字字看来皆是血，十年辛苦不寻常！

第一句，"浮生着甚苦奔忙？"这就是终极追问，是最高层次的哲学思考，就是问生命的意义是什么？生活的目的是什么？作为一个生命，每天跑东奔西，忙忙碌碌，意义究竟是什么？就算你不用奔跑忙碌，你每天安静地继续存活，那意义又是什么？第二、三、四句，你读了可能觉得，哎呀，太悲观了，太虚无了。但是，最后四句就告诉你，在那最深沉的漫漫长夜里，有两个人，一个是红袖，另一个是"情痴"——"红袖"这个符码不可能不是在象征一位女性，而"情痴"，看了后面的文字我们就知道，应该是指宝玉的原型，其实也就是指作者，指曹雪芹本人——他们在那样一种近乎绝望的处境下，努力地去超越，去升华，他们合作著书，通过这部书来使自己的残余生命在暗夜里发出光来。他们用心血写书，已经长达十年之久，他们仍在努力，在行动，这就说明到头来他们并不彻底地悲观，并没有在虚无的思绪中沉沦。于是，尽管他们的心血在那个时候就遭到遮蔽，遭到摧残，但是，毕竟还是大体上留下了八十回文字，以及与文本水乳交融的许多批语，而他们那人生的意义，生命的尊严，就都长存其中，获得了不朽，滋养着我们，使我们也能觉悟到，生命的尊严在于精神的独立，思想的自由，而生活的意义在于创造，在于有益于他人。

讲到这里，我想那些对于我的"秦学"的误会、歪曲应该得到彻底澄清了。我是只研究秦可卿一个角色吗？是仅仅对《红楼梦》文本里康、雍、乾三朝的政治内涵进行探究吗？是把对《红楼梦》的研究变成把书里角色和历史人物去对号入座吗？我的两个基本方法——一个是原型研究，一个是文本细读——现在你应该可以明白，原型研究不是查户口，实际上任何人恐怕都查不到那样的户口，原型研究的目的是为了搞清楚从生活真实升华为艺术形象的过程。对我个人来说，这对我从事写实性小说的创作，有着特别重要的作用。文本细读，我细致到这样的程度，可以说我多余，或者烦琐，但是说我是离开了《红楼梦》，那我就听不懂他的话了。

我从第一讲就一再申明，我从来不认为自己的研究心得，就都是对的，更没有让我的听众和读者都来认同我的观点的目的，我只是很乐于把自己的这些心得，公布出来与红迷朋友们分享，并欢迎批评指正。我的目的只是藉此来引发出人们对《红楼梦》的更浓厚的兴趣，为民间红学展拓出更宽松更舒畅的挥洒空间。那么，在这一讲的最后，我把自己所排列出来的《情榜》再以明快的分列方式，公布于下。除了曹雪芹在第五回里已经写出的，其余的当然都仅是我的猜测，欢迎红迷朋友们按照自己的判断，对我排出的名单加以调整。

前面已经讲到过多次，根据脂批可以知道，曹雪芹不但在全书结束时排出了《情榜》，而且还给上榜的角色加了考语，宝玉是"情不情"，黛玉是"情情"。那么，曹雪芹究竟是只给正册的女子加了考语，还是给副册、又副册的女子全加了带一个"情"字的考语？甚至给六十位或者一百零八位女子全加了？这是一个值得再加探讨的问题，但我就暂不在这里跟大家讨论了。我目前还只能是给正册和副册、又副册里的女子，试拟了考语。那么，下面就请看我排出的《情榜》，也算是我的一个探佚成果吧。

情 榜

绛洞花王

贾宝玉　　情不情

金陵十二钗正册

林黛玉　　情情　　　　薛宝钗　　冷情

贾元春　　宫情

贾探春　　敏情

史湘云　　憨情

妙　玉　　度情

贾迎春　　懦情

贾惜春　　绝情

王熙凤　　英情

巧　姐　　恩情

李　纨　　槁情

秦可卿　　情可轻

金陵十二钗副册

甄英莲　　情伤

平　儿　　情和

薛宝琴　　情壮

尤三姐　　情豪

尤二姐　　情悔

尤　氏　　情外

邢岫烟　　情妥

李　纹　　情美

李　绮　　情怡

喜　鸾　　情喜

四姐儿　　情稚

傅秋芳　　情隐

金陵十二钗又副册

晴　雯　　情灵

袭　人　　情切

鸳　鸯　　情拒

情醒	小红
情烈	金钏
情慧	紫鹃
情络	莺儿
情守	麝月
情勇	司棋
情怨	玉钏
情谅	茜雪
情失	柳五儿

金陵十二钗三副册

抱琴　待书　入画　彩霞　素云　翠缕　雪雁　秋纹　碧痕　春燕　四儿　小螺　小

金陵十二钗四副册

龄官　芳官　藕官　葵官

蕊官
莒官
艾官
茄官
文官
宝官
玉官
菂官

金陵十二钗五副册

二丫头
卍儿
瑞珠
宝珠
智能儿
云儿
青儿
佳蕙
绣橘
翠墨
彩屏
坠儿

金陵十二钗六副册

琥珀
春纤
碧月
佩凤
偕鸳

文花
靛儿
媚人
檀云
绮霞
可人
良儿

金陵十二钗七副册

张金哥

红衣女

周瑞女

娇杏

丰儿

银蝶

莲花儿

蝉姐儿

炒豆儿

小鹊

臻儿

嫣红

金陵十二钗八副册

夏金桂

秋桐

宝蟾

善姐

鲍二家的

多姑娘

小　霞

小吉祥儿

小鸠儿

小舍儿

倪二女

傻大姐

　　我的讲座，到这里就结束了。感谢收看电视上我的讲座，以及阅读我这些讲座文稿的各方面人士。再说一次：欢迎批评指正！

2005 年 10 月 31 日整理完毕

刘心武文学活动大事记

1942 年

6 月 4 日生于四川省成都市育婴堂街。

后在重庆度过童年。

父母兄姊均热爱文学艺术，深受家庭熏陶。

1950 年

随父母迁居北京，从此定居北京。

在隆福寺小学上小学，在北京 21 中上初中。

1958 年

在北京 65 中上高中。

给若干报刊投稿，屡被退稿。

8 月，在《读书》杂志发表《谈〈第四十一〉》一文，是投稿第一次成功。

1959 年

在《北京晚报》"五色土"副刊陆续发表一些儿童诗、小小说。

为中央人民广播电台少儿部《小喇叭》（对学龄前儿童广播）编写若干节目；其中快板剧《咕咚》经编辑加工、录制后大受欢迎；"文革"中录音带被销毁；1991 年重新录制播出。

1961 年

毕业于北京师范专科学校，分配到北京 13 中任教。

至"文革"前，在《北京晚报》《中国青年报》《人民日报》《光明日报》《大公报》

《北京日报》《体育报》《儿童时代》《大众电影》等报刊上发表了约 70 篇小小说、散文、杂文、评论等文章。

1966—1976 年

"文革"中,因 1964 年曾发表过一篇关于京剧的文章,以"反江青"罪名被冲击。

1974 年后再试写作,曾写一关于"教育革命"的长篇小说,由出版社联系获准脱产修改,但终未达到当时出版要求。

1976 年

写出一个大院里孩子们同坏蛋斗争的中篇小说《睁大你的眼睛》并得以出版(北京人民出版社)。

又按照当时政治要求写出一些短篇小说、散文,有的到次年才收入多人合集中出版。

调到北京人民出版社(后恢复"文革"前社名:北京出版社)文艺编辑室当编辑。

1977 年

11 月,在《人民文学》杂志发表短篇小说《班主任》,产生重大影响——被认为是"伤痕文学"的开山作,也是"新时期文学"的发端;从此成名。

从《班主任》后,写作冲破懵懂,沿着认定的方向跋涉,穿越风云,锲而不舍。

1978 年

参加《十月》杂志(开始以丛书名义出版)创刊工作,在创刊号上发表短篇小说《爱情的位置》,经转载和广播,影响巨大。

在《中国青年》杂志上发表短篇小说《醒来吧,弟弟》,反应亦极强烈。

《班主任》《爱情的位置》《醒来吧,弟弟》均被改编为广播剧,由中央人民广播电台多次广播,《醒来吧,弟弟》被搬上话剧舞台;此年发表的短篇小说《穿米黄色大衣的青年》亦由电台播出。

1979 年

在首届全国优秀短篇小说评奖中《班主任》获第一名。颁奖会上,从茅盾先生手中接过奖状。

参加中国作家协会第三次全国代表大会，被选为中国作家协会理事。

成为中华全国青年联合会常务委员，至 1993 年卸任。

9 月，参加中国作家代表团访问罗马尼亚，此系"文革"后第一个作家出访团。

在《人民文学》杂志发表短篇小说《我爱每一片绿叶》，写作技巧有长足进步。

1980 年

调至北京市文联当专业作家。

《我爱每一片绿叶》获 1979 年全国优秀短篇小说奖。

《看不见的朋友》获 1954—1979 年第二届全国少年儿童文学创作奖。

在《十月》杂志发表中篇小说《如意》，其弘扬人道主义的追求引起争议。

出版《刘心武短篇小说选》(北京出版社)。

1981 年

在《十月》杂志发表中篇小说《立体交叉桥》，引出更大争议，一些评论家认为"调子低沉"是步入了写作上的歧途，另有评论家则认为此作标志着刘心武的小说创作在反映现实、探索人性及艺术工力上均达到了新的水平。

5 月，应日本文艺春秋社邀请访问日本。

1982 年

应导演黄健中之请，改编《如意》；北京电影制片厂拍成彩色艺术片《如意》。

1983 年

11 月，参加中国电影代表团赴法国，在南特"三大洲电影节"上，《如意》在开幕式上放映，获好评；后陆续在法国、西德电视台播出。

1984 年

冬，应邀访问西德，参加"中德大学生会见活动"，并在波恩大学、波鸿大学与威尔兹堡大学介绍中国当代文学。

年底，参加中国作家协会第四次全国代表大会，再次当选为理事。

在《当代》文学双月刊第 5、6 期连载长篇小说《钟鼓楼》。

1985 年

出版长篇小说《钟鼓楼》(人民文学出版社),并获第二届茅盾文学奖。

因《钟鼓楼》获北京市政府嘉奖。

7 月,在《人民文学》杂志发表纪实小说《5·19 长镜头》,反响强烈。

11 月,又在《人民文学》杂志发表纪实小说《公共汽车咏叹调》,引起轰动。

1986 年

年初,应当代文艺出版社邀请访问香港。

6 月,调中国作家协会人民文学杂志社,任常务副主编。

在《收获》杂志设《私人照相簿》专栏,进行图文交融的文本尝试。

散文集《垂柳集》出版,冰心为之作序。

1987 年

1 月,被任命为《人民文学》杂志主编。

2 月,《人民文学》杂志 1、2 期合刊发表马建写的小说《亮出你的舌苔或空空荡荡》违反民族政策,承担责任,停职检查。

9 月,复职。

冬,应邀赴美国访问。参观美洲华侨日报;在哥伦比亚大学、三一学院、哈佛大学、麻省理工学院、康奈尔大学、芝加哥大学、旧金山大学、斯坦福大学、伯克利加州大学、洛杉矶加州大学、圣迭戈加州大学等处演讲,介绍中国当代文学,并参观耶鲁大学;参加爱荷华大学"作家写作中心"的纪念活动;游览华盛顿等地。

1988 年

3 月,应香港《大公报》邀请,赴香港参加五十周年报庆活动;在《大公报》安排的大型报告会上作关于改革开放与文学创作的报告。

5 月,应法国文化部邀请,参加中国作家代表团访问法国,除在巴黎活动外,还访问了西部港口城市圣·拉扎尔。

《私人照相簿》在香港出版(南粤出版社)。

《我可不怕十三岁》获 1980—1985 年全国优秀儿童文学奖。

以上数年中，若干小说、散文还分别获得过《当代》《十月》《小说月报》《小说选刊》《中篇小说选刊》《儿童文学》《北方文学》等杂志,《人民日报》《文汇报》等报纸副刊的奖;拍成电视剧播出的有《没工夫叹息》《熄灭》(电视剧名《火苗》)《今夏流行明黄色》《到远处去发信》《非重点》《公共汽车咏叹调》和八集连续剧《钟鼓楼》;若干作品被英国、美国、西德、苏联、日本、瑞士、瑞典、法国、意大利等国翻译为英、德、俄、日、法、意、瑞典等文字出版;自1987年起被世界上有威望的英国欧罗巴出版社《世界名人录》收入词条。

1989 年

春，应香港中文大学翻译中心邀请，与妻子吕晓歌赴香港访问。

1990 年

3月，以任届期满，免去《人民文学》杂志主编职务。

香港中文大学翻译中心编译的英文小说集《黑墙与其他故事》出版。

秋，以"鱼山"笔名在《钟山》杂志发表中篇小说《曹叔》。

1991 年

出版小说集《一窗灯火》。

除小说外，开始发表大量散文、随笔。

1992 年

长篇小说《风过耳》在内地(中国青年出版社)、香港(勤＋缘出版社)分别出版，反响颇为强烈。

长篇小说《四牌楼》完稿，交上海文艺出版社出版。

《献给命运的紫罗兰——刘心武谈生存智慧》由上海人民出版社出版，受到读者欢迎。

在《收获》杂志发表中篇小说《小墩子》，后由中国电视剧制作中心改编拍摄为电视连续剧。

至该年，在海内外出版的个人专著按不同版本计已达43种。

在《红楼梦学刊》1992年第二辑上发表论文《秦可卿出身未必寒微》，在"红学"

界和读者中均引起注意;另有若干《红楼梦》人物论和《红楼边角》专栏文章发表。

　　冬,应瑞典学院邀请(斯堪的纳维亚航空公司赞助)赴北欧访问;在挪威奥斯陆大学、瑞典斯德哥尔摩大学和隆德大学、丹麦哥本哈根大学和奥胡斯大学的东亚系汉学专业以《九十年代初的中国小说》为题作学术报告;12月7日,参加诺贝尔文学奖有关活动,听1992年得主德里克·沃尔科特发表受奖演说。

1993 年

华艺出版社出版《刘心武文集》(1—8卷)。

出版长篇小说《四牌楼》。

1994 年

1月,应台湾《中国时报》邀请赴台参加"两岸三地文学研讨会"。

《四牌楼》获上海优秀长篇小说大奖,到沪领奖。

1995 年

出版随笔集《人生非梦总难醒》(上海人民出版社)。

出版小说集《仙人承露盘》(华艺出版社)。

1996 年

出版长篇小说《栖凤楼》(人民文学出版社)。至此,由《钟鼓楼》《四牌楼》《栖凤楼》构成的"三楼"长篇小说系列竣工。

　　应《南洋商报》邀请赴马来西亚访问并顺访新加坡。

1997 年

　　应日本文化交流基金会邀请,与妻子吕晓歌访问日本。其长篇小说《钟鼓楼》、儿童文学作品《我是你的朋友》、短篇小说《王府井万花筒》等此前已相继译为日文在日本出版。

1998 年

　　建筑评论集《我眼中的建筑与环境》由中国建筑工业出版社出版,在建筑界产生影响。

　　应美国科罗拉多大学邀请,赴美参加金庸作品国际研讨会,在会上提交关于

《鹿鼎记》的论文《失父：一种生存困境》。

1999 年

出版纪实性长篇小说《树与林同在》（山东画报出版社）。

出版《红楼三钗之谜》（华艺出版社）。

赴新加坡出席国际环境文学研讨会。

2000 年

应邀访问法国，并应英中协会和伦敦大学邀请，从巴黎赴伦敦讲《红楼梦》。

至此年底在海内外出版的个人专著（不含文集）按不同版本计达 101 种。

2001 年

出版包含建筑评论的随笔集《在忧郁中升华》（文汇出版社）。

在北京电视台录制播出《刘心武谈建筑》系列节目。

2002 年

出版小说集《京漂女》（中国文联出版社），自绘插图。

应澳大利亚雪梨华文写作协会邀请赴澳大利亚访问。

2003 年

以马来西亚《星洲日报》世界华人文学"花踪奖"评委身份赴吉隆坡参加相关活动。

台湾联经出版社出版小说集《人面鱼》。此前台湾已出版过刘心武多种作品，如皇冠出版社出版了《钟鼓楼》，幼狮文化事业公司出版了《四牌楼》《为他人默默许愿》（散文集）。

2004 年

赴法参加巴黎书展活动。书展上展出了译为法文的著作有小说《树与林同在》《护城河边的灰姑娘》《尘与汗》《人面鱼》《如意》与歌剧剧本《老舍之死》。

建筑评论集《材质之美》由中国建材工业出版社出版。

小说集《站冰》出版（人民文学出版社），自绘封面插图。

2005 年

出版集历年研红成果的《红楼望月》（书海出版社）。

应 CCTV-10（中央电视台科学教育频道）《百家讲坛》邀请，录制播出《刘心武揭秘〈红楼梦〉》系列节目 23 集，反响强烈，引出争议。

《刘心武揭秘〈红楼梦〉》第一、二部相继出版（东方出版社），畅销。

2006 年

应美国华美协会邀请，赴纽约在哥伦比亚大学讲《红楼梦》。

应邀参加香港书展。

出版《刘心武揭秘古本〈红楼梦〉》（人民出版社）。

2007 年

继续应邀到 CCTV-10《百家讲坛》录制节目，并出版《刘心武揭秘〈红楼梦〉》第三部、第四部（东方出版社）。

访问俄罗斯。

2008 年

出版随笔集《健康携梦人》（中国海关出版社）。

自 1986 年出版《垂柳集》，至此所出版的散文随笔集已逾 30 种。

2009 年

在《上海文学》杂志开《十二幅画》专栏，每期发表一篇写人物命运的大散文，并配发自己的画作。

4 月，妻子吕晓歌病逝，著长文《那边多美呀！》悼念。

2010 年

再应 CCTV-10《百家讲坛》邀请，录制播出《〈红楼梦〉的真故事》系列节目。至此在《百家讲坛》录制播出关于《红楼梦》的个人系列讲座累计达 61 集。

出版《〈红楼梦〉的真故事》（凤凰联动·江苏人民出版社），在争议声中畅销。

4 月，应台湾新地文学社邀请赴台参加"21 世纪世界华文文学高峰会议"。

出版《命中相遇——刘心武话里有画》(上海文艺出版社)。

加快《刘心武续〈红楼梦〉》的写作，次年完成推出。

至本年底，在海内外出版的个人专著，文集不算在内，重印亦不算，按不同版本计达 182 种（按不同书名计则为 141 种）。

年底，筹备编辑《刘心武文存》。

附录二 刘心武著作书目

只包括在中国大陆、台湾、香港和海外出版的书（同一著作每种版本单列）；不包括散发于报刊尚未出书的篇目，亦不包括多人合集中的篇目。第一个数字表示不同版本的排序；[ ]中的数字表示剔除同一书名的版本后的排序；注意：文集8卷不参加排序。

1976 年
1.[1]《睁大你的眼睛》[儿童文学·中篇小说]

北京人民出版社 1976 年 1 月第一版

1978 年
2.[2]《母校留念》[儿童文学·小说集]

中国少年儿童出版社 1978 年 7 月第一版

1979 年
3.[3]《小猴吃瓜果》[低幼读物·画册]

少年儿童出版社 1979 年 4 月第一版

1980 年 6 月第二次印刷

4.[4]《班主任》[短篇小说集]

中国青年出版社 1979 年 6 月第一版

1980 年
5.[5]《我是你的朋友》[儿童文学·中篇小说]

北京出版社 1980 年 7 月第一版

6.[6]《绿叶与黄金》[中短篇小说集]

广东人民出版社1980年8月第一版

7.[7]《刘心武短篇小说集》

北京出版社1980年9月第一版

1981 年

8.《这里有黄金》[中短篇小说集]

广东人民出版社1981年4月第二次印刷

有平装、软精装两种

9.[8]《大眼猫》[中短篇小说集]

浙江人民出版社1981年8月第一版

1982 年

10.[9]《如意》[中篇小说集]

北京出版社1982年5月第一版

1983 年

11.[10]《中国现代作家选（Ⅲ）刘心武〈我爱每一片绿叶〉〈深谷小溪默默流〉》

[日本]东方书店1983年第一版

12.[11]《同文学青年对话》

文化艺术出版社1983年10月第一版

1984 年

13.[12]《到远处去发信》[中短篇小说集]

四川人民出版社1984年4月第一版

有平装、软精装两种

14.[13]《如意》[电影文学剧本]（与戴宗安联合署名）

中国电影出版社1984年6月第一版

1985 年

15.[14]《嘉陵江流进血管》[中篇小说集]

陕西人民出版社1985年2月第一版

16.[15]《日程紧迫》[中短篇小说集]

群众出版社 1985 年 5 月第一版

17.[16]《我可不怕十三岁》[儿童文学集]

新世纪出版社 1985 年 8 月第一版

18.[17]《钟鼓楼》[长篇小说]

人民文学出版社 1985 年 11 月第一版

有平装、软精装两种

1986 年 5 月第二次印刷

1986 年

19.[18]《公共汽车咏叹调》[纪实小说]

湖南文艺出版社 1986 年 1 月第一版

20.[19]《都会咏叹调》[小说集]

作家出版社 1986 年 3 月第一版

21.[20]《垂柳集》[散文集]

陕西人民出版社 1986 年 4 月第一版

22.[21]《立体交叉桥》[中短篇小说集]

人民文学出版社 1986 年 6 月第一版

有平装、软精装两种

23.[22]《巴黎郁金香》[访法散文集]

群众出版社 1986 年 11 月第一版

24.[23]《木变石戒指》[中短篇小说集]

青海人民出版社 1986 年 12 月第一版

1987 年

25. *Little Monkey Triesto Eat Fruit* [科学童话·英文]

海豚出版社 1987 年第一版

有平装、精装两种

26.[24]《斜坡文谈》[文学理论]

上海文艺出版社 1987 年 4 月第一版

27.[25]《王府井万花筒》[中篇小说集]

> 湖南文艺出版社 1987 年 9 月第一版
>
> 有平装、精装两种

28.[26]《5·19 长镜头》[小说自选集]

> 四川文艺出版社 1987 年 11 月第一版

29.げくけきの友たちだ [《我是你的朋友》日译本]

> [日本] 福武书店 1987 年 12 月第一版
>
> 1989 年 3 月第二版
>
> 1991 年 2 月第三版

1988 年

30.[27]《她有一头披肩发》[中短篇小说集]

> 台湾林白出版社 1988 年 4 月第一版

31.《钟鼓楼》[长篇小说]

> 香港天地图书有限公司 1988 年第一版
>
> 1993 年第二版

32.[28]《私人照相簿》[纪实文学]

> 香港南粤出版社 1988 年 11 月第一版

33.[29]《刘心武代表作》

> 黄河文艺出版社 1988 年 12 月第一版

1989 年

34.《小猴吃瓜果》[科学童话]

> 开明出版社、海豚出版社 1989 年 3 月第一版

35.《钟鼓楼》[长篇小说]

> 台湾皇冠出版社 1989 年 4 月第一版

36.[30]《一片绿叶对你说》[文艺随笔集]

> 河北教育出版社 1989 年 12 月第一版

1990 年

37.[31]*BLACK WALLS AND OTHER STORIES* [小说集・英译本]

香港中文大学翻译中心出版社 1990 年第一版

38.[32]《王府井万花镜》[小说集・日译本]

[日本] 德间书店 1990 年 9 月第一版

1991 年

39.《母校留念》[小说]

[日本] 骏河台出版社 1991 年 4 月第一版

40.[33]《一窗灯火》[中短篇小说集.]

华艺出版社 1991 年 10 月第一版

1993 年第二次印刷

1992 年

41.[34]《列奥纳多・达・芬奇》[传记]

江苏教育出版社 1992 年 5 月第一版

42.[35]《有家可归》[散文随笔集]

广东旅游出版社 1992 年 5 月第一版

43.[36]《风过耳》[长篇小说]

中国青年出版社 1992 年 6 月第一版

1992 年 12 月第二次印刷

1993 年 3 月第三次印刷

1995 年 8 月第五次印刷

1996 年 3 月第六次印刷

44.《风过耳》[长篇小说]

香港勤＋缘出版社 1992 年 6 月第一版

45.[37]《献给命运的紫罗兰——刘心武谈生存智慧》

上海人民出版社 1992 年 6 月第一版

1992 年 11 月第二次印刷

1995 年第三次印刷

1996 年 12 月第五次印刷

46.《刘心武代表作》

河南人民出版社 1992 年 6 月第二次印刷·精装本

47.[38]《蓝夜叉》[中篇小说集]

香港勤＋缘出版社 1992 年 9 月第一版

1993 年

48.《北京下町物语》[长篇小说·《钟鼓楼》日译本]

[日本] 东京恒文社 1993 年 2 月第一版

1994 年第二版

49.[39]《为你自己高兴》[随笔集]

内蒙古人民出版社 1993 年 3 月第一版

50.[40]《杀星》[小说集]

香港勤＋缘出版社 1993 年 6 月第一版

51.《我是你的朋友》[儿童文学·中篇小说·增订本]

希望出版社 1993 年 6 月第一版

52.[41]《四牌楼》[长篇小说]

上海文艺出版社 1993 年 6 月第一版

1994 年 4 月第二次印刷

1996 年 11 月第三次印刷

53.[42]《我是怎样的一个瓶子》[随笔集]

成都出版社 1993 年 9 月第一版

54.[43]《沉默交流》[随笔集]

中国华侨出版社 1993 年 11 月第一版

55.[44]《富心有术》[随笔集]

群众出版社 1993 年 12 月第一版

1995 年第二次印刷

56.[45]《中国当代名人随笔·刘心武卷》

陕西人民出版社 1993 年 12 月第一版

☆《刘心武文集》[1—8 卷]

华艺出版社 1993 年 12 月第一版

☆《刘心武文集·〈钟鼓楼〉〈风过耳〉》(简装本)

☆《刘心武文集·〈四牌楼〉〈无尽的长廊〉》》(简装本)

华艺出版社 1997 年 5 月第一版

1994 年

57.[46]《仰望苍天》[随笔集]

知识出版社 1994 年 1 月第一版

1995 年第二次印刷

东方出版中心 1996 年 7 月第三次印刷

58.[47]《男扮女妆与女扮男妆》[随笔集]

中原农民出版社 1994 年 2 月第一版

59.[48]《相对一笑》[小小说集]

中共中央党校出版社 1994 年 2 月第一版

60.[49]《秦可卿之死》[专著]

华艺出版社 1994 年 5 月第一版

61.《四牌楼》[长篇小说]

台湾幼狮文化事业公司 1994 年 8 月第一版

62.[50]《为他人默默许愿》[散文集]

台湾幼狮文化事业公司 1994 年 10 月第一版

63.[51]《中国小说名家新作丛书·刘心武卷》

海峡文艺出版社 1994 年 11 月第一版

64.[52]《红楼梦 (缩写本)》

接力出版社 1994 年 12 月第一版

1995 年第二次印刷

1997 年 9 月第三次印刷

1995 年

65.[53]《人生非梦总难醒》[名人日记·随笔集]

上海人民出版社 1995 年 1 月第一版

1995 年 3 月第二次印刷

66.[54]《仙人承露盘》[中短篇小说集]

华艺出版社 1995 年 3 月第一版

67.[55]《女性与城市》[杂文集]

中国城市出版社 1995 年 6 月第一版

68.《我是你的朋友》[增订版·"小学生成才书架"系列之一]

希望出版社 1995 年 10 月第一版

69.《在胡同里转悠》[随笔集]

陕西人民出版社 1995 年 11 月第二次印刷

70.[56]《刘心武海外游记》

华文出版社 1995 年 12 月第一版

1996 年

71.[57]《刘心武小说精选》

太白文艺出版社 1996 年 2 月第一版

72.[58]《开发心大陆》[随笔集]

吉林人民出版社 1996 年 3 月第一版

1997 年 3 月第二次印刷

73.[59]《你哼的什么歌》[散文集]

湖南文艺出版社 1996 年 6 月第一版

74.[60]《刘心武张颐武对话录——"后世纪"的文化了望》

漓江出版社 1996 年 7 月第一版

75.[61]《边缘有光》[随笔集]

汉语大辞典出版社 1996 年 8 月第一版

76.[62]《刘心武怪诞小说自选集》

漓江出版社 1996 年 8 月第一版

有平装、精装两种

77.[63]《我是刘心武》

团结出版社 1996 年 9 月第一版

78.[64]《刘心武》[中国当代作家选集丛书]

人民文学出版社 1996 年 10 月第一版

79.[65]《刘心武杂文自选集》

百花文艺出版社 1996 年 11 月第一版

80.《秦可卿之死》[修订本]

华艺出版社 1996 年 11 月第二版

81.[66]《栖凤楼》[长篇小说]

人民文学出版社 1996 年 12 月第一版

1998 年 3 月第二次印刷

1997 年

82.[67]《封神演义（缩写本）》

接力出版社 1997 年 1 月第一版

1997 年 9 月第二次印刷

83.[68]《胡同串子》[中短篇小说集]

北京燕山出版社 1997 年 8 月第一版

84.《私人照相簿》

上海远东出版社 1997 年 9 月第一版

1998 年 2 月第二次印刷

2000 年换封面版权页称 2000 年 6 月第二次印刷

85.[69]《中国儿童文学名家作品精选丛书·刘心武作品精选》

河北少年儿童出版社 1997 年 8 月第一版

86.[70]《把嘴张圆》[随笔集]

上海远东出版社 1997 年 12 月第一版

1998 年

87.[71]《我眼中的建筑与环境》[建筑评论随笔集]

中国建筑工业出版 1998 年 5 月第一版

1999 年 5 月第二次印刷

2000 年 6 月第三次印刷

2001 年 6 月第四次印刷

88.《钟鼓楼》[茅盾文学奖获奖书系]

人民文学出版社 1998 年 3 月第一次印刷

1998 年 7 月第二次印刷

1998 年 8 月第三次印刷

1999 年 3 月第四次印刷

2000 年 1 月第五次印刷

2001 年 1 月第六次印刷

2001 年 8 月第七次印刷

2002 年 8 月第八次印刷

2003 年 1 月第九次印刷

1999 年

89.[72]《树与林同在》[非虚构长篇小说]

山东画报出版社 1999 年 3 月第一版

2006 年 7 月第二次印刷

90.[73]《八十六颗星星》(*The Eighty-Six Stars*)[儿童文学小说·汉英对照]

希望出版社 1999 年 6 月第一版

91.[74]《红楼三钗之谜》[刘心武红学探佚精品]

华艺出版社 1999 年 9 月第一版

92.[75]《蓝玫瑰》[中短篇小说集]

中国华侨出版社 1999 年 10 月第一版

93.[76]《过隧道的心情》[随笔集]

华东师范大学出版社 1999 年 12 月第一版

2000 年

94.[77]《一切都还来得及》[随笔集]

中国青年出版社 2000 年 1 月第一版

95.[78]《善的教育》[儿童文学]

辽宁少年儿童出版社 2000 年 2 月第一版

96.[79] Le Talisman (version bilingue)[《如意》中、法文对照版]

Librarie You Feng 2000 年 4 月第一版

97.[80]《作家刘心武〈班主任〉手迹》

线装书局 2000 年 5 月第一版

98.[81]《楼前白玉兰》[小小说集]

中国广播电视出版社 2000 年 7 月第一版

99.[82]《刘心武侃北京》

上海文艺出版社 2000 年 10 月第一版

100.[83]《我爱吃苦瓜》[茅盾文学奖获奖作家散文精品]

广州出版社 2000 年 10 月第一版

2002 年 10 月第二次印刷

101.[84]《了解高行健》

香港开益出版社 2000 年 12 月第一版

2001 年

102.[85]《亲近苍莽》

中国旅游出版社 2001 年 1 月第一版

103.[86]《在忧郁中升华》

文汇出版社 2001 年 2 月第一版

《刘心武谈建筑——在忧郁中升华》2007 年 8 月第二次印刷

104.[87]《人在风中》

作家出版社 2001 年 8 月第一版

105.《风过耳》

时代文艺出版社 2001 年 10 月第一版

有平装、精装两种

2002 年

106.[88]《京漂女》（自绘插图）

中国文联出版社 2002 年 1 月第一版

107.[89]《深夜月当花》

中国工人出版社 2002 年 1 月第一版

108.[90]《春梦随云散》

人民文学出版社 2002 年 4 月第一版

109.[91]《藤萝花饼》

台湾二鱼文化事业有限公司 2002 年 4 月第一版

110.[92]《刘心武自述》

大象出版社 2002 年 10 月第一版

2003 年

111.[93] L'arbre et la forêt [《树与林同在》法译本]

Bleu de Chine 2003 年 1 月第一版

112.[94]《人面鱼》

台湾联经出版事业股份有限公司 2003 年 2 月初版

113.[94] La Cendrillon Du Canal [《护城河边的灰姑娘》法译本]

Bleu de Chine 2003 年 4 月第一版

114.[95]《画梁春尽落香尘》["红学" 专著]

中国广播电视出版社 2003 年 6 月第一版

2003 年 9 月第二次印刷

2004 年 1 月第三次印刷

2005 年 6 月第四次印刷

115.[96]《眼角眉梢》

新华出版社 2003 年 8 月第一版

116.[97]《钟鼓楼》[初中生语文新课标必读]

人民日报出版社 2003 年 9 月第一版

117.[98]《天梯之声》

中国青年出版社 2003 年 10 月第一版

2004 年

118.[99] Poussiêre et sueur [《尘与汗》法译本]

Bleu de Chine 2004 年 1 月第一版

119.[100] La mort de Lao SHe [《老舍之死》歌剧剧本法译本]

Bleu de Chine 2004 年 3 月第一版

120.[101] Poisson à face humaine [《人面鱼》法译本]

Bleu de Chine 2004 年 3 月第一版

121.《如意》[电影伴读中国文学文库·附电影光盘]

中国青年出版社 2004 年 1 月第一版

122.[102]《泼妇鸡丁》

台湾二鱼文化事业有限公司 2004 年 4 月第一版

123.[103]《在柳树臂弯里——刘心武随笔》

光明日报出版社 2004 年 5 月第一版

124.[104]《材质之美——刘心武城市文化酷评》

中国建材工业出版社 2004 年 5 月第一版

125.[105]《站冰——刘心武小说新作集》(自绘插图)

人民文学出版社 2004 年 6 月第一版

126.《四牌楼》

上海文艺出版社 2004 年 8 月第二版

127.[106]《大家文丛: 刘心武》

古吴轩出版社 2004 年 8 月第一版

2005 年

128.《钟鼓楼》（中国文库·文学类）

人民文学出版社 2005 年 1 月第一版第一次印刷（平装）

2005 年 1 月第一版第一次印刷（精装）

129.《钟鼓楼》（茅盾文学奖获奖作品全集之一）

人民文学出版社 1985 年 11 月第一版、2005 年 1 月第一次印刷

2005 年 5 月第二次印刷

2005 年 7 月第三次印刷

2006 年 3 月第四次印刷

2008 年 4 月第七次印刷

2009 年 8 月第八次印刷

2010 年 1 月第九次印刷

2011 年 7 月第 15 次印刷

2011 年 9 月第 16 次印刷

2011 年 11 月第 17 次印刷

130.[107]《心灵体操》

时代文艺出版社 2005 年 1 月第一版

131.[108]《刘心武作文示范》

少年儿童出版社 2005 年 1 月第一版

132.[109] La Démone bleue（《蓝夜叉》法译本）

Bleu de Chine 2005 年第一版

133.[110]《红楼望月》

书海出版社 2005 年 4 月第一版

2005 年 6 月第二次印刷

2005 年 7 月第三次印刷

2005 年 8 月第四次印刷

2005 年 9 月第五次印刷

2005 年 9 月第六次印刷

134.[111]《刘心武揭秘〈红楼梦〉》

东方出版社 2005 年 8 月第一版

至 2005 年 19 月共十三次印刷

2005 年 11 月第二版

至 2005 年 12 月已第十八次印刷

至 2007 年 7 月已第二十八次印刷

2007 年 12 月第三十次印刷

2008 年 4 月第三十二次印刷

135.《红楼解梦——画梁春尽落香尘》

中国广播电视出版社 2005 年 9 月第二版第五次印刷

136.《楼前白玉兰——刘心武最新小小说集》

中国广播电视出版社 2005 年 9 月第二版第二次印刷

137.[112]《刘心武揭秘〈红楼梦〉》[第二部]

东方出版社 2005 年 12 月第一版

至 2007 年 7 月已第十五次印刷

2007 年 12 月第十七次印刷

2008 年 4 月第十九次印刷

138.[113]《刘心武解读人世情》

时代文艺出版社 2005 年 12 月第一版

139.[114]《刘心武感悟平常心》

时代文艺出版社 2005 年 12 月第一版

2006 年

140.[115]《刘心武自选集》

云南人民出版社 2006 年 1 月第一版

141.[116]《刘心武点评〈红楼梦〉》

团结出版社 2006 年 1 月第一版

142,《刘心武精品集·第一卷·钟鼓楼》

东方出版社 2006 年 1 月第一版

143.《刘心武精品集·第二卷·四牌楼》

东方出版社 2006 年 1 月第一版

144.《刘心武精品集·第三卷·栖凤楼》

东方出版社 2006 年 1 月第一版

145.《刘心武精品集·第四卷·献给命运的紫罗兰》

东方出版社 2006 年 1 月第一版

146.[117]《戴敦邦绘刘心武评〈金瓶梅〉人物谱》

作家出版社 2006 年 4 月第一版

147.[118]《红楼拾珠》

云南人民出版社 2006 年 5 月第一版

148.[119]《藤萝花饼》

云南人民出版社 2006 年 5 月第一版

149.《刘心武揭秘〈红楼梦〉》[第一部]

台湾好读出版有限公司 2006 年 6 月初版

150.《刘心武揭秘〈红楼梦〉》[第二部]

台湾好读出版有限公司 2006 年 6 月初版

151.《我是刘心武》

天津人民出版社 2006 年 8 月第一版

152.[120]《刘心武揭秘古本〈红楼梦〉》

人民出版社 2006 年 12 月第一版

同月第二次印刷

2007 年

153.[121]《四棵树》

二十一世纪出版社 2007 年第一版

154.[122]《用心去游》

上海三联书店 2006 年 12 月第一版

2007 年 1 月第一次印刷

155.[123] Dés de poulet façon mégère [《泼妇鸡丁》法译本]

Bleu de Chine 2007 年 4 月第一版

156.《一切都还来得及》

中国青年出版社 2005 年 5 月第一版

157.[124]《刘心武揭秘〈红楼梦〉》[第三部·黛玉之谜及古本之秘]

东方出版社 2007 年 7 月第一版

至 2007 年 8 月已第四次印刷

2007 年 12 月第六次印刷

2008 年 3 月第七次印刷

158.[125]《刘心武说世道人心》

中国青年出版社 2007 年 7 月第一版

159.[126]《刘心武说寻美感悟》

中国青年出版社 2007 年 7 月第一版

160.[127]《刘心武说草根情怀》

中国青年出版社 2007 年 7 月第一版

161.[128]《长吻蜂》

上海人民出版社 2007 年 8 月第一版

162.《私人照相簿》

华龄出版社 2007 年 10 月第一版

163.《善的教育》

华龄出版社 2007 年 10 月第一版

164.[129]《刘心武揭秘〈红楼梦〉》[第四部·宝钗湘云之谜暨红楼心语]

东方出版社 2007 年 11 月第一版

2008 年 3 月第三次印刷

2008 年

165.[130]《健康携梦人》

中国海关出版社 2008 年 4 月第一版

166.[131]《刘心武小说》

　　　　　　　　　吉林文史出版社 2008 年 5 月第一版

167.[132]《刘心武散文》

　　　　　　　　　吉林文史出版社 2008 年 5 月第一版

2009 年

168.《钟鼓楼》(共和国作家文库)

　　　　　　　　　作家出版社 2009 年 4 月第一版

169.《四牌楼》(共和国作家文库)

　　　　　　　　　作家出版社 2009 年 4 月第一版

170.[133]《人在胡同第几槐》

　　　　　　　　　中国文联出版社 2009 年 6 月第一版

171.《钟鼓楼》(新中国 60 年长篇小说典藏)

　　　　　　　　　人民文学出版社 2009 年 7 月第一版

172.[134]《刘心武短篇小说》

　　　　　　　　　现代教育出版社 2009 年 8 月第一版

173.[135]《刘心武中篇小说》

　　　　　　　　　现代教育出版社 2009 年 8 月第一版

174.[136]《刘心武散文随笔》

　　　　　　　　　现代教育出版社 2009 年 8 月第一版

175.《刘心武揭秘〈红楼梦〉》上卷 (共和国作家文库)

　　　　　　　　　作家出版社 2009 年 8 月第一版

176.《刘心武揭秘〈红楼梦〉》下卷 (共和国作家文库)

　　　　　　　　　作家出版社 2009 年 8 月第一版

2010 年

177.[137]《人情似纸》

　　　　　　　　　江苏文艺出版社 2010 年 1 月第一版

178.[138]《红楼梦八十回后真故事》

　　　　　　　　　江苏人民出版社 2010 年 3 月第一版

179.[139]《刘心武小说精选集》

[台湾] 新地文化艺术有限公司 2010 年 4 月第一版

180.《红楼望月》

江苏人民出版社 2010 年 6 月第一版

2010 年 9 月第二次印刷

181.[140]《命中相遇——刘心武话里有画》

上海文艺出版社 2010 年 7 月第一版

182.[141]《红楼眼神》

重庆出版社 2010 年 9 月第一版

2011 年

183.[142]《刘心武续红楼梦》

江苏人民出版社 2011 年 3 月第一版

江苏人民出版社 2011 年 4 月第 4 次印刷

184.[143]《红楼梦》(曹雪芹著刘心武续)

江苏人民出版社 2011 年 3 月第一版

185.《刘心武续红楼梦》[繁体字竖排本]

香港明报出版社有限公司 2011 年 3 月初版

186.《刘心武揭秘〈红楼梦〉》精华本（一）

江苏人民出版社 2011 年 4 月第一版

187.《刘心武揭秘〈红楼梦〉》精华本（二）

江苏人民出版社 2011 年 4 月第一版

188.《刘心武揭秘〈红楼梦〉》精华本（三）

江苏人民出版社 2011 年 4 月第一版

189.《刘心武揭秘〈红楼梦〉》精华本（四）

江苏人民出版社 2011 年 4 月第一版

190.《刘心武续红楼梦》[繁体字竖排本]

台湾城邦文化事业股份有限公司商周出版 2011 年 4 月第一版

191.《〈红楼梦〉的真故事》

　　　　　台湾人类智库数位科技股份有限公司 2011 年 6 月第一版

192.[144]《听刘心武说房子的事儿》

　　　　　中国商业出版社 2011 年 8 月第一版

193.[145]《刘心武心灵随感》

　　　　　时代文艺出版社 2011 年 11 月第一版

2012 年

194.[146]《刘心武种四棵树》

　　　　　漓江出版社 2012 年 1 月第一版

195.[147]《风雪夜归正逢时——我是刘心武》

　　　　　漓江出版社 2012 年 1 月第一版

196.《献给命运的紫罗兰》

　　　　　漓江出版社 2012 年 1 月第一版

197.[148]《人生有信》

　　　　　江苏人民出版社 2012 年 3 月第一版

198.Poussière et sueur [《尘与汗》法译本 folio 袖珍版]

　　　　　Gallimard 2012 年 8 月出版

199.La Cendrillon du canal [《护城河边的灰姑娘》法译本 folio 袖珍版]

　　　　　Gallimard 2012 年 8 月出版